D0308900

DE MEXICAANSE KEUKEN

In dezelfde serie is bij Uitgeverij BZZTôH verschenen:

Rianne Buis & Manousos Daskalogiannis *De Griekse keuken*
ISBN 978 90 550 493 4

Penelope Casas *De Spaanse keuken*
ISBN 978 90 5501 332 6

Brahim Lagunaoui *De Marokkaanse keuken*
ISBN 978 90 5501 266 4

Claudia Roden *De Italiaanse keuken*
ISBN 978 90 6291 662 1

Kwee Siok Lan *De Thaise keuken*
ISBN 978 90 5501 167 4

RICK BAYLESS

DE MEXICAANSE KEUKEN

MEER DAN 200 PITTIGE EN AUTHENTIEKE RECEPTEN

Uitgeverij BZZTôH
's-Gravenhage, 2007

Eerste druk: april 1996
Tweede druk: april 1996 (gebonden)
Derde druk: oktober 2007

Oorspronkelijke titel: *Authentic Mexican*
© Copyright 1987 by Rick Bayless and Deann Groen Bayless
Illustrations copyright © 1987 by John Sanford
© Copyright Nederlandse vertaling 1996, Uitgeverij BZZTôH, 's-Gravenhage
Vertaling en bewerking: Fon Zwart
Vertaling woordenlijst: Anna Penta
Foto omslag: ABC Press
Ontwerp omslag: Julie Bergen
Foto's binnenwerk: ABC Press (pag. 1 t/m 5) en Fotostock bv (pag. 6 t/m 8)
Zetwerk: No lo sé prod.
Druk- en bindwerk: WS Bookwell, Finland

ISBN 978 90 5501 293 0

Voor meer informatie en een gratis abonnement op de BZZTôH Nieuwsbrief:
www.bzztoh.nl

Ter nagedachtenis aan Gladys Augusta Potter,
mijn grootmoeder, die mij leerde dat je veel meer dan alleen
eten op tafel kunt zetten

VOORWOORD

Ik heb dit boek geschreven voor twee groepen mensen. Ten eerste is het voor diegenen onder u die met verbijstering voet op Mexicaanse bodem hebben gezet: op markten die al uw zintuigen bekoorden, in restaurants waar men nog nooit van Tex-Mex-nacho's of -sopaipilla's had gehoord. En ten tweede is dit boek voor de aan huis gekluisterde koks die zich door Mexicaanse kookboeken heen hebben geworsteld en zich daarbij in de steek gelaten voelden als gevolg van eigenaardige 'authentieke' bereidingswijzen en onvolledige aanwijzingen.

Dit is een kookboek dat het hoe en waarom van Mexicaans koken verbindt met de cultuur die het hoe en waarom ontdekt en gecreëerd heeft. Het is een reis langs de keuken, leefgewoonten, etenswaren en tafelgebruiken van een volk dat manieren heeft om de eetlust te bevredigen die net zo nuttig zijn in ons moderne leven als plezierig en aantrekkelijk voor onze veranderende smaak.

Mijn onderzoek begon op de authentieke regionale marktpleinen van Mexico, die vol waren met bedreven straatkraamverkopers en marktkoks. Het ging verder met mappen en notitieboekjes vol adviezen van koks, met aanbiedingen op de markt, restaurantmenu's, kilo's en grammen, met alternatieve ingrediënten, gelukte gerechten en een heleboel mislukte. En uiteindelijk heeft het geresulteerd in een overzicht van betrouwbare, traditionele recepten, op zo'n manier samengesteld dat u ze met vertrouwen en enthousiasme op tafel zult zetten.

Het boek is regionaal gericht, omdat ik denk dat het het beste is om de gerechten te leren kennen in de context van hun geboortegrond. Bij elke regionale specialiteit heb ik een achtergrond geschetst door er verbale *snapshots* over de regionale culinaire cultuur en geschiedenis aan toe te voegen; daarnaast heb ik de gerechten tot leven gebracht met nauwkeurig omschreven recepten, opmerkingen over het serveren, belangrijke technieken, ingrediënten (en hun substituten), timing en voorbereiding, plus aanvullende aanwijzingen voor de bereiding van talrijke variaties op de traditionele thema's.

In wezen heb ik de Mexicaanse gastronomie in haar breedste zin proberen te omvatten. Want zonder de culinaire basisinformatie lijken de gerechten al snel eigenaardig en ontoegankelijk. Als er geen culturele traditie is waarop je kunt inhaken, blijven de gerechten geïsoleerd en zonder leven.

De Mexicaanse Keuken geeft veeleer een beeld van mijn persoonlijke reis door de Mexicaanse keuken dan dat het een uitputtend encyclopedisch werk is. De wegen die ik op mijn reis heb afgelegd hebben deze oogst van typische, regionale specialiteiten opgeleverd: geen onbekende specialiteiten of ontoegankelijke familierecepten, maar een goede en representatieve keuze uit Mexico's beste en bekendste gerechten. Dit zijn gerechten die vele generaties trots hebben voorgezet aan een wereld die ze altijd onweerstaanbaar heeft gevonden. Ik weet dat ook u ze onweerstaanbaar zult vinden.

DANKWOORD

Een groot aantal mensen is verantwoordelijk voor de totstandkoming van dit boek: mijn moeder en stiefvader, Levita en Andy Anderson, en Deanns moeder Edith Groen, die genereuze ondersteuning heeft gegeven, zowel emotioneel als financieel. De Mexicaanse koks op de markten, in straatkramen, in kleine restaurants en bij hen thuis, koks die mij deelgenoot maakten van de finesses van hun vakmanschap en de liefde voor hun specialiteiten. Werknemers van alle toeristenkantoren verspreid over heel Mexico die buiten hun normale dienstverlenende paden traden om mij informatie te verschaffen over lokale specialiteiten en waar ik ze kon vinden. De mensen die de gastronomische bibliotheek in de kantoren van de Loredo Restaurant Group in Mexico City runnen en mij onbeperkt toegang gaven tot hun collectie regionale Mexicaanse kookboeken. Cliff en Sue Small, die ons met open armen in hun Mexicaanse woning hebben verwelkomd en ons kennis hebben laten maken met het Mexicaanse plattelandsleven. Carol Zylstra, Virginia Embrey en Maria Villalobos (en haar moeder), die hun liefde voor het Mexicaanse leven met ons deelden en ons bekend maakten met onbekende plekjes en (in het geval van Maria en haar moeder) heerlijke recepten. Fran en Jim Murray van Murray Western Foods in Los Angeles, die ons door de jaren heen onvermoeibaar ondersteunden, en Peggy Playan, die altijd bemoedigend en vriendelijk is gebleven, ondanks de ongeregelde tijden waarop we haar doorgaans raadpleegden. Craig Sumers en Brad Friedlander van restaurant Lopez y Gonzalez in Cleveland, Amerika, die de regionale Mexicaanse schotels niet alleen erg lekker vonden, maar ook geloofden dat ze een enthousiast publiek zouden aantrekken. Veel vrienden en familie (in het bijzonder Georgia en Dan Gooch, Floyd en Bonnie Groen, Paul en Macky Groen, Jewel en Bob Hoogstoel, Bill en Yvonne Lockwood, Jan en Dan Longone, Margot Michael, Nancy en Gary Oliver, Mary Jane en Steve Olsen, Pep en Ilene Peterson en Peg Tappe), die waardevolle kennis, bemoediging en vaardigheden om recepten te testen hebben bijgedragen. LuAnn Bayless, mijn zus, die vrijwillig een groot deel van de zomer heeft gewijd aan het uitproberen van recepten met ons, en Molly Finn, die recepten heeft uitgeprobeerd in New York. Maria Guarnaschelli, mijn redacteur, die mijn onderzoek op waarde schatte en er enthousiast aan heeft gewerkt om het een mooie, makkelijk hanteerbare vorm te geven. Amy Edelman, mijn bureauredacteur, die alle details met enorme precisie en een strenge blik heeft bekeken, ontbrekende ingrediënten heeft opgespoord en al te eigenzinnige interpunctie heeft geschrapt. Molly Friedrich, mijn hardwerkende agent, die gedegen adviezen geeft. En ten slotte John Sandford, wiens vriendelijkheid en gevoeligheid hem tot een goede vriend hebben gemaakt, en wiens briljante illustraties de liefde voor het regionale koken uit het hart van Mexico weergeven. Mijn respect en dank gaat uit naar jullie allen.

INHOUD

INLEIDING

Peulvruchten en andere etenswaren op de markt van Guadalajara

DE TWEE MEXICAANSE KEUKENS

Mijn smaakpapillen zijn van jongsaf gewend aan Mexicaans voedel. De term 'Mexicaans eten' sloeg in mijn ouderlijk huis op de warme *tamales* en *tacos* van een klein drive-in restaurant dat ingeklemd zat tussen een vettige autowerkplaats en een wieldoppenhandel, en op de druipende, met een verrukkelijke chilisaus overgoten kaas-en-uien *enchiladas* van restaurant El Charrito, aan de Paseo. Wij waren ervan overtuigd dat deze welhaast zondig lekkere happen echt authentiek Mexicaans waren en dat er buiten Oklahoma City weinig plaatsen bestonden waar je ze kon vinden.

Ook in El Patio in Austin beviel het eten ons, en zo ook in Mi Tierra en een aantal iets verder weg gelegen eetgelegenheden in Dallas en Fort Worth. Maar in New Mexico werden, zelfs in onze lievelingsrestaurants, gerechten geserveerd die - althans in mijn ogen - verrassend anders waren. En toen ik een paar jaar later in de Mexicaanse wijk van Los Angeles belandde, kwam ik eerlijk gezegd niets meer tegen dat de vertrouwde smaak van thuis had. Ik at in allerlei aanbevolen eethuisjes, kleine familiebedrijfjes die herinneringen opriepen aan onze *tamale* drive-in van vroeger en aan El Charrito en El Patio. En ja, het eten was er lekker, maar het leek totaal niet op de Mexicaanse kost die ik in mijn jeugd als de beste was gaan beschouwen. Daar, in East L.A., beweerden ze ècht Mexicaans eten te serveren... en daar keek ik nogal van op!

Ik denk dat dit de meeste mensen overkomt wier kennis van en liefde voor een bepaalde uitheemse keuken is ontstaan in de allochtone eetgelegenheden van hun woonplaats. Maar op een dag gaan ze op stap en zetten ze voor het eerst voet op buitenlandse bodem, en wat ze daar ook opsnuiven, het zijn niet de geuren die ze hadden verwacht. Ze gaan op zoek naar restaurants waar de lekkerste (of liever nog: de allerlekkerste) versies worden geserveerd van de gerechten die ze in hun woonplaats hebben leren kennen, maar die worden nooit gevonden. En dan komen ze weer thuis, waar ze teleurgesteld (en ook een beetje trots) rondvertellen dat het Mexicaanse voedsel bij hun eigen Alfonso of Pablo, om maar een paar namen te noemen, beter en lekkerder is dan waar dan ook in Mexico zelf.

Toen ik voor het eerst in Mexico was en proefde wat het land te bieden had, was ik echter te verbaasd en te gefascineerd, om zo te reageren. Ik at alles wat me werd voorgezet, overtuigde mezelf dat ik het lekker vond en deed, uiteraard, alsof ik er iets van begreep. Maar na een tijdje nam de verwondering wat af en zag ik in dat ik ofwel terug moest naar de bekende kost van El Charrito ofwel moest uitzoeken hoe die raadselachtig verleidelijke schotels in elkaar zaten en waarom ze zo anders waren dan de gerechten die ik kende.

Ik deed allebei. En na een aantal jaren heen weer geschoven te hebben tussen de twee culturen, weet ik hoe het zit: er zijn in de loop der jaren twee Mexicaanse keukens ontstaan. De ene komt uit Mexico en is - met alle respect voor wat de meesten van ons elders eten en lekker vinden - de enige onvervalste, veelomvattende keuken die recht heeft op de benaming 'Mexicaans'. De tweede is de Mexicaans-Amerikaanse keuken die, met al haar regionale variaties, net zo lekker kan zijn. Maar het repertoire van de Mexicaans-Amerikaanse keuken is beperkt en moet, naar mijn idee, worden beschouwd als een onderdeel van de kookkunst van heel Noord-Amerika, of althans van die van de zuidwestelijke staten.

Het Mexicaanse eten uit Mexico wordt zelden naar de V.S. geïmporteerd, behalve naar een paar geïsoleerde Mexicaanse wijken zoals die van East L.A. en aan de zuidkant van Chicago. Bijna overal elders waar *paisanos* een zaakje beginnen, wint de Mexicaans-Amerikaanse manier van koken het van de echte Mexicaanse keuken. Zelfs in kleine familiebedrijfjes moet men voldoen aan de onbuigzame regelgeving van de overheid en tegemoet komen aan de smaak van de doorsneegast. Succes wordt blijkbaar het snelst behaald door het eten te 'vernoordamerikaniseren'.

In de periode dat ik door heel de V.S. cursussen gaf in Mexicaans koken, heb ik echter ontdekt dat de meeste Amerikanen niet eens weten wat goed klaargemaakt Mexicaans-Amerikaans eten is. Hun ervaringen blijven meestal beperkt tot de treurige kost van een of andere restaurantketen met een Mexicaanse naam, waar massaal geproduceerde imitaties van gerechten uit de zuidwestelijke staten geserveerd worden. Helaas heeft de Mexicaans-Amerikaanse keuken daardoor veel aan kwaliteit ingeboet; ze is verworden tot een bijna lachwekkende karikatuur gecreëerd door gewiekste zakenlieden annex restauranthouders die financieel gewin zagen in het serveren van bonen, rijst en margarita's.

Dat soort dingen is echter mijlenver verwijderd van Mexico en het eten van de Mexicanen en het is begrijpelijk dat de meeste Amerikanen daar niet op voorbereid zijn. Het Mexicaanse repertoire is groot en gevarieerd en weerspiegelt het karakter en de historie van de diverse regio's. De meeste produkten worden lokaal verbouwd, op een natuurlijke wijze en zijn nog afhankelijk van de seizoenen. Mexico's Spaans-Indiaanse ziel vertoont geen enkele verwantschap met Victoriaanse zuinigheid en Angelsaksische productiviteit.

Eerlijk gezegd is Mexicaans voedsel zo verrassend anders dan de meeste mensen denken, dat menigeen die het land voor het eerst bezoekt zijn toevlucht zoekt in een filiaal van McDonald's of een restaurant met een Europese keuken, gewoon omdat ze overdonderd zijn door de enorme variëteit van gerechten. Maar met een beetje voorlichting kan het onverwachte veranderen in iets bekends. En daarna wellicht, zoals mij is overkomen, in iets vertrouwds en onweerstaanbaars.

MEXICO'S CULINAIRE ERFENIS

Toen de eerste Spanjaard voet aan wal zette in de Nieuwe Wereld, ontsloot hij, zonder het te beseffen, een hoog ontwikkeld gebied bevolkt door onbekende planten, dieren en volkeren. Ruim zeseneenhalfduizend jaar eerder waren de inwoners van dit continent, die aanvankelijk leefden van de jacht en het verzamelen van voedsel, al begonnen met rudimentaire landbouw en gedurende de eeuwen die volgden hadden ze een van de belangrijkste tuinbouwsystemen in de geschiedenis van de mensheid ontwikkeld.

De eerste produkten die geteeld werden, waren bonen en een pompoensoort die in het beginstadium alleen maar nuttig leek voor zijn vlezige zaden, daarna voor zijn goudgele bloemen en malse bladeren en ten slotte ook voor zijn eetbare vruchtvlees. Hierna volgde de teelt van voedzame, smakelijke chilipepers en vervolgens, een kleine tweeduizend jaar later, werden uit de kleine zaden van de wilde maïsplant de eerste primitieve maïskolven – de bouwstenen van de Amerikaanse beschaving – gekweekt. 'Door zich te concentreren op maïs, bonen en pompoenen,' schrijven Peter

Farb en George Armelagos in hun boek *Consuming Passions,* 'hoefden de telers alleen maar de werkwijze van de natuur te volgen. Zowel wat betreft hun groeiwijze als wat hun voedingswaarde aangaat, vullen deze drie planten elkaar aan.'

In onze tijd zou de manier waarop die eerste telers erin geslaagd waren hun inheemse, in het wild groeiende planten te ontwikkelen tot eetbare produkten nauwelijks culinaire nieuwsgierigheid opwekken. Maar in 1519, toen de Spanjaarden hun veroveringstocht maakten naar de plek waar nu Mexico-Stad is gevestigd, lagen de zaken anders.

De volkeren die de Meso-Amerikaanse keizerrijken hadden opgebouwd, beschikten over boomgaarden vol met avocado's, kokosnoten, papaja's, ananassen, cactusvijgen en allerlei andere vruchten, waarvan de namen ons minder vertrouwd zijn. Op hun land groeide de voorvader van onze rode tomaat alsook een klein, door een vlies omgeven groen 'tomaatje'. Ze kweekten chilipepers, cassave, bataten, vier soorten pompoenen, pinda's en op z'n minst vijf verschillende bonerassen. *Epazote* (ganzevoet) – was (net als nu) het populairste kruid en men beschikte over grote hoeveelheden amarant- (kattestaart) en *chía*-zaden, die verwerkt werden in pap en ongerezen koeken.

De invloed van de Azteken, die alle andere volkeren aan zich hadden onderworpen, strekte zich uit van Yucatán tot ver in het barre noorden van Mexico. De Azteekse overheersing had echter tot gevolg dat veel van de naburige gemeenschappen tot op het bot werden uitgezogen. De gewone man leefde op een dieet van zoete of met chili's gekruide *atole* (pap), een handjevol bonen en het toegestane rantsoen *tortillas.* Vlees was schaars en fruit niet veel minder. Toen er tekorten ontstonden, kwam aan het licht dat de bevolking het primitieve nomadenbestaan nog maar net was ontgroeid en bleek het produktiesysteem de broodnodige stabiliteit te ontberen.

Maar ondanks die onzekere basis waren de gerechten die in de huizen van de notabelen werden opgediend zo fantastisch van smaak en zo ingenieus van samenstelling, dat de herinnering nog nagloeit in de beste Mexicaanse gerechten van nu. Behalve gewone gekookte of in een vuurkuil bereide inheemse kalkoenen, muskuseenden, herten en kleine honden, werden bij de rijken allerlei soorten wilde kwartels, bisamzwijnen en duiven geserveerd evenals een opmerkelijk assortiment vissen en schaal- en schelpdieren, zowel uit de zee als uit de binnenwateren.

Cortés beschreef de gerechten die bij keizer Montezuma op tafel verschenen als zijnde afkomstig uit vier categorieën: vlees, vis, kruiden en vruchten. De goede frater Sahagún was aanzienlijk expliciter. In zijn verbazend grondige beschrijving van de Azteekse samenleving maakt hij melding van twee soorten sauzen die als basis dienden voor de in traditionele aardewerken *cazuelas* bereide stoofschotels. De ene, die in de vijftiende eeuw, toen Sahagún zijn verslag schreef, *pipián* werd genoemd (en nog steeds onder die naam bekendheid geniet), werd gebonden met gemalen pompoenpitten en op smaak gebracht met rode chilipepers en tomaten. De tweede was, afhankelijk van persoonlijke voorkeur en de verhouding van de gebruikte ingrediënten, een soort van chilisaus dan wel tomatensaus.

In de huizen van de hogere standen werden deze sterk gekruide gerechten opgediend met verschillende soorten *tortillas.* Sommige daarvan hadden een gladde textuur; andere, gemaakt van grof gemalen maïs, waren tamelijk korrelig. De koks maakten *tlacoyos* en *gorditas* die sterk leken op de maïskoekjes die vandaag de dag populair zijn. En de Azteken hielden kennelijk net zoveel van *tamales* en pasteitjes als hun moderne nazaten.

De grootste concentratie van patriciërshuizen bevond zich in de hoofdstad, Tenochtitlán. Het lijdt geen twijfel dat de straten van deze prachtige stad tot de levendigste van die tijd behoorden. Volgens schattingen van Hernando Cortés was de markt groot genoeg om zestigduizend marktlieden en kopers te kunnen bevatten. De koopwaar was onnoemelijk gevarieerd, met een bonte verscheidenheid aan produkten, aldus Sahagún. Er waren bonen, vissen, chilipepers en allerlei soorten vlees... zelfs kant-en-klare stoofschotels en sauzen, gebraden vlees en *guacamole*. Het geheel moet spectaculair zijn geweest en doet, hoewel er inmiddels vier eeuwen zijn verstreken, sterk denken aan het zinderend zinnelijke aanbod op en nabij de reusachtige Merced-markt in het centrum van de huidige hoofdstad Mexico-City.

Tenochtitlán was een stad met cultuur, zij het een andere cultuur dan de onze. Het was vermoedelijk voor het eerst dat de Spanjaarden in aanraking kwamen met een volk dat hèn onbeschaafd vond. Natuurlijk waren er aspecten waarvoor het tegenovergestelde gold, maar uit de geschriften van Cortés en zijn ondergeschikte Bernal Díaz del Castillo blijkt duidelijk dat er bij de heersende klasse van de Azteken sprake was een indrukwekkende verfijning. Beide mannen beschreven de vorstelijke banketten met hun ontelbare schotels, het ceremoniële handenwassen, de fraaie zwart met rode schalen en de vergulde chocoladebekers gevuld met de schuimige, exotisch gekruide drank van edellieden.

Zo'n tien jaar na de val, in 1521, van Tenochtitlán had de oorspronkelijke bevolking van Mexico al enkele nieuwe produkten aan het bestaande assortiment toegevoegd. Er leek geen sprake te zijn van 'een sterke culturele weerstand tegen de introductie en het gebruik van uitheemse planten,' aldus een Amerikaanse wetenschapper wiens onderzoek draaide om de vraag wat er in het hedendaagse Mexico van de vele precolumbiaanse gewassen is overgebleven.

De specerijenhandelaren introduceerden kaneel, zwarte peper en kruidnagels, en Europese kruiden als tijm, marjolein en laurier waren zeer gewild. Al tijdens de tweede reis van Columbus maakten produkten als tarwe, kikkererwten, meloenen, uien, radijs- en slasoorten, druiven, suikerriet en sommige steenvruchten de overtocht naar het Amerikaanse continent.

Zo vertrouwd als Indianen waren met land- en tuinbouw, zo weinig deden ze aan veeteelt; slechts een klein aantal dieren was gedomesticeerd. Dus toen de Spanjaarden paarden, zwijnen, runderen en kippen meebrachten, werden die enthousiast ontvangen. Tegen de tijd dat Cortés' leven ten einde liep, was er vlees in overvloed, kon iedereen zich tarwebrood veroorloven en werd er rijst verbouwd op de akkers waar geen graan of maïs wilde groeien. In feite waren de meeste vruchten, groenten en andere nieuwe gewassen zoals amandelen, sesamzaadjes en citrusvruchten, toen al in het land aanwezig.

Maar een aantal Europese produkten wilden niet gedijen op het Amerikaanse continent en dat betekende, uiteraard, dat de Spaanse eetgewoonten onderhevig waren aan veranderingen die zo mogelijk nog groter waren dan die van de Indianen. De olijfbomen droegen weinig vruchten, dus was er weinig olijfolie. De wijnstokken verpieterden, wat - tot ontzetting van de Spanjaarden - inhield dat er minder wijn was. De kolonisten hadden weinig op met de alomtegenwoordige maïs, maar hun graan deed het goed en de runderen, waarvan de Iberische veeboeren voor hun vlees afhankelijk waren, vermeerderden zich als nimmer tevoren.

Bernal Díaz' beschrijving van een feestmaal dat in 1538 werd gehouden aan het hof van de Spaanse veroveraars geeft een goede indruk van de toenmalige smaak van de Spaanse tak van de Mexicaanse familie. De Spanjaarden waren zoetekauwen (ze hadden zich net ontworsteld aan zevenhonderd jaar overheersing door de op zoetigheid beluste Moren) en ze serveerden grote hoeveelheden marsepein en andere lekkernijen. Ze marineerden kleine gebraden vogeltjes op een manier die, onder de naam *escabeche*, in Yucatán nog steeds in zwang is. Ze maakten salades en groentegerechten, ze braadden vlees en ze combineerden brood met kaas en gerechten waarin heel veel eieren verwerkt waren. Daarnaast kwamen ze graag uit voor hun nieuw verworven zwak voor de inheemse chocoladedrank.

Gedurende enkele eeuwen bleef het Spaanse bloed in de hogere kringen zo zuiver als in een aanlokkelijk land als Mexico maar mogelijk is. Maar ondertussen werd in de lagere regionen het Spaanse bloed gemengd met dat van de Indianen, waardoor de *mestizo* ontstond. Deze nieuwe, snel in omvang toenemende bevolkingsgroep toonde zich steeds minder tevreden met de overheersing door de puur blanke klasse. De onafhankelijkheidsoorlog van 1821 bracht weliswaar een eerste slag toe aan het heersende bewind, maar nog niet aan de dominante positie van de blanken. Pas tijdens de revolutie van 1910 kwam daarin verandering en werd de wereld geconfronteerd met een nieuwe natie: het Mexico van de *mestiezen*.

Het voedsel dat de inwoners van die nieuwe natie ter tafel brachten had in die vier eeuwen een geleidelijke ontwikkeling doorgemaakt, een ontwikkeling waarin de culinaire tradities van het keizerlijke hof van de Azteken waren samengevloeid met die van de veroveraars uit de Oude Wereld en de stukjes en brokjes die de Fransen, de Amerikanen en de andere betrokken volkeren in het land hadden achtergelaten. Misschien is de Mexicaanse keuken wel verzelfstandigd in de keukens van de alomtegenwoordige kloosters, waar Spaanse nonnen moesten samenwerken met Indiaanse meisjes die vertrouwd waren met de inheemse produkten. Maar het kan ook zijn gebeurd in de huiselijke keuken, door vrouwen die inventief genoeg waren om hun vaste repertoire van gerechten en technieken los te laten op alles wat nieuw was. Hoe het ook zij, de Mexicaanse gerechten van vandaag zijn diep geworteld in de tradities en de eetgewoonten van de oorspronkelijke bewoners. En zoals vrijwel alle dingen die een Indiaanse afkomst verraden, heeft het lang geduurd voordat de Mexicaanse keuken van de mestiezen vanuit achterkamertjes, marktstalletjes en eetkramen opdook op respectabele plekken waar men er optimaal van kan genieten.

EEN LAPPENDEKEN VAN MEXICAANSE SMAKEN

De Mexicaanse markten

In het midden van het marktgebouw, het doet er niet toe van welke Mexicaanse markt, is de vloer van ruw, vlekkerig beton. Het is zo donker in de spelonkachtige ruimte dat sommige kooplieden de twee of drie kale gloeilampen die boven hun koopwaar bungelen, hebben aangedaan zodat de blos van de mango's, het karmozijn van de tomaten en het fijne frisse groen van de *cilantro* (verse koriander) beter uitkomen. Vlak bij de grond is de lucht vochtig en koel, daarboven hangt een doordringende, voortdurend veranderende en zich verplaatsende wolk van geuren; tegen het einde van de dag, of van het jaar, zijn al die geuren één geworden.

Een vrouw met kort krullend haar staat op een opstapje achter een reeks grote, rustieke manden die op haar tafel zijn uitgestald. Haar gezichtsuitdrukking is neutraal, alsof haar geest zich elders heeft teruggetrokken, tot het moment waarop de nadering van een potentiële klant haar automatisch de vraag 'Qué va a llevar?' ('Wat mag het zijn?') ontlokt. Haar roep om aandacht mengt zich in het geroezemoes van gelijksoortige vragen in de belendende stalletjes. Haar bruine handen gebaren naar de bergen zwarte, gele, witte en pintobonen, de grote gedroogde maïskorrels, de rijst.

Een golf van aanprijzingen achtervolgt de kopers op hun tocht over de markt, door de smalle gangetjes tussen de groentekramen met hun uitstalling van kleine stevige aardappels, bataten, verse maïskolven, groen-met-oranje pompoenen en de massa's geurige rijpe tomaten, die zo volmaakt zijn dat je als buitenlander welhaast de tranen in de ogen springen. De basisprodukten worden geflankeerd door keurig opgestapelde *tomatillos*, cactusbladeren en lichtgroene ronde courgettes, kleine hoopjes zwarte of groene avocado's, bosjes snijbiet, spinazie en zuring en enorme bergen grote groene chilipepers die per kilo worden verkocht.

Aan het einde van het gangetje, daar waar de koopwaar van de slagers in koelvitrines ligt, is de lucht doortrokken van de weeë geur van bloed. Je kunt op de verhoging stappen die zich voor de vitrines bevindt en een blik werpen op het verse rundvlees of op de stukken vlees die half of helemaal gedroogd zijn. Je kunt dat deel van een varkenslende aanwijzen dat je hebben wilt, voelen of de kippen vlezig genoeg zijn, de rijpingsgraad van een worst inschatten of de grootste eieren uitkiezen.

Iemand heeft een oude houten tafel naar binnen gesleept waarop hij zijn wekelijkse handel in lams- of geitevlees uitstalt. Bij een ander geïmproviseerd stalletje worden gedroogde vissen en garnalen verkocht en een vrouw loopt rond met een metershoge mand met warme *bolillos* (broodjes) die ze zojuist bij de bakker heeft gehaald.

De vishandelaren hebben gemakkelijk te reinigen stenen werkvlakken waarop ze hun *snappers*, zeesnoeken, mullen, meervallen, makrelen en kleine haaien etaleren. Als de markt zich niet ver van de zee bevindt, zijn er wellicht ook krabben, garnalen, inktvisjes of octopussen. Hoe dan ook, het aanbod voor de stoof- of koekepan omvat minstens een dozijn verschillende soorten zeebanket.

Vroeg of laat verdwijnt natuurlijk alles in de pan: de bonen, de gedroogde maïskorrels, de rijst, de vrucht-, stengel- en bladgroenten, de kippen en de rest. Want al die produkten zijn essentiële bestanddelen van het Mexicaanse menu, alhoewel niet de bestanddelen waaraan de Mexicaanse keuken haar kenmerkende karakter ontleent.

Nee, het zijn de chilipepers, de verse, gedroogde en gerookte pepers, de zoete en de hete pepers die het eten typisch Mexicaans maken. En zo ook de gebruikte kruiden (*epazote*, verse koriander, tijm, laurierblad en marjolein) en specerijen (kaneel, kruidnagel, komijn, anijs en zwarte peper), de tegelijk rins en zout smakende verse witte kaas die boven bepaalde gerechten wordt verkruimeld, de scherpe rauwe rode of blanke uien en het vers geperste limoensap. Dit alles aangevuld met de zoete, aromatische ondertoon van zachtjes gaar gesudderde knoflooktenen en blanke uien waarvan de meeste gerechten doortrokken zijn. Het zijn deze specifieke smaakmiddelen die de traditionele streekgerechten hun typisch Mexicaanse karakter geven. En ook zij zijn op de markt te vinden, verspreid tussen de andere groenten of uitgestald in kleine manden in de kramen van de diverse kruiden- en specerijenverkopers.

De traditie heeft de Mexicanen geleerd hoe ze de smaakmiddelen kunnen samenvoegen tot beproefde combinaties die de vaderlandsliefde versterken (of op z'n minst in stand houden). De menigten aan de waterkant nabij het centrum van Veracruz houden van *tostadas* belegd met in limoensap gemarineerde vis, tomaat, groene chilipeper en verse koriander. Ze peppen de bij kleine *tacquerías* geserveerde taco's op met een mengsel van avocado, tomaat, groene chili's, verse koriander en limoensap (de bekende *guacamole*) of met een pittige *salsa mexicana* gemaakt van fijngesneden tomaten, groene chili's, verse koriander, uisnippers en een scheutje limoensap of azijn. Rijpe rauwe tomaten, groene chili's, limoensap...

De Mexicaanse toeristen bezoeken deze havenstad onder meer om te genieten van een pittige krabsoep (*chilpachole*), waarvan de basis bestaat uit langdurig gestoofde tomaten verlevendigd met *chipotles* of een andere gedroogde vurige chilipeper. En ze piekeren er niet over om te vertrekken zonder vis *a la veracruzana* (gestoofd in een saus van grof gesneden tomaten, verse kruiden en ingemaakte groene pepers) te hebben gegeten. Ze ontbijten met gebakken eieren en de traditionele *ranchera*-saus van grof gehakte tomaten, uien en groene pepers of kiezen toch maar voor de ontbijtfavoriet van alledag: roerei bereid met uien, tomaten en groene pepers. Gestoofde tomaten, uien en groene chilipepers: ze worden in alle regio's gebruikt voor de bereiding van sauzen, maar in elke streek is de bereidingsmethode net even anders of krijgt de saus een eigen gezicht door toevoeging van een of meer specifieke ingrediënten.

Dat gaat, hoewel in iets mindere mate, ook op als de tomaten worden vervangen door de kleine, zure, met een vlies omgeven groene tomaatjes die *tomatillos* worden genoemd. Ze worden verwerkt in fris smakende sauzen en stoofschotels, die soms bestrooid worden met gehakte koriander en soms gekruid zijn met *epazote*. De combinatie van *tomatillos* en chili's is eveneens een klassiek Mexicaans smakenduo.

De vierde combinatie is bij niet-Mexicanen vrij onbekend, maar zodra het aroma zich in het geheugen heeft genesteld, herkent men het als een van de meest representatieve van echt Mexicaans eten. De combinatie in kwestie wordt onder meer aangetroffen in de feestelijke *mole* met zijn zalvige, met kaneel, kruidnagel en zwarte peper gekruide puree van gedroogde rode chilipepers. Omdat het een fiëstagerecht is, wordt de donkerrode chilisaus verrijkt met noten en zaden en – in sommige landstreken – op smaak gebracht met chocolade. Maar voor alledag worden de pepers in water geweekt tot ze zacht zijn, vervolgens gepureerd en dan bereid zoals in een bepaalde streek gebruikelijk is. Soms wordt de puree vermengd met azijn voor een geurige marinade, soms gekruid met komijn voor een stoofpot en soms samen met gemalen pompoenzaden verwerkt in de eeuwenoude *pipián* – allemaal smakelijke voorbeelden van sauzen en stoofschotels op basis van gedroogde chili's.

Alle gerechten zouden een nationaal karakter hebben als ze alleen maar zouden bestaan uit een van deze karakteristieke basiscombinaties. Zonder de uitbundige streek- en traditiegebonden toevoegingen zijn ze echter maar half af. Veel gerechten zijn pas compleet als er wat knisperende rauwe uisnippers door de saus worden geroerd of als er, voor een pittig accent, wat verkruimelde verse kaas overheen wordt gestrooid. Een bouillon-achtige soep smaakt niet zoals het hoort als er geen scheutje limoensap aan wordt toegevoegd, dan wel wat gedroogde oregano, een fijngesneden verse groene chilipeper of wat verkruimelde gedroogde rode peper. En snacks zouden zichzelf niet zijn als de knapperige sla of fijngesneden kool zou ontbreken of als de chilisaus (uit een flesje of zelfgemaakt) zou worden weggelaten. Kortom, zonder de kleur- en smaakrijke toevoegingen die voor de nodige contrasten zorgen, zouden de traditionele Mexicaanse schotels waaraan ik mijn hart heb verpand aanzienlijk minder appetijtelijk smaken en ogen.

Mexicaanse bereidingstechnieken

Mijn tong vertelt me dat het niet uitsluitend de basisprodukten en de kruiden en specerijen zijn die voor de smaak zorgen, maar ook de manier waarop de lokale produkten worden verwerkt tot koude sausachtige mengsels of warme soepen en stoofschotels. Gedroogde maïs, peulvruchten en taai vlees worden, uiteraard, op de beproefde manier gaar gemaakt, namelijk in een kokende vloeistof. Vroeger, toen men nog de ongeglazuurde aardewerken kookpotten gebruikte die *cazuelas* worden genoemd, kreeg het voedsel daarbij ook iets van de aardse smaak van die potten mee. De potten en pannen van tegenwoordig zijn gemaakt van ander, moderner materiaal en dus houdt koken niets anders meer in dan het gaar maken van voedsel door middel van een langdurig verblijf in borrelend water of een andere vloeistof.

Maar er zijn drie bereidingstechnieken die nog steeds zorgen voor een typisch Mexicaanse smaak. De eerste heb ik de *asar*-techniek genoemd, afgeleid van het Spaanse werkwoord *asar*, dat zowel 'roosteren' en 'dichtschroeien' als 'blakeren' kan betekenen. Grote verse groene chilipepers worden boven een gasvlam geblakerd en daarna ontveld. Gedroogde chili's worden op een grillplaat of in een droge koekepan geroosterd, opdat het aroma zich kan ontplooien (met als bijkomend verschijnsel dat hun geur zich door de hele keuken verspreidt). Ongepelde knoflook wordt, samen met tomaten en/of *tomatillos*, op een hete plaat gelegd; terwijl het velletje bruin kleurt en begint te bladderen, wordt het binnenste zacht en mild van smaak. Vlees wordt dichtgeschroeid boven een vuurtje en het maïsdeeg, dat *masa* wordt genoemd, wordt op een droge hete plaat van metaal of gebakken klei (*comal*) getransformeerd tot tortilla's of schuitvormige *sopes*. Bij de *asar*techniek wordt het aroma geconcentreerd; de ingrediënten worden voller van smaak en krijgen een rustiek karakter.

De tweede bereidingstechniek waaraan veel Mexicaanse gerechten hun specifieke smaak ontlenen is het vooraf bakken van de gepureerde bestanddelen van een saus. 'Het bakken van de saus', noem ik dat. Eerst gaat er een beetje vet in de hete pan en dan de gepureerde chili's of tomaten. Terwijl het mengsel op een hoog vuur sist en pruttelt, kookt het in tot een dikke massa. Door het bakken wordt een soort schroeieffect verkregen en dat is de reden waarom een Mexicaanse tomatensaus heel anders smaakt dan de zachtjes gaar gesudderde tomatensauzen van Italiaanse bodem.

Een derde techniek die kenmerkend is voor de Mexicaanse keuken is het fijnmalen. De basis van deze techniek werd duizenden jaren geleden gelegd toen men de maïs, benodigd voor het maken van tortilladeeg, op een rechthoekige, licht hellende steen (*metate*) placht fijn te wrijven. De steen werd eveneens gebruikt voor het fijnmaken van noten, zaden, cacaobonen, gedroogde of geweekte chilipepers en zelfs van zachte verse kaas. Voor het fijnmaken van specerijen en het pureren van tomaten of *tomatillos* gebruikte met een komvormige vijzel met stamper (*molcajete*). Tot vrij kort geleden werden deze 'handgedreven' keukenhulpjes nog steeds gebruikt bij het fijnmaken of pureren van de voor een saus of stoofpot benodigde ingrediënten. Tegenwoordig wordt dat echter vaak gedaan in een blender, foodprocessor of elektrisch hakmolentje met razendsnel ronddraaiende messen. Maar het resultaat is niet hetzelfde. In een machine worden de ingrediënten rondgeslingerd en stukgehakt terwijl ze met die goeie oude *metate* en *molcajete* werden geplet dan wel tot een gladde pasta werden fijngewreven. Ik ben van mening dat de beste *moles* nog steeds worden gemaakt met behulp van een *metate*; maar het gebruik daarvan is vaak te moeilijk en te tijdrovend voor niet-Mexicanen. De *molcajete* daarentegen is gemakkelijk in het gebruik en een van de handigste gereedschappen die er zijn. Hij - of een willekeurig ander soort vijzel - kan zowel worden gebruikt voor het tot poeder wrijven van specerijen als voor het fijnstampen van de voor een geurige, dikke saus bestemde chilipepers, knoflooktenen en tomaten.

Al die elementen - de basisprodukten, de smaakmiddelen, de toevoegingen en de kooktechnieken - bepalen het karakter van Mexicaans voedsel; hoe, waar en wanneer het wordt gegeten zegt iets over de Mexicaanse volksaard.

De regionale verschillen

'... Mexico heeft, net als elk individu, een heel eigen geur,' aldus de schrijver D.H. Lawrence. Persoonlijk vind ik het vreemd, bijna paradoxaal, dat een heel land - en zeker een land met zo'n grote regionale diversiteit - doortrokken kan zijn met zo'n speciale geur, maar het is niet anders. Het land zelf is overigens niet eens zo groot, althans niet in Amerikaanse ogen; de oppervlakte bedraagt circa ééntderde van die van de V.S. Maar Mexico bevat een grotere verscheidenheid aan planten en bloemen, gebergtes, landschappen, geuren, kleuren en smaken dan welk ander land ook.

Voor het gemak heb ik Mexico verdeeld in zes regio's, die elk hun eigen kookstijl hebben. Er zullen ongetwijfeld mensen zijn die het niet helemaal met mijn indeling eens zijn, maar u zult weinig Mexicanen ontmoeten die hun landgenoten niet classificeren naar hun plaats van herkomst. De Mexicaan onderscheidt zes bevolkingsgroepen: de *Chilango* (uit Mexico-City), de *Tapatío* (uit Guadalajara), de *Jarocho* (uit Veracruz), de *Norteño* (uit het noorden), de *Yucateco* (uit Yucatán) en de *Oaxaqueño* (uit Oaxaca). Deze groepen vormden het uitgangspunt voor mijn indeling. Vervolgens heb ik gekeken naar de topografische gegevens, het klimaat en de natuurlijke vegetatie. Daarnaast heb ik rekening gehouden met de etnische bevolkingsconcentraties, de historische achtergronden en de officiële staatsgrenzen. Zo ben ik uitgekomen op zes gebieden die in culinair opzicht - en vermoedelijk ook in andere opzichten - duidelijk van elkaar verschillen.

Elk van die gebieden voegt een bepaalde nuance toe aan de allesomvattende geur die zo kenmerkend is voor het land als geheel. Elke regio laat een ander facet zien van de vindingrijkheid, de culinaire fantasie en het gevoel voor tradities van de Mexicanen.

Centraal-Mexico is illustratief voor de tweeslachtigheid van de Mexicaan, die zich tegelijk Spanjaard en Azteek voelt en zowel van deze tijd is als gehecht aan de tradities van het verleden. Het is een streek vol tegenstellingen. De beroemde blinkend moderne snoepwinkels van Puebla bevinden zich niet ver van de historische markthal waar de eeuwenoude, naar chilipepers geurende *mole poblano* staat te pruttelen in gigantische *cazuelas*. Slechts een paar mijl verwijderd van de elegante toprestaurants van Mexico-City brengen Toluca-Indianen hun primitieve produkten aan de man, waaronder vele tientallen soorten kruiden en medicinale planten alsook een kleurrijk assortiment wilde paddestoelen.

De kookkunst van het zuiden, in het bijzonder die van de staat Oaxaca, weerspiegelt het Indiaanse verleden. De kokkinnen dragen lange zwarte vlechten en verwerken een ongelooflijke verscheidenheid aan gedroogde en gerookte chilipepers in hun sauzen en stoofschotels, die dan ook tot de meest fantasievolle van heel Mexico behoren. In deze streek is het voedsel doortrokken van de zoete geur van traditionele specerijen als kruidnagel en kaneel; de gerechten zijn pittig en aromatisch, complex en bijzonder.

Het midden-westen van Mexico is het gebied van de *mestiezen*. Hun voedsel vertegenwoordigt het Mexico van vandaag: krokant gebakken varkens-*carnitas* en voedzame *pozoles* (maaltijdsoepen) geserveerd in aardewerken kommen. Dit is het thuisland van de *mariachis* en de tequila, van krokant gebakken taco's en *enchiladas* in rode chilisaus. Deze streek is wellicht de meest authentiek Mexicaanse, in die zin dat van de aloude Indiaanse tradities hier het meest lijkt te zijn overgebleven.

De staten aan de Mexicaanse Golf, die zich uitstrekken van de kust tot aan de koele bergen in het binnenland waar koffie wordt verbouwd, hebben een tropisch klimaat. In dit gebied is het eten simpel en smaakrijk: vis met tomaten, kruiden en olijven; pittige krabsoep; gevulde pasteitjes en in boter gebakken bakbananen. De manier waarop het voedsel wordt gekruid en gegarneerd heeft wel iets Europees, maar de liedjes die men zingt hebben een Caribische tongval.

Hoewel het schiereiland Yucatán zowel aan de Mexicaanse Golf als aan de Caribische Zee grenst, is de invloed van de beide wateren gering. Yucatán is van oudsher het gebied van de Maya-Indianen, een vooruitstrevend, onafhankelijk volkje. In feite is het schiereiland zó autonoom gebleven, dat de nationale geur van Mexico hier het minst nadrukkelijk aanwezig is. De geur van Yucatán is die van *achiote*, de populairste kruiderij van deze regio. De specialiteiten van dit gebied behoren tot de uitzonderlijkste van heel Mexico: ze variëren van in bananebladeren bereid varkens-vlees tot met eieren gevulde *papadzules* geserveerd met een saus van pompoenpitten, en van wilde kalkoen met een met *masa* gebonden saus tot met azijn en kruiden gemarineerde kip. Het subtiele evenwicht in de kruiderij van Yucatán is werelden verwijderd van de complexe rode chilisauzen die in de rest van Mexico gangbaar zijn.

Als men mij zou dwingen één element te noemen dat de enorme verscheidenheid aan gerechten in noordelijk Mexico culinair aaneen smeedt, dan zou ik zeggen dat het vuur is, of eigenlijk gloeiende houtskool. Het rokerige aroma van brandende houtskool is bepalend voor de smaak van de visgerechten aan de westkust, die van het geitevlees in Monterrey en omstreken en die van de biefstukken van bijna overal. Het roosteren boven houtskool geeft gedroogd vlees een rustiek accent en verse *chorizo* meer beet. Het voedsel van het noorden is recht-voor-zijn-raap en uitermate geschikt om in warme tarwetortilla's te worden verpakt.

MEXICO

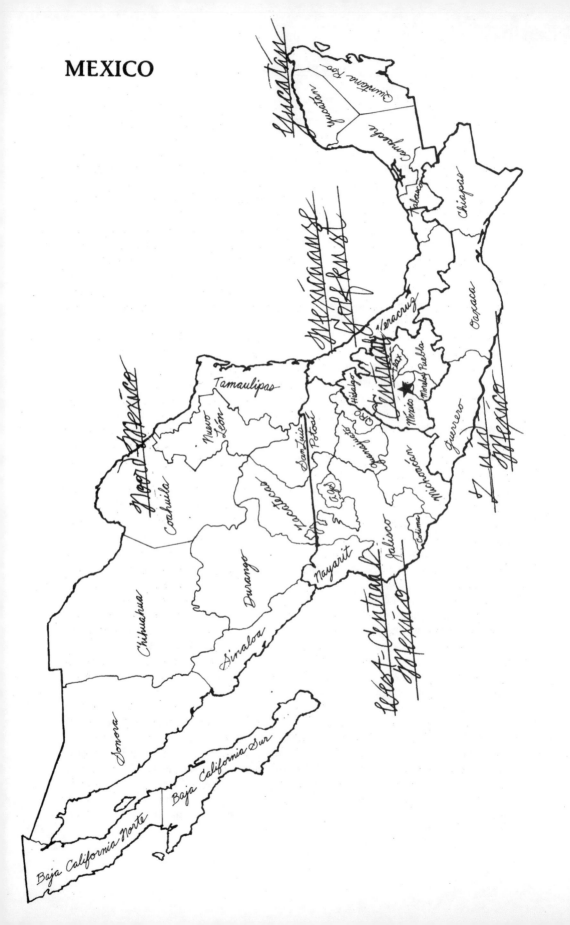

ETEN IN MEXICO

Op de overblijfselen van de Azteekse grandeur en die van het Spaanse kolonialisme is in Mexico, met name op het platteland, gaandeweg een heel eigen culinaire cultuur ontstaan. Eten en te eten geven was en is een zaak van iedereen, zowel thuis als buitenshuis. Een van de opvallendste kenmerken van een Mexicaanse maaltijd is dat de tafel als middelpunt fungeert voor mensen die iets gemeenschappelijks hebben en elkaar op zijn minst het genoegen van een gezamenlijke maaltijd gunnen.

Behalve in de huiselijke kring vinden deze gemeenschappelijke maaltijden nog op tal van andere plekken plaats. Als de stad beschikt over een *zócalo* (centraal plein), is daar ongetwijfeld een *cafetería* te vinden waar je terecht kunt voor een simpele Mexicaanse maaltijd en het obligate kopje koffie. Als er ergens op straat meer dan enkele tientallen mensen rondlopen, verschijnt er geheid een eetstalletje waar een verraderlijk lekker hapje wordt verkocht, bereid op een manier die alleen de mensen uit de streek is toevertrouwd. In elke stad van enige omvang bevinden zich *restaurantes* met een regionaal karakter alsook, voor hen die zich niet te verheven voelen om van eenvoudige snacks te genieten, markt-*fondas* (eethuisjes) en *taquerías* (snackbar-achtige tentjes waar uitsluitend taco's worden verkocht). Elk van die eetgelegenheden heeft een eigen plekje in de Mexicaanse eetcultuur.

Restaurantes

Als een Mexicaanse eetgelegenheid de naam *restaurante* voert en die naam ook waarmaakt, bestaat het aanbod uit een evenwichtige combinatie van sfeer, service en goed eten. In veel gevallen blijkt een eethuis dat zichzelf afficheert als *restaurante* echter een doodgewone *cafetaría* te zijn, dan wel een eetgelegenheid met een Europese keuken of zelfs een puur inheemse *fonda*. Een *restaurante* heeft met elk van die eetgelegenheden wel iets gemeen, maar vormt toch een aparte categorie.

De traditionele *restaurantes* die ik bedoel zijn in vrijwel alle steden van Mexico te vinden. Een van de meest karakteristieke dateert uit 1916 en bevindt zich in het oudste deel van Mexico-City, vlak achter de aan de *zócalo* gelegen kathedraal. Het heet **'Fonda las Cazuelas'**. 'Fonda' vanwege de huiselijke, door een glazen wand van de eetzaal gescheiden keuken en 'cazuelas' naar de enorme aardewerken potten gevuld met dampende stoofgerechten. De wanden van het restaurant zijn gedecoreerd met mooie Mexicaanse tegeltjes en een paar opvallende schilderijen. Het bedrijf beschikt over een legertje zwartgerokte obers wier professionele dienstbetoon rond half twee in de middag begint, op het moment dat ze de eerste lunchgasten naar de met linnen opgedekte tafels begeleiden.

Op die tafels bevinden zich, zoals in veel *restaurantes*, lekker knapperige *bolillos* (broodjes) en boter. Op verzoek worden de *entremeses* (voorgerechten) direct gebracht: krokant gefrituurde stukjes varkenszwoerd die knisperen en kraken als je er op bijt, sappige blokjes varkensvlees die je, samen met wat *guacamole* en een apart geserveerde salade van cactusblad, in een verse tortilla kunt wikkelen, of kleine gefrituurde, met kaas of aardappel gevulde pasteitjes die je in de pittige groene *salsa* moet dopen.

Omstreeks drie uur is het restaurant gevuld met groepjes kantoormensen, een handjevol zakenlieden en een groot aantal gezinnen. De sfeer in Las Cazuelas heeft iets feestelijks. In plaats van de bezadigde muzikanten die in andere *restaurantes* wel eens voor vertier zorgen, treden hier *mariachis* op die de ruimte vullen met hun gezang en de aanstekelijke klanken van trompetten en snaarinstrumenten. Dankzij de vitale muziek van de *mariachis* wanen alle aanwezigen zich het middelpunt van een feestje.

Het is een Mexicaanse traditie om tussen de middag thuis te zijn om met het hele gezin te eten. Een gewoonte die – soms hardnekkig – in ere wordt gehouden door ouders die hun kinderen willen wijzen op de waarde van een hecht gezinsleven en hun tevens de nodige liefde voor Mexicaans voedsel willen bijbrengen. Maar zo nu en dan, als er iets te vieren valt, verlaat men de beslotenheid van het eigen huis om naar een *restaurante* te gaan. Het is niet moeilijk om de gezinnen die vasthouden aan familietradities eruit te pikken, en in eetgelegenheden als Las Cazuelas speelt men er dan ook moeiteloos op in.

Bijna iedereen die over Mexicaanse eetgewoonten schrijft, beschrijft de volgorde van de vijf gerechten (of, zo u wilt, gangen) die tijdens een typisch Mexicaans middagmaal – *comida* – worden opgediend. De gerechten zelf zijn puur Mexicaans, maar in de volgorde schemert nog iets door van het Europese eetpatroon. Het eerste gerecht dat op tafel wordt gezet is een kom soep, meestal bereid met kippebouillon. Dan volgt een rijstgerecht, waarvan de kleur en de smaak afhankelijk zijn van de gebruikte toevoegingen (tomaten, kruiden, fijngesneden groenten, enzovoort) en dat soms bedekt wordt met een gebakken ei. Het hoofdgerecht bestaat meestal uit vlees of gevogelte, zachtjes gaar gestoofd in een verrukkelijke saus waarin men vaak ook nog wat aardappelen of groenten heeft laten meesudderen. Bij wijze van brood worden er warme tortilla's bij gegeven. Hierna volgt, aldus de meeste kroniekschrijvers, een portie bonen en de maaltijd wordt op de gebruikelijke manier afgerond met vruchtencompote, pudding of een ander dessert.

Hoewel de traditionele Mexicaanse *comida* als geheel nog lang niet heeft afgedaan, zijn er wel nieuwe ontwikkelingen. De tradities worden het meest in ere gehouden in *cafetarías* en *fondas* (kleine eethuisjes waar huiselijke kost wordt geserveerd). Zij voeren meestal een dagelijks wisselend lunchmenu (*comida corrida*) waarvan de gerechten elkaar in de vertrouwde volgorde opvolgen. Maar bonen worden nog maar zelden als een aparte gang geserveerd, behalve als de porties van de overige gangen erg klein zijn of als de klantenkring voornamelijk bestaat uit mensen die zwaar lichamelijk werk verrichten.

Las Cazuelas is evenwel een echt volwaardig restaurant en niet een plek waar je naar toe gaat om snel je maag te vullen. De meeste gasten stellen hun eigen menu samen. Ze beginnen met een voorgerecht, bijvoorbeeld een avocado- of garnalen-cocktail, gevulde pasteitjes, malse stukjes varkensvlees, gepekelde varkenspootjes of een salade van cactusbladeren. Wellicht slaan ze de soep over (al vinden veel Mexicanen dat een maaltijd zonder soep geen echte maaltijd is), maar het kan ook de rijst zijn. Als hoofdgerecht kiezen ze *carne asada* (dunne stroken gebakken of gegrilld rundvlees), *chiles rellenos* (gevulde chilipepers), stukjes ossehaas met tomaat en groene chili's, vis *a la veracruzana* dan wel gestoofde kip in *mole* of in of andere lokale versie van tomaten-, *tomatillo*- of chilisaus. Sommige gasten opteren voor een gevarieerde vleesschotel, want vlees is altijd wel voorhanden en doorgaans goed klaargemaakt.

De gangbare drank bij zo'n voedzame maaltijd is, zelfs in de betere *restaurantes*, bier of een frisdrank. Maar soms bestelt men een karaf robuuste Mexicaanse wijn, op citroenlimonade lijkende sangria of heerlijk zoete *agua fresca* gemaakt van verse vruchten, hibiscusbloesems, tamarinde en dergelijke. Als de hoofdgerechten op zijn en men zich vervolgens tegoed heeft gedaan aan rijstpudding, *flan* of zoete kwarktaart, wordt de koffie – die doorgaans sterk, stroperig en pittig is – besteld. Aan de grote tafels waar de kantoormensen de bloemetjes buiten zetten, is men aan een glas cognac toe of wordt een rituele reeks tequila-rondjes in gang gezet.

Tegen een uur of zes, zeven zijn de laatste gasten van Las Cazuelas opgestapt. De *cazuelas* zijn zo goed als leeg en de leden van het *mariachi*orkestje pakken hun instrumenten in, maar niet voor lang, want de volgende dag begint alles opnieuw. In Las Cazuelas valt, zoals in veel *restaurantes* die in een arme, enigszins vervallen buurt liggen, 's avonds niets te beleven. De mensen die 's avonds laat uitgebreid willen eten gaan naar eetgelegenheden met een meer Europese ambiance.

Vrijwel alle traditionele restaurants die in mijn geheugen staan gegrift, zijn gespecialiseerd in een van de regionale keukens. In sommige voel je de warme, zilte bries van de Stille Zuidzee, de Golf van Mexico of de Caribische Zee. Hun specialiteit is 'seafood', afkomstig uit lokale wateren en bereid volgens lokale tradities. In andere eetgelegenheden serveren ze goeie dikke steaks, pittige varkens*carnitas* of in magueybladeren verpakt lamsvlees van de *barbacoa*. In weer andere, waar de wanden doorgaans zijn behangen met de produkten van de plaatselijke kunstnijverheidsindustrie, worden stoofschotels en ragoûts geserveerd en wellicht ook een aantal van de *antojitos* (kleine hapjes, vaak gemaakt van *masa*) en zoetigheden die kenmerkend zijn voor het culinaire repertoire van de regio in kwestie.

In de kleinere steden beginnen de scheidslijnen tussen de diverse eetgelegenheden te vervagen. Vaak ontbreekt het aan klanten voor de duurdere specialiteiten. Veel restaurants zijn noodgedwongen van de vroege ochtend tot de late avond geopend, waardoor men er, behalve voor de hoofdgerechten, ook terecht kan voor een ontbijt met eieren of een middagsnack. Ze noemen zich *restaurante*, maar ze hebben in feite de functie die in de grote steden wordt vervuld door de *cafetarías*.

Cafetarías

Cafetarías (die in Noord-Mexico *cafés* heten) zijn iets totaal anders dan de cafetaria's die wij kennen. Het zijn geen self-servicerestaurants, maar informele eetgelegenheden die veel weg hebben van een openbaar clubrestaurant. Waar de *restaurantes* lijken te zijn uitgevonden om diep gewortelde tradities te handhaven, fungeren de *cafetarías* meer als onderdeel van het moderne Mexicaanse leven.

Ik heb in Mexico-City enkele maanden boven zo'n *cafetaría* gewoond. Elke ochtend om zeven uur deed een van de serveersters de TL-verlichting aan en begonnen de koks hun grillplaten en koekepannen te verhitten. Niet lang daarna kwamen de buurtbewoners en de mensen die in de naburige kantoren werkten binnendruppelen voor een glas *café con leche* en een bord *huevos rancheros*, roereieren *a la mexicana* of gebakken eieren met *chorizo*. 's Ochtends vroeg liep de zaak als een trein. Sommige klanten gaven de voorkeur aan een vloeibaar ontbijt, anderen bestelden een portie cornflakes, Mexicaanse cakejes of knapperige *bolillos* die, na te zijn opengesneden, werden geroosterd om vervolgens met boter te worden besmeerd. Maar er waren ook altijd wel klanten met het wanhopig hongerige uiterlijk van iemand die te weinig slaap heeft gehad (of te diep in het glas heeft gekeken). Deze groep ontbeet met krokante opgerolde kip-taco's, een kleine taaie biefstuk (*bistec*, *carne asada* of *cecina*) of een portie *chilaquiles* (in een pikante groene saus warm gemaakte tortilla's bedekt met zure room, grof geraspte kaas en rauwe ui).

De ochtend vergleed langzaam, maar in de *cafetaría* bleef het bedrijvig. De formica tafeltjes werden nu bezet door mannen en vrouwen die – soms in hun eentje, soms met z'n tweeën – espresso dronken of de slappe koffie die (niet ten onrechte) *americano* wordt genoemd, terwijl ze door de glazen gevel naar buiten staarden, naar de in uniform gestoken schoolkinderen op het trottoir en de loopjongens met hun volle handkarren.

Tijdens het lunchuur ging het in onze *cafetaría* formeler toe dan in de meeste andere. Er lagen tafelkleden op de tafels en er werd een voedzame, goedkope *comida corrida* van vier gangen geserveerd; we bevonden ons immers in het hartje van de stad, waar lang niet alle werknemers in de gelegenheid zijn naar huis te gaan voor het heilige middagmaal. De meeste *cafetarías*, of er nu een *comida corrida* te krijgen was of niet, plachten tijdens het lunchuur gewoon door te gaan met het serveren van koffie, *enchiladas*, *tostadas*, sandwiches, voedzame soepjes, vruchtensalades, gepaneerde koteletjes en andere kleine happen, maar de onze kreeg de allure van een restaurant, althans voor enkele uren.

Zodra het donker werd, kon ik zien hoe het licht van de TL-buizen werd gereflecteerd in de glazen pui van de apotheek aan de overkant. Ik hoorde het doffe geluid waarmee de handelsreizigers hun bierblikjes op de ongedekte tafels zetten. En als ik er zelf zat, omgeven door buurtgenoten die zin hadden in gebakken eieren, taco's, warme broodjes, taart, koffie of een praatje, voelde ik me – als buitenstaander – toch een beetje thuis.

De markt en zijn *fondas*

Voor mensen die er niet mee zijn opgegroeid, hebben markten iets onmiskenbaar exotisch. Met hun levendige bedrijvigheid zijn markten een continue stimulans voor de zintuigen. De geurige, bonte uitstalling van vruchten, groenten en kruiden zijn niet alleen een lust voor het oog, maar ook een teken van uitbundige overvloed en vernuftige etaleerkunst.

Te midden van al die kleurrijke bedrijvigheid bevinden zich op elke Mexicaanse markt wel plekken waar de mensen, of ze nu op de markt werken of er komen om inkopen te doen, iets kunnen eten of drinken. Dat kunnen stalletjes zijn waar je vruchtesappen, *tamales*, *atole* (van *masa* gemaakte pap), taco's of sandwiches kunt krijgen, maar ook *fondas* waar je – zittend – iets substantiëlers kunt eten. Die *fondas* behoren tot de meest traditionele instellingen van de Mexicaanse samenleving en geven een goed beeld van het voedsel van de gewone man. Het merendeel heeft niet eens een bord waarop de gerechten vermeld staan, de mensen die er komen weten immers maar al te goed wat de lokale specialiteiten zijn.

Aangezien ik de politieke, economische of maatschappelijke krachten die een rol spelen bij de keuze van een *fonda* nooit helemaal heb kunnen doorgronden, ben ik meestal zo volgzaam als een schaap en ga ik daar zitten waar het 't drukst is. En dan doe ik me tegoed aan wat ze ook maar hebben: een kom groente- of vermicellisoep met stukjes vlees, *menudo* (soep van pens), *pozole* (een soort maïspap) of rijst met gebakken ei en daarna gehaktballen, kip of orgaanvlees volgens lokaal gebruik gestoofd in een krachtig gekruide *mole* dan wel in een pittige groene of rode tomatensaus.

De *fondas* zijn net zo exotisch als de markt zelf. In het zonlicht dat door een opening in het dak binnenstroomt, hangt een mistig waas van hete bak-olie. De baklucht mengt zich met de vochtige geur van de grond en de heerlijke dampen die opstijgen uit de aardewerken potten en geëmailleerde pannen. Het eten wordt opgediend in diepe borden van melkglas, de lepels staan klaar in een glas en er is een houder met papieren servetjes. De vrouw die het eten bereidt, botst, op weg naar de gast die het gerecht heeft besteld, bijna op tegen de in een poncho gehulde tortillaventer die haar pad kruist.

Fonda-voedsel is speciaal en plaatsgebonden; het is goedkope huiselijke kost, elke dag vers gemaakt. En in mijn ogen is het net zo vanzelfsprekend en onveranderlijk als de onmiskenbare levenslust van zowel de Mexicanen die het eten bereiden als van hen die het komen opeten.

Buiten, in de rest van de stad, bevinden zich modernere *fondas* die zich *restaurante* noemen of zichzelf aanprijzen met termen als *cocina económica* (zuinige keuken) of *comida familiar* (huiselijke maaltijden). Het zijn veelal hel verlichte lokalen die tot 's avonds laat open zijn en zich richten op een groter publiek. Het menu-aanbod staat in dit soort *fondas* meestal met grote letters op de muur geschilderd.

Deze eetgelegenheden zijn doorgaans iets toegankelijker voor buitenlanders dan de voornamelijk door de lokale bevolking bezochte markt-*fondas*. Ze bieden een dagelijks wisselend lunchmenu waarin bijna altijd een populaire lokale specialiteit figureert. Net als in sommige markt-*fondas* omvat het menu-aanbod *huevos rancheros*, smakelijke *enchiladas* en stevige soepen, dit alles aangevuld met biefstukken, aardappelgerechten en toetjes. Aangezien de uitbaters vooruitstrevend zijn, wordt het geheel opgefleurd met muziek uit een transistorradio of juke-box.

Tacos, tortas en ander straatvoedsel

's Avonds laat, als het middagmaal alweer lang tot het verleden behoort, zijn er weer andere manieren om de honger te stillen. Sommige mensen vinden het misschien vreemd dat men na een late middagmaaltijd überhaupt nog behoefte heeft aan voedsel, maar de Mexicaan laat zich in dat opzicht kennelijk leiden door andere dan puur lichamelijke behoeftes. Waar de *comida* is toegespitst op traditie en familiezin, staan bij de avondmaaltijd het plezier en de vriendenkring centraal.

De mensen maken een ommetje in de hoop een bekende tegen te komen met wie ze koffie, warme chocolademelk of een pilsje kunnen drinken. In kleine eethuisjes worden de grillplaten, stoompannen of houtskoolbranders verhit en overal duiken mobiele eetstalletjes op. In de *cafetarías* worden opnieuw eieren, pannekoekjes, *enchiladas* en sandwiches geserveerd.

De populairste snack van Mexico is ongetwijfeld de taco, waarvan de naam buiten Mexico zo ongeveer synoniem is met 'Mexicaans eten'. De meeste *taquerías*, kleine snackbar-achtige eettentjes met een handvol krukken of stoelen, zijn in feite niet meer dan uit hun krachten gegroeide eetkraampjes met een beperkt menu-aanbod. Maar daardoor laten weinigen zich ontmoedigen, want taco's zijn appetijtelijk, pittig en niet al te gezond; ze behoren, kortom, tot de voedzame happen die iedereen lekker vindt en die thuis niet snel door moeder de vrouw zullen worden klaargemaakt.

In een van de *taquerías* wordt, aan een verticaal spit, dun gesneden gemarineerd varkensvlees geroosterd – op dezelfde manier als shoarmavlees, maar dan gekruid op z'n Mexicaans. De krokant geroosterde buitenkant wordt door een jongeman met een vlijmscherp mes afgesneden en verwerkt in een zachte *taco al pastor*. Alvorens de met vleessnippers belegde taco aan de klant te overhandigen, voorziet hij hem van een scheut scherpe chilisaus en strooit hij er wat grof gesneden ui en verse koriander over. In een andere *taquería* worden pittig gekruide reepjes varkensvlees of malse stukjes lams- of geitevlees warm gehouden boven stoom. Het vlees wordt in zachte taco's gerold en opgediend met een grove *salsa mexicana*. In een derde *taquería* – behorend tot een type dat vooral de laatste jaren in opkomst is – worden op de noordelijke keuken geïnspireerde *tacos al carbón* geserveerd. Alles – de worstjes, het vlees en zelfs de aardewerken schaaltjes met pruttelende gesmolten kaas – wordt bereid op een houtskoolvuur. De klanten genieten zichtbaar van dit stoere pioniers-voedsel en spoelen de taco's en de porties 'cowboy-bonen' weg met fruitige *aguas frescas*, frisdrank of bier.

Buiten op straat wordt in een met kerstboomlichtjes opgetuigd kraampje een grillplaat verhit op een butagasbrander. De plaat wordt gebruikt voor het grillen van rundvlees, kleine *chorizos* en aardappelen, repen groene peper of uiringen. Een en ander wordt geserveerd met wat groene *salsa picante*, lente-uitjes en een limoenpartje dat men erboven moet uitknijpen. Een paar stappen verderop bevindt zich wellicht een jongeman die maïskolven roostert boven een teil vol gloeiende houtskool of die de vruchten staat te snijden die in papieren puntzakjes worden verkocht. En daar vlakbij is vast wel een vrouw die bezig is met het aanwakkeren van het houtskool-vuurtje onder een stoompan met *tamales* of onder een grillplaat waarop *masa*-pas-teitjes worden gebakken. Er natuurlijk loopt er ook wel een jongen rond die een kleine glazen vitrine draagt met rijst-, gelatine- of eierpuddinkjes of een grote rieten mand met krokant gefrituurde stukken varkenszwoerd of een plateau met noten en snoepgoed... En al deze dingen zijn nog maar een fractie van de eetbare zaken die op de pleinen en in de straten van Mexico aan de man worden gebracht.

Taquerías en eetkraampjes zijn overigens geen fenomenen waarvan men uitslui-tend 's avonds, als men uitgaat, gebruik maakt. Ook in de buurt van scholen en busstations zijn ze te vinden. In dat geval gaan ze al bij het ochtendgloren open en bieden ze zowel een vroeg ontbijt als een late *almuerzo*. Sommige uitbaters van *taquerías* hebben hun assortiment vergroot en hun nering omgedoopt tot *lonchería* (lunchroom), maar in het merendeel worden uitsluitend *tacos de cazuelas* geserveerd. Deze zachte taco's bestaan uit tortilla's gevuld met diverse soorten fijngesneden vlees en groentes gaar gestoofd in een simpele, maar smakelijke saus.

Ten slotte is er nog een straatsnack die zo internationaal is dat je bijna zou vergeten dat er een typisch Mexicaanse variant van bestaat: de *torta*. *Tortas* zijn belegde – meestal harde – broodjes. De lekkerste *tortas* zijn die waarvan het beleg bestaat uit gebakken vlees of eieren aangevuld met 'gebakken' bonen, ingemaakte chili's en *salsa picante* – een verrukkelijke snelle maaltijd in een broodje.

DE MEXICAANSE RECEPTEN IN DIT BOEK

Toen ik voor het eerst beroepshalve naar Mexico ging, was dat om nieuwe gerechten te ontdekken, kooktechnieken te bestuderen en de recepten te verzamelen die later een rol zouden spelen in mijn TV-kookprogramma 'Cooking Mexican'. Ik wist al vrij veel van het land dankzij mijn jaren aan de universiteit, waar ik colleges had gevolgd in Spaanse literatuur en de cultuur van Latijns-Amerika. De eerste kookcursussen die ik gaf waren gebaseerd op mijn herinneringen aan die periode en op de kennis die ik al lezende, kokende en proevende had vergaard. Omdat ik échter altijd meer vragen had dan men in Ann Arbor, Michigan, kon beantwoorden, ben ik – gewapend met een opschrijfboekje en een meelijwekkend beetje geld – naar Mexico vertrokken om ter plekke onderzoek te doen naar de kook- en eetgewoonten van de Mexicanen.

Ik heb de vaste gewoonte om, waar ik ook ben, de winkels en markten af te struinen om te zien welke grondstoffen de mensen tot hun beschikking hebben. De Mexicaanse markten boden echter niet alleen basisprodukten, er waren ook kramen met kant-en-klaar voedsel. En rondom het marktgebouw bevonden zich eetstalletjes en kleine restaurantjes waar traditionele kost werd geserveerd. Een Mexicaanse markt bleek niet zomaar een markt te zijn, maar een complex, openbaar instituut waar voedsel – het voedsel dat representatief is voor de culinaire voorkeur en de eetgewoonten van een hele gemeenschap – niet alleen werd verkocht en ingekocht, maar ook werd klaargemaakt en gegeten.

Tijdens die eerste reizen ontdekte ik dat de gerechten en menu's die mijn pad kruisten lang niet altijd overeenkwamen met de receptuur van de Mexicaanse kookboeken die in de V.S. waren verschenen. Veel receptenschrijvers leken de eerlijke, gemakkelijk te maken bereidingen over het hoofd te hebben gezien en weinig acht te hebben geslagen op de details die Mexicaanse gerechten zo onweerstaanbaar maken. Anderen maakten in hun recepten gebruik van Amerikaanse (of zelfs Franse) kooktechnieken, waardoor hun versies flauwe afspiegelingen waren van de Mexicaanse werkelijkheid.

Dus besloot ik om in één boek de meest voorkomende gerechten die ik in Mexico was tegengekomen te beschrijven, tezamen met informatie over de streek van herkomst, wetenswaardigheden over de gebruikte ingrediënten en authentieke recepten voor de bereiding in de huiselijke kring. Voordat ik het goed en wel besefte, zat ik tot aan mijn nek tussen de opschrijfboekjes met aantekeningen, lijsten waarop ik de vele tientallen bezochte markten had geïnventariseerd, losse recepten, foto's, blocnotes vol met anekdotes en botanische gegevens en stapels dagboeken waarin ik tijdens mijn reizen van noord naar zuid en omgekeerd nauwgezet elke maaltijd en elke snack had genoteerd die ik had gegeten. Tijdens de laatste acht jaar van ons onderzoek hebben mijn vrouw en ik vele tienduizenden kilometers afgelegd, merendeels per bus. We hebben tientallen steden bezocht en honderden mensen gesproken. En al die tijd stond ons maar één doel voor ogen: het opsporen en in kaart brengen van de traditionele Mexicaanse streekgerechten.

Omdat het volksvoedsel betreft, is de bereidingswijze van Mexicaanse streekgerechten minder sterk aan regels en voorschriften gebonden dan de haute-cuisine van topkoks. De receptuur is soepeler, losser en vrijer, met een maatvoering die hoeveelheden voorschrijft als *un poquito* (een beetje) en *bastante* (voldoende), wat zoveel wil zeggen als 'net zo veel – of weinig – als je zelf lekker vindt of als je portemonnee toelaat.' Er is dan ook alle ruimte voor variaties, waardoor je de gerechten in het ene seizoen nèt iets anders kunt laten smaken dan in het andere. Maar alles binnen zekere grenzen; ook in de variaties laat de Mexicaan zich leiden door de tradities.

De meeste toeristen zullen versteld staan over de kwaliteit van de produkten en gerechten die in eethuisjes, marktkramen en op straat verkrijgbaar zijn. De mensen die het voedsel bereiden, hebben soms opmerkelijk veel talent. Maar sommige traditionele gerechten voor alledag hebben van huis uit weinig smaak. Die heb ik in dit boek soms opgefleurd op manieren die ik heb opgestoken in het groeiende aantal middenklasse-restaurants of in een van de vele regionale kookboeken die in Mexico zijn verschenen. Behalve in de allergewoonste standaardrecepten noem ik steeds mijn bronnen. Zodra een detail afwijkt van het gangbare, of het nu een ingrediënt betreft of een iets andere bereidingsmethode, wordt dat duidelijk vermeld.

Ik heb getracht de meest gangbare bereidingswijze van de traditionele gerechten zo gedetailleerd en tegelijk zo bondig mogelijk te beschrijven. Geheel in overeenstemming met het flexibele karakter van de gerechten heb ik deze basisrecepten vervolgens aangevuld met beknopte suggesties voor **Traditionele variaties**; u vindt ze in de marge. Verder maak ik gebruik van **Keukennotities**, waarin ik bijzondere technie- ken uitleg, suggesties voor alternatieven geef, speciaal keukengerei bespreek en de aandacht vestig op ongewone en/of onbekende ingrediënten. (Meer informatie over Mexicaanse produkten, keukentechnieken en kookgerei vindt u in de **Kookwij-zer** achter in het boek.)

Ten slotte vindt u bij een aantal recepten mijn persoonlijke ideeën over de manier waarop traditionele gerechten eventueel kunnen worden 'gemoderniseerd'. **Eigentijdse variaties** heb ik deze rubriek genoemd, want de ideeën haken in op de internationale opvattingen over de eigentijdse keuken. Het toevoegen van dit soort suggesties impliceert overigens *niet* dat ik de oorspronkelijke versies niet lekker genoeg vind (integendeel, ik geef er vaak de voorkeur aan). Ik wil er alleen maar mee zeggen dat het incidentele gebruik van produkten en bereidingstechnieken uit de V.S. of Europa het wezen van de Mexicaanse keuken niet aantast.

Ik weet zeker dat er talloze gerechten zijn die ik nooit ben tegengekomen omdat ik me ofwel op de verkeerde plaats bevond ofwel op de goede, maar dan op het verkeerde moment. Daarnaast heb ik ongetwijfeld een aantal gerechten gewoon over het hoofd gezien, ook al bevonden ze zich wellicht in mijn gezichtsveld. En verder heb ik tientallen recepten moeten weglaten omdat er simpelweg geen plaats meer voor was. Voor het niet opnemen of zelfs maar noemen van al die gerechten bied ik de Mexicanen mijn oprechte verontschuldigingen aan.

Hoewel in *De Mexicaanse Keuken* een beeld wordt geschetst van het voedsel en de kookkunst van de Mexicanen, is en blijft het *mijn* beeld. Dit boek is de neerslag van mijn persoonlijke ontdekkingstocht en verhaalt over mijn persoonlijke belevenissen op de markten en in de eethuizen van Mexico. Na al die jaren ben ik de Mexicaanse keuken gaan waarderen om wat ze is: inventief, smaakrijk en verrassend. Mijn onderzoek naar het wezen van de Mexicaanse keuken heeft mijn culinaire horizon verbreed en mijn respect voor de manier waarop de mensheid zich voedt vergroot en verdiept in een mate die ik niet voor mogelijk hield. Ik wens een ieder die dit boek ter hand neemt hetzelfde toe.

SAUZEN EN CONDIMENTEN
Salsas y Encurtidos

Grote glazen potten met ingemaakte chilipepers en groenten, Querétaro

Tomaten, chilipepers, knoflook en uien zijn de hoekstenen van de Mexicaanse keuken. Ze worden onder meer – rijp, rauw en fijngehakt – gecombineerd in de alom geliefde relish-achtige *salsa mexicana*. Deze vrij grove tafelsaus, die het midden houdt tussen een salade en een saus, is een perfect bijgerecht bij taco's en andere *antojitos* (snacks). Zelfs als de tomaten gepoft of halfgaar gekookt zijn, behoudt de saus haar kenmerkende frisheid.

Je kunt nog iets verder gaan met deze vier basisprodukten door ze te pureren en de puree vervolgens te bakken. Op die manier nemen de mogelijkheden aanzienlijk toe. De ingedikte massa in de pan, waaraan veelal nog een kruiderij wordt toegevoegd die specifiek is voor de regio, wordt gebruikt om allerlei gerechten een zoete, rinse of 'donkere' toets te geven. Verdunnen met een beetje bouillon levert een dikvloeibare saus op die je over *enchiladas* of *huevos rancheros* kunt scheppen of in een *salsera* (sauskommetje) op tafel kunt zetten. Nóg iets meer vocht maakt er een verrukkelijke tomaten-*caldo* (soep) van, die voedzaam wordt als je er vleesballetjes of *chiles rellenos* aan toevoegt.

Er bestaat in Mexico ook een hele reeks *salsas verdes* (groene sauzen) die min of meer op dezelfde manier worden bereid en voor dezelfde doeleinden kunnen worden gebruikt. Als de rode tomaten worden vervangen door kleine groene *tomatillos*, krijgen de sauzen een uitzonderlijke rinse frisheid.

Chilipepers zijn de bindende factor in de laatste groep Mexicaanse sauzen. De meest gebruikte chili's zijn niet de explosief hete groene en rode pepers waarvan niet-ingewijden het al bij voorbaat benauwd krijgen, maar milde, goed uitgerijpte soorten die gedroogd worden alvorens te worden gaar gestoofd in een *adobo*, *pipián* of *mole*. De hetere gedroogde exemplaren worden veelal fijngemaakt met tomaten of *tomatillos* die de in de chili's opgeslagen hitte – veroorzaakt door de stof capsaïcine – helpen blussen. Het mengsel wordt vervolgens op smaak gebracht met knoflook, kruiden en specerijen. Maar als u in Mexico een kommetje met chilisaus op tafel ziet staan, kunt u ervan verzekerd zijn dat die saus behoorlijk vurig is en dat de gerechten die met die saus worden bedropen aanzienlijk aan kracht en pittigheid winnen...

Vanaf de vroegste tijden wordt Mexicaans voedsel gekenmerkt door een bonte variëteit van kleuren, texturen en aroma's... heel veel aroma's. De Mexicanen peppen hun voedsel op met pittige chilipepers, verrijken het met condimenten en verlevendigen het met limoensap, in azijn ingelegde paprika's, groenten, uien en zelfs pittige verse kaas. Maar het voedsel heeft in mijn ogen het meeste te danken aan het schier ontelbare aantal Mexicaanse tafelsauzen. Die sauzen gebruikt men in of bij vrijwel alles, van rijstgerechten en gebakken vlees of vis tot soepen en, uiteraard, *antojitos*. Als uw ervaring met hete sauzen niet verder reikt dan tabasco en andere sauzen uit een flesje, zult u beslist opkijken van de diversiteit van de *salsa*-recepten in dit hoofdstuk.

Regionale accenten

» De chilisauzen die als condiment of tafelsaus worden gebruikt zijn sterk streekgebonden. In West-Mexico en sommige delen van het noorden worden doorgaans eenvoudige sauzen gemaakt op basis van de zeer hete *chile de árbol*. De kant-en-klare chilisaus die in dit gebied wordt verkocht bevat – ter conservering – vrij veel azijn. De oranje-rode en groene sauzen die in Yucatán worden gebotteld, zijn gemaakt van de plaatselijke *habanero*-chili. De chili's worden simpelweg gepureerd met een beetje zout en limoensap. De dikke, scherpe saus van Gualdalajara wordt gemaakt door chiles de árbol samen met tomatillos te pureren. Ook in Oaxaca worden tomatillos gebruikt, maar dan in combinatie met de gerookte chile pasilla uit deze streek. De in Centraal-Mexico inheemse zwarte chile pasilla wordt, samen met de alcoholische drank pulque verwerkt in de speciale borracha ('dronken' saus) die bij lams-barbacoa wordt geserveerd. In deze streek worden ook vurige chilisauzen gemaakt op basis van tomaten en hete guajillo- of gerookte chipotle-chili's.

VERSE TOMATEN-CHILISAUS
Salsa Mexicana

'De *salsa mexicana* die in alle *fondas* en populaire restaurants op tafel staat, is een wonder van eenvoud... Je kunt er alles mee oppeppen wat zich laat oppeppen.'

Paco Ignacio Taibo I, *Brevario del mole poblano*

Overal in Mexico, waar het hele jaar door smakelijke, dieprode tomaten verkrijgbaar zijn, is de *salsa mexicana* een traditioneel condiment dat zowel in *taquerías* en *cafetarías* als bij de mensen thuis op tafel wordt gezet.

Ik ben nooit dol geweest op tomaten die geen smaak hebben, zoals de waterige exemplaren die in veel Amerikaanse supermarkten worden verkocht. Tomaten moeten rijp en geurig zijn. Zijn ze dat, dan wordt het zoete van de tomaten in een *salsa mexicana* perfect in evenwicht gehouden door de hitte van de chili's, de krokante beet van de uien en het markante aroma van de verse koriander.

Deze alom geliefde relish-achtige saus wordt in heel Mexico gegeten. De textuur varieert van een mooie grove puree tot een akelig mengsel van olijfgrote brokken. In Yucatán wordt de saus *xnipec* genoemd (wat, merkwaardig genoeg, 'hondeneus' betekent –zie Traditionele variaties); in de rest van Mexico worden ook wel de namen *salsa cruda*, *salsa fresca* of kortweg *salsa* dan wel *chile* gebruikt. In Texas luidt de naam *pico de gallo* ('bek van de haan'), maar als u daar in het westen van Midden-Mexico om vraagt, krijgt u iets heel anders...

Voor ca. 3,5 dl:

- 1 grote rijpe tomaat (of 2 kleinere)
- 2 verse groene *chiles serranos, jalapeños* of *lomboks** (of méér als u van heet houdt), van hun steeltjes ontdaan
- 1 kleine blanke ui, gepeld
- 1 knoflookteentje, gepeld
- 8 à 10 takjes verse koriander, fijngehakt
- ca. 1/2 theelepel zout
- 1 à 2 theelepels limoensap of ciderazijn

1. *Het fijnhakken van de ingrediënten*: Verwijder het kroontje van de tomaat en snijd het harde deel daaronder met een ronddraaiende beweging weg. Desgewenst kunt u de tomaat daarna overdwars doormidden snijden en de helften zachtjes uitknijpen om het sap en de zaadjes te verwijderen. Snijd het vruchtvlees in piepkleine blokjes (niet groter dan ca. 2 mm) en doe ze in een kom. Snijd de chili's in de lengte doormidden, verwijder eventueel de zaadjes (dan wordt de saus minder heet) en snijd het vruchtvlees fijn. Hak de ui en de knoflook eveneens fijn. Doe alles, inclusief de fijngehakte koriander, bij de tomaten in de kom.
2. *Het op smaak brengen van de saus*: Meng de ingrediënten in de kom met het zout, het limoensap (of de ciderazijn) en 1 eetlepel water en laat het mengsel een half uurtje staan, zodat de smaken op elkaar kunnen inwerken.

KEUKENNOTITIES

Technieken

» *Hakken*: Met een scherp mes krijgt u kleine stukjes waaruit de sappen niet ontsnappen. In een foodprocessor of hakmolentje worden de ingrediënten kapotgeslagen. Bedenk dat hoe kleiner de blokjes zijn, hoe meer de smaken van de diverse bestanddelen zich met elkaar kunnen vermengen tot een harmonieus geheel.

Ingrediënten

» *Tomaten*: Geurige, rijpe rode tomaten geven het beste resultaat. Dat kunnen trostomaten zijn, maar ook ovale pruimtomaten. Vermijd tomaten met melig vruchtvlees. Ook kers-tomaatjes komen in aanmerking, vooropgesteld dat ze goed rijp zijn (leg ze eventueel een dag in een zonnige vensterbank).

(Voor)bereidingstijd

» Reken 10 tot 15 minuten voor het fijnsnijden van de ingrediënten en minstens een kwartier om de smaken te laten intrekken. De saus blijft een uur of twee goed; daarna verliest ze haar knapperigheid en wordt het uienaroma te overheersend.

TRADITIONELE VARIATIES

» *Xnipec*: Bereid de saus volgens de aanwijzingen in het recept, maar laat de knoflook (en eventueel ook de koriander) weg en vervang de blanke ui door een rode. Gebruik in plaats van het mengsel van limoensap (of ciderazijn) en water 2 à 3 eetlepels bitter sinaasappelsap (zie pag. 393), limoensap of azijn. Deze, uit Yucatán afkomstige versie van de *salsa mexicana* is doorgaans wat grover van textuur en de gebruikte chilipeper is de *habanero*, die qua hitte en uiterlijk sterk overeenkomt met de Surinaamse *Madame Jeanette*. In een variant van deze Yucatánse saus worden aan het mengsel ook nog wat fijngehakte kool en radijs toegevoegd.

Aardewerken schaaltje voor tafelsauzen en condimenten, Mazatlán

VERSE GROENE *TOMATILLO*-SAUS

Salsa Verde Cruda

Deze groene variant van de *salsa mexicana* is in Mexicaanse eethuisjes en snackbars zo mogelijk nog populairder dan de rode versie. Dat komt, vermoed ik, doordat de saus dankzij de gekookte *tomatillos* meer een echte saus is in plaats van een relish. Maar wellicht ook omdat ze een prikkelende frisheid heeft die de smaak van datgene waar ze bij gegeten wordt verhoogt.

Ook in *cafetarías* staat ze vaak op tafel, samen met een hete rode chilisaus (pag. 38) of *salsa picante* (pag. 41), zo ongeveer als zout en peper bij ons. Al deze sauzen worden naar smaak over een gerecht gesprenkeld of door een saus geroerd. Verse groene *tomatillo*-saus is een van de standaardsauzen van Centraal-Mexico.

Voor ca. 3,5 dl:

> 250 gram verse *tomatillos*, van hun vlies ontdaan en gewassen of 1 blik (0,5 liter) *tomatillos**
> 2 verse groene *chiles serranos*, *jalapeños* of *lomboks** (of méér als u van heet houdt), van hun steeltjes ontdaan
> 5 à 6 takjes verse koriander, grof gehakt
> 1/2 kleine ui, fijngehakt
> ca. 1/2 theelepel zout

1. *De tomatillos*: Kook de verse *tomatillos* 8-10 minuten in lichtgezouten water tot ze nèt gaar zijn; laat ze uitlekken. *Tomatillos* uit blik hoeft u alleen maar te laten uitlekken.
2. *De puree*: Doe de *tomatillos* in de kom van een blender of foodprocessor. Verwijder eventueel de zaadjes uit de chilipepers (om de saus minder heet te maken) en hak het vruchtvlees in stukjes. Doe de pepers, de uisnippers en de koriander bij de *tomatillos* en laat de machine draaien tot u een grove puree hebt verkregen.
3. *De finishing touch*: Verdun de puree met 3 à 4 eetlepels water tot een medium dikke saus en breng de saus op smaak met zout. Laat de saus een half uurtje staan, zodat de smaken op elkaar kunnen inwerken.

KEUKENNOTITIES

Ingrediënten

» *Tomatillos*: Verse *tomatillos* geven de saus een helderder kleur en frissere smaak dan *tomatillos* uit blik.

Voetnoot van de vertaalster

» Een *tomatillo* is niet, zoals vaak wordt gedacht, een onrijpe gewone tomaat; hij is zelfs niet verwant aan de tomaat, maar een lid van de Physalis-familie, waartoe ook de Kaapse kruisbes behoort (zie ook pag. 405) In ons land zijn de groene, met een papierachtig vlies omgeven vruchten niet vers verkrijgbaar. *Tomatillos* uit blik zijn er wel, maar tot op heden (januari 1996) uitsluitend in voor de horeca bestemde blikken van 3 liter. Gelukkig kan een teveel aan *tomatillo*-puree worden ingevroren voor toekomstig gebruik.

(Voor)bereidingstijd

»   Het maken van de saus duurt niet langer dan 15-20 minuten. De saus is het lekkerst als ze binnen 2 uur na de bereiding wordt gegeten; daarna gaat de smaak van de ui te veel overheersen. Omdat *tomatillos* vrij veel pectine bevatten, bestaat de kans dat de saus tijdens het staan iets dikker wordt; in dat geval kunt u haar verdunnen met een beetje water of opnieuw fijnmaken in de blender.

TRADITIONELE VARIATIES

»   *Grove tomatillosaus*: Pureer de *tomatillos*, maar hak de overige ingrediënten fijn met een mes. Spoel de uisnippers eventueel onder koud water (de saus wordt dan minder snel zuur) en meng alles in een kom.

»   *Rauwe tomatillosaus*: Deze saus kan alleen worden gemaakt met verse *tomatillos*. Snijd de rauwe *tomatillos* in stukken en pureer ze onder toevoeging van 4 eetlepels water. Voeg dan de overige ingrediënten toe en verdun de saus, indien nodig, met een scheutje water.

Tomatillos

RODE CHILISAUS MET GEROOSTERDE TOMAAT
Salsa Roja

In deze pittige rode saus krijgt de hitte van de chili's tegenspel van het zachte zoet van de geroosterde tomaat en knoflook. Althans als de saus zorgvuldig wordt bereid. Ik ben slordig gemaakte versies tegengekomen waarvan de smaak varieerde van nietszeggend flauw tot krachteloos of zelfs tongverschroeiend heet. Maar als u zich houdt aan de aanwijzingen in het recept, krijgt u een volmaakte, echt Mexicaanse tafelsaus die uitstekend past bij gegrild of op de barbecue geroosterd vlees.

Eenvoudige rode chilisauzen worden in heel Mexico gemaakt (behalve in Yucatán, geloof ik). Ze worden meestal bereid met de zeer vurige *chiles de árbol* en soms wat milder of frisser gemaakt met *tomatillos* of een scheutje azijn. Onderstaand recept, gekregen van twee uitermate vriendelijke *antojito*-makers in Toluca, is mijn absolute favoriet.

Voor ruim 1/4 liter:

> 4 middelgrote (totaal ca. 30 gram) gedroogde *chiles guajillos* of gedroogde rode lomboks*, ontdaan van steeltjes, zaadjes en zaadlijsten
> 2 grote knoflookteentjes, ongepeld
> 1 grote rijpe tomaat, geroosterd (pag. 404), ontveld, van de harde kern ontdaan en grof gesneden
> 1/2 *chile chipotle* uit blik (eventueel), van zaadjes ontdaan
> ca. 1/2 theelepel zout

1. *De chili's en de knoflook*: Scheur de gedroogde chili's in platte stukken en roosterter ze – op een matig hoog vuur – op een grillplaat of in een zware koekepan. Druk de stukken gedurende een paar seconden met een spatel tegen het hete metaal, draai ze om en druk ze opnieuw goed aan. Het is de bedoeling dat het oppervlak van de stukken peper er licht geschroeid uitziet (maar pas op dat de pepers niet verbranden, want dan krijgen ze een bittere smaak).

   Rooster de ongepelde knoflookteentjes op dezelfde manier tot – na ca. 15 minuten – het velletje hier en daar zwarte schroeiplekken heeft en de pulp zacht is; draai de knoflook tijdens het roosteren regelmatig om. Laat de teentjes afkoelen, pel ze en snijd ze in vieren.

2. *Het pureren van de ingrediënten*: Verkruimel de chili's in de kom van een blender en laat de machine draaien tot ze verpulverd zijn. Voeg de knoflook, de geroosterde tomaat, 4 eetlepels water en – eventueel – de halve *chipotle* toe en draai het geheel tot een gladde puree.

3. *De finishing touch*: Wrijf de puree door een middelfijne zeef, vang haar op in een kom en verdun haar, indien nodig, met een scheutje water tot u een schenkbare saus hebt verkregen. Breng de saus op smaak met zout en laat haar een half uurtje staan, zodat de smaken zich kunnen ontplooien.

KEUKENNOTITIES

Technieken

» *De smaken met elkaar in evenwicht brengen*: Voor een goede smaakbalans moeten de ingrediënten met zorg worden gekozen en bereid. Op de gewone manier verwarmde tomaten of gepelde tomaten uit blik maken de saus waterig; rauwe knoflook is te overheersend en niet-geroosterde chili's zijn te vlak van smaak. Het toevoegen van de halve *chipotle* maakt de saus iets 'heter', maar, dankzij het rokerige aroma, ook voller van smaak.

Voetnoot van de vertaalster

» Gedroogde lomboks zijn iets minder heet en aromatisch dan *chiles guajillos*; desgewenst kan de saus worden opgepept met een beetje gedroogde, geroosterde pepervlokken (te koop bij sommige toko's) of cayennepeper.

(Voor)bereidingstijd

» Het maken van deze saus duurt niet langer dan een half uur, maar u moet haar een tijdje laten staan zodat de smaken kunnen intrekken. De saus kan, afgedekt met folie, 3 à 4 dagen in de koelkast worden bewaard (laat de saus in dat geval op kamertemperatuur komen alvorens haar op te dienen).

TRADITIONELE VARIATIES

» *Chile de árbolsaus uit Baja California*: Snijd, bij de steeltjes, een kapje af van 15 of 16 grote *chiles de árbol* (in de regio zelf *picos de pájaro* genoemd) en schud de meeste zaadjes eruit. Kook de chili's met de knoflook en een stukje ui 10 minuten in licht gezouten water. Giet het water af en pureer de vaste bestanddelen samen met de geroosterde tomaat en een scheutje water in een blender. Zeef de puree, verdun haar met water en voeg naar smaak zout toe. Dit is een *hete* saus, die soms nog heter wordt gemaakt door de tomaat weg te laten.

» *Chipotle chilisaus uit Veracruz en Puebla*: Volg de aanwijzingen in het recept maar vervang de *guajillos* door 2 à 3 *chiles chipotle* uit blik (ontdaan van zaadjes). De pepers hoeven niet te worden geroosterd of fijngemalen voordat ze, samen met de tomaten, gepureerd worden.

CHIPOTLE-CHILISAUS

Salsa de Chiles Chipotles

Deze eenvoudige tafelsaus smaakt uitstekend bij gegrilld vlees. De saus dankt haar speciale aroma aan de in rook gedroogde *jalapeños* die verkocht worden onder de naam *chipotles* (het Indiaanse woord voor 'gerookte chili's'). In deze pure vorm zult u de saus in Mexico overigens niet vaak tegenkomen. Meestal combineert men gerookte *chipotles* met een of meer andere gedroogde pepers. U kunt dus naar hartelust variëren.

Voor ca. 2 dl:

> 125 gram verse *tomatillos*, van vlies ontdaan en gewassen
> 2 grote knoflooktenen, ongepeld
> 3 *chipotle*-pepers uit blik, van zaadjes ontdaan
> ca. 1/4 theelepel zout

1. *Het roosteren van de tomatillos en de knoflook*: Bedek een grillplaat of koekepan met aluminiumfolie en zet hem op een matig hoog vuur. Leg de *tomatillos* en de knoflook op de folie. Rooster de *tomatillos* ca. 10 minuten en de knoflook ca. 15 minuten; keer ze regelmatig om en verwijder ze zodra ze zacht zijn en het vel hier en daar zwart geblakerd is. Laat de knoflooktenen iets afkoelen, pel ze en hak ze fijn.
2. *De finishing touch*: Pureer de *tomatillos*, de knoflook en de *chipotles* in een blender of foodprocessor, onder toevoeging van 2 eetlepels water. Schep de saus in een kom, breng haar op smaak met zout en voeg, indien nodig, nog wat water toe om de saus dunner te maken. U kunt de rooksmaak desgewenst versterken met 1 à 2 theelepels van het vocht uit het blik van de *chiles chipotles*.

KEUKENNOTITIES

Ingrediënten

» *Tomatillos*: De verse *tomatillos* kunnen eventueel worden vervangen door drie of vier *tomatillos* uit blik; in dat geval moet het roosteren uiteraard achterwege worden gelaten.

» *Chiles chipotles*: Geen *chipotle*-saus zonder *chipotles*. Als u alleen maar gewone gedroogde lomboks kunt krijgen, rooster ze dan op een grillplaat of in een droge koekepan tot ze iets donkerder en geuriger zijn, snijd de steeltjes eraf en schud de zaadjes eruit. Week de pepers daarna in water tot ze zacht zijn.

» In Mexico bestaat ook een gedroogde roodbruine peper met een rooksmaak die vrijwel overal wordt verkocht onder de naam *chile mora* (behalve in Puebla en Veracruz, waar hij eveneens *chipotle* wordt genoemd). De ingeblikte pepers die als *chipotles* op de markt worden gebracht, zijn in feite vaak *moras*.

(Voor)bereidingstijd

» De bereiding van de saus vergt ca. 20 minuten, plus een paar minuten om de smaken te laten intrekken. U kunt de saus, afgedekt met folie, ongeveer drie dagen bewaren in de koelkast. Laat de saus op kamertemperatuur komen alvorens haar op te dienen.

Regionale accenten

» In Puebla en Veracruz worden in een *chipotle*-saus meestal tomaten verwerkt in plaats van *tomatillos*. In Oaxaca figureert de gerookte *chile pasilla oaxaqueño* in deze saus als solist; men vindt het zonde als de fijne rooksmaak wordt gemaskeerd door andere chilisoorten.

HETE *CHILE DE ARBOL*SAUS
Salsa Picante de Chile de Árbol

Deze saus is op de markten van de noordelijke en westelijke deelstaten van Mexico kant en klaar verkrijgbaar. Ze wordt veelal in literflessen verkocht. Thuis sprenkelen de Mexicanen de saus op taco's, *tostadas* en tal van andere snacks; of ze roeren een scheutje door een witte *pozole* (pag. 114), een *menudo* (pag. 119) of een van de andere regionale soepen. De saus – die wel iets weg heeft van Tabasco, maar vele malen lekkerder is – kan eindeloos lang worden bewaard, dit in tegenstelling tot de 'rauwe' mengsels die als tafelsaus worden gebruikt.

Voor ruim 4 dl:

> 35 gram (50-60 stuks) gedroogde *chiles de árbol* of andere kleine gedroogde pepertjes*
> 1 1/2 eetlepel sesamzaadjes
> 2 eetlepels gepelde pompoenzaadjes (*pepitas*)
> 1/4 theelepel komijnzaadjes (of ruim 1/4 theelepel gemalen komijn)
> 4 pimentkorrels (of 1 flinke mespunt gemalen piment)
> 2 kruidnagels (of 1 mespuntje kruidnagelpoeder)
> 1 theelepel gedroogde oregano
> 2 grote knoflooktenen, gepeld en grof gehakt
> 1 krappe theelepel zout
> 1,75 dl ciderazijn

1. *De chili's en de zaadjes*: Verwijder de steeltjes van de chilipepers, rol de pepertjes even stevig heen en weer tussen duim en wijsvinger (om de zaadjes los te maken) en breek ze doormidden. Schud zoveel mogelijk zaadjes eruit en doe de pepers in de kom van een blender.
   Verhit een koekepan op halfhoog vuur en rooster de sesamzaadjes onder regelmatig roeren en/of omschudden tot ze knappen en lichtbruin beginnen te kleuren; doe ze in de blender. Rooster de pompoenzaden op dezelfde manier mooi goudbruin en doe ze eveneens in de blender.

2. *Het fijnmaken van de ingrediënten:* Wrijf de komijnzaadjes, de pimentkorrels en de kruidnagels tot poeder in een vijzel of maal ze fijn. Doe de specerijen, de oregano, de knoflook, het zout en de azijn in de blender en laat de machine een paar minuten draaien, tot het mengsel oranje-rood is en glad aanvoelt als u een kleine hoeveelheid tussen uw vingers wrijft.

3. *Het zeven en laten 'rijpen':* Zeef de saus door een middelfijne zeef en druk de vaste bestanddelen – zaadjes, velletjes, enzovoort – goed uit door ze met de bolle kant van een lepel tegen het metaaldraad te wrijven. Verdun de saus met 1,75 dl water en giet de saus in een fles. Doe een kurk op de fles en laat de saus 24 uur 'rijpen' alvorens haar in een kommetje te schenken.

KEUKENNOTITIES
Voetnoten van de vertaalster

» *Chiles de Árbol:* Deze gedroogde chili's zijn iets groter dan de gedroogde *lombok rawits* die in ons land bij toko's worden verkocht, maar qua scherpte vergelijkbaar. Als u geen gedroogde *rawit*-pepertjes kunt vinden, gebruik dan gewone gedroogde lomboks. De saus wordt dan milder van smaak. Wilt u hem toch net zo heet maken als het Mexicaanse origineel, voeg dan wat cayennepeper of tabasco toe.

» De hoeveelheden: Met 'theelepel' wordt de internationale standaardtheelepel met een inhoud van 5 gram bedoeld en *niet* het Nederlandse theelepeltje van 3 gram.

(Voor)bereidingstijd

» De bereiding van de saus vergt circa 30 minuten. De saus is, mits in de koelkast bewaard, vrijwel onbeperkt houdbaar en wordt op den duur zelfs steeds lekkerder. U kunt de saus ook in weckflessen gieten en in een waterbad steriliseren; op die manier kan de saus ook buiten de koelkast worden bewaard.

Regionale accenten

» Op de etiketten van de flessen met hete saus die in Mexico worden verkocht, staat doorgaans niet alleen de *chile de árbol* als ingrediënt vermeld, maar ook de lange, smalle *pulla*-chili. En verder natuurlijk azijn en specerijen. In Nayarit, een kleine deelstaat aan de westkust, kocht ik eens een fles lokaal vervaardigd vuurwater die volgens het etiket ook sesam- en pompoenzaadjes bevatte. Ik ben die daarna eveneens gaan toevoegen, met als resultaat de lekkerste hete saus die ik ooit heb gehad.

GEKOOKTE TOMATEN-CHILISAUS
Salsa Cocida de Jitomate

'...*tomatl:* bepaalde vrucht die wordt gebruikt als rinse vloeistof in stoofschotels en sauzen; *tomahua:* dik worden of groeien; *tomahuac:* iets diks, stevigs, omvangrijks; *tomahuacayotl* (toestand of eigenschap van tomaten): dikte, dikbuikigheid...'

Salvador Novo, citerend uit een Nahuatl-woordenboek in *Cocina mexicana*.

Volgens veel culinaire schrijvers kunnen tomaten, méér nog dan chilipepers en chocolade, worden beschouwd als de belangrijkse bijdrage van Mexico aan de wereldkeuken. Dat is niet zo verwonderlijk, want tomaten hebben een frisse zuur-zoete smaak en veranderen tijdens het koken bovendien in een zachte moes die qua textuur gunstig afsteekt bij de papperige, met meel gebonden sauzen van de Oude Wereld.

In heel Mexico worden tomaten in enorme hoeveelheden verwerkt tot een van de vele verrukkelijke variaties van tomatensaus, want elke landstreek heeft natuurlijk zijn eigen versie. Onderstaand basisrecept levert een multifunctionele saus op die zowel kan worden gebruikt bij *Huevos Rancheros* (pag. 124) en Mexicaanse Rijst (pag. 306) als bij *Chiles Rellenos* (pag. 284) en *Chilaquiles* (tortilla's in tomatensaus, pag. 195). En natuurlijk kunt u ook een paar lepels over een taco scheppen.

Voor ca. 1/2 liter:

> 750 gram rijpe tomaten, gekookt of geroosterd (pag. 404) of 1 groot blik gepelde toma-ten, uitgelekt
> 2-3 verse groene chilipepers (lomboks)*, van hun steeltjes ontdaan
> 1/2 ui, fijngehakt
> 1 groot knoflookteentje, gepeld en grof gehakt
> 1 eetlepel reuzel of plantaardige olie
> ca. 1/2 theelepel zout

1. *De tomaten:* De saus wordt fijner van smaak en textuur als u de tomaten eerst van hun zaadjes ontdoet. Snijd de vruchten daartoe overdwars doormidden en knijp de helften zachtjes uit om het vocht en de zaadjes te verwijderen. Snijd het vruchtvlees daarna in stukjes en doe ze in de kom van een blender of food-processor.
2. *De puree:* Verwijder, als u aan een wat mildere saus de voorkeur geeft, de zaad-jes uit de chili's. Snijd het vruchtvlees in stukjes en doe die, samen met de ui-en knoflooksnippers, bij de tomaten. Laat de machine draaien tot u een – niet àl te fijne – puree hebt verkregen.
3. *Het bakken van de saus:* Verhit de reuzel of de olie in een middelgrote koekepan op een matig hoog vuur. Wacht tot het vet zo heet is dat een druppel puree di-rect begint te sissen, voeg dan de rest van de puree toe en 'bak' de saus, onder voortdurend roeren, tot ze is ingekookt en iets helderder van kleur is. Breng de saus op smaak met zout en neem de pan van het vuur.

KEUKENNOTITIES

Technieken

» *Blenderfoefjes:* Zie pag. 44.

Ingrediënten

» *Tomaten:* Ik gebruik bij voorkeur ovale pruimtomaten ('pomodori'), omdat die wat steviger zijn en de saus 'body' geven.

Voetnoot van de vertaalster

» *Chilipepers:* In het oorspronkelijke recept schrijft Rick Bayless 2-3 verse *chiles jalapeños* of 3-5 *chiles serranos* voor.

(Voor)bereidingstijd

» De bereiding van de saus duurt in totaal 20-30 minuten. De saus kan – afgedekt – 4 tot 5 dagen in de koelkast worden bewaard.

TRADITIONELE VARIATIES·

» *Gladde tomaten-chilisaus:* Als de saus als basis van een dunnere saus fungeert, moeten de ingrediënten wat langer gepureerd worden.

» *Grove tomaten-chilisaus:* Snijd 1/2 middelgrote ui in dunne ringen en bak die lichtbruin in 1 1/2 eetlepel reuzel of olie. Voeg toe: 1 knoflookteentje (fijngehakt) en verse groene chilipepers naar smaak (van zaadjes ontdaan en fijngesneden). Draai het vuur iets hoger, voeg de grof gepureerde tomaten toe en 'bak' de saus tot ze de gewenste dikte heeft. Breng de saus op smaak met zout. Desgewenst kunt u ook nog 2 geroosterde, ontvelde *chiles poblano* toevoegen (van zaadjes ontdaan en grof gehakt).

» *Tomatensaus uit Yucatán:* Pureer de tomaten en wrijf de puree door een zeef. Fruit 1/2 gesnipperde ui glazig in 1 1/2 eetlepel reuzel of olie. Voeg de tomatenpuree, 3 groene chilipepers (in de lengte opengesneden), 1 eetlepel bitter sinaasappelsap (pag. 393) of limoensap en 1 takje *epazote* (eventueel) toe. Laat de saus 7-10 minuten zachtjes pruttelen en breng haar op smaak met zout. Verwijder vlak voor het opdienen de *epazote*.

Regionale accenten

» Tomaten-chilisauzen wordt in heel Mexico met zoveel verschillende chilisoorten en kruiden bereid dat er nauwelijks sprake is van een binding met een bepaalde regio. Maar er zijn een paar gebieden waar de tomaten-chilisaus een heel specifiek karakter heeft. In Guadalajara is het een simpele gladde saus. In Yucatán is de saus (doorgaans *chiltomate* genoemd) eveneens glad, maar voegt men vaak *epazote*, bitter sinaasappelsap en hete *habanero*-pepers toe. In die streek zijn ze eveneens dol op een zeer grove tomatensaus met uien en geroosterde *chiles xcatiques*. *Epazote* (ganzevoet) is ook prominent aanwezig in de dikvloeibare tomatensaus van Oaxaca. En de versie van Veracruz wordt gekenmerkt door het onmiskenbare aroma van gerookte *chipotle*-pepers.

SNEL GEKOOKTE *TOMATILLO*-CHILISAUS

Salsa Verde

Deze traditionele saus voor alledag dankt haar groene kleur aan de *tomatillo*, een verrukkelijke inheemse vruchtgroente die wel wat op een tomaat lijkt, maar er geen familie van is. De kleine vrucht, die omgeven is door een papierachtig omhulsel, geeft de sauzen waarin hij wordt verwerkt een opmerkelijk frisse, licht wrange smaak.

Deze *salsa verde* wordt vrijwel overal in Mexico gemaakt. In sommige streken wordt ze op tafel gezet zodat de aanwezigen haar *al gusto* kunnen opscheppen, maar ze wordt ook wel gebruikt voor *Kip Enchiladas* (pag. 172) of *Chilaquiles* (pag. 195). De bereiding is in grote lijnen overal hetzelfde, alleen laat men in sommige streken een flink takje *epazote* meesudderen.

Voor 6 à 7 dl:

> 500 gram verse *tomatillos*, van het vlies ontdaan en gewassen of 2 blikken (à 4 dl) *tomatillos*
> 2-3 verse groene chilipepers (lomboks)*, van hun steeltjes ontdaan
> 5-6 takjes verse koriander, grof gehakt
> 1 kleine ui, fijngehakt
> 1 grote teen knoflook, gepeld en grof gesneden
> 1 eetlepel reuzel of plantaardige olie
> 1/2 liter kippe- of vleesbouillon (afhankelijk van waar u de saus voor wilt gebruiken)
> ca. 1/2 theelepel zout (afhankelijk van het zoutgehalte van de bouillon)

1. *De tomatillos*: Kook de verse *tomatillos* en de chilipepers 10-15 minuten in lichtgezouten water tot ze zacht zijn; laat ze uitlekken. *Tomatillos* uit blik hoeft u alleen maar te laten uitlekken.
2. *De puree*: Doe de *tomatillos* en de chilipepers (rauwe, als u *tomatillos* uit blik gebruikt) in de kom van een blender of foodprocessor. Voeg de koriander, de ui en de knoflook toe en laat de machine draaien tot u een nèt niet helemaal gladde puree hebt verkregen.
3. *De saus*: Verhit de reuzel of de olie in een middelgrote koekepan op een matig hoog vuur. Wacht tot het vet zo heet is dat een druppel puree direct begint te sissen, voeg dan de rest van de puree toe en 'bak' de saus al roerende 4-5 minuten. Blijf roeren tot de saus dikker en donkerder wordt. Voeg de bouillon toe, breng het geheel opnieuw aan de kook, draai het vuur iets lager en laat de saus inkoken tot de gewenste dikte (ca. 10 minuten). Breng de saus – indien nodig – op smaak met zout.

KEUKENNOTITIES

Technieken

» *Blenderfoefjes*: Om van ingrediënten met verschillende texturen een werkelijk gladde puree te krijgen, is het aan te raden om (1) de wat hardere bestanddelen vooraf fijn te hakken, (2) de inhoud van de kom goed te mengen alvorens de machine in te schakelen en (3) gebruik te maken van de pulseer-knop (of de machine enkele malen in en uit te schakelen) en daarna het geheel bij lage snelheid fijn te maken. Het pureren in een blender of foodprocessor mag nooit langer duren dan ca. 20 seconden.

Voetnoten van de vertaalster

» *Chilipepers*: In het oorspronkelijke recept schrijft Rick Bayless 2 verse *chiles jalapeños* of 3 *chiles serranos* voor.

» *De hoeveelheden*: Met 'theelepel' wordt de internationale standaardtheelepel met een inhoud van 5 gram bedoeld en niet het Nederlandse theelepeltje van 3 gram.

(Voor)bereidingstijd

» De bereidingstijd bedraagt ongeveer 30 minuten. De saus kan – afgedekt – maximaal 4 dagen in de koelkast worden bewaard.

EIGENTIJDSE VARIATIES

» *Tomatillosaus met verse kruiden*: Pureer de uitgelekte *tomatillos* samen met 1 *chile poblano* (geroosterd, ontveld, van zaadjes ontdaan en fijngehakt), 3 knoflookteentjes (geroosterd en ontveld) en 10 grote basilicumblaadjes. Bak de saus zoals omschreven in het recept hiernaast en laat haar inkoken.

» Als u het Mexicaanse karakter van de saus wat meer wilt benadrukken, kunt u de helft van de basilicum vervangen door een paar blaadjes *epazote* of verse munt en enkele takjes verse koriander.

Keukentaal

» De *tomatillo* wordt in Mexico onder vele namen aangeboden, waarvan *tomate* en *tomate verde* nog de meest misleidende zijn omdat niet-Mexicanen zouden kunnen denken dat het om gewone tomaten gaat. U kunt de vrucht verder ook tegenkomen onder de namen *miltomate, tomate de cáscara* ('vlies-tomaat') en – in het noordoosten – *fresadilla*. In het noordwesten wordt hij meestal gewoon *tomatillo* genoemd.

GUACAMOLE

> '*Guacamole is een waarlijk kunstwerk waarin drie Azteekse elementen – avocado's, tomaten en chilipepers – op een legitieme manier verenigd zijn.*'
>
> Salvador Novo in *Cocina Mexicana*

Aan de avocado, waarvan de oorspronkelijke Nahuatl naam 'boter uit het bos' betekent, worden eigenschappen toegeschreven die de keuken ontstijgen. Het zalvige groengele vruchtvlees zou sommige mannen mannelijker maken en andere veranderen in ruziezoekers.

Het boterzachte vruchtvlees van een kleine, perfect rijpe, wilde avocado heeft dezelfde vertrouwde gladde textuur als een dikke vla. De grassige smaak doet denken aan kruiden als tijm, laurier en venkel. De advocaatboom, waarvan de bladeren in Mexico vaak als kruid worden gebruikt, is een lid van de laurierfamilie.

De smaak van gekweekte avocado's is helaas minder uitgesproken dan die van wilde avocado's. Maar wat voor avocado's er ook worden gebruikt, de beste manier om ze te serveren is door het vruchtvlees luchtig fijn te prakken met wat zout, gesnipperde ui en fijngehakte hete chilipepers... plus, voor wie dat lekker vindt, een vleugje knoflook, fijngesneden tomaat en verse koriander. Zo ontstaat het in Mexico alom geliefde mengsel waarmee taco's worden gegarneerd of dat met fikse lepels tegelijk wordt opgeschept.

Het tweede *guacamole*-recept wijkt enigszins af van de bekende dikke en vrij grove versie die als tafelsaus wordt gebruikt. Als het vruchtvlees wordt gemengd met *tomatillos*, ontstaat een gladde groene saus met een rijke en tegelijk frisse smaak. Een bijkomend voordeel van deze versie is dat de saus minder snel verkleurt.

GROVE *GUACAMOLE* (AVOCADORELISH)
Guacamole Picado

Voor ca. 6 dl (voldoende als voorgerecht voor 6 personen of als dipsaus voor 12-15 personen):

> 1/2 kleine ui, fijngehakt
> 1-2 verse groene chilipepers (lomboks)*, van hun steeltjes en zaadjes ontdaan en fijnge-hakt
> 1 rijpe middelgrote tomaat, ontdaan van de harde kern en fijngesneden (eventueel)
> 1 knoflookteentje, gepeld en fijngehakt (eventueel)
> 10 takjes verse koriander, fijngehakt (eventueel)
> 3 rijpe avocado's
> ca. 1/2 theelepel zout
> 1/2 limoen, uitgeperst (eventueel)

voor de garnering:
> fijngehakte ui en koriander, radijsroosjes of -plakjes en/of verkruimelde *queso fresco* (pag. 395) of een andere stevige verse witte kaas (bijv. feta of meikaas)

1. *De voorbereiding*: Meng de uisnippers en de fijngehakte chilipepers in een kom met de eventueel te gebruiken knoflook, tomaat en koriander.
2. *De avocado's*: Snijd de avocado's, om verkleuren te voorkomen, zo kort mogelijk voor het moment van serveren overlangs doormidden. Draai de beide helften in tegengestelde richting (om het vruchtvlees los te maken van de pit) en haal ze van elkaar; verwijder de pit. Schep het vruchtvlees uit de schil en doe het in de kom bij de overige ingrediënten (bewaar de pitten).
3. *Het fijnprakken en mengen*: Prak het vruchtvlees – met een vork of lepel – terwijl u er tegelijkertijd de fijngehakte ingrediënten doorheen mengt, tot een vrij gro-ve puree. Breng de puree op smaak met zout en voeg eventueel, voor extra pit, een scheutje limoensap toe. Leg de avocadopitten op het mengsel en dek het geheel af met plasticfolie dat u direct op de *guacamole* drukt. Laat de smaken een paar minuten intrekken.
4. *De presentatie*: Serveer de *guacamole* in een aardewerken kom of een Mexicaan-se vijzel en strooi er wat fijngehakte ui en koriander en verkruimelde witte kaas over. Garneer het geheel met radijsroosjes of -plakjes.

KEUKENNOTITIES
Technieken

» *Het op smaken brengen van guacamole*: Wat u precies toevoegt, is afhankelijk van de smaak van de avocado's. Als het vruchtvlees van zichzelf vrij flauw smaakt, is het toevoegen van een beetje knoflook, een scheutje limoensap of zelfs een paar druppels goede olijfolie beslist geen overbodige luxe.

Ingrediënten

» *Avocado's*: Informatie over de diverse variëteiten en wenken voor het kopen en thuis laten rijpen van de vruchten vindt u op pag. 379.

Voetnoot van de vertaalster

» *Chilipepers:* In het oorspronkelijke recept schrijft Rick Bayless 1 verse *chile jalapeño* of 2 *chiles serranos* voor.

(Voor)bereidingstijd

» Reken op een bereidingstijd van 20-30 minuten en serveer de *guacamole* zo snel mogelijk. Toevoeging van een beetje limoensap vertraagt het beruchte bruin kleuren van het vruchtvlees enigszins, maar niet afdoende. Kies bij voorkeur een avocadosoort die minder snel verkleurt, zoals de hass. Door de pitten terug te leggen bij het fijngeprakte vruchtvlees wordt het verkleuren eveneens tegengegaan. Dek de *guacamole* zodra hij klaar is af met plasticfolie dat u zo strak mogelijk tegen het oppervlak drukt, zodat de massa niet in aanraking komt met de lucht. Als de *guacamole* iets te lang blijft staan en het oppervlak toch is verkleurd, kunt u het bovenste laagje afscheppen met een lepel.

GUACAMOLE MET TOMATILLOS

Guacamole de Tomate Verde

Voor ca. 1/2 liter:

> 250 gram verse *tomatillos*, van vlies ontdaan en gewassen of 1 blik (à 400 gram) *tomatillos*, uitgelekt
> 1-2 verse groene pepers (lomboks)*, van steeltjes en zaadjes ontdaan en grof gehakt
> 4 takjes verse koriander, grof gehakt
> 1/2 kleine ui, grof gehakt
> 1 rijpe avocado
> ca. 1/2 theelepel zout

1. *De tomatillos:* Overgiet de verse *tomatillos* met zoveel licht gezouten water dat ze onderstaan en kook ze ca. 10 minuten; ze moeten nèt zacht genoeg zijn. Giet ze af en laat ze uitlekken. *Tomatillos* uit blik hoeft u alleen maar te laten uitlekken.
2. *De puree:* Doe de *tomatillos* in de kom van een blender of foodprocessor. Voeg de pepers, de koriander en de ui toe en laat de machine draaien tot u een grove puree hebt verkregen.
3. *De avocado:* Snijd de avocado in de lengte doormidden en verwijder de pit (bewaar hem). Schep het vruchtvlees uit de schil en doe het in een kom.
4. *Het mengen:* Prak de avocadopulp fijn met een vork. Voeg de *tomatillo*-puree toe en meng alles goed. Breng de *guacamole* op smaak met zout, leg de avocadopit erbij en laat het mengsel – afgedekt met folie – een paar minuten staan, zodat de smaken kunnen intrekken.

Hass-avocado's

KEUKENNOTITIES

Technieken

» *Blenderfoefjes:* zie pag. 44.

» *Het afmaken van de saus:* Als ik een volkomen gladde saus wil hebben, doe ik de avocadopulp bij de *tomatillo*-puree in de blender of foodprocessor en meng ik alles met behulp van de pulseerknop (u kunt de machine natuurlijk ook een paar maal achter elkaar aan en uit zetten).

Voetnoot van de vertaalster

» *Chilipepers:* In het oorspronkelijke recept schrijft Rick Bayless 1 verse *chile jalapeño* of 2 *chiles serranos* voor.

(Voor)bereidingstijd

» De bereiding van deze *guacamole* duurt circa 20 minuten. Dankzij de *tomatillos* verkleurt de saus nauwelijks, maar hoewel het uiterlijk niet verandert, gaat de smaak na een paar uur merkbaar achteruit.

Regionale accenten

» Zelfs in Mexico zijn avocado's soms duur. Aangezien ze bovendien vrij kort houdbaar zijn, is het niet verbazingwekkend dat ze geen deel uitmaken van het gewone straatvoedsel. Er worden wel eens een paar plakjes avocado op *tortas* of taco's gelegd en in de meer ambitieuze eetkraampjes is soms een verdunde versie van *guacamole* te vinden, maar een goede grove *guacamole* krijg je voornamelijk in restaurants, *cafetarías* en de betere *tacquerías*.

CACTUSSALADE

Ensalada de Nopalitos

Hoewel dit gerecht in Mexico een salade wordt genoemd, is het in werkelijkheid meer een dikke tafelsaus, een soort grove *salsa mexicana* met stukjes cactusblad. De saus is erg geliefd in sommige markt-*fondas* (voor zover een *salade* in Mexico geliefd kan zijn...).

Ook al is dit gerecht in Mexicaanse ogen meer een condiment, thuis kunt u het vermoedelijk het beste als een salade aankondigen en serveren. Ik denk dat de met een dressing overgoten reepjes cactusblad qua smaak en textuur de vergelijking met een salade van, ik noem maar iets, sperziebonen of groene asperges glansrijk kunnen doorstaan.

Voor 4 personen:

4 middelgrote verse cactusbladeren (*nopales* of *nopalitos*), ca. 400 gram in totaal
of 400 gram cactusreepjes uit blik
1 rijpe tomaat, ontdaan van de harde kern en in blokjes gesneden
1/2 kleine ui, fijngehakt
6 takjes verse koriander, fijngehakt

voor de dressing:
3 eetlepels plantaardige olie of olijfolie (of een mengsel van beide)
1 eetlepel ciderazijn
een flinke mespunt gedroogde oregano
een mespuntje zout

voor afwerking en garnering:
een paar grote bladeren Romeinse sla (bindsla), gewassen en uitgelekt
3 eetlepels verkruimelde *queso fresco* (pag. 395), feta of een andere stevige witte kaas
een paar ingemaakte *jalapeño*-pepers*
radijsjes

1. *De cactusbladeren:* Bereid verse cactusbladeren volgens de aanwijzingen op pag. 380; laat de cactusreepjes uit blik uitlekken en spoel ze af.
2. *Het aanmaken van de salade:* Meng de cactusreepjes in een kom met de tomaat-blokjes, de uisnippers en de fijngehakte koriander. Klop de ingrediënten voor de dressing door elkaar (of doe ze in een afsluitbare beker en schud die goed op en neer), giet de dressing over de ingrediënten in de kom en hussel de sala-de luchtig door elkaar.
3. *De presentatie:* Bedek een platte schaal met slabladeren en schep hierop de sala-de. Bestrooi de salade met verkruimelde witte kaas en garneer het geheel met ingemaakte *jalapeño*-pepers en radijsjes. Serveer direct.

KEUKENNOTITIES

Ingrediënten

» *Cactusbladeren:* Informatie over de verkrijgbaarheid en de behandeling vindt u op pag. 380.

Voetnoot van de vertaalster

» In het oorspronkelijke recept worden zelf ingemaakte of ingeblikte *chiles jalapeños* gebruikt; aangezien *jalapeño*-pepers in Nederland tot op heden niet vers verkrijgbaar zijn, kunt u naar keuze *jalapeños* uit blik of zelf ingemaakte lomboks (pag. 51) gebruiken.

(Voor)bereidingstijd

» Als de cactusbladeren uit blik komen of al gekookt zijn, is de salade binnen een paar minuten klaar. Om te voorkomen dat de smaak en de textuur achteruitgaan, kunt u de salade het beste direct na het aanmaken serveren.

TRADITIONELE VARIATIES

» *Cactussalade uit Puebla:* Ga te werk volgens de aanwijzingen in het recept maar vervang de helft van de cactus door 150-200 beetgaar gekookte sperziebonen of haricots verts en de witte kaas door 50 gram grof geraspte mozzarella (in Puebla gebruikt men een lokale kneedkaas). Garneer de salade met in dobbelsteentjes gesneden avocado. Desgewenst kunt u de salade verrijken met 2-3 theelepels fijngehakte verse oregano.

Regionale accenten

» Cactusbladeren zijn vooral populair in Centraal- en West-Centraal-Mexico. Toluca kan worden beschouwd als de hoofdstad van salade-achtige *nopal*-gerechten. Er bestaat een versie met een lichte saus van *chiles guajillos* en gebakken uien, een versie met *chiles serranos* en worteltjes en een dressingloze versie met uien, tomaten, verse koriander, witte kaas en radijsjes.

INGEMAAKTE PEPERS

Chiles en Escabeche

Wie ooit in Querétaro, Aguascalientes of San Luis Potosí een van de in glazen vaten ingemaakte pepers heeft geproefd of in Toluca of San Cristóbal de las Cases in Chiapas zo'n mooie fles met een kleurrijk mengsel van ingemaakte pepers en andere groentes heeft gekocht, weet dat die heel anders smaken dan de ingemaakte pepers die buiten Mexico worden verkocht. Dat komt ongetwijfeld doordat in Mexico vaak zelfgemaakte vruchtenazijn wordt gebruikt en ook doordat men uit zoveel verschillende soorten pepers kan kiezen.

In onderstaand recept, afkomstig uit Centraal-Mexico, worden de pepers eerst – samen met wat wortel en ui – gebakken en vervolgens in met water verdunde azijn gaar gesudderd. Dit recept kan ook worden gebruikt voor het inmaken van andere groentes (zie Traditionele variaties).

Voor een pot met een inhoud van 5-6 dl:

> 3 eetlepels plantaardige olie
> 5 knoflookteentjes, gepeld
> 1 middelgrote wortel, in plakjes gesneden
> 200 gram verse groene chilipepers (lomboks)*
> 1/2 middelgrote ui, in ringen gesneden
> 1 1/4 dl ciderazijn
> 2 laurierblaadjes
> 1 afgestreken theelepel gemengde gedroogde kruiden (bijv. tijm, marjolein en oregano)
> 4 zwarte peperkorrels, gekneusd of grof gemalen
> ca. 1/2 theelepel zout

1. *Het bakken van de groentes*: Verhit de olie in een middelgrote koekepan op een matig hoog vuur. Voeg de (ongesneden) knoflookteentjes toe en bak ze, onder regelmatig omschudden, lichtbruin. Schep ze uit de pan en laat ze uitlekken op keukenpapier. Roerbak de wortel, de chilipepers en de uisnippers ca. 5 minuten in de achtergebleven olie tot de uisnippers glazig zijn.

2. *Het sudderen in azijn*: Verdun de azijn met evenveel water, giet het mengsel in de pan en voeg ·ie gebakken knoflook, de laurierblaadjes, de kruiden, de peper en het zout toe. Breng de vloeistof aan de kook, draai het vuur iets lager en laat het geheel – met het deksel op de pan – 8-10 minuten prutlen, tot de wortelschijfjes beetgaar zijn (de chilipepers zullen vaalgroen van kleur zijn). Giet de inhoud van de pan in een glazen kom en laat de pepers afkoelen. Voeg, indien nodig, nog wat zout toe. Dek de schaal af met folie (of schep de inhoud over in een grote glazen pot) en zet hem 1 dag in de koelkast alvorens de pepers te gebruiken.

KEUKENNOTITIES

Technieken

» *Vlug-klaar pepers:* Als u de pepers wilt gebruiken op de dag dat u ze maakt, snijd ze dan in de lengte open (of verwijder de zaadjes en snijd het vruchtvlees in reepjes), zodat de azijn beter tot het binnenste kan doordringen.

Voetnoot van de vertaalster

» In het oorspronkelijke recept schrijft Rick Bayless 40-50 verse *chiles serranos* of 12 grote *chiles jalapeños* voor. U kunt ze vervangen door ca. 20 groene lomboks of – als u van goed hete pepers houdt – 50-60 groene lombok rawits.

(Voor)bereidingstijd

» Op de smaken goed te laten intrekken kunt u de pepers het beste 1 dag van tevoren maken. De bereidingstijd bedraagt ca. 30 minuten. De pepers kunnen enkele maanden in de koelkast worden bewaard (zorg er wel voor dat ze volledig door het azijnmengsel worden bedekt).

TRADITIONELE VARIATIES

» *Ingemaakte groentes met chilipepers:* Verdubbel het recept, maar vervang de 200 gram chilipepers door 4 chilipepers plus 500 rauwe groenten (gemengd of van één soort): bijvoorbeeld bloemkool- en/of broccoliroosjes, in stukjes gebroken sperziebonen, courgette- en/of aubergineblokjes of cactusreepjes uit blik. In Chiapas worden ingemaakte groentemengsels verkocht die stukjes palmhart bevatten.

INGEMAAKTE UIRINGEN

Escabeche de Cebolla

Ik zou geen trek hebben in een *panucho* met kip (pag. 187) of een portie *pollo pibil* (pag. 268) als ik er niet deze verrukkelijk gekruide ingemaakte uien bij zou kunnen eten. Ze worden bij bijna elke Yucatánse maaltijd geserveerd. Ik weet dat mijn vrouw Deann het organiseren van een etentje in de stijl van Yucatán als excuus gebruikt om een enorme hoeveelheid uien in te maken, zodat we altijd een vooraadje in de koelkast hebben om er sandwiches en andere snacks mee op te peppen. Kortom: ze zijn èrg lekker!

Voor 1 kleine jampot:

> 1 rode ui (ca. 180 gram), in dunne ringen gesneden
> 1/4 theelepel zwarte peperkorrels
> 1/4 theelepel komijnzaadjes
> 1/2 theelepel gedroogde oregano
> 1/4 theelepel zout
> 2 knoflookteentjes, gepeld en doormidden gesneden
> 3/4 dl ciderazijn

1. *Het blancheren van de ui*: Breng de uiringen in een steelpan met licht gezouten water aan de kook. Laat het water 1 minuut koken, neem de pan daarna van het vuur, giet het water af en laat de uien uitlekken.
2. *Het koken in azijn*: Kneus de peperkorrels en de komijnzaadjes in een vijzel. Doe de uien, de kruiderij en de knoflook in de steelpan, giet de azijn erbij en voeg zoveel water toe dat de uiringen nèt onderstaan. Breng de vloeistof op een matig hoog vuur aan de kook en laat het geheel 3 minuten zachtjes koken. Neem de pan daarna van het vuur en giet de inhoud in een glazen pot of kom. Laat de uien na afkoeling nog een paar uur staan, zodat de smaken kunnen intrekken.

KEUKENNOTITIES

Technieken

» *Het blancheren van de ui*: Het blancheren maakt de uiringen minder scherp van smaak, waardoor het eindresultaat mild en zoetig wordt.

(Voor)bereidingstijd

» De bereiding duurt niet langer dan een kwartier, maar houd er rekening mee dat het afkoelen en 'besterven' enkele uren vergt. De ingemaakte uien kunnen, in een afgesloten pot, een paar weken in de koelkast worden bewaard.

ZELFGEMAAKTE DIKKE ROOM

Crema Espesa

Op de markten van Centraal- en West-Centraal-Mexico en ook op die van de deelstaat Tabasco kun je emmers met verschillende soorten room zien staan. De consistentie en de smaak variëren van dun en zoet tot dik en zurig. De room heeft een hoog vetgehalte en is niet gepasteuriseerd, want dat zou de bacteriën doden die voor de dikte en de friszure smaak zorgen.

Voor mij is het gebruik van die dikke, lichtzure room (die vergelijkbaar is met crème fraîche) een van de plezierigste aspecten van Mexicaans eten. Ik schep de room over *tamales* van verse maïs (pag. 209), in boter gebakken bakbananen (pag. 346), *chilaquiles* (pag. 195) of gewoon op gebakken taco's. U kunt natuurlijk crème fraîche gebruiken, maar u kunt deze dikke room ook heel gemakkelijk zelf maken.

Voor 1/4 liter:

    1/4 liter slagroom
    2 eetlepels karnemelk

1. *Het verwarmen van de room*: Giet de room in een kleine steelpan en verwarm hem op een laag vuur tot lichaamstemperatuur (*niet* warmer!). Roer de karnemelk erdoor en giet het mengsel in een glazen pot.
2. *Het rijpen van de room*: Leg het deksel op de pot (maar schroef het niet dicht!) en zet de pot op een warme (25-30° C) plek. Laat de room zo 12 tot 24 uur staan, tot de room zichtbaar dikker is geworden. Roer de room voorzichtig om, schroef het deksel op de pot en zet de room minstens 4 uur in de koelkast, om hem door en door koud te laten worden en nog iets te laten indikken.

KEUKENNOTITIES

Technieken

»   *Het aanzuren van de room*: Om te voorkomen dat de bacteriën die de room dik maken doodgaan, mag u de room niet te warm laten worden. Als de temperatuur te hoog oploopt, wordt de room niet dik, maar zal hij bederven. Hoewel u voor het aanzuren van de slagroom in principe ook yoghurt of zure room zou kunnen gebruiken, raad ik u aan om karnemelk te gebruiken. De bacteriecultuur van karnemelk doet zijn werk langzamer, waardoor de room de gelegenheid krijgt een volle, rijke smaak te ontwikkelen zonder al te veel zuren .

(Voor)bereidingstijd

»   Maak de room minstens 1 dag van tevoren. De dikke room kan, in een goed afgesloten pot, ca. 1 1/2 week in de koelkast worden bewaard.

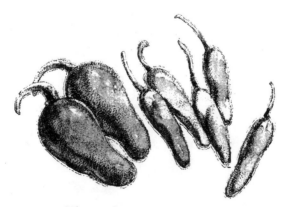

Verse jalapeño- en serrano-pepers

BASISRECEPTEN VLEES, BOUILLONS EN KRUIDENPASTA'S
Chorizos, Carnes Saladas, Caldos y Recados

Slagerij, Oaxaca

Om te voorkomen dat vlees dat niet direct in de pan kon worden gedaan zou bederven – en ook om het hele jaar door over een voorraadje vlees te kunnen beschikken – heeft de mens technieken bedacht om het vlees van wilde of gefokte dieren houdbaar te maken. Vlees werd gepekeld, gedroogd, ingemaakt of gerookt. De Mexicanen hebben zich nooit op het rook- of inmaakpad begeven, maar aan pekelen en drogen doen ze wèl. Alle Mexicaanse slagers verkopen *cecina*, lange, smalle repen gezouten rundvlees en vaak ook *carne seca*, gedroogd rundvlees, hoewel dat eigenlijk een specialiteit uit noordelijk Mexico is. Maar vlees is naar mijn idee op z'n meest Mexicaans als het gekruid is met chilipepers, zoals gebeurt bij het marineren van varkensvlees voor *carne enchilada* of *chorizo*. Het vlees of vleesmengsel wordt in dat geval ingewreven of gemengd met een papje gemaakt van fijngemaakte chili's en azijn, hetgeen niet alleen de smaak ten goede komt, maar ook de houdbaarheid.

De know-how voor het fokken van varkens is afkomstig van de Spanjaarden, die uiteraard ook aan de wieg van de *chorizo* hebben gestaan. De Mexicaanse versie van deze worst heeft zich echter anders ontwikkeld dan zijn gerookte, minder heftig gekruide Spaanse tegenvoeter. Toluca is ontegenzeglijk dé *chorizo*-stad van Mexico. Naast de gebruikelijke gewone rode versie wordt er ook een merkwaardige groene variant gemaakt. Ze maken er ook uitstekende bloedworst en hoofdkaas, twee produkten die ook elders in het land populair zijn. In het noordwesten wordt nog een andere, minder bekende vleeswaar gemaakt: *chilorio*. Dit produkt, dat net als de Franse rillettes in vet wordt geconserveerd, bestaat uit pittig gekruid, in draadjes uiteengeplozen varkensvlees.

De Mexicaanse keuken kent ook een grote verscheidenheid aan kruidenmengsels en -pasta's. Voor de bereiding van *moles* zijn vrijwel overal in Mexico pasta's te koop die men thuis alleen maar hoeft te verdunnen. Maar nergens is de selectie zo groot als in Puebla, waar de pasta's voor *mole poblano*, *adobo*, *pipián*, *mole verde*, enzovoort enzovoort als enorme donkere bergen uit de marktkramen oprijzen. En het lijkt wel of men in Yucatán, waar de meeste gerechten gebaseerd zijn op een van de drie standaard kruidenpasta's (*recados*), niet zonder zo'n mengsel kan koken...

Terwijl cayennepeper (tot poeder gemalen gedroogde chilipepers) alom verkrijgbaar is, speelt chilipoeder (een mengsel van cayennepeper en andere specerijen) nauwelijks een rol in de traditionele kookkunst van Mexico. In Yucatán, waar kruidenmengsels niet zijn weg te denken, zijn echter wel kant-en-klare mengsels van chilipeper en kruiden te koop voor het maken van *escabeches*. Daar worden, evenals in Oaxaca en Chiapas, ook de stevige, helderrode, van gemalen *achiote*- of *annatto*-zaden gemaakte pasta's verkocht waaraan sommige sauzen en rijstgerechten hun fraaie kleur te danken hebben.

Het maken van een pasta voor *mole* is wellicht iets te bewerkelijk voor thuis, maar het maken van *chorizo* is vrij eenvoudig en het resultaat is ongetwijfeld lekkerder dan het eventuele kant en klaar gekochte substituut. Het maken van een chili-marinade (*adobe*) vergt wat tijd, maar de marinade is vrijwel onbeperkt houdbaar en bewijst goede diensten bij de bereiding van snelle happen met een Mexicaans tintje. De kruidenpasta's uit Yucatán – onmisbaar als u een gerecht uit die streek wilt proberen – zijn gemakkelijk te maken. Van al deze zaken vindt u in dit hoofdstuk de recepten, plus die voor een aantal bouillons die u ook vaak nodig zult hebben.

CHORIZO, DE BEROEMDE MEXICAANSE WORST

> '... iedereen die de viespeuken (varkens) van de Hete Vlakten heeft gezien - met hun monsterlijk lange snuiten en vervaarlijke slagtanden; mager, log en schraal bevleesd - en die ook de varkens heeft aanschouwd die in Toluca worden gefokt - stompgeneusd, stevig, goed gebouwd - begrijpt waarom alleen hier goede chorizos en carnitas worden gemaakt.'
>
> Alfonso Sánchez García, Toluca de chorizo

Hij is inderdaad zoals geen enkele andere worst: doortrokken met de geur van kruiden en specerijen, de kleur en de smaak van dieprode chili's en de plezierige prikkeling van een vleugje azijn. Overal in Toluca, zowel in de slagersvitrines nabij een van de grote markthallen als in de wel voorziene tacostalletjes daar niet ver vandaan, hangen de *chorizos* in royale lussen ('golvend als de Nijl', volgens Sánchez García) te pronk. Ze maken ook deel uit van de winkelwaar van de kleine zaakjes in de binnenstad die ook andere Tolucaanse lekkernijen verkopen, waaronder verse *asadero*-kaas (gekruid met *epazote* en *chile manzano*), potten met kleurige ingemaakte groenten en flessen met een sinaasappellikeur die *moscos* wordt genoemd. En vele strengen verse *chorizos* - de met chili gekruide rode en de unieke, met *tomatillos*, verse koriander en hete chili's gekruide groene - de vulling soms verrijkt met pinda's, amandelen, rozijnen of pijnboompitjes.

Natuurlijk heeft Toluca niet het monopolie op *chorizo* en *longaniza* (zoals het goedkopere, ongeknoopte broertje heet). Ook elders wordt worst gemaakt. Bijvoorbeeld de heerlijke kleine, ronde worstjes van Oaxaca, die zowel zoetig als pittig zijn. De lange *longaniza* uit Valladolid in Yucatán wordt gerookt en lijkt qua uiterlijk meer op een Italiaanse pepperoni. En Chiapas biedt een overdonderend assortiment gerookte en gedroogde vleeswaren in onvervalst Spaanse stijl, van *buttifarra* tot diverse hammen.

Dit zijn de interessantste worstsoorten, want er zijn er natuurlijk nog veel meer. Maar geen van de andere worsten kan de vergelijking met de nationale trots doorstaan. Sánchez García bezingt de *chorizo* aldus: 'En wat heeft Toluca toegevoegd aan de Spaanse *chorizo* om de stad te kunnen worden waar de allerbeste *chorizos* worden gemaakt? Het antwoord luidt: smaak. Ten eerste de smaak van de maïs die in de Vallei van Toluca wordt verbouwd en volgens een natuurlijk proces in het vlees van de varkens terechtkomt. Ten tweede de opwindende smaak van zoete, zure, gedroogde rode chilipepers. Ten derde de smaak en de geur van de kruiderij, geselecteerd en gecombineerd zoals alleen Mexicanen doen - met een vleugje koriander en de frisse prikkeling van gember. Maar wat de *chorizo* van Toluca vooral zo bijzonder maakt, is de zorgvuldigheid, de evenwichtige hand van kruiden en de trouw aan tradities waarmee de worstmakers hun ambacht beoefenen...'

TOLUCAANSE *CHORIZO*
Chorizo Toluqueño

Chorizo, met chilipepers gekruide verse worst, speelt een prominente rol in de *mixed-grill*-combinaties van eetgelegenheden met een houtskoolvuur. Verder figureert hij frequent in gerechten als Roerei met *chorizo* (pag. 127) en Gebakken aardappelen met *chorizo* (pag. 147). Maar mijn favoriete gerecht is Gesmolten kaas met paprika en *chorizo* (pag. 89) en daarbij een stapel vers gebakken tortilla's om het allemaal in te rollen. Met het recept hieronder, gebaseerd op de versie van Velázquez de León uit *Platillos regionales de la República Mexicana*, maakt u een verrukkelijk gekruide Tolucaanse *chorizo*.

Voor ca. 750 gram verse worst (na 36 uur drogen gereduceerd tot ca. 500 gram)

> 150 gram vers vet spek, in blokjes van ca. 1 cm
> 2 gedroogde *chiles anchos** (25-30 gram), ontdaan van steeltjes, zaadjes en zaadlijsten
> 2 gedroogde *chiles pasillas** (20 gram), ontdaan van steeltjes, zaadjes en zaadlijsten
> ruim 1/4 theelepel korianderzaadjes of -poeder
> 1 klein stukje (ca. 1 1/2 cm) pijpkaneel of 1/2 theelepel kaneelpoeder
> 2 kruidnagels of 1 flinke mespunt kruidnagelpoeder
> 3/4 theelepel gedroogde oregano
> 15-20 zwarte peperkorrels of 1/3 theelepel gemalen peper
> 1 flinke mespunt geraspte nootmuskaat
> 1 flinke mespunt gemberpoeder
> 2 eetlepels paprikapoeder
> 1 volle theelepel zout
> 3 knoflookteentjes, gepeld en fijngehakt
> 3/4 dl ciderazijn
> 250 gram varkenslende, in blokjes van ca. 1 cm en goed gekoeld
> 250 gram varkensschouder, in blokjes van ca. 1 cm en goed gekoeld
> ca. 1 1/2 meter varkensdarm voor het 'verpakken' van de worst (eventueel)

1. *Het spek*: Leg het in blokjes gesneden spek in de vriezer (zodat het hard genoeg wordt om het te kunnen malen) terwijl u de kruiderij assembleert.
2. *De chilipepers en de overige kruiderij*: Zet een grillplaat of een koekepan met een dikke bodem op het vuur. Scheur intussen de chili's in brede platte stukken. Leg de stukken steeds met een paar tegelijk op de hete plaat, druk ze plat met een metalen spatel tot ze verkleuren en er blazen ontstaan, draai ze om en druk ze weer tegen het hete metaal, tot ook de tweede kant geroosterd is. Laat de pepers afkoelen en verkruimel ze in de kom van een hakmolentje (of in een foodprocessor voorzien van een inzetmolentje). Voeg de korianderzaadjes, het stukje kaneel, de kruidnagels, de oregano en de peperkorrels toe en maal het geheel tot poeder. Zeef het poeder door een middelfijne zeef en meng het in een kom met de overige specerijen en het zout. Roer er ten slotte de fijngehakte knoflook en de azijn door.
3. *Het malen van het vlees*: Voorzie de vleesmolen van het voorzetstuk met de grootste gaatjes. Meng de vleesblokjes met de spekblokjes en draai alles door de vleesmolen; vang het gemalen vlees op in de kom met de kruiderij. Kneed alles goed door elkaar, dek het vleesmengsel af met folie en zet het een nacht in de koelkast.

4. *Het 'stoppen' van de worst en het eventuele rijpen:* Leg de darmen een uurtje in koud water. Bevestig het hulpstuk voor het vullen van worstvellen op de keukenmachine (hebt u niet zo'n machine met hulpstuk, ga dan te werk zoals beschreven onder het kopje '*chorizo* zonder worstvel'). Spoel de darmen onder de koude kraan en controleer ze op gaatjes door er water doorheen te laten lopen; knip ze af op de plek waar een gaatje zit of gooi ze weg (een bruikbaar stuk darm moet minstens 60 cm lang en geheel gaaf zijn).

Duw een van de worstvellen over de metalen vultuit, maar laat een stukje van 10 cm over het uiteinde hangen. Zet de machine aan en schep het vleesmengsel in gedeeltes in de opening. Knijp het uiteinde van de darm, zodra het vlees door de tuit te voorschijn komt, goed dicht, zodat het vlees zich ophoopt en de darm wordt opgerekt tot een diameter van ca. 2 1/2 cm. Duw het vleesmengsel in een continue stroom door de machine terwijl u met uw vrije hand de worst opvangt en de darm voorzichtig lostrekt van de vultuit. Trek, als de worst zo'n 20 cm lang is, een stukje darm zonder vulling los, zodat een afscheiding wordt verkregen tussen het eerste en het volgende stuk worst. Maak de rest van de *chorizo* op dezelfde manier.

Draai de worst ter hoogte van de afscheidingen een paar maal in elkaar of bind elk worstje af met een stukje touw. Hang de worstjes ca. 36 uur op een koele, droge plaats (bij voorkeur ergens waar de lucht vrij spel heeft), tot ze droog aanvoelen en iets steviger zijn. Zet er een bak onder om het lekvocht op te vangen. Verpak de *chorizos* in folie en bewaar ze tot gebruik in de koelkast.

KEUKENNOTITIES

Technieken

» *Het rijpen en drogen:* De eerste rustperiode in de koelkast is voornamelijk nodig om het vleesmengsel de smaak van de kruiderij te laten opnemen. De volgende dag is het vleesmengsel – al of niet voorzien van een worstvel – al bruikbaar, maar de textuur is dan tamelijk los en kruimelig omdat het mengsel nog veel vocht bevat. Door de *chorizo* 1 à 1 1/2 etmaal aan de lucht te drogen wordt hij steviger van structuur en voller van smaak.

» *Chorizo zonder worstvel:* Als u geen worstvulmachine hebt, kunt u het vleesmengsel als volgt laten drogen en rijpen: doe het mengsel in een vergiet en dek het af met folie. Zet het vergiet in een bak of schaal en laat het vleesmengsel 2 dagen uitlekken in de koelkast.

Voetnoten van de vertaalster:

» *De chilipepers:* Voor het welslagen van dit recept zijn de *ancho*-pepers essentieel; ze kunnen niet door een ander type gedroogde chilipepers worden vervangen. De twee *pasillas* kunnen eventueel worden vervangen door één extra *ancho*. Beide pepersoorten worden echter in Nederland geïmporteerd (zie pag. 408 voor meer informatie).

» *Het worstvel:* Varkensdarm kan worden besteld bij elke slager die nog zijn eigen worsten maakt.

» *De hoeveelheden:* Met 'theelepel' wordt de internationale standaardtheelepel met een inhoud van 5 gram bedoeld en *niet* het Nederlandse theelepeltje van 3 gram.

Keukengerei

» *Vleesmolen en worstvulmachine:* Het beste resultaat wordt verkregen met een gewone niet-elektrische vleesmolen. Hebt u die niet, dan kunt u ofwel de slager vragen het vlees voor u door de molen te halen ofwel de foodprocessor gebruiken om het vlees fijn te maken. Bij sommige keukenmachines kan een hulpstuk worden gekocht om worst te maken. Bij ontstentenis van zo'n machine met hulpstuk (en ook als u voor het fijnmaken een foodprocessor hebt gebruikt) kunt u het *chorizo*-mengsel in een vergiet laten drogen en rijpen (zie hierboven).

(Voor)bereidingstijd

» Maak de *chorizo* minstens 1 dag (maar liever 2 of 3 dagen) van tevoren. Het assembleren van het vleesmengsel duurt ca. 45 minuten; het vullen van het worstvel duurt 30-45 minuten. De gerijpte worstjes kunnen, verpakt in folie, ca. 1 week in de koelkast worden bewaard.

TRADITIONELE VARIATIES

» *Tolucaanse chorizo met noten en rozijnen:* Maak het vleesmengsel volgens de aanwijzingen in het recept. Voeg op het laatst 25 gram rozijnen, 25 gram geroosterde amandelen (grof gehakt) en 25 gram geroosterde pinda's of pijnboompitjes toe.

» *Chorizo met een 'tic':* In haar in 1946 verschenen boek *Salchichonería casera* adviseert Josefina Velázquez de León aan het vleesmengsel 2 eetlepels graanalcohol (jenever of wodka kan ook) toe te voegen. De alcohol verhoogt de smaak en verlengt de houdbaarheid. Omdat het vochtgehalte er eveneens door toeneemt, is het aan de lucht drogen van de worstjes (of het laten uitlekken van het vleesmengsel) in dit geval absoluut noodzakelijk.

DUNGESNEDEN STROKEN RUNDVLEES, VERS OF AAN DE LUCHT GEDROOGD

Cecina de Res y Carne Seca

Mijn vrouwelijke slager in Oaxaca hanteerde haar lange stalen mes met flitsende flair terwijl ze een dik stuk rundvlees transformeerde tot smalle dunne stroken. Die stroken werden gezouten en vervolgens boven de toonbank te drogen gehangen. Je kon ze vers kopen (bij wijze van taaie biefstuk) of gedroogd (om te grillen of te stoven). Naarmate het vlees langer hing, werd het - zoals goed afgehangen vlees betaamt - voller en rijker van smaak.

De manier waarop zij het vlees met de draad mee in dunne stroken sneed, is een aloude manier om vrij taaie stukken van het rund geschikt te maken voor andere bereidingen dan alleen maar stoven. Deze snijmethode wordt in Mexico ook gebruikt voor varkensvlees en delen van het hert.

Aangezien ik er totaal niet mee vertrouwd was, heb ik me lange tijd niet aan deze snijmethode gewaagd. Maar op een gegeven moment moést ik wel, omdat ik een plotselinge hartstocht had ontwikkeld voor *Burritos* met reepjes gedroogd vlees (pag. 157) en Roereieren met gedroogd vlees (pag. 128). Sedertdien draai ik er mijn hand niet meer voor om. Als u de techniek eenmaal in de vingers hebt (wat even kan duren als u niet gewend bent zelf vlees te snijden), zult u merken dat het helemaal niet moeilijk is. Onderstaand recept heb ik leren maken in Baja California.

Voor ca. 600 gram vers vlees of 200 gram gedroogd vlees:

1 stuk mager rundvlees van ca. 700 gram (schouder- of achtermuis of zijlende)
1 1/2 theelepel zout
1 eetlepel limoensap
1 1/2 theelepel gedroogde oregano

1. *De harmonika-snijmethode*: Snijd, indien nodig, een stukje van de uiteinden van het vlees af, als ook van de boven- en onderkant. zodat het stuk vlees min of meer rechthoekig wordt. Bewaar de afsnijdsels voor iets anders.

Leg het vlees zodanig op een snijplank dat de 'draad' van het vlees evenwijdig loopt aan de lengterichting van de plank. Leg één hand stevig op het vlees, zet een dun, vlijmscherp mes ca. 3 mm onder de bovenkant (inderdaad, dus

De harmonikasnijmethode:

de eerste snee

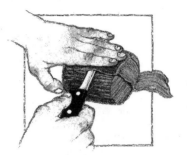

De harmonikasnijmethode:

de tweede snee

ook ca. 3 mm onder uw hand...) tegen de zijkant van het stuk vlees en snijd op die hoogte, evenwijdig aan de snijplank, voorzichtig door het vlees. Houd het mes op 3 mm afstand van het andere uiteinde stil en trek het mes los. Draai het vlees 180°, zet het mes nu op 6 mm onder de bovenkant tegen de zijkant en begin weer voorzichtig te snijden. Klap, als het mes ca. 3 cm heeft afgelegd, de bovenste plak open, buig het uiteinde naar achteren en leg uw hand op de 'nieuwe' bovenkant. Trek het mes, als u op 3 mm van de zijkant bent, weer uit het vlees, draai het vlees weer 180° en maak de volgende snee weer 3 mm lager dan de vorige. Klap, als het mes ca. 3 cm heeft afgelegd, de bovenste plak weer naar achteren en leg uw hand weer op de 'nieuwe' bovenkant. Trek het mes, als u op 3 mm van de zijkant bent, weer uit het vlees, draai het vlees opnieuw 180° en maak de volgende snee weer 3 mm lager dan de vorige. Vouw de strook vlees die zo ontstaat na elke draai naar achteren, zodat u uw hand steeds op de zojuist ontblote 'nieuwe' bovenkant kunt leggen (u houdt daardoor meer 'grip' op het mes) en ga op die manier met het mes heen en weer door het vlees tot het hele compacte stuk is veranderd in een lange strook met een dikte van 3 mm.

Het resultaat: een lange,

smalle strook <u>cecina</u>

2. *Het pekelen en rijpen*: Doe het zout, het limoensap en de oregano in een komme-tje en roer tot het zout is opgelost. Bestrijk de strook vlees aan beide kanten met het zoutmengsel en vouw hem op als een harmonica, zodat het vlees zijn oorspronkelijke vorm herkrijgt. Laat het vlees zo een half uur rusten. Vouw het vlees daarna weer uit en hang het te drogen op een plek met een lage lucht-vochtigheid en een een goede luchtcirculatie.

3. *Het maken van cecina (vers of halfgedroogd vlees)*: Laat het vlees een paar uur of een hele nacht drogen. Snijd de strook daarna in kleinere stukken, doe de stuk-ken in een platte bak of kom, dek ze af met folie en bewaar ze in de koelkast. Om te voorkomen dat het vlees verder uitdroogt, kunt u de stukken aan weers-kanten bestrijken met een waasje olie.

4. *Het maken van carne seca (gedroogd vlees)*: Laat het vlees minstens 48 uur han-gen; als u het geruime tijd wilt bewaren, kunt u het zelfs een paar dagen langer laten hangen. Verpak het daarna losjes in folie en bewaar het op een koele, dro-ge plaats.

KEUKENNOTITIES

Technieken

» *De harmonika-snijmethode*: Er is werkelijks niet moeilijks aan deze methode, maar ze vergt wat oefening. Werk langzaam en snijd met korte, stevige halen door het vlees, terwijl u uw hand stevig op de bovenkant drukt, zodat u het mes als het ware vlak onder uw handpalm door kunt voelen glijden. Als u zorgvuldig te werk gaat is er weinig kans dat u zich snijdt...

» *Het drogen van het vlees*: In de zomer kunt u het vlees overdag in de zon hangen (eventueel in het geopende keukenraam) en 's avonds binnen halen. Het drogen lukt overigens alleen bij een lage luchtvochtigheid; bij een te hoge vochtigheidsgraad bestaat de kans dat het vlees bederft.

(Voor)bereidingstijd

» Het snijden van het vlees vergt 20 tot 30 minuten; voor het pekelen en laten intrekken moet u een half uur uittrekken. Het rijpen en drogen duurt minimaal 12 uur, maar voor bepaalde bereidingen moet het vlees 48 uur of zelfs langer worden gedroogd. Vlees dat langer dan 48 uur is gedroogd, kan – losjes verpakt in folie – enkele maanden worden bewaard op een koele, droge plek (niet in de koelkast!).

TRADITIONELE VARIATIES

» *Gedroogd vlees met chilipeper*: Roer 2 theelepels verkruimelde geroosterde *chiles guajillos* (of gedroogde en geroosterde rode lomboks) door het zoutmengsel en voeg eventueel wat extra cayennepeper toe. Snijd het vlees volgens de harmonica-metho-de in stroken en bestrijk het met het zout-chilimengsel alvorens het te drogen te hangen.

Regionale accenten

» Gedroogd vlees is een specialiteit van Noord-Mexico. Dit soort vlees wordt in deze streek zo veelvuldig gebruikt dat de bereiding fabrieksmatig ter hand is genomen. Het vlees wordt machinaal gedroogd en vermalsd tot het er uitziet als een reep van een paardeharen deken.

» Het woord *cecina* wordt in Mexico meestal gebruikt als aanduiding voor stroken vlees die alleen maar gepekeld zijn. Zodra de stroken enige tijd gedroogd zijn, luidt de naam *carne seca* (en soms ook *cecina oreada*). In de staat Oaxaca hanteert men andere benamingen: gepekelde stroken rundvlees heten daar *tasajo* en stroken varkensvlees (die meestal met chilipeper worden gekruid) worden *cecina* genoemd.

VARKENSVLEES IN CHILI-MARINADE
Carne de Puerco Enchilada

De combinatie van chilipepers en azijn maakt het vlees malser en geeft het een verrukkelijk, typisch Mexicaans aroma; de toegevoegde kruiden en specerijen zorgen voor extra smaak. Ook in dit recept wordt de harmonika-snijmethode toegepast. De dunne plakken vlees kunnen worden gebakken als varkensschnitzels en worden opgediend met een *rajas* van geroosterde *chiles poblanos* (pag. 325), maar u kunt ze na het bakken ook in reepjes snijden en als vulling of beleg voor taco's gebruiken.

Voor ca. 500 gram:

> 1 stuk varkenslende (zonder bot) van ca. 600 gram
> 3/4 dl rode chili-marinade (*adobo*, pag. 69)

1. *Het vlees voorbereiden*: Snijd met een dun, vlijmscherp mes het vetlaagje van de varkenslende. Aan één kant van de lende kan zich een reep vlees bevinden waarvan de structuur anders is dan die van het lichtroze gedeelte. Verwijder dit deel van de lende en bewaar het voor iets anders. Als er een zeen door het vlees loopt, moet die eveneens worden verwijderd, zodat u een mooi, min of meer rechthoekig stuk vlees zonder vet, vliezen of zenen overhoudt.
2. *Het vlees snijden*: Snijd het vlees volgens de harmonika-snijmethode (pag. 65) in een lange, vrij brede strook van 3 mm dikte.
3. *Het marineren*: Bestrijk de vleesstrook aan beide kanten met de chili-marinade en vouw hem op, zodat het vlees zijn oorspronkelijke vorm herkrijgt. Dit gaat het gemakkelijkst als u als volgt te werk gaat: Bestrijk een bord met ca. 1 eetlepel van de marinade en leg het onderste deel van de vlees-'harmonika' op het bord. Bestrijk de bovenkant van het vlees met de marinade en vouw het volgende deel van de 'harmonika' erover. Bestrijk ook de bovenkant hiervan met de marinade. Ga zo door met vouwen en bestrijken tot het stuk vlees zijn oorspronkelijke vorm heeft en alle lagen bedekt zijn met een beetje marinade. Bestrijk de boven- en zijkanten van het vlees met de marinade, bedek het geheel met plasticfolie en zet het vlees een paar uur of een hele nacht in de koelkast.

KEUKENNOTITIES
Ingrediënten

» *Het vlees*: In plaats van varkenslende kunt u eventueel een stuk ontbeende varkensschouder gebruiken. Het vlees van de schouder is malser en sappiger, maar ook moeilijker te snijden. Als u erg tegen het snijden opziet, kunt u dunne varkensschnitzels gebruiken. Vraag de slager in dat geval of hij u schnitzels geeft waarvan de 'draad' in de lengterichting loopt.

(Voor)bereidingstijd

» Als u de marinade van tevoren hebt gemaakt, duurt het snijden en met de marinade bestrijken niet langer dan 20 tot 30 minuten. Reken op een marineertijd van minimaal 4 uur.

Regionale accenten

» Dit vlees is, gemarineerd en wel, te koop bij vrijwel alle slagers in Tuxtla Gutiérrez, Oaxaca, Acapulco, Chilpacingo, Guadalajara, Aguascalientes, San Luis Potosí en de meeste plaatsen daar tussenin. Soms heeft men de dunne plakken varkensvlees vervangen door koteletjes die gebakken of gestoofd kunnen worden.

» In sommige *tacquerías* worden de dunne plakken aan een verticaal spit geregen en – op dezelfde manier als shoarma – voor een verticale gas- of houtskoolgrill geroosterd. Het vlees wordt, net als shoarmavlees, in dunne flinters gesneden en geserveerd in de alomgeliefde *tacos al pastor*.

Keukentaal

» De naam van dit vlees verandert met het landschap: in Oaxaca noemt men het *cecina*, in Guerrero *carne de puerco enchilada* en elders wordt ook wel de naam *carne de puerco adobada* gebruikt.

GEPOCHEERDE KIP IN REEPJES

Pollo Deshebrado

De pezige Mexicaanse kippen, die praktisch overal in Mexico vrij rondscharrelen, worden bijna altijd gepocheerd om ze mals en zacht te maken – zelfs als ze gebraden geserveerd worden. Ze laten zich moeiteloos gaar maken, waarna het vlees in reepjes wordt gescheurd of getrokken. De opbrengst aan kippevlees is doorgaans voldoende om een half weeshuis op met kip gevulde *tortillas* te kunnen onthalen...

Voor ca. 500 kippevlees (als u uitgaat van een hele kip) of 250 gram kippevlees (als u uitgaat van een dubbele kipfilet):

Bij het gebruik van een hele kip:
    1/2 middelgrote ui, grof gehakt
    1 3/4 liter water
    1 theelepel zout
    1 grote kip (ca. 1500 gram), in vieren verdeeld (pag. 258)
    1 theelepel gemengde gedroogde kruiden (o.a. marjolein en tijm)
    3 laurierblaadjes

Bij het gebruik van kipfilet:
    1/4 middelgrote ui, grof gehakt
    3/4 dl water
    1/2 theelepel zout
    1 dubbele kipfilet (ca. 300 gram), doormidden gesneden
    1/2 theelepel gemengde gedroogde kruiden (o.a. marjolein en tijm)
    2 laurierblaadjes

1. *Voorbereidingen*: Doe de uisnippers en het water in een grote (bij het gebruik van een hele kip) of middelgrote (bij het gebruikt van kipfilet) pan en breng het water aan de kook. Voeg, zodra het water kookt, het zout toe.
2. *Het pocheren van een hele kip*: Doe de beide achterbouten in het kokende water, wacht tot het water opnieuw begint te borrelen en schep het schuim af dat komt bovendrijven. Voeg de kruiden en de laurierblaadjes toe, leg een deksel schuin op de pan en laat de inhoud 10 minuten zachtjes koken (het wateroppervlak moet nauwelijks waarneembaar rimpelen). Voeg dan de beide vleugeldelen met de borststukken toe, schep opnieuw het schuim af en leg, zodra de vloeistof opnieuw begint te koken, het deksel schuin op de pan. Laat de kip nog 13 minuten pocheren.

    Het pocheren van een kipfilet: Doe de beide stukken kipfilet in het kokende water. Wacht tot het water opnieuw begint te borrelen en schep het schuim af dat komt bovendrijven. Voeg de kruiden en de laurierblaadjes toe, leg een deksel schuin op de pan en laat de inhoud 13 minuten zachtjes koken (het wateroppervlak moet nauwelijks waarneembaar rimpelen).
3. *Het afkoelen*: Laat de kip of kipfilet afkoelen in het kookvocht.
4. *Het in reepjes scheuren van het kippevlees*: Verwijder, als u een hele kip hebt gebruikt, het vel en de botjes. Verdeel het kippevlees met uw vingers in kleine stukjes. Bestrooi de stukjes met zout alvorens ze te gebruiken, tenzij het recept iets anders vermeldt.

KEUKENNOTITIES

Technieken

» *De juiste pocheertijd*: Bij de in vrijheid grootgebrachte Mexicaanse kippen luistert de pocheertijd niet zo nauw, maar bij onze uit hoenderparken afkomstige kippen is het, om te voorkomen dat het vlees te gaar wordt en te sterk uitdroogt, van belang dat u de kip of kipfilet niet langer pocheert dan nodig is. Het vlees blijft het sappigst als u de kipdelen of de filet laat afkoelen in de bouillon.

Voetnoot van de vertaalster

» *De hoeveelheden*: Met 'theelepel' wordt de internationale standaardtheelepel met een inhoud van 5 gram bedoeld en *niet* het Nederlandse theelepeltje van 3 gram.

(Voor)bereidingstijd

» Het pocheren van een hele kip duurt, exclusief het aan de kook brengen van het water, ca. 25 minuten. Reken voor het afkoelen ca. 1 uur en voor het in reepjes scheuren van het kippevlees 10-15 minuten. Het vlees kan – in een koelkastdoos of in een met folie afgedekte kom – 2 tot 3 dagen in de koelkast worden bewaard.

BOUILLON
Caldo

Als het culinaire verleden ons één ding heeft geleerd, dan is het wel dat goed koken begint bij een goede bouillon en daarmee bedoel ik niet een bouillon op basis van een fabrieksblokje. De meeste Mexicaanse bouillons zijn trouwens minder sterk van smaak dan hun Franse verwanten. Het is zelfs zo dat de smaak van menig Mexicaans gerecht uit balans raakt bij het gebruik van een te krachtige bouillon. Voor een soep kan de bouillon overigens wat krachtiger zijn dan voor een saus. Aangezien vlees in de Mexicaanse keuken vaak zachtjes wordt gaar gesudderd in een vloeistof, ontstaat de bouillon in veel gevallen vanzelf. Als dat niet het geval is, kunt u onderstaand recept gebruiken.

Voor ca. 1 1/2 liter:

> 1 kilo kipdelen (bijv. borrelboutjes, vleugels, evt. aangevuld met de kippehalsjes en - maagjes; géén levertjes), bevleesde varkensbotten en/of runderschenkel
> 1 kleine ui, in dunne ringen gesneden
> 2 knoflookteentjes, gepeld en doormidden gesneden
> 2 laurierblaadjes
> 8 zwarte peperkorrels, gekneusd of grof gemalen
> 1 kleine wortel, in plakjes gesneden (eventueel)
> 1 selderijstengel, grof gesneden (eventueel)

1. *Voorbereidingen*: Doe de kipdelen, de botten en/of de schenkel in een grote pan, voeg de uiringen en de knoflook toe en giet er 3 liter water bij. Breng het geheel op een matig hoog vuur aan de kook. Schep steeds het schuim af dat komt bovendrijven. Voeg, zodra er geen nieuw schuim meer wordt gevormd, de overige ingrediënten toe.
2. *Het trekken, zeven en ontvetten*: Laat de bouillon ca. 2 uur zachtjes trekken (varkens- en runderbouillon krijgen meer smaak als u ze 1 à 2 uur langer laat trekken). Na 2 uur is er – als het vuur niet te hoog stond – ca. 1 1/2 liter vloeistof in de pan overgebleven (als u varkens- of runderbouillon maakt, moet u zo nu en dan wat extra water toevoegen, zodat ook in dat geval 1 1/2 liter bouillon wordt verkregen).

   Giet de bouillon door een fijnmazige zeef in een schone pan en laat hem afkoelen (de in de zeef achtergebleven bestanddelen kunnen worden weggegooid). Zet de pan daarna een paar uur in de koelkast, zodat het vetlaagje kan stollen. Schep het vetlaagje af met een lepel (als de tijd ontbreekt om de soep door en door koud te laten worden in de koeling, kunt u het vet afscheppen terwijl het nog vloeibaar is).

KEUKENNOTITIES
(Voor)bereidingstijd

» Reken voor kippebouillon op een bereidingstijd van 2 uur; varkens- en runderbouillon hebben 1 à 2 uur meer nodig. De bouillon kan 1 à 2 dagen in de koelkast worden bewaard; als u hem langer wilt bewaren (of als een deel overblijft), kunt u hem beter invriezen.

Voetnoot van de vertaalster

» *De hoeveelheden:* Met 'theelepel' wordt de internationale standaardtheelepel met een inhoud van 5 gram bedoeld en *niet* het Nederlandse theelepeltje van 3 gram.

SNEL-KLAAR VARIATIE

» *Gekruide kippebouillon voor soep:* Fruit de uiringen glazig in een beetje olie, laat de knoflookteentjes 2 minuten meefruiten en voeg dan 3 laurierblaadjes, 1/2 theelepel gemengde gedroogde kruiden en 6 gekneusde peperkorrels toe. Giet er dan de inhoud van 1 potje of blikje goede kippebouillon bij en vul het geheel aan met water tot 1 liter. Leg een deksel schuin op de pan en laat de bouillon 30 minuten zachtjes trekken. Zeef en ontvet de bouillon volgens de aanwijzingen in het recept.

VISBOUILLON
Caldo de Pescado

Het belangrijkste ingrediënt van een goede vissoep of -saus is een zorgvuldig gemaakte visbouillon. De versie die ik heb ontwikkeld is smaakrijk, zonder sterk of vissig te smaken. Hij bevat bestanddelen die de vissmaak accentueren en is mooi rood-achtig van kleur. In Mexico worden de koppen en graten automatisch meegeleverd als iemand gefileerde vis koopt; in ons land zult u er uitdrukkelijk om moeten vragen.

Voor ca. 2 liter:

    1 kilo viskoppen (zonder kieuwen) en -graten
    1 selderijstengel, grof gehakt
    1 kleine ui, in ringen gesneden
    1 wortel, grof gehakt
    2 grote knoflooktenen, gepeld en doormidden gesneden
    2 eetlepels plantaardige olie
    1 kleine gedroogde *chile ancho*, ontdaan van steelaanzet en zaadjes (eventueel)
    1 grote rijpe tomaat (of, als u geen *chile ancho* gebruikt, 1 1/2 tomaat), in plakjes gesneden of 150 gram ontvelde tomaten uit blik (200 gram als u geen *chile ancho* gebruikt), uitgelekt en grof gehakt
    2 laurierblaadjes
    1 1/2 theelepel gemengde gedroogde kruiden (o.a. marjolein en tijm)
    4 takjes verse koriander
    1/2 theelepel zwarte peperkorrels, gekneusd of grof gemalen
    1/4 theelepel anijs- of venkelzaadjes
    4 reepjes sinaasappelschil (zonder wit), ca. 5 cm lang en 1 cm breed

1. *Voorbereidingen*: Spoel de viskoppen en -graten onder koud stromend water en doe ze in een grote pan, samen met de selderij, de uiringen, de wortel, de knoflook en de olie. Schep alles goed om, zodat alle ingrediënten met een waasje olie bedekt zijn. Zet de pan op een matig hoog vuur, leg het deksel erop en laat de inhoud 8 minuten zachtjes smoren; roer af en toe.
2. *Het trekken, zeven en ontvetten*: Verwijder het deksel. Doe de *chile ancho*, de laurier, de kruiden en de reepjes sinaasappelschil in de pan, giet er 2 1/2 liter water bij en breng dit aan de kook. Laat de bouillon 20 minuten zachtjes trekken. Giet de inhoud van de pan daarna door een fijne zeef in een schone pan en laat de bouillon iets afkoelen; de in de zeef opgevangen bestanddelen kunnen worden weggegooid. Schep het vet van de oppervlakte alvorens de bouillon te gebruiken.

KEUKENNOTITIES

Technieken

» *Het trekken van visbouillon*: In tegenstelling tot kippe- en vleesbouillon krijgt visbouillon een bittere bijsmaak als u hem langer dan 20 tot 25 minuten laat trekken.

» *Viskoppen en -graten*: Gebruik alleen koppen en graten van niet-vette witte vissoorten (dus niet van vette vissen als zalm en makreel). De koppen en graten moeten absoluut vers zijn. Vraag de visman om de kieuwen, die de bouillon troebel zouden maken, te verwijderen.

Voetnoot van de vertaalster

» *De hoeveelheden*: Met 'theelepel' wordt de internationale standaardtheelepel met een inhoud van 5 gram bedoeld en niet het Nederlandse theelepeltje van 3 gram.

» *De chilipepers: Chiles anchos* (gedroogde *poblanos*) worden in Nederland geïmporteerd (zie pag. 408); als u ze niet kunt krijgen, kunt u ze beter weglaten en wat meer tomaat gebruiken dan een andere soort chilipepers.

(Voor)bereidingstijd

» Het maken van de visbouillon vergt in totaal ca. 40 minuten. Na afkoeling kan de soep 1 à 2 dagen in de koelkast worden bewaard; wilt u hem langer bewaren, dan kunt u hem invriezen.

TRADITIONALE VARIATIES

» *Sopa de pescado*: Van 1 liter visbouillon kan ca. 1 1/2 liter heerlijke vissoep worden gemaakt: Fruit 1 in ringen gesneden ui goudgeel in een scheutje olijfolie. Voeg 2 geroosterde of geblancheerde tomaten (ontveld, van kern en zaadjes ontdaan en grof gesneden) of 1/2 blik ontvelde tomaten toe en laat het mengsel pruttelen tot het dik is. Giet de bouillon erbij en voeg een takje *epazote* (of 1/2 theelepel gedroogde oregano) toe en laat de soep 20 minuten trekken. Voeg dan 500-600 in blokjes gesneden gefileerde vis toe en laat de soep zachtjes koken tot de vis, na 2-3 minuten, gaar is. Serveer de soep met limoen- of citroenpartjes, plus een kommetje met een mengsel van fijngehakte ui en verse koriander, dat de aanwezigen naar smaak over de soep kunnen strooien.

» *Sopa de mariscos*: Desgewenst kunt u de helft van de visfilets vervangen door 10-12 verse mosselen en 200 gram grote garnalen (*gamba's*) of stukjes inktvis.

RODE CHILI-MARINADE

Adobo

Deze marinade kan onder meer worden gebruikt voor het Varkensvlees in chili-marinade (pag. 63) en de Vis-*adobado* in maïsbladeren (pag. 250). De marinade blijft eindeloos lang goed in de koelkast, want ze bevat de drie elementen – azijn, chilipepers en zout – die sinds mensenheugenis in Mexico worden gebruikt om bepaalde produkten te conserveren. Ik heb altijd een hoeveelheid van deze marinade in voorraad, die ik gebruik voor het marineren van varkenskarbonades of krabbetjes die vervolgens bij een lage temperatuur worden gebraden. De marinade kan echter ook heel goed worden gebruikt voor het snel marineren van stukken visfilet die op de barbecue, in de koekepan of onder de grill worden gaar gemaakt.

Ik heb dit recept ontwikkeld toen ik in Oaxaca woonde. Mijn slager voorzag me van de nodige instructies om de marinade thuis te maken en gaf me als voorbeeld een bakje *adobo* mee. Hoewel zijzelf uitsluitend *chiles guajillos* gebruikte, heb ik ook wat zoetere *anchos* toegevoegd (hetgeen ook in veel Mexicaanse kookboeken wordt voorgeschreven).

Voor ca. 1/4 liter:

8 knoflookteentjes, ongepeld
4 middelgrote (totaal 50-60 gram) *chiles anchos**, ontdaan van steelaanzet, zaadjes en zaadlijsten
6 middelgrote (totaal ca. 40 gram) gedroogde *chiles guajillos**, ontdaan van steelaanzet, zaadjes en zaadlijsten
1 klein stukje (ca. 1 cm) pijpkaneel (of ca. 1/2 theelepel kaneelpoeder)
1 kruidnagel (of 1 mespuntje kruidnagelpoeder)
10 zwarte peperkorrels (of 1/4 theelepel gemalen peper)
2 laurierblaadjes, verkruimeld
1/8 theelepel komijnzaadjes of -poeder
1/2 theelepel gedroogde oregano
1/2 theelepel gedroogde tijm
1 1/2 theelepel zout
4 eetlepels ciderazijn

1. *Het roosteren van de knoflook en de chilipepers*: Rooster de knoflookteentjes, onder regelmatig omdraaien, ca. 15 minuten op een hete grillplaat of in een koekepan met dikke bodem, boven een matig hoog vuur, tot het velletje begint te blakeren en de pulp door en door zacht is. Laat de teentjes afkoelen, ontvel ze en hak ze grof.

Scheur, tijdens het roosteren van de knoflook, de chilipepers in platte stukjes. Rooster steeds 4-5 stukjes tegelijk: druk ze met een metalen spatel tegen het hete metaal tot ze beginnen te knisperen, te blakeren en te verkleuren. Draai ze dan snel om en druk de andere kant eveneens tegen de grillplaat of panbodem. Laat de pepers afkoelen.

2. *Het weken van de chilipepers*: Verkruimel de geroosterde chili's in een kom, giet er kokend water over en dek het geheel af met een schoteltje om de pepers ondergedompeld te houden. Laat de pepers 30 minuten weken. Giet ze daarna af, scheur ze – indien nodig – in nog kleinere stukjes en doe ze, samen met de grof gehakte knoflook, in de kom van een blender.

3. *Het afwerken van de marinade:* Maak de kaneel, de kruidnagel, de peperkorrels, de laurierblaadjes en de komijnzaadjes fijn in een vijzel of hakmolentje. Doe het poeder bij de chili's en de knoflook in de blender, voeg ook de overige ingrediënten toe en giet er 3 eetlepels water bij. Maal het geheel met behulp van de pulseerknop (of door de machine steeds aan en uit te schakelen) tot een pasta. Duw de massa, zodra deze aan de wand van de kom blijft plakken, met een spatel naar onderen, meng alles en schakel de machine dan weer in. Herhaal dit 10 of meer keren, net zo lang tot u een gladde pasta hebt verkregen. Voeg geen water toe (tenzij het niet anders kan), anders doet de marinade in een later stadium zijn werk niet naar behoren. Wrijf de pasta door een fijnmazige zeef en bewaar hem in een goed afsluitbare glazen pot of kunststof koelkastdoos in de koelkast.

KEUKENNOTITIES

Ingrediënten

»   De *chilipepers:* In plaats van *anchos* èn *guajillos* kunt u ook één soort gebruiken (dus óf *anchos* óf *guajillos*). Als u geen van beide pepers kunt krijgen, kunt u 100 gram gedroogde rode pepers (lomboks) gebruiken, maar het aroma van de marinade zal dan minder intens zijn.

(Voor)bereidingstijd

»   Het maken van de marinade duurt ca. 30 minuten. U kunt hem, in een goed afgesloten pot of koelkastdoos, maandenlang in de koelkast bewaren.

TRADITIONELE VARIATIES

»   *Marinade van fijngemalen chilipepers:* U kunt de marinade ook maken zonder dat vermoeiende gedoe van het steeds van de wand van de blender losschuiven van de chilipasta: rooster de knoflook en de chilipepers volgens de aanwijzingen in het recept. Maal de pepers daarna, samen met de kaneel, kruidnagel, peperkorrels, laurierblaadjes en komijnzaadjes, tot poeder in een elektrisch hakmolentje. Zeef het poeder door een middelfijne zeef. Ontvel de knoflookteentjes en maak ze fijn. Meng de knoflookpulp met de gemalen specerijen, de oregano, de tijm, het zout, de azijn en 6 eetlepels water. Bewaar de pasta zoals beschreven in het recept.

KEUKENTAAL

»   In Van Dales handwoordenboek Spaans-Nederlands wordt het werkwoord *adobar* vertaald als 'marineren, inleggen, inmaken'. In Mexico wordt dat meestal gedaan met een combinatie van chili's, specerijen en azijn (in de Filippijnen met een mengsel van sojasaus en azijn en in de V.S. met barbecuesaus). Mexicaanse gerechten met de namen ... en *adobo* of ... *adobada* verschillen voornamelijk wat betreft de hoeveelheid saus. Over het algemeen kun je zeggen (hoewel het lang niet altijd opgaat, want niets ligt vast in de Mexicaanse keuken) dat vlees en *adobo* een stoofschotel is met veel saus en dat vlees *adobada* (of *enchilada*) ingesmeerd is met een chili-marinade om vervolgens te worden gebarbecued, gegrilld, gebakken of gebraden.

KRUIDENPASTA'S UIT YUCATÁN
Recados Yucatecos

Recado: een combinatie van verschillende specerijen... die noodzakelijk zijn in de keuken.

Diccionario de mejicanismos

Ze vormen compacte bergen, hoog opgetast in kleurrijke plastic teilen. Ze zijn te vinden in alle kruidenkraampjes op de markt van Mérida in Yucatán: een steenrode, een amberkleurige en een inktzwarte kruidenpasta.

De eerstgenoemde wordt gemaakt van de rode *achiote* of *annatto*-zaden afkomstig van de gelijknamige boom die overal op het schiereiland voorkomt. De zaden zitten in een dop die enigszins lijkt op een tamme kastanje. De zaden worden, samen met typisch Yucatanse kruiden en specerijen (oregano, zwarte peper, kruidnagel, komijn) fijngemalen en vervolgens gemengd met knoflook en een beetje azijn. De combinatie is een van de lekkerste en populairste smaakmiddelen van Yucatán. De pasta wordt zowel gebruikt voor het insmeren van stukken kip, varkensvlees of vis die in bananenblad worden bereid (pag. 268) als voor het op smaak brengen van *tamales* (pag. 213) en stoofgerechten. Ik ben deze *recado* tegengekomen in kookboeken uit het begin van de 19e eeuw, waaruit blijkt dat het koken met kant-en-klare kruidenmengsels in deze streek op een lange traditie kan bogen. Deze rode pasta wordt zowel *recado rojo* (rode kruidenpasta) als *adobo de achiote* (*achiote*-marinade) genoemd.

De tweede kruidenpasta, die uitsluitend knoflook en specerijen (o.a. een flinke snuf inheems piment en soms ook wat kaneel) bevat, is de mildste en dus het vriendelijkst voor niet-Mexicaanse tongen. Voorverpakte pasta wordt doorgaans verkocht onder de naam *recado de bistec* (kruidenpasta voor biefstuk), maar voorzover ik heb kunnen nagaan, wordt de pasta het meest gebruikt in *escabeche*-gerechten (pag. 253). De bereiding van deze pasta is zoveel makkelijker dan die van de beide andere pasta's, dat Mexicanen die trots zijn op hun versie van *escabeche* de pasta meestal zelf maken.

De zwarte pasta, die *recado negro* (zwarte kruidenpasta), *chirmole* of *chilmole* wordt genoemd, is de meest exotische en 'inheems' smakende van de drie. Hij dankt zijn zwarte kleur aan verkoolde - d.w.z. zwart geblakerde - chilipepers die worden gemengd met een beetje *achiote*, specerijen en knoflook. Hij wordt verwerkt in een vulling van varkensgehakt die op zijn beurt wordt gebruikt in een regionaal gerecht dat *pavo en relleno negro* (kalkoen met zwarte vulling) heet. 'Eten is een daad van vertrouwen,' schreef R.B. Read in zijn *Gastronomic Tour of Mexico*, 'want je weet niet precies wat je in je mond stopt, maar het feit dat alles op een of andere manier verrukkelijk smaakt, helpt enorm.'

Het merendeel van de traditionele streekgerechten van Yucatán dankt zijn smaak aan een van deze drie kruidenpasta's. Hieronder vindt u de recepten van de rode en de amberkleurige pasta, omdat u die bij het maken van sommige gerechten nodig zult hebben.

ACHIOTE-KRUIDENPASTA UIT YUCATÁN
Recado Rojo

Voor ca. 3/4 dl:

1 eetlepel *achiote*-zaden (zie pag. 379)
1 theelepel zwarte peperkorrels (of krap 1 1/2 theelepel gemalen zwarte peper)
1 theelepel gedroogde oregano
4 kruidnagels (of 1/8 theelepel kruidnagelpoeder)
1/2 theelepel komijnzaadjes (of ruim 1/2 theelepel komijnpoeder)
1 stukje pijpkaneel van ca. 2 1/2 cm (of 1 theelepel kaneelpoeder)
1 theelepel korianderzaadjes (of een volle theelepel gemalen koriander)
1 krappe theelepel zout
5 knoflookteentjes, gepeld
2 eetlepels ciderazijn
1 1/2 theelepel bloem

1. *De specerijen*: Doe de *achiote*-zaden en de specerijen in een elektrisch hakmolentje en maal ze zo fijn mogelijk; dit kan even duren omdat de *achiote*-zaden erg hard zijn. Doe het poeder in een kommetje en roer het zout erdoor.
2. *De kruidenpasta*: Hak de knoflook zo fijn mogelijk. Strooi een beetje van het kruidenpoeder over de snippers en wrijf de knoflook met de achterkant van een lepel of de ronde punt van een mes tot een gladde pasta. Meng de knoflookpasta met de rest van het poeder en voeg als laatste de azijn en de bloem toe. Schep de kruidenpasta in een glazen potje, schroef het deksel erop en laat de pasta een paar uur (of, liever nog, een hele nacht) staan alvorens hem te gebruiken.

KEUKENNOTITIES

Technieken

» Gezien de hardheid van de *achiote*-zaden kunt u voor het fijnmaken het beste een molentje met vlijmscherpe messen gebruiken of, eventueel, een goede elektrische koffiemolen. Als de zaden niet volledig tot poeder gemalen worden, zal de pasta korrelig uitvallen. Een andere mogelijkheid biedt een keukenmachine met een inzet-molentje: verdubbel in dat geval de hoeveelheden en maal eerst de zaden en de specerijen tot poeder. Voeg dan, terwijl de machine draait, de grof gehakte knoflook toe en als laatste de azijn en de bloem. Als u niet tegen het werk opziet, kunt u de zaden en specerijen ook, met kleine beetjes tegelijk, tot poeder stampen in een vijzel.

Voetnoot van de vertaalster

» *De hoeveelheden*: Met 'theelepel' wordt de internationale standaardtheelepel met een inhoud van 5 gram bedoeld en niet het Nederlandse theelepeltje van 3 gram.

(Voor)bereidingstijd

» Het maken van de pasta duurt ca. 15 minuten, maar opdat de smaken zich goed kunnen vermengen is het aan te raden om de pasta enkele uren voordat u hem nodig hebt te maken. De pasta kan enkele maanden in de koelkast worden bewaard.

KNOFLOOK-SPECERIJENPASTA UIT YUCATÁN
Recado de Bistec

Voor ca. 3 eetlepels:

12 knoflookteentjes, ongepeld
1 theelepel zwarte peperkorrels (of krap 1 1/2 theelepel gemalen peper)
1/4 theelepel pimentkorrels (of ruim 1/4 theelepel gemalen piment)
6 kruidnagels (of ruim 1/4 theelepel kruidnagelpoeder)
1/4 theelepel komijnzaadjes (of ruim 1/4 theelepel gemalen komijn)
2 theelepels gedroogde oregano
1/2 theelepel zout
1 eetlepel ciderazijn
1 theelepel bloem

1. *De knoflook*: Rooster de knoflookteentjes onder regelmatig omdraaien ca. 15 minuten op een hete grillplaat of in een koekepan met dikke bodem, tot het velletje begint te blakeren en de pulp door en door zacht is. Laat de teentjes afkoelen en ontvel ze.
2. *De kruiden en specerijen*: Doe de peper- en pimentkorrels, de kruidnagels, de komijn en de oregano in een elektrisch hakmolentje of een vijzel en maal of stamp ze tot poeder. Meng het poeder in een kommetje met het zout.
3. *De kruidenpasta*: Hak de knoflook zo fijn mogelijk. Strooi een beetje van het kruidenpoeder over de snippers en wrijf de knoflook met de achterkant van een lepel of de ronde punt van een mes tot een gladde pasta. Meng de knoflookpasta met de rest van het poeder en voeg als laatste de azijn en de bloem toe. Schep de kruidenpasta in een glazen potje, schroef het deksel erop en laat de pasta een paar uur (of, liever nog, een hele nacht) staan alvorens hem te gebruiken.

KEUKENNOTITIES
Voetnoot van de vertaalster
» *De hoeveelheden*: Met 'theelepel' wordt de internationale standaardtheelepel met een inhoud van 5 gram bedoeld en niet het Nederlandse theelepeltje van 3 gram.

(Voor)bereidingstijd
» Maak de pasta minstens 4 uur van tevoren; de bereidingstijd bedraagt ca. 20 minuten. De pasta blijft, mits bewaard in de koelkast, maandenlang goed.

KEUKENTAAL
» Het Mexicaans-Spaanse woord *recado*, is afgeleid van *recaudo*, dat 'specerijen' en (althans in sommige Middenamerikaanse landen) 'soepgroenten' betekent. In Mexico wordt het woord *recado* overigens ook gebruikt in de betekenis van 'boodschap, bericht'.

TORTILLA'S

Tortillabaksters op de markt van Guadalajara

Nog geen kwart eeuw nadat de Spanjaarden tarwe hadden geïntroduceerd in de Nieuwe Wereld, werd al geschreven dat het brood in Mexico-City net zo goed en goedkoop was als in Spanje. Dat zou je niet verwachten in een land waarvan de inwoners sinds mensenheugenis een paar maal per dag tortilla's eten. Maar de autochtone bevolking wende snel aan het eten van brood en tot de dag vandaag is het tarwebrood in de Mexicaanse hoofdstad uitstekend van kwaliteit. Vooral de harde puntjes (*bolillos*) met hun knapperige korstje zijn lekker. Ze hebben veel gemeen met Frans stokbrood, maar het kruim is minder luchtig.

Wie nog nooit in Mexico heeft rondgereisd, beseft doorgaans niet dat stokbrood-achtig brood in heel Mexico verkrijgbaar is en dat het, met name in de steden, in bijna alle restaurants op tafel verschijnt. Natuurlijk zijn tortilla's belangrijk gebleven, vooral voor de plattelandsbevolking, die er voor alledag de voorkeur aan geeft. De betere restaurants hebben dan ook altijd wel een vrouw in dienst die tijdens het lunchuur continu tortilla's staat te bakken, zodat ze altijd warm en vers bij de gast belanden. Maar zowel de knapperige, aan de bovenkant ingekerfde *bolillos* als de zachtere, van twee of drie bollingen voorziene *teleras* hebben een vaste plaats op het menu verworven. Iedereen eet ze, vooral buitenshuis.

In de oude koloniale steden is het brood in de meeste gevallen luchtig en lekker, maar in het noorden – waar het brood vaak zoetig is – en rond de Golf van Mexico moeten de *bolillos* het doorgaans zonder knapperig korstje stellen. In Yucatán hebben de bakkers geen weet van *bolillos* en *teleras*; zij bakken stokbrood (heel toepasselijk *franceses* genoemd) en luchtige zachte broodjes.

Maar tortilla's – dunne, ongerezen, op een vlakke grillplaat gebakken pannekoek-achtige broden gemaakt van verse *masa* – zijn overal hetzelfde, behalve, zoals ik blij verrast heb kunnen vaststellen, in Juchitán in de deelstaat Oaxaca, waar de tortilla's ruim een halve centimeter dik zijn en gebakken worden in een tonvormige klei-oven (op dezelfde manier als de Indiase *naan*, die in de tandoor-oven worden gebakken F.Z.). Ze hebben een verrukkelijke aardse, rokerige geur en de smaak is onvergelijkelijk; het zijn beslist de opmerkelijkst tortilla's die ik ooit in Mexico ben tegengekomen.

De eerste recepten die nu volgen zijn echter voor het maken van de gebruikelijke dunne tortilla's (ik denk niet dat veel mensen thuis een tandoor-achtige oven hebben staan...), zowel gemaakt van *masa harina* als van verse *masa*. Daarna maken we de overstap naar de tarwetortilla's van Noord-Mexico en de gebakken tortilla's voor *tostadas* en *tortillachips*. Stuk voor stuk zijn ze – als u ze zelf maakt – lekker genoeg om een maaltijd memorabel te maken, maar zojuist gebakken tortilla's van verse *masa* en zachte, nog warme tarwetortilla's zijn het lekkerst van allemaal...

MAÍZ IN DE MEXICAANSE KEUKEN

Wellicht stammen de enorme maïskolven die wij kennen inderdaad, zoals sommige deskundigen beweren, af van het wilde Mexicaanse gras *teocincle* (afgeleid van de Nahuatl-woorden *teo* -'god' – en *cincle* – 'maïs'). Maar het kan ook een andere, reeds lang vergeten, graansoort zijn geweest die zich door de vroege bewoners van het land heeft laten temmen en hun basisvoedsel is geworden. Maar wat de oorspronkelijke plant ook geweest moge zijn, de Mexicanen hebben hem door de eeuwen heen weten te ontwikkelen tot een gewas met fikse aren en ze hebben ook geleerd de zaden ten volle te benutten.

Ze droogden de zetmeelrijke kolven direct na het oogsten en kookten de gedroogde maïskorrels beetje voor beetje, in dagelijkse porties, tot ze zacht genoeg waren voor hun maag en tanden. Maar in de loop der tijden deden ze een ontdekking: ze kwamen erachter dat de moeilijk verteerbare velletjes door het toevoegen van een beetje kalk, verkregen door schelpen en stukken kalksteen te verbranden, gemakkelijk konden worden verwijderd. As van verbrand hout had hetzelfde effect, merkten ze.

Fysiek voelden ze zich er wèl bij: het lichaam bleek de in de maïskorrels aanwezige voedingsstoffen – waaronder niacine (vitamine B3), eiwitten en wellicht ook calcium – namelijk beter te kunnen opnemen. Het was hun gelukt op voedingsgebied een ontdekking te doen die een heel volk kracht schonk.

Heden ten dage wordt het toevoegen van kalk – *nixtamalizacíon*, afgeleid van het Nahuatl-woord *nextli*, dat 'as' betekent – nog steeds toegepast bij de maïs die wordt verwerkt in het gladde deeg voor tortilla's en de grove vulling van *tamales*, alsook voor de voorgekookte maïskorrels waarvan soepen als *pozole* worden gemaakt. De maïskorrels worden gekookt met een beetje gebluste kalk, waardoor de vliesjes snel geel kleuren en zacht worden, waarna de restanten – en de kalk – kunnen worden weggespoeld.

Hoewel de ingrediënten en de bereidingswijze erg ongewoon zijn voor niet-Mexicanen, zijn ze zó essentieel voor de Mexicaanse keuken dat ik de recepten toch heb opgenomen. Zonder *masa* zou het Mexico van vandaag niet hebben bestaan en de Mexicaanse keuken al helemaal niet. Als u de ingrediënten kunt vinden (u zou ze kunnen meenemen van een reis naar Mexico of een van de zuidelijke staten van de V.S.), moet u toch eens het deeg voor tortilla's of *tamales* proberen te maken – al was het maar om de maïs met uw vingers te kunnen voelen en de eeuwenoude geur van gedroogde maïs en kalk te kunnen opsnuiven...

Gebluste kalk, gedroogde maïs en aardewerken vergiet voor het wassen van de maïs

DEEG VAN GEDROOGDE MAÏS VOOR TORTILLA'S OF *TAMALES*

Masa para Tortillas o Tamales

Voor ruim 1 kilo:

750 gram gedroogde witte maïskorrels (pag. 400)
2 eetlepels gebluste kalk (pag. 397)

1. *Het spoelen van de maïs*: Doe de maïskorrels in een vergiet en spoel ze onder de koude kraan om het stof te verwijderen.
2. *Het kalkmengsel*: Breng 2 liter water aan de kook in een grote roestvrij stalen pan, voeg de ongebluste kalk toe en roer tot de kalk is opgelost.
3. *Het koken van de maïs*: Strooi de maïskorrels in het kokende water en verwijder de korrels die aan de oppervlakte blijven drijven. Wacht tot het water opnieuw aan de kook komt, draai het vuur dan laag en kook de maïs ca. 2 minuten (voor tortilladeeg) of 12-15 minuten (voor *tamales*). Haal de pan daarna van het vuur, leg het deksel erop en laat de maïs weken: enkele uren (of, liever nog, een hele nacht) voor tortilladeeg of ca. 1 uur voor *tamales*.
4. *Het wassen van de maïs*: Giet de inhoud van de pan in een vergiet en zet deze onder de lopende koude kraan. Wrijf de maïskorrels tussen uw handen, onder het stromende water, om de restanten van de gelatineus geworden velletjes te verwijderen. Blijf dat doen tot *alle* korrels weer wit zijn (op het donkere puntje – de kiem – na, natuurlijk); laat de maïs daarna goed uitlekken. De ontvelde, gewassen, voorgekookte maïs wordt in Mexico aangeduid met de naam *nixtamal*.
5a. *Het malen van de maïs – voor tortilladeeg*: Voor het malen hebt u een speciale 'handgedreven' maïsmolen nodig. Regel de maalschijven zodanig dat de fijnste maling wordt verkregen en draai de maïs door de molen, een werkje waarvoor u tijd (zo'n 30 minuten) en enig doorzettingsvermogen nodig hebt. De vochtige massa die uit de molen komt moet glad aanvoelen, niet korrelig. Kneed de gemalen maïs met water (1 1/2 à 1 3/4 dl) tot een vrij zacht deeg. (Tortillafabriekjes beschikken meestal over een machine – *amasadora* – voor het kneden en glad maken van het deeg; de tortilla's worden er beslist luchtiger door.)
5b. *Het malen van de maïs – voor tamales*: Spreid de maïskorrels uit op een doek en dep ze zorgvuldig droog met een tweede doek. Regel de maalschijven van de molen zodanig dat een middelfijne maling wordt verkregen en draai de maïs door de molen of maal de maïs in 4 porties in de foodprocessor; gebruik in het begin een paar maal de pulseerknop (of schakel de machine een aantal keren snel in en uit) en laat de machine draaien tot de massa in de kom de consistentie heeft van vochtige couscous c.q. grof griesmeel. Doe de massa in een kom en kneed er zoveel water door (ca. 1 1/2 dl) dat een stevig deeg wordt verkregen.

KEUKENNOTITIES

Technieken

» *Het maken van masa voor tortilla's en tamales*: Om te voorkomen dat het tortilladeeg zwaar en moeilijk hanteerbaar wordt, moet de maïs niet te lang worden gekookt. Het lange weken zorgt ervoor dat de kalkoplossing goed in de maïskorrels kan doordringen zonder ze volledig te doorweken. Voor *tamales* wordt de maïs iets langer gekookt, maar minder lang geweekt. De korrels worden vervolgens zorgvuldig drooggedept zodat na het malen een licht vochtige *masa* ontstaat. Dit is de beste manier om thuis *masa* voor *tamales* te maken. In tortillafabriekjes wordt de maïs voor de beide deegsoorten meestal op dezelfde manier behandeld en wordt de *masa* voor *tamales* gewoon wat grover gemalen.

» N.B.: Als in een recept in boek *masa* wordt voorgeschreven, wordt – tenzij er uitdrukkelijk bij staat dat u *masa* voor *tamales* moet gebruiken – altijd *masa* voor tortilla's bedoeld.

» *Het wassen van de maïs:* Dit moet zeer grondig gebeuren; onzorgvuldig wassen resulteert in een gelige *masa* die naar gebluste kalk smaakt.

» *Het malen van de maïs:* Dit is een arbeidsintensief karweitje. Ik doe er ongeveer net zo lang over als over de rit, dwars door Chicago, naar mijn favoriete tortillafabriek (en het is niet half zo aangenaam). Als ik zelf *masa* voor tortilla's maak, maal ik de maïs daarom eerst in de foodprocessor (zoals beschreven bij *masa* voor *tamales*), dan bevochtig de massa en draai hem door de molen.

Keukengerei

» *De maïsmolen:* Er bestaan twee soorten molens: elektrische molens en handmolens; zelf werk ik met een handmolen. Vroeger had ik er een met metalen maalwerk, maar die maalde minder fijn. De molen die ik nu heb, is uitgerust met stenen maalschijven waarmee je de maïskorrels zo fijn kunt malen dat je een zeer zacht en glad deeg krijgt.

(Voor)bereidingstijd

» Begin ca. 1 1/2 uur van tevoren als u *masa* voor *tamales* of voorgekookte maïs (*nixtamal*) wilt maken (reken 3/4 uur extra als u bij de *nixtamal* de kiemen uit de maïskorrels wilt verwijderen); van die 1 1/2 uur bent u ca. 30 minuten echt aan het werk.

» Voor de *masa* voor tortilla's kunt u de maïs het beste een dag van te voren koken. De volgende dag kunt u de maïs wassen en fijnmalen (hetgeen minstens 30 minuten duurt). Tortilladeeg moet nog dezelfde dag worden gebruikt; *nixtamal* en *masa* voor *tamales* kunnen, afgedekt met folie, 2 à 3 dagen in de koelkast worden bewaard of worden ingevroren.

Tortillapersen van mesquite-hout en gietijzer

VOORGEKOOKTE MAÏS VOOR *POZOLE*

Nixtamal para Pozole

Voor ruim 4 liter *pozole*:

1 kilo gedroogde witte maïs (pag. 400)
2 1/2 eetlepel geblusde kalk (pag. 397)

1. *Het spoelen, koken en wassen van de maïs:* Spoel de maïs en los de kalk op volgens de aanwijzingen (stap 1 en 2) in het voorgaande recept. Kook de maïskorrels 12-15 minuten (stap 3), laat ze een paar minuten staan en spoel ze daarna onder de koude kraan (stap 4). Deze voorgekookte maïs wordt *nixtamal* genoemd.
2. *Het – eventueel – verwijderen van de kiemen:* Voor de bereiding van soepen als *pozole* en *menudo* is de voorgekookte maïs nu klaar voor gebruik. U kunt echter ook, voor een fraaier effect en een zachter eindresultaat, de harde kiemen uit de korrels verwijderen; de korrels 'springen dan open als bloemen' zoals ze in Mexico zeggen.

MAÍZ: HET DAGELIJKS BROOD VAN MEXICO

Zoals de zware geur van voorgekookte maïs die tot *masa* wordt gemalen met niets kan worden vergeleken, zo is de smaak van de vers gebakken tortilla's die ervan gemaakt worden een typisch Mexicaanse belevenis. Tortilla's hielden de honger buiten de deur als andere voedingsmiddelen schaars waren. Ze werden en worden gebruikt als 'verpakking' voor bonen, kip, vlees en wat dies meer zij, ze worden verwerkt in soepen en stoofschotels en een enkele keer doen ze, bedolven onder een berg zout, zelfs dienst als tafelgerei.

Voor de Mexicanen, die minstens eenmaal per dag (maar soms twee- tot driemaal daags) behoefte hebben aan verse tortilla's, is het leven dankzij de tortillafabriekjes met hun elektrische maalgerei en hun moderne stansmachines en transportbanden een stuk gemakkelijker geworden. Het enige wat in die fabriekjes ontbreekt zijn de geoefende handen die de tortilla's bewerken en bekloppen tot ze de juiste dikte hebben. Die methode is eeuwenoud: de tortillabakster breekt een stukje *masa* af ter grootte van een noot en slaat het van de ene bevochtigde hand in de andere, waarbij ze haar vingers gestrekt houdt en de handpalmen licht gebogen. En dan gaat het van klap en draai om, klap en draai om – tot de soepele massa uitgerekt is tot een dunne ronde lap met het formaat van een schoteltje. Je moet het honderden keren gedaan hebben om het in je vingers te krijgen. Ik vergelijk het wel eens met het leren van een nieuwe taal: als je er te oud mee begint, krijg je het nooit helemaal onder de knie.

Als Mexicanen onder elkaar maar blijven doorzeuren over de zachte tortilla's uit hun kinderjaren, als ze de deugden bezingen van het basisvoedsel van vroeger, dan hebben ze het ongetwijfeld over die handgevormde, op de *comal* gebakken tortilla's die, dampend en geurig, in een doek op tafel verschenen.

Regionale accenten

» In Yucatán en rond de Mexicaanse Golf slaan de *tortilleras* de bolletjes *masa* niet met hun handen in model, maar op een stuk plastic (dat het vroegere bananeblad heeft vervangen). Soms wordt de scharnierende tortilla-pers vervangen door een ingewikkeld ogende constructie met een hefboom en soms worden de tortilla's gemaakt met behulp van een soort wringer met twee rollers waarvan de ene is voorzien van een uitgestanste cirkel. Maar meestal stellen de mensen zich tevreden met de machinaal gemaakte, net niet witte, net niet fijne en net niet dunne tortilla's die in de buurt van de markten en op andere plekken in de steden gefabriceerd worden. In Yucatán lijken ze zelfs tevreden te zijn met tortilla's gemaakt van *masa harina* (tot poeder gemalen *masa*). Ik ken echter twee plaatsen waar het anders toegaat: Guadalajara en Oaxaca. In Guadalajara worden de dikke, bleekgele tortilla's nog steeds een voor een met een handpers gemaakt en op een hete *comal* gebakken. En in en om de markt van Oaxaca worden *blanditas* verkocht, de witste, dunste en van de fijnste *masa* gemaakte tortilla's die er bestaan. Ze zijn het toppunt van verfijning en ware liefhebbers zijn bereid er goed voor te betalen. In scherp contrast daarmee staan de dikke tortilla's uit Tabasco: die zijn zo groot als een dessertbordje en worden gemaakt van *maíz nuevo*, halfgedroogde maïs. Het deeg is grof en de kloeke tortilla's worden direct na het bakken bedekt met zoetige, gebruinde knoflook; ze worden *tortillas al mojo de ajo* genoemd en zijn onvergetelijk lekker.

» Op de centrale hoogvlakte en in een groot deel van de westelijke deelstaten wordt *masa* ook wel gemaakt van gekleurde maïs, meestal blauwe, maar ook rode en soms gele. De tortilla's die hiervan worden gebakken zijn voornamelijk bestemd voor feestelijke gelegenheden. Voor alledag geven de meeste mensen toch de voorkeur aan de bekende soepele, gladde, bleekwitte tortilla's.

MAÏSTORTILLA'S
Tortillas de Maíz

De meeste Amerikanen zijn er niet weinig trots op als ze bij een Mexicaanse maaltijd een mand met warme zelfgebakken tortilla's kunnen laten rondgaan. Die tortilla's worden meestal gemaakt van *masa harina*, gedroogde, tot meel gemalen *masa*, die in vrijwel alle supermarkten van de V.S. te koop is. In sommige steden kun je, bij *tortillerías*, zelfs verse *masa* kopen, zodat er weinig reden lijkt te zijn om veel tijd te investeren in het zelf maken van *masa*. Maar in gebieden waar geen verse *masa* verkrijgbaar is of bij speciale gelegenheden loont het de moeite om zelf aan de slag te gaan. En als de tijd en de zin daartoe ontbreken, kunt u altijd terugvallen op kant en klaar gekochte tortilla's; als u ze opwarmt in een stoompan, zoals beschreven op pag. 405, worden ze beslist lekker. Kant-en-klare tortilla's zijn ook uitstekend te gebruiken – beter zelfs dan zelfgemaakte – voor de bereiding van *enchiladas*.

Voor ruim 15 tortilla's:

500 gram verse *masa* (pag. 77) of 250 gram *masa harina* gemengd met 1/4 liter heet (kraan)water

1. *Het deeg*: Bij het gebruik van *masa harina*: meng het deeg met het hete water en kneed de massa tot een zacht (maar niet plakkerig) deeg; voeg tijdens het kneden, indien nodig, nog wat extra water of *masa harina* toe. Dek het deeg af met folie en laat het 30 minuten rusten.

   Als u op het punt staat de tortilla's te gaan bakken hoeft u, als u verse *masa* gebruikt, alleen maar de consistentie te checken en eventueel wat water toe te voegen (zie Technieken, hiernaast). Verdeel het deeg in 15 of 16 balletjes en dek ze af met folie.

2. *Het verhitten van de grillplaat*: Verhit een grote rechthoekige (ongeribbelde) grillplaat of twee koekepannen met een dikke bodem als volgt: zet één kant van de grillplaat (of één koekepan) op een vrij laag vuur en de andere kant van de grillplaat (of de tweede koekepan) op een matig hoog vuur.

3. *Het persen*: Knip uit vrij dik plastic twee vierkanten die iets groter zijn dan dan de platen van een tortillapers. Leg één van de stukken folie in de open pers, leg een deegballetje in het midden, bedek het met het tweede stuk plastic en druk het deeg iets platter. Sluit de pers en duw het handvat goed aan. Open de pers, draai de tortilla (met plastic en al) 180°, sluit de pers en duw de beide platen weer stevig op elkaar.

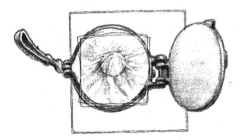

Een balletje masa tussen twee velletjes plastic

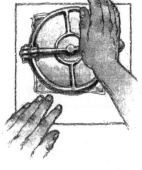

Het persen van de masa

4. *Het uit de pers verwijderen*: Open de pers en verwijder het bovenste stuk plastic. Leg de tortilla op uw handpalm – met de onbedekte kant naar onderen – en pel het tweede vel plastic voorzichtig los van de tortilla.

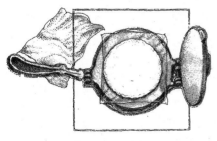

Het verwijderen van het bovenste stuk plastic

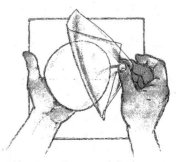

Het lospellen van het tweede stuk plastic van de ongebakken tortilla

5. *Het bakken*: Leg de tortilla op de minst hete kant van de grillplaat (of in de minst hete koekepan). Draai de tortilla zodra hij – na ca. 20 seconden – loslaat van de plaat of panbodem (dus voordat de randen beginnen uit te drogen of om te krullen) om op de hetere kant van de grillplaat (of in de tweede koekepan). Draai de tortilla na 20-30 seconden, als de onderkant hier en daar lichtbruin begint te kleuren, opnieuw om – als de grillplaat of koekepan heet genoeg is, zal de tortilla nu opzwellen als een pitabroodje – en bak de andere kant eveneens 20-30 seconden. Neem de tortilla van de grillplaat (of uit de koekepan) – hij zal direct weer plat worden – en verpak hem in een doek om hem warm te houden. Maak de andere tortilla's op dezelfde manier, stapel de gebakken exemplaren op elkaar en houd ze warm in de doek.

6. *Het rusten*: Laat de tortilla's, verpakt in de doek, ca. 15 minuten rusten, zodat ze zacht en soepel worden.

KEUKENNOTITIES

Technieken

» *De consistentie van het deeg*: Het deeg voor tortilla's, dat in tegenstelling tot brooddeeg niet elastisch is, moet zacht zijn, ongeveer zo zacht als koekjesdeeg (maar minder plakkerig). Deeg gemaakt van *masa harina* voelt meestal iets zachter aan dan verse *masa* en moet stevig genoeg zijn om de deegplak uit de pers te kunnen halen. Omdat het deeg snel uitdroogt, is het soms nodig het opnieuw te kneden met een beetje water; als het deeg te droog is, zwellen de tortilla's niet op tijdens het bakken en worden ze compact en/of kruimelig.

» *Het uit de pers halen*: Als de deegplak in stukken breekt als u hem uit de pers haalt en het plastic er afpelt, is het deeg niet vochtig genoeg. Als het plastic moeilijk loslaat van het deeg is het deeg te slap of is de deeglap te dun uitgevallen.

» *Het bakken*: Als het vuur onder de minst hete kant van de grillplaat (of de minst hete koekepan) te hoog is afgesteld, zal de tortilla ogenblikkelijk beginnen te knisperen en te bakken en wordt hij minder zacht en luchtig. Als het vuur onder de hete kant van de grillplaat (of de hetere koekepan) niet hoog genoeg is afgesteld, zal de tortilla niet opzwellen en ook dan wordt hij minder zacht en luchtig. Laat de tortilla niet te lang op de minst hete kant van de grillplaat (of in de minst hete koekepan) liggen alvorens hem om te draaien, anders droogt hij te veel uit en zal hij evenmin opzwellen.

» *Het laten opzwellen*: Als u de tortilla, nadat u hem voor de tweede keer hebt omgedraaid, met een metalen spatel lichtjes tegen het hete metaal drukt, zal het in het deeg gevangen water een uitweg zoeken, waardoor de tortilla opbolt.

Keukengerei

» *Tortillapersen*: zie pag. 398.

Ingrediënten

» *Masa of masa harina*: Wat smaak en textuur betreft gaat er niets boven tortilla's gemaakt van verse *masa*. Maar tortilla's gemaakt van *masa harina* zijn ook heel smakelijk; de textuur is echter iets granuleuzer en de smaak doet vaag – héél vaag – denken aan die van geroosterd brood.

(Voor)bereidingstijd

» Deeg gemaakt van *masa harina* moet minstens 30 minuten van tevoren worden gemaakt (u kunt het echter ook eerder maken, want het deeg blijft, bij kamertemperatuur, enkele uren goed). Reken 15-30 minuten voor het persen van de tortilla's, afhankelijk van uw handigheid. Als alle tortilla's klaar zijn, kunt u ze, met doek en al, in aluminiumfolie wikkelen en in de op de laagste stand voorverwarmde oven ca. 1 uur warm houden. Koude en kant-en-klaar gekochte tortilla's kunt u opwarmen boven stoom (zie pag. 405).

TARWETORTILLA'S

Tortillas de Harina

De eerste keer dat ik zelfgemaakte tarwetortilla's proefde was, merkwaardig genoeg, in Morelia, in de deelstaat Michoacán, ver van de noordelijke staten waar ze gemeengoed zijn. Door de glazen wand die de keuken van het *cabrito*-(geitevlees) restaurant Silla de Cerro scheidde van de eetzaal, kon je zien hoe de ene kok in de weer was met de bereiding van een geitebokje terwijl de andere in een ritmisch tempo het ene deegballetje na het andere uitrolde. Na vier of vijf keer heen en weer rollen met een deegroller waren ze klaar voor de hete grillplaat, waarop ze prachtig opbolden. Zoals goede tarwetortilla's betaamt, waren ze dampend heet, zacht en heerlijk van smaak.

Na jarenlang te hebben geëxperimenteerd, geloof ik dat de simpelst te maken tarwetortilla's, gemaakt met reuzel en gebakken op een vrij hoog vuur, tevens het luchtigst en lekkerst zijn. Geen gedoe met bakpoeder, melk of laagcalorische vetsubstituten. Tarwetortilla's zijn, als u de slag eenmaal te pakken hebt, gemakkelijk te maken. En uw moeite wordt ruimschoots beloond, want zelfgemaakte tortilla's smaken aanzienlijk beter dan de broodachtige exemplaren die u verpakt in de winkel kunt kopen.

Voor 12 tortilla's:

350 gram bloem
5 eetlepels reuzel of plantaardige margarine (of een mengsel van beide)
3/4 theelepel zout
ca. 1 3/4 dl warm (kraan)water

1. *Het deeg*: Doe de bloem en het vet in een beslagkom en meng de beide bestanddelen met uw vingers tot het vet *volledig* door de bloem is opgenomen. Los het zout op in het warme water. Giet ca. 1 1/2 dl van de zoutoplossing in de kom en meng alles met een vork tot de massa klonterig is. Voeg, indien nodig, de rest van het water toe (en eventueel nog een klein scheutje extra). Stort de inhoud van de kom op het werkvlak en kneed de massa tot u een glad, vrij stevig deeg hebt verkregen; het deeg mag niet te compact worden, maar ook niet zo zacht als brooddeeg.
2. *Het rusten*: Verdeel het deeg in 12 porties en rol elke portie tot een balletje. Leg de deegballetjes op een bord, bedek ze met plasticfolie en laat ze minstens 30 minuten rusten (dit maakt het deeg minder elastisch en gemakkelijker uit te rollen).

3. *Het uitrollen en bakken:* Zet een vlakke grillplaat of koekepan met een dikke bodem op een matig hoog vuur.

Rol een van de deegballetjes op een met bloem bestoven ondergrond als volgt uit tot een ronde plak met een diameter van 17-18 cm: druk het deeg iets platter, bestuif de bovenkant met bloem, zet de deegroller op het midden en rol hem naar achteren en naar voren. Draai de deeglap een kwart slag, bestuif de bovenkant opnieuw met bloem en rol de deegroller vanuit het midden weer naar voren en naar achteren. Ga zo door tot de deeglap egaal rond is en de gewenste diameter heeft. Bestuif zowel de deeglap als het werkvlak tijdens het uitrollen af en toe met bloem.

Leg de deeglap op de hete grillplaat (als het goed is, hoort u het deeg zachtjes sissen en zal het deegoppervlak vrijwel ogenblikkelijk blazen vormen). Draai de tortilla na 30-45 seconden, zodra aan de onderkant bruine puntjes beginnen te ontstaan, om en bak de andere kant eveneens 30-45 seconden. *Bak de tortilla's vooral niet te lang, want dan worden ze hard.* Wikkel de warme tortilla in een doek.

Bak de rest van de tortilla's op dezelfde manier en houd ze, opgestapeld, warm in de doek.

KEUKENNOTITIES

Technieken

» *Het mengen van bloem en vet:* Als dit niet grondig gebeurt (tot geen enkel vetdeeltje meer herkenbaar is), krijgen de tortilla's geen volledig gladde textuur.

» *Het deeg maken in een foodprocessor:* Doe de bloem en het vet in de kom van de foodprocessor en meng de bestanddelen met behulp van de pulseerknop (of door de machine een paar maal achter elkaar in en uit te schakelen). Los het zout op in 1 1/2 dl warm water. Giet de oplossing, terwijl de machine draait, via de vulopening in een dun straaltje in de kom. Schakel de machine uit zodra zich een bal heeft gevormd. Controleer de consistentie: als het deeg te stijf is, verdeel de deegbal dan in stukken, besprenkel ze met water en laat de machine draaien tot het deeg opnieuw een bal vormt. Het deeg hoeft hierna niet meer te worden gekneed.

» *Het bakken op een grillplaat:* De temperatuur van de plaat is belangrijk: de plaat moet heet genoeg zijn om het deeg te doen opbollen. Als het deeg opzwelt als een ballon, des te beter; hoe meer luchtbellen, hoe luchtiger het eindresultaat.

Ingrediënten

» *Reuzel en plantaardige margarine:* Persoonlijk vind ik tarwetortilla's waarin uitsluitend margarine is verwerkt nogal flauw van smaak, maar tortilla's uitsluitend gemaakt met reuzel worden zwaar en een beetje kruimelig. Zelf gebruik ik voor het maken van tarwetortilla's half om half reuzel en margarine.

Voetnoot van de vertaalster

» *De hoeveelheden:* Met 'theelepel' wordt de internationale standaardtheelepel met een inhoud van 5 gram bedoeld en niet het Nederlandse theelepeltje van 3 gram.

(Voor)bereidingstijd

» Het maken van het deeg duurt 15 minuten; u moet er minstens 45 minuten voordat u de tortilla's wilt bakken mee beginnen, aangezien het uitrollen en bakken ongeveer 30 minuten vergt. Het deeg kan, verpakt in folie, enkele dagen in de koelkast worden bewaard. Als u de gebakken tortilla's niet direct serveert, kunt u ze – met doek en al – in folie verpakken en in de op de laagste stand voorverwarmde oven een uur of langer warm houden.

HET OPWARMEN VAN TARWETORTILLA'S

» Hoewel ze *iets* minder lekker zullen zijn dan versgebakken exemplaren, kunnen tarwetortilla's enige tijd van tevoren worden gebakken. Doe ze in dat geval – na afkoeling – in een plastic zak en bewaar ze in de koelkast. Verpak ze in stapeltjes van 6-8 stuks in aluminiumfolie en verwarm ze 15-20 minuten in de op 170° C voorverwarmde oven. Kant en klaar gekochte tarwetortilla's kunnen op dezelfde manier worden opgewarmd.

KROKANT GEBAKKEN TORTILLA'S EN TORTILLACHIPS

Tostadas y Tostaditas (o Totopos)

Vrijwel iedereen houdt van krokant. Het is dus niet verwonderlijk dat maïschips tegenwoordig zo geliefd zijn als knabbeltje bij de borrel. Het is zelfs zo dat de niet-Mexicaanse tortillafabrikanten dunnere en knapperige tortillachips (meestal gemaakt van vrij grof gemalen *masa*) maken dan hun Mexicaanse collega's.

De Mexicanen zelf zijn over het algemeen veel minder in de ban van het 'krokantheidsconcept'. Vandaar dat ze vrij stevige, 'vlezige' tortilla's gebruiken voor het maken van chips (*tostaditas*) of *tostadas* (in hun geheel gefrituurde tortilla's).

Om tegemoet te komen aan de eisen van niet-Mexicanen, heb ik me verdiept in het maken van *tostadas* en tortillachips, zodat u er van op aan kunt dat het eindresultaat inderdaad krokant en lekker zal zijn.

Voor 8 *tostadas* of voldoende tortillachips voor 2-3 personen:

> 8 maïstortilla's, zelfgemaakt (pag. 405) of gekocht, bij voorkeur oudbakken
> plantaardige olie voor het frituren
> zout

1. *Het drogen van de tortilla's*: Snijd de tortilla's, als u chips wilt maken, in 4 of 6 punten; voor *tostadas* moet u ze heel laten. Leg ze naast elkaar op een dienblad, dek ze losjes af met een doek (om te voorkomen dat de randen omkrullen) en laat ze drogen tot ze leer-achtig zijn.

2. *Het frituren:* Verhit de olie tot 190° C (voor *tostadas* kunt u het beste een diepe koekepan gebruiken waarin u een laag olie van 2-3 cm giet). Frituur de *tostadas* een voor een: laat een tortilla in de hete olie glijden, draai hem na 30 seconden om en schep hem met een schuimspaan uit de pan zodra hij – na ca. 30 seconden – *licht*bruin begint te kleuren en krokant is. Frituur de chips met 6-8 stuks tegelijk; houd ze, nadat u ze in de hete olie hebt gedaan, met een schuimspaan in beweging om te voorkomen dat ze aan elkaar plakken en bak ze in 45 tot 60 seconden lichtbruin en krokant. N.B. De *tostadas* of chips zijn pas goed als de olie niet meer heftig borrelt.

Laat de *tostadas* of chips uitlekken op keukenpapier. De chips kunt u desgewenst, terwijl ze nog warm zijn, met zout bestrooien.

KEUKENNOTITIES

Technieken

» *Het drogen van de tortilla's:* Als de tortilla's tijdens het frituren nog vocht bevatten, nemen ze veel vet op. Voor niet-vette, superkrokante *tostadas* of chips moeten de tortilla's volkomen droog, d.w.z. hard, zijn.

» *Het frituren:* Als de temperatuur van de olie lager is dan 180° C worden de *tostadas*/chips eveneens vettig. Gebruik bij twijfelgevallen een thermometer. De tortilla's mogen niet te donker worden – licht goudbruin is de goede kleur; als u ze donkerder laat worden krijgen ze een bittere smaak.

(Voor)bereidingstijd

» Reken ca. 1 uur voor het drogen van de tortilla's. Het frituren duurt niet langer dan ca. 10 minuten. U kunt de *tostadas*/chips desgewenst een half uurtje warm houden in de op de laagste stand voorverwarmde oven, maar ze zijn het lekkerst als ze direct gegeten worden. Overgebleven *tostadas* of chips kunnen 1 dag in een goed afgesloten trommel worden bewaard en de volgende dag worden opgewarmd in de oven.

Regionale accenten

» In Tuxtla Gutiérrez, in de deelstaat Chiapas, zijn de *tostadas* even delicaat als de plaatselijke schonen. In Guadalajara worden, met bakken vol, wat substantiëlere gefrituurde tortilla's aangeboden. Op sommige plaatsen worden de tortilla's geroosterd in plaats van gefrituurd. De beroemdste *tostadas* zijn die van Tehuantepec, die *totopos* worden genoemd (een woord dat in de rest van Mexico wordt gebruikt voor tortillachips). Ze worden gemaakt van grof gemalen *masa* en in een tonvormige klei-oven (verwant aan de Indiase tandoor-oven) gebakken.

Rieten tortillamandje met doek

VOORGERECHTEN EN SALADES
Entremeses y Ensaladas

Restaurant Las Cazuelas, Mexico-Stad

Zowel met *fiestas* als met verrukkelijk voedsel werd ik al in het eerste stadium van mijn Mexicaanse avontuur geconfronteerd, en zo ook met het plezier waarmee men die twee zaken met elkaar weet te combineren. In Mexico-Stad was ik via de nauwe straatjes van de oude binnenstad naar restaurant Fonda las Cazuelas gelopen. Ik ging naar binnen, passeerde de achter een glazen wand gelegen keuken met zijn enorme vijzels en bruine aardewerken *cazuelas* en installeerde me aan een van de met linnen opgedekte tafels in de rumoerige eetzaal, die de indruk wekte bij elke stoot van de mariachi-trompettist uit zijn voegen te kunnen barsten. Er kwam een schaal met kleine hapjes en ik nam mijn eerste slok dikke, schuimige *pulque* (het gefermenteerde sap van de maguey-cactus) of tequila, welke laatste werd weggespoeld met een pittige *sangrita*. De tafels waren gedekt voor tien, vijftien, vijfentwintig man. We hapten gretig in de kleine *masa*-pasteitjes, we maakten zachte taco's gevuld met goudbruine varkens-*carnitas*, *guacamole*, cactussalade en krokante stukjes varkenszwoerd. We bestelden van alles nog een portie, met nog iets te drinken erbij, en pas veel later op die middag waren we toe aan een kippebout in een rode of groene *mole*, *chiles rellenos* en een puddinkje of zoete, met kaneel gekruide koffie.

Ik ontdekte dat dit soort hapjes ook in andere restaurants in Mexico-Stad geserveerd werden; ze werden *entremés* of ook wel *entremés ranchero* genoemd. In feite werden ze overal geserveerd waar iets te vieren viel. Op zondagmiddagen, als we voor de lunch naar een buitenrestaurant gingen waar lamsvlees in een vuurkuil werd bereid, aten we uitsluitend *entremeses* (althans zo leek het). Verjaardagen vierden we in het chique restaurant Hacienda de los Morales, waar we op de fraaie binnenplaats genoten van hartige *masa*-schuitjes (*sopes*). Aan de kust aten we *seafood*-cocktails, *seviches* en de hapjes met reepjes vis of krabvlees die *machacas* of *salpicones* worden genoemd. In het noorden lieten we het hoofdgerecht van gebraden geitevlees altijd voorafgaan door een bord met gesmolten kaas, chilipepers en *chorizo*. En in het bergland van Chiapas bestelden we schalen met ham, bloedworst, *butifarra* (met piment gekruide worst) en lokaal vervaardigde kazen. Al deze smakelijke hartige hapjes worden, net als de voorgerechten bij ons, bij speciale gelegenheden geserveerd, op dagen dat de soep van alledag (die volgens alle goede Mexicaanse echtgenotes en moeders bij een verantwoorde maaltijd hoort) even kan worden vergeten.

Ook voor avontuurlijke eters heeft Mexico een aantal veelgeroemde *entremeses* in petto. Bijvoorbeeld de delicate gegratineerde flensjes gevuld met grijszwarte *huitlacoches* (maïszwammen) of pompoenbloemen die in de betere restaurants van Midden-Mexico geserveerd worden, de salades met gerookte geep (*pejelagarto*) van Tabasco, de krokant gefrituurde maguey-wormen (*gusanos*) van Puebla, de geroosterde sprinkhanen (*chapulines*) van Oaxaca, de kleine rivierkreeftjes (*acosiles*) van Toluca, de gebakken witvis-achtige *charales* van Michoacán en de ingemaakte varkenspoten en stukken varkenszwoerd van de staten in het westen. De lijst kan gemakkelijk worden aangevuld, want elk gebied heeft wel iets speciaals te eten bij een *fiesta*.

In de *pulque*-kroegen en -*cantinas* is – of was – het een goede gewoonte om de gasten te onthalen op heerlijk pittige *botanas* (letterlijk 'kurken' of 'stoppen'). Aangezien ik daar niet vaak kwam, nam ik genoegen met soortgelijke hapjes en knabbeltjes die – vooral in het weekeinde, 's avonds en tijdens *fiestas* – op straat worden verkocht: geroosterde pompoenzaden en met chili gekruide pinda's, repen komkommer of plakken *jícama* met limoen en chilipepers, fruitsalades. En natuurlijk de vele tientallen *masa*-snacks die *antojitos* worden genoemd. Al dit soort hapjes kun je bij kraampjes of in *tacquerías* kopen en thuis als borrelhapje of hors d'oeuvre serveren.

Echte voorgerechten –kleine gerechtjes die voor het hoofdgerecht worden gegeten – passen niet goed in een traditionele Mexicaanse maaltijd omdat ze de heilige soep van zijn plaats zouden verdringen. Maar bij speciale gelegenheden (of gewoon als het zo uitkomt) kun je altijd wel een *entremés* invoegen.

En salades? Die eet een gezondheidsbewuste Mexicaan tussen de middag of 's avonds, net als mensen uit andere delen van de wereld. De meeste Mexicanen die ik ken, eten echter alleen maar de plukken fijngesneden sla waarmee taco's en andere snacks worden versierd. Maar wie de moeite neemt al die beetjes bij elkaar op te tellen, zal vermoedelijk tot de ontdekking komen dat ze op die manier toch heel wat sla wegwerken.

Van de weinige traditionele salades die er zijn heb ik een aantal recepten in dit hoofdstuk opgenomen. De barokke salade die op kerstavond wordt gegeten en wordt samengesteld uit rode bieten, *jicama*, radijsjes, banaan, kropsla en nog een heleboel andere zaken die niet echt bij elkaar lijken te passen, heb ik echter overgeslagen. Hij wordt ongetwijfeld vaak gemaakt, maar niet door de mensen die ik heb ontmoet. In Mexicaanse kookboeken staan vaak Europese en Noordamerikaanse salades die eigenlijk niet thuishoren in de Mexicaanse keuken. Zo is het ook enigszins strijdig met de traditie dat ik thuis vaak een groene salade serveer bij mijn Mexicaanse maaltijden. Speciaal voor die gelegenheden heb ik een aantal dressings ontwikkeld die goed samengaan met de smaak van de overige gerechten; u vindt ze aan het einde van dit hoofdstuk.

Ook in andere hoofdstukken staan gerechten die als voorgerecht, snack of salade kunnen fungeren: alle soepen (pag. 101-121), de lichtere *antojitos* (pag. 130-218), de vis-*adobado* in maïsbladeren (pag. 250), de oesters *en escabeche* (pag. 253), *chiles rellenos* (pag. 284), de grove *guacamole* (pag. 47), de salade van cactusblad (pag. 49) en de ingemaakte groenten met chilipepers (pag. 51).

GESMOLTEN KAAS MET GEROOSTERDE CHILIPEPERS EN *CHORIZO*

Queso Fundido con Rajas y Chorizo

Gesmolten kaas belegd met reepjes geroosterde chili's en rul gebakken *chorizo* is een perfecte vulling voor tarwetortillas. De kaas is echter ook geschikt als lunchgerecht, als voorgerecht (bijvoorbeeld vóór de biefstuk *a la Tampiqueña*, pag. 281) en zelfs – samen met een vruchtensorbet (pag. 351) – als nagerecht.

Het is een beroemd gerecht uit het noorden (in Monterrey noemt men het *queso flameado*), waar het wordt geserveerd in eetgelegenheden die zijn uitgerust met reusachtige grills, die zowel gebruikt worden voor het roosteren van *cabrito* (geit) als voor het smelten van de kaas in ondiepe aardewerken schaaltjes of borden. In deze streek gebruikt men een vol smakende *queso asadero* ('grill-kaas') die, net als mozzarella, in gesmolten staat draden trekt. Het gerecht wordt overigens in heel Mexico geserveerd, met name in *tacquerías* die taco's uit het noorden serveren en dan gebruikt men gewoon de gemakkelijkst verkrijgbare goed smeltende kaas.

Voor 4-6 personen als voorgerecht, 2-3 personen als lunchgerecht of als vulling voor 6-8 tarwetortilla's:

> 2 eetlepels plantaardige olie
> 1/2 kleine ui, in dunne ringen gesneden
> 1 verse *chile poblano*, geroosterd en ontveld (pag. 390), van zaadjes ontdaan en in smalle reepjes gesneden
> 125 verse *chorizo* zonder vel (pag. 57)
> 250 gram goed smeltende kaas (pag. 395), bijv. mozzarella en/of licht belegen Goudse*, in blokjes van ca. 1 cm

1. *Het verhitten van de schaal*: Verwarm de oven voor op 190° C, plaats het rooster op de 2e richel van onderen en zet daarop een ronde vuurvaste schaal of aardewerken schotel (diameter 20-22 cm), zodat de schaal wordt voorverwarmd terwijl u met de voorbereidingen bezig bent.
2. *De chilipepers en de chorizo*: Verhit de helft van de olie in een kleine koekepan, voeg de uiringen toe en fruit ze op een matig hoog vuur tot ze goudgeel beginnen te kleuren. Voeg dan reepjes chilipeper toe en laat ze op een laag vuur meebakken tot ze zacht zijn. Schep het mengsel in een kommetje.

   Verhit nu de rest van de olie in dezelfde koekepan, voeg de *chorizo* toe en roerbak het worstvlees op een vrij laag vuur tot het gaar en rul is; prak eventuele klontjes tijdens het bakken fijn met een vork. Giet het vet af en zet de pan opzij.
3. *Het smelten van de kaas*: Neem de hete schaal uit de oven en strooi de kaasblokjes in een egale laag op de bodem. Zet de schaal ca. 10 minuten in de oven terug, tot de kaas nèt gesmolten is. Neem de schaal uit de oven, bestrooi de kaas met de rul gebakken *chorizo* en het ui-chilipepermengsel en laat het geheel nog 4-5 minuten goed doorwarmen in de oven. Zet de schaal met de pruttelende *queso fundido* daarna op tafel. Het is de bedoeling dat de aanwezigen de kaas op warme tarwetortilla's scheppen en die vervolgens oprollen.

KEUKENNOTITIES
Technieken
» *Het verhitten van de schaal*: Het voordeel van een goed voorverwarmde schaal is dat de kaas snel en gelijkmatig smelt.

Ingrediënten
» *Chile poblano*: In Mexico zelf worden, behalve *poblanos*, ook vaak chilipepers gebruikt die in een bepaald seizoen aan de markt komen of alleen lokaal verkrijgbaar zijn. U kunt de poblano eventueel vervangen door 1/2 groene paprika en 1 of 2 verse groene lomboks.

Voetnoot van de vertaalster
» *De kaas*: In het oorspronkelijke recept schrijft Rick Bayless mozzarella en/of Monterey Jack (een vrij smakeloze bleekgele kaas uit Californië) voor. Licht belegen Goudse is, met name in combinatie met mozzarella, in dit gerecht een bruikbaar alternatief.

(Voor)bereidingstijd

» De bereiding van dit gerecht vergt alles bij elkaar zo'n 30 minuten, maar aanzienlijk minder als u een aantal zaken van tevoren doet. U kunt bijvoorbeeld de chilipeper (en – eventueel – de paprika) van tevoren roosteren, ontvellen, enzovoort en ook alvast samen met de uiringen bakken. Ook de *chorizo* kan van tevoren worden gebakken en de kaas kan alvast in blokjes worden gesneden. Als u de chilipepers en de chorizo zó lang van tevoren bakt dat u ze in de koelkast moet bewaren, neem ze dan tijdig uit de koeling, zodat ze op kamertemperatuur zijn als u ze nodig hebt.

EIGENTIJDSE VARIATIE

» *Gesmolten kaas met geroosterde paprika en verse kruiden:* Vervang de *chile poblano* door 1 of 2 rode, gele of groene paprika's. Rooster ze ontvel ze, verwijder de zaadjes en zaadlijsten en snijd ze in smalle reepjes. Desgewenst kunt de *chorizo* vervangen door een andere pittig gekruide verse worst (bijvoorbeeld Marokkaanse *merguez*) waarvan u het vel verwijdert. Ga verder te werk zoals beschreven in het recept en bestrooi de *queso fundido* vlak voor het opdienen met verse fijngehakte kruiden.

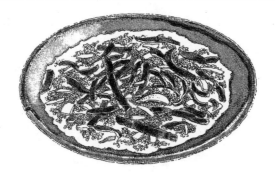

GEMARINEERDE MAKREEL MET TOMAAT EN GROENE CHILIPEPER

Seviche de Sierra

Naar mijn idee bestaat er niets opwekkenders dan de frisse, pure smaak van *seviche*, of het nu de tomatensaus-achtige versie is die in Acapulco en andere plaatsen aan de westkust populair is, of de veel simpeler versie van de staten aan de Golf van Mexico. Omdat een *seviche* licht en mild gekruid is, is het gerecht uitstekend geschikt om de weg te plaveien naar de zwaardere en pittiger gekruide Mexicaanse sauzen. Een *seviche* is bij uitstek geschikt voor picknicks (koel gehouden in een thermosfles) of als voorgerecht bij een etentje of barbecuemaaltijd in de tuin.

Mijn recept voor de klassieke *seviche* van makreel met een frisse tomatendressing is gebaseerd op een recept dat in het Mexicaanse blad *Gastrotur* heeft gestaan. In de Keukennotities vindt u een aantal varianten met minder saus die bij een uitgebreid etentje op een met slabladeren bedekt bord kunnen worden geserveerd. U kunt ze echter ook gebruiken als 'beleg' voor *tostadas* die als borrelhapje worden gegeven.

Voor ca. 6 personen:

> 500 gram *zeer verse* gefileerde makreel of andere visfilets (zie onder de keukennotities hieronder
> 1/4 liter vers geperst limoensap (= 6-8 limoenen)
> 1/2 middelgrote ui, in piepkleine blokjes gesneden
> 1 rijpe tomaat, ontdaan van de harde kern en in piepkleine blokjes gesneden
> 16-20 vlezige groene olijven, ontpit en grof gehakt
> 1 à 2 verse groene lomboks*, ontdaan van steeltjes en zaadjes en fijngehakt
> 1 à 2 eetlepels fijngehakte verse koriander of peterselie
> 1/4 liter tomatensap
> 3 eetlepels plantaardige olie (bij voorkeur een mengsel van maïs- of zonnebloemolie en olijfolie)
> 1 theelepel gedroogde oregano
> ca. 1/2 theelepel zout
> ca. 1 theelepel suiker (eventueel)

voor de garnering:
> een paar takjes verse koriander of peterselie en/of ca. 1/4 in blokjes gesneden avocado

1. *Het marineren van de vis*: Controleer de makreelfilets op achtergebleven graatjes en verwijder ze; snijd de vis daarna in blokjes van ca. 1 cm en doe ze in een glazen of roestvrijstalen kom. Giet het limoensap over de visblokjes, schep alles zorgvuldig door elkaar en bedek het geheel met een stuk plasticfolie dat u pal op de vis legt. Zet de schaal 4 uur (of een hele nacht) in de koelkast; de vis zal in die tijd 'gaar' worden in het limoensap. U kunt controleren of de vis 'gaar' genoeg is door een van de blokjes doormidden te breken: als het visvlees binnenin nog enigszins glazig is, moet u de vis wat langer laten marineren.
2. *Het afwerken van de seviche*: Laat de vis ca. 20 minuten voordat u de *seviche* wilt serveren goed uitlekken. Meng de uitgelekte visblokjes in een kom met de in blokjes gesneden en grof of fijngehakte ingrediënten, het tomatensap, de olie en de oregano. Breng het mengsel op smaak met zout en – eventueel – een beetje suiker en bewaar de *seviche*, afgedekt met folie, tot gebruik in de koelkast. Verdeel de *seviche* over 6 glazen coupes of kommetjes, garneer elke portie met een toefje verse koriander of peterselie en/of avocadoblokjes en serveer direct.

KEUKENNOTITIES

Technieken

» *Het fileren en strippen van de vis*: zie pag. 242.

Ingrediënten

» *De vis*: De Mexicaanse *sierra* is nauw verwant aan de makreel, die dan ook een uitstekend alternatief is. U kunt echter ook een andere vlezige zeevis gebruiken, bijvoorbeeld zeebaars, heilbot, zeeduivel of kabeljauw. Het belangrijkste is dat de vis absoluut vers is.

Voetnoten van de vertaalster

» *De chilipepers*: In het oorspronkelijke recept schrijft Rick Bayless 2 *chiles serranos* of 1 *chile jalapeño* voor.

» *De hoeveelheden:* Met 'theelepel' wordt de internationale standaardtheelepel met een inhoud van 5 gram bedoeld en niet het Nederlandse theelepeltje van 3 gram.

(Voor)bereidingstijd

» Gezien de lange marineertijd moet u minstens 4 1/2 uur van tevoren beginnen, maar het is nog beter als u de vis een hele nacht (of maximaal 2 dagen) in de marinade laat staan. Het assembleren van de *seviche* duurt hooguit een kwartier en moet zo kort mogelijk voor het opdienen worden gedaan.

TRADITIONELE VARIATIES

» *Seviche voor tostadas:* Snijd of hak de vis in kleine stukjes en marineer ze volgens de aanwijzingen in het recept, maar gebruik maar 2 eetlepels tomatensap en 1 eetlepel olie.

» *Garnalenseviche:* Snijd 500 gram rauwe grote garnalen (*gamba's*), gepeld en ontdaan van het darmkanaal, in kleine stukjes. Meng het limoensap met 1/2 fijngehakte rode ui, 1/2 theelepel grof gemalen piment en 1/2 theelepel grof gemalen zwarte peper en laat laat de garnalen hierin 12 uur marineren. Laat de garnalen uitlekken en meng ze met 1 fijngehakte groene lombok (van de zaadjes ontdaan), 2 eetlepels fijngehakte verse koriander, 1 mespuntje zout, 2 theelepels azijn en 3 eetlepels olijfolie. Schep er 1 in blokjes gesneden avocado door en serveer de *seviche* op met slabladeren bedekte borden.

EIGENTIJDSE VARIATIES

» *Seviche van sint-jacobsmosselen met chipotles:* Marineer 500 gram in blokjes gesneden sint-jacobsmosselen (*coquilles saint-jacques*) met rode ui, piment en peper zoals beschreven in het recept voor garnalen*seviche*. Laat de schelpdieren uitlekken en meng ze met 2 fijngesneden, van zaadjes ontdane *chipotle*-pepers uit blik, een beetje verse oregano, 1 mespuntje zout, 2 theelepels azijn en 3 eetlepels olijfolie. Schep er 1 in blokjes gesneden avocado door en serveer direct.

SALADE VAN 'DRAADJESVLEES' MET AVOCADO EN *CHILE CHIPOTLE*

Salpicón de Res Poblano

In een eetstalletje in Puebla verwerken ze deze *salpicón* in een ongelooflijk lekkere *torta:* een krakend vers broodje, royaal belegd met uiteengerafeld rundvlees aangemaakt met een goede olijfolie-dressing en gegarneerd met gerookte *chipotles*, een dikke plak avocado en wat verse witte kaas. In het fameuze restaurant Fonda el Refugio in Mexico-Stad worden diezelfde ingrediënten, smaakvol op een bord geschikt, geserveerd als voorgerecht of lunchsalade. Die laatste manier heb ik gekozen voor de presentatie van onderstaande *salpicón*. U kunt er, als u wilt, een heel menu omheen componeren, met Tostadas met groenten in chili-marinade (pag. 185) als voorafje en Kokoscrème (pag. 334) als dessert.

Voor 4 personen als voorgerecht of voor 2-3 personen als maaltijdsalade:

500 gram mager rundvlees (bijv. vang of puntborst), ontdaan van vet en zenen
1 knoflookteentje, gepeld en in vieren gesneden
1/2 à 1 verse groene lombok*, in ringetjes gesneden (eventueel)
2 laurierblaadjes
1/2 theelepel gemengde gedroogde kruiden (w.o. tijm en marjolein)
1/4 theelepel vers gemalen zwarte peper
1 royale 1/2 theelepel zout
1 kleine ui, fijngehakt
2 vastkokende aardappelen (150-175 gram)

voor de dressing:
1 3/4 dl olijfolie
4 eetlepels ciderazijn
1/2 theelepel zout
1/4 theelepel vers gemalen zwarte peper

voor de afwerking:
6 bladeren Romeinse sla (bindsla)
1 rijpe avocado, geschild, van de pit ontdaan en in blokjes gesneden
4 *chiles chipotles* uit blik, doormidden gesneden en van zaadjes ontdaan
een paar radijsroosjes
30 gram verkruimelde *queso fresco* (pag. 395) of een andere verse witte kaas, bijv. feta
of witte meikaas

1. *Het vlees*: Snijd het vlees in dobbelstenen van ca. 5 cm. Breng 3/4 liter water met het vlees in een middelgrote pan aan de kook en schep het schuim af dat komt bovendrijven. Voeg dan de knoflook, de chilipeper (eventueel), de laurierbladeren, de kruiden, peper en zout en de *helft* van de ui toe. Laat het vlees zachtjes koken, op een matig hoog vuur, tot het gaar is (dit duurt 1-2 uur). Laat het vlees afkoelen in het kookvocht. Giet de inhoud van de pan door een zeef in een schone pan. Vis de stukken vlees uit de zeef (de andere ingrediënten kunt u weggooien) en pluk ze uit elkaar zodat u een kom vol 'draadjes' krijgt.
2. *De aardappelen*: Kook de aardappelen, terwijl het vlees op het vuur staat, in lichtgezouten water tot ze nèt gaar zijn. Laat ze iets afkoelen, pel ze en snijd ze in blokjes van ca. 1 cm. Doe de aardappelblokjes en de overgebleven uisnippers bij het vlees in de kom.
3. *De dressing*: Klop de ingrediënten voor de dressing in een kom door elkaar (of doe ze in een beker met een goed sluitend deksel en schud de beker een paar maal flink op en neer). Giet 2/3 van de dressing over het vleesmengsel, schep alles zorgvuldig door elkaar en laat de salade een half uur staan, zodat de smaken kunnen intrekken.
4. *De presentatie*: Snijd 2 slabladeren in smalle reepjes. Bekleed een schaal met de rest van de slabladeren en leg de fijngesneden sla in een afgeplat bergje in het midden. Schep hierop de *salpicón* en garneer het geheel met plakken avocado, halve *chipotles* en radijsroosjes. Besprenkel het geheel met de rest van de dressing en bestrooi de salade met de verkruimelde witte kaas. Serveer direct.

KEUKENNOTITIES

Ingrediënten

» *Chiles chipotles:* Het zijn de *chipotles* (gedroogde, gerookte *jalapeños*) die dit gerecht werkelijk doen 'swingen', maar als u ze nergens kunt krijgen, kunt u ze vervangen door vier *jalapeños* uit blik en 2 eetlepels fijngehakte verse koriander.

Voetnoten van de vertaalster

» *De hoeveelheden:* Met 'theelepel' wordt de internationale standaardtheelepel met een inhoud van 5 gram bedoeld en niet het Nederlandse theelepeltje van 3 gram.

» *De chilipepers:* In het oorspronkelijke recept schrijft Rick Bayless geen lomboks voor maar 1 verse *chile serrano* of 1/2 verse *chile jalapeño*.

(Voor)bereidingstijd

» De totale bereidingstijd bedraagt 2 à 2 1/2 uur, waarvan u echter maar ca. 30 minuten actief bezig bent. Hoewel de salade het lekkerst is als u hem kort voor het serveren maakt, kunt u eventueel de stappen 1 t/m 3 een dag van tevoren doen; bewaar de diverse bestanddelen in dat geval in de koelkast en breng ze tijdig op kamertemperatuur (als de aardappelen het merendeel van de dressing hebben geabsorbeerd, maak dan wat extra dressing en giet die over de salade).

TRADITIONELE VARIATIES

» *Yucatán Dzik de Res:* Bereid het vlees zoals aangegeven in stap 1 en snijd het in kleine blokjes. Voeg toe: 1/2 fijngehakte rode ui, 4 fijngehakte grote radijzen, verse groene peper naar smaak en 1 in blokjes gesneden tomaat. Meng het geheel met 2 eetlepels fijngehakte verse koriander en 6 eetlepels bitter sinaasappelsap (pag. 393) en breng de salade op smaak met zout.

EIGENTIJDSE VARIATIES

» *Salpicón van rundvlees en jicama:* Laat de aardappels weg. Bereid het vlees zoals aangegeven in stap 1 en meng het met de fijngehakte ui, 100 gram in *julienne* gesneden *jicama* (pag. 394), 4 in plakjes gesneden radijsjes, 1 fijngesneden lente-uitje en de dressing. Serveer de salade op een bedje van slabladeren en garneer het geheel met fijngesneden *chipotles.*

Keukentaal

» *Salpicón* is het Spaanse woord voor 'spat' en 'spetter', maar wordt in Mexico en Midden-Amerika ook gebruikt voor salades met draadjesvlees. In Centraal-Mexico bestaat een *Salpicón* uit draadjesvlees (rundvlees of kip) met een dressing, in Acapulco uit draadjesvlees (rundvlees) met eieren, aan de oostkust uit pikant gekruid uitgeplozen krabvlees, in Tabasco uit draadjesvlees van hert met bitter sinaasappelsap en in Yucatán wordt het woord ook gebruikt voor een pittig mengsel van groenten.

GEMENGDE GROENTESALADE MET LIMOENDRESSING
Ensalada Mixta

Voor 6-8 personen:

ca. 250 gram (totaal) van een of meer van de volgende ingrediënten:
worteltjes, geschrapt en schuin in dunne plakjes gesneden
vastkokende aardappelen, geschild en in plakjes gesneden
rode bieten (gekookt of ongekookt), ontveld of geschild en in plakjes gesneden
ca. 250 gram (totaal) van een of meer van de volgende ingrediënten:
sperziebonen, schoongemaakt en doormidden gebroken
doperwten, vers of diepgevroren
ca. 250 gram (totaal) van een of meer van de volgende ingrediënten:
radijsjes, ontdaan van loof en worteluiteinde en in dunne plakjes gesneden
komkommer, geschild, van de zaadkern ontdaan (eventueel) en in plakjes gesneden
tomaten, ontdaan van de kern ontdaan en in plakjes gesneden

voor de dressing:
3 eetlepels limoensap
1 1/2 dl plantaardige olie, waarvan een gedeelte olijfolie
1/2 theelepel zout
1/4 theelepel vers gemalen zwarte peper
1 1/2 eetlepel fijngehakte verse koriander of platte peterselie

voor de garnering:
6-8 slabladeren (kropsla of bindsla)
1 bosje waterkers, ontdaan van de dikke steeltjes (eventueel)
1 hardgekookt ei, in plakjes gesneden
1 dikke plak rode ui, in ringen verdeeld
2 eetlepels verkruimelde *queso fresco* (pag. 395) of een andere verse witte kaas, bijv.
feta of verse meikaas

1. *De groenten:* Breng in het onderste deel van een stoompan een laagje water aan
de kook. Leg de in plakjes gesneden wortel, aardappel en rauwe rode biet (aan
gekookte rode biet hoeft niets meer te worden gedaan) in afzonderlijke bergjes
in het bovenste deel van de stoompan (zorg dat de rauwe rode biet niet in aanraking komt met de andere groenten, anders worden die ook rood...), zet de
beide delen op elkaar, leg het deksel erop en stoom de groenten in 10-15 minuten beetgaar. Laat de groenten, nog steeds afzonderlijk, afkoelen.
  Stoom vervolgens de sperziebonen en/of doperwtjes op dezelfde manier beetgaar en laat ze eveneens afkoelen. Meng de afgekoelde gekookte groenten in
een kom met de rauwe groenten.
2. *De dressing:* Klop alle ingrediënten (behalve de tuinkruiden) in een kom door elkaar of doe ze in een maatbeker met goed sluitend deksel en schud de beker
een paar maal heftig op en neer. Voeg de koriander of peterselie toe, giet de
dressing over de groenten en schep alles zorgvuldig door elkaar.
3. *De presentatie:* Bedek een grote platte schaal met slabladeren. Meng de groentesalade nogmaals en schep hem daarna op de slabladeren. Schik - eventueel -
de waterkerstakjes in een krans om de groenten en garneer het geheel met plakjes hardgekookt ei, uiringen en verkruimelde verse kaas. Serveer direct.

KEUKENNOTITIES

(Voor)bereidingstijd

» De bereidingstijd is afhankelijk van het aantal groenten dat u gebruikt; reken voor het schoonmaken, snijden en koken op ca. 1 uur. U kunt de groentes desgewenst een dag van tevoren koken; de rauwe groenten kunnen enkele uren van tevoren worden schoongemaakt en gesneden (dek ze wel goed af met folie, anders drogen ze uit). Ook de dressing kan van tevoren worden gemaakt; het aanmaken van de salade moet echter – nadat de dressing nogmaals goed door elkaar wordt geklopt of geschud – op het laatste moment gebeuren.

Voetnoot van de vertaalster

» *De hoeveelheden:* Met 'theelepel' wordt de internationale standaardtheelepel met een inhoud van 5 gram bedoeld en niet het Nederlandse theelepeltje van 3 gram.

PIKANTE *JÍCAMA*-SALADE MET MANDARIJNEN EN VERSE KORIANDER

Ensalade de Jícama

De textuur van de *jícama*, een grote bolvormige, houtkleurige knolgroente met een lichtzoete appelsmaak, doet enigszins denken aan die van een rauwe aardappel. De kleine (300-350 gram) vers geoogste exemplaren die in het najaar aan de markt komen zijn al lekker als ze alleen maar met limoensap worden besprenkeld en met zout en chilipoeder worden bestrooid, de gedaante waarin ze als straatvoedsel fungeren. In heel Mexico worden overigens op straat fruitsalades verkocht; in vele daarvan wordt de *jícama* gemengd met andere vruchten, zoals gewone meloen, watermeloen, papaja, enzovoort. In de westelijke deelstaten van Centraal-Mexico wordt *jícama* met sinaasappel en verse koriander verwerkt in *pico de gallo*.

Het recept van de verfrissende salade hieronder is afkomstig van een fruitverkoper uit Mérida, Yucatán. De salade past goed bij andere gerechten uit Yucatán, bijvoorbeeld *Pan de Cazón* (pag. 180) of *Pollo pibil* (pag. 268) met witte rijst.

Voor 6-8 personen:

1 *jícama* van ca. 500 gram, geschild en in blokjes van 1 1/2 cm gesneden
1 1/4 dl bitter sinaasappelsap (pag. 393)
1/4 theelepel zout
1 rode appel, ontdaan van het klokhuis en in blokjes van 1 1/2 cm gesneden (eventueel)
1/2 kantaloepmeloen, geschild, ontdaan van de zaden en in blokjes van 1 1/2 cm gesneden (eventueel)
3 mandarijnen, gepeld, in partjes verdeeld en – eventueel – ontdaan van de pitten
ca. 2 eetlepels fijngehakte verse koriander
ca. 1 theelepel chilipoeder (zie onder Ingrediënten in de Keukennotities)
een paar slabladeren (kropsla of bindsla)

1. *Het marineren van de jícama*: Doe de in blokjes gesneden *jícama* in een glazen of roestvrijstalen kom, giet het bittere sinaasappelsap erover en voeg het zout toe. Schep alles zorgvuldig door elkaar en laat de *jícama* ca. 1 uur marineren bij kamertemperatuur.
2. *Het mengen van de salade*: Meng de *jícama* ca. 15 minuten voor het serveren met de in blokjes gesneden vruchten en de fijngehakte koriander en schep alle ingrediënten om de paar minuten nogmaals door elkaar. Bestrooi de salade met chilipoeder en – eventueel – nog wat zout en koriander en schep het geheel nog één keer door elkaar. Serveer de salade op een met slabladeren bedekte schaal.

jícama

KEUKENNOTITIES

Ingrediënten

» *Jícama*: De *jícama* of yamboon (Pachyrrhizus erosus) is in Nederland niet verkrijgbaar. Hoewel de milde zoetheid en knisperende textuur zullen ontbreken, kan de knol in deze salade met succes worden vervangen door jonge meiknolletjes en/of rettich.

» *Chilipoeder*: In Yucatán wordt *jícama* bestrooid met de vurig hete, tot poeder gemalen *chile seco*; in de rest van Mexico met de eveneens vrij pittige *chile de árbol*. Zelf gebruik ik minder hete gedroogde chili's, die ik tot poeder maal en met cayennepeper de vereiste scherpte geef.

Voetnoten van de vertaalster

» *De hoeveelheden*: Met 'theelepel' wordt de internationale standaardtheelepel met een inhoud van 5 gram bedoeld en niet het Nederlandse theelepeltje van 3 gram.

» *De meloen*: Charentais- en cavaillonmeloenen behoren tot het kantaloeptype; als u deze meloenen niet kunt vinden, kunt u ook een zoete ogen of galiameloen gebruiken.

(Voor)bereidingstijd

» Vanwege het marineren kunt u het beste ruim 1 uur voor het serveren met de voorbereidingen beginnen; het snijden van de ingrediënten vergt overigens niet langer dan ca. 20 minuten.

TRADITIONELE VARIATIES

» *Pico de Gallo*: Deze variant van *jícama*-salade uit het westen van Centraal-Mexico wordt 'hanensnavel' genoemd omdat de ingrediënten worden fijngehakt. Marineer de in stukjes gehakte *jícama* in een mengsel van 4 eetlepels limoensap en een snufje zout. Voeg het fijngesneden vruchtvlees van 2 sinaasappels, 2 eetlepels fijngehakte koriander en wat chilipoeder toe en meng alles goed. Er bestaat ook een elegante versie waarbij gemarineerde plakjes *jícama*, sinaasappelschijfjes en komkommerplakjes om en om dakpansgewijs op een schaal worden geschikt, waarna het geheel wordt besprenkeld met limoensap en wordt bestrooid met chilipoeder en fijngehakte koriander.

EIGENTIJDSE VARIATIES

» *Waterkers-jícamasalade:* Snijd 1/2 kleine *jícama* en ongeveer evenveel rettich in luciferdunne reepjes en marineer ze in bitter sinaasappelsap. Laat de reepjes uitlekken en bewaar het sap. Meng de helft van het sap in een blender met een gelijke hoeveelheid olijfolie en 1/2 fijngesneden *chile serrano* of lombok. Giet de dressing over de groentereepjes, voeg een bosje waterkers (waarvan de dikke steeltjes zijn verwijderd) en wat fijngehakte verse koriander toe en hussel alles luchtig door elkaar.

Mexicaanse citroen- en limoenpers

NIET-TRADITIONELE DRESSINGS VOOR SALADES MET EEN MEXICAANS TINTJE

AVOCADODRESSING

Een dikke romige dressing voor salades van rauwe of gekookte groenten of stevige slasoorten als bindsla en rauwe andijvie.

Voor ruim 3 dl:

> 1/2 rijpe avocado, ontdaan van de pit en geschild
> 1 1/2 eetlepel limoensap
> 1 1/2 eetlepel ciderazijn
> 2 eetlepels verse fijngehakte koriander
> 1 knoflookteentje, gepeld en grof gehakt
> 1 1/2 dl plantaardige olie
> 1 grote eierdooier
> 2 eetlepels room
> het groen van 1 lente-uitje, in ringetjes gesneden
> ca. 1/2 theelepel zout

Doe het in stukjes gesneden vruchtvlees van de avocado in de kom van een blender of foodprocessor, voeg het limoensap, de azijn, de koriander, de knoflook en de olie toe en laat de machine draaien tot u een gladde, dunne puree hebt verkregen. Klop de eierdooier los in een kom en voeg, al kloppende met een garde, lepel voor lepel de avocadopuree toe; blijf kloppen tot de saus de consistentie heeft van dunne mayonaise. Voeg de room en de uiringetjes toe en breng de dressing op smaak met zout. Bewaar de dressing - afgedekt - in de koelkast; als de saus door het bewaren te dik wordt, kunt u haar verdunnen met een scheutje room.

DRESSING VAN GEROOSTERDE KNOFLOOK

Een simpele dressing op basis van olie en azijn die uitstekend past bij gemengde groene salades of dunne reepjes *jícama* of rettich gecombineerd met waterkers en rode uiringen. De volle smaak van de Italiaanse balsamico-azijn verdiept het zoete aroma van de geroosterde knoflook.

Voor ca. 1 3/4 dl:

> 3 grote knoflooktenen
> 3 eetlepels balsamico-azijn
> 1 1/2 dl olijfolie
> 1/4 theelepel versgemalen zwarte peper
> ca. 1/2 theelepel zout

1. *De knoflook*: Rooster de ongepelde knoflookteentjes op een grillplaat of in een kleine koekepan met dikke bodem onder regelmatig omdraaien tot, na ca. 15 minuten, de schil rondom geblakerd is en de inhoud zacht is. Laat de teentjes afkoelen alvorens de schil te verwijderen.
2. *De dressing*: Meng de knoflookpulp in een blender of foodprocessor met de overige ingrediënten tot een lichtgebonden dressing. Proef de saus en voeg, indien nodig nog wat zout en/of peper toe. Bewaar de dressing – afgedekt – op kamertemperatuur.

LIMOEN‑KORIANDERDRESSING

Een romige, friszure dressing die zowel te gebruiken is voor gemengde groene salades als voor salades van gekookte of geblancheerde groentes.

Voor ca. 1/4 liter:

> 2 reepjes limoenschil (zonder het onderhuidse wit) van ca. 4 x 1 cm
> 2 1/2 eetlepel limoensap
> 2 kleine knoflookteentjes, gepeld en grof gehakt
> 1/2 groene lombok*, ontdaan van zaadjes en grof gehakt
> 1 1/2 eetlepel verse fijngehakte koriander
> 1 1/2 dl plantaardige olie
> 3 eetlepels verkruimelde feta of verse meikaas
> 1/4 à 1/2 theelepel zout (afhankelijk van het zoutgehalte van de kaas)

Meng alle ingrediënten in een blender tot een gladde, lichtgebonden saus. Proef of de saus voldoende zout bevat en voeg zo nodig nog wat toe. Bewaar de dressing tot gebruik – afgedekt – in de koelkast.

KEUKENNOTITIES
Voetnoot van de vertaalster

» *De chilipeper:* In het oorspronkelijke recept schrijft Rick Bayless 1/2 verse *chile serrano* voor.

LICHTE EN STEVIGE SOEPEN
Sopas, Caldos, Pozoles y Menudos

Traditioneel restaurant in San Luis Potosí

Mexicaanse soepen zijn heerlijke, huiselijke en terecht vermaarde maagvullers. Het geurige vocht uit de eeuwig pruttelende pan met gevogelte-, varkens- of rundvlees vermengd met een pulpachtige puree van goede tomaten, knoflook en uien vormt de basis voor een veelheid van verrukkelijke soepen. De Mexicanen verrijken die basis met produkten die variëren van cactusbladeren tot wilde paddestoelen en van de alomtegenwoordige vermicelli tot kaas en ze kruiden hun soepen met verse tijm, marjolein en laurierbladeren van de markt of met het stevige groen van *epazote*. En ten slotte verrichten ze kleine wonderen met scheutjes limoensap, reepjes avocado, fijngehakte verse koriander, pittige rauwe uisnippers of geroosterde gedroogde chilipepers. Een en ander resulteert in spectaculaire soepen, soepen met smaak en substantie.

Soep – een *grote* kom dampende soep – vormt het onontkoombare voorspel tot een traditionele Mexicaanse maaltijd. 'Wilt u niet met een soepje beginnen?' vragen de obers dan ook verbaasd als de soep in je bestelling ontbreekt. Een *comida corrida* in een klein, huiselijk eethuis is welhaast ondenkbaar zonder de vermelding van minstens één soep. De meeste Mexicaanse kookboeken dompelen de lezer ogenblikkelijk onder in een zee van soepen en maken vaak zelfs geen melding van andere voorgerechten.

De meest karakteristieke soep van Mexico is, althans naar mijn idee, de klassieke *sopa de tortilla*, die alle traditionele smaken en textuur-contrasten in zich verenigt. De veel gegeten, aan Spaanse soepen verwante knoflooksoep op basis van geroosterde knoflook speelt eveneens een rol van betekenis en zo ook de met een rokerig aroma doortrokken *caldo tlalpeño* met groenten en kip en de fleurige *sopa xóchitl* met zijn boeket van pompoenbloesems. Vrijwel overal aan de kust (en vaak ook in de binnenlanden) vieren de gekruide vissoepen hoogtij, van de met zeevruchten gevulde *sopa de mariscos* en de oestersoepen van de westkust tot de rijkelijk van vis voorziene *caldo largo* uit Veracruz, de gepeperde donkere *caldo de camarón* (op basis van gedroogde garnalen) die in verschillende kustgebieden wordt geserveerd en de krab-*chilpachole* – mijn persoonlijke favoriet – van de deelstaten aan de Golf van Mexico. De populairste roomsoep van Mexico is zonder meer de met vlokjes *chile poblano* gekruide *crema de elote*, gemaakt van verse maïs.

In elke streek zijn eigen soepspecialiteiten ontstaan op basis van produkten die plaatselijk verkrijgbaar en geliefd zijn. De tortillasoep – *sope de lima* – uit Yucatán wordt op smaak gebracht met de geurige limoen die *lima agria* heet. De *barbacoa*-restaurants in Centraal- en West-Centraal-Mexico serveren een aromatische bouillon – *consomé* – gemaakt van het opgevangen braadvocht van het in een kuil bereide lams- of geitevlees. Langs de Golf van Mexico, in het zuiden en in Yucatán vindt zwarte-bonensoep gretig aftrek en in Oaxaca wordt een alom geliefde soep gemaakt met de uitlopers – *guías* – van de pompoenplant. De specialiteit van Chiapas is een heerlijke dikke soep gevuld met maïs, verse kaas en het kruid *chipilín* en die van het noorden is een verkwikkende bouillon met gedroogd vlees of kaas. De populairste soepen van Centraal-Mexico zijn, naast een voedzame bouillon met stukjes merg – *sopa de médula* – twee vleesloze soepen voor de vastentijd: *caldo de habas* (gemaakt van tuinbonen) en *sopa de nopales navegantes* (met cactusbladeren en ei).

Een Mexicaanse soep lijkt vaak op een stoofpot en is in dat geval een hele maaltijd. Op de markten en in eetkraampjes wordt het aanbod mondeling aangeprezen: een stoofpot van rundvlees (*caldo de res* of – in Yucatán – *puchero*) of van kip (*caldo de pollo*). In Centraal-Mexico kan het een stevige, gevulde soep van bouillon met rode chili's (*mole de olla*) zijn en in Campeche een soep gemaakt van orgaanvlees (*chocolomo*).

In de deelstaat Guerrero worden verjaardagen op een bijzondere manier gevierd. Op een keer werd ik door mijn vrienden onthaald op een typisch Guerreroaans verjaardagsfeest. Het begon vlak na zonsopgang. Ze hadden mijn voordeur versierd met bloemen en ik werd gewekt met de klanken van 'Las Mañanitas', het Mexicaanse verjaardagslied. In de keuken kreeg ik een matineus glaasje mescal en een enorme kom feestelijke vroege-vogelsoep van *nixtamal* en varkensvlees. Het feest zou de hele dag doorgaan, zo wist ik, en er zouden nog vele rondjes *pozole* en mescal volgen... De bevolking van Gerrero scheen zich uitsluitend met die twee produkten in leven te kunnen houden.

Pozole is –net als *menudo*, de alom geliefde soep van pens –werkelijk iets speciaals: een fantastische eenpansmaaltijd waarop je een groot gezelschap kunt onthalen dan wel een stevige specialiteit die je 's avonds – of, als het *menudo* betreft, 's ochtends vroeg na een zware nacht – bij een straatstalletje kunt nuttigen. Deze twee maagvullende soepen zijn informele, volkse fiëstagerechten; qua stijl hebben ze meer gemeen met *tamales* dan met de alom gerespecteerde feestelijke *moles*. Van de twee is de *pozole*, in welke van de drie nationale kleuren (rood, wit en groen) hij ook op tafel verschijnt, mijn absolute favoriet. Een *pozole* biedt meer contrast in textuur – zachtgekookt versus knapperig rauw – en kan door de eters naar eigen inzicht – *al gusto* zoals de Spaanse term luidt – nog lekkerder worden gemaakt.

Op de volgende pagina's vindt u een aantal met zorg gekozen traditionele soeprecepten, zowel voor lichte soepen die als eerste gang van een maaltijd kunnen fungeren als voor de klassieke Mexicaanse maaltijdsoepen. Persoonlijk vind ik de porties die in Mexico aan het begin van een maaltijd worden geserveerd vaak te groot om daarna nog drie of meer gangen te kunnen eten; qua omvang lijken ze meer geschikt als hoofdbestanddeel van een informeel etentje of een winterse lunch waarbij ook wat *masa* hapjes (pag. 130-218) worden geserveerd. Soepen die in andere hoofdstukken worden beschreven vindt u onder het kopje 'soepen' in het register.

Keukentaal

» Voor niet-Mexicanen is het vaak verwarrend dat dunne soepen en rijstgerechten gezamenlijk op menukaarten prijken onder het kopje '*sopas*'. De eerstgenoemde vallen in de categorie *sopas aguadas* ('vloeibare soepen') en de tweede in die van de *sopas secas* ('droge soepen'). De enige verklaring die ik kan bedenken waarom rijstgerechten bij de soepen worden ingedeeld, is dat de rijst en het water waarin hij wordt gekookt er in het beginstadium uitzien als een dunne soep, maar misschien is dat wat al te simplistisch. Hoe dan ook, in een traditioneel menu komen de vloeibare soepen vóór de droge. In dit boek heb ik de rijstgerechten echter niet bij de soepen ondergebracht, maar bij de bonen en andere groentes.

Soepkom voor pozole met schaaltjes voor het garnituur, Guerrero

TORTILLASOEP MET VERSE KAAS EN *CHILE PASILLA*
Sopa de Tortilla

Dit is een typisch Mexicaanse soep die in het hele land in de betere *cafetarías* en restaurants wordt bereid. De basis bestaat uit kippebouillon waaraan krokant gebakken tortillareepjes en wat gebakken gedroogde chilipeper worden toegevoegd. De overige toevoegingen geven een huiselijk beeld van hetgeen voorhanden is en lopen uiteen van simpele zaken als in blokjes gesneden verse kaas of stukjes kip tot luxueuze ingrediënten als dikke room, pompoenbloesems, *chicharrones* (krokant gefrituurd varkenszwoerd) of plakjes avocado.

In kleine porties geserveerd kan deze soep een passend begin zijn voor een feestelijk menu met Eend in een *pipián* van pompoenzaad (pag. 259) en Courgette met geroosterde knoflook (pag. 322) als hoofdgang en Pecannotentaart met bruine suiker (pag. 339) als nagerecht. Met wat kippevlees als extra vulling kan de soep echter ook dienst doen als maaltijdsoep.

Voor 4-6 personen:

> 2 eetlepels reuzel of plantaardige olie
> 1 middelgrote ui, in ringen gesneden
> 2 knoflookteentjes, gepeld
> 1 rijpe tomaat, geroosterd of geblancheerd (pag. 404), ontveld en van de harde kern ont-
> daan of 1/2 blik (à 450 gram) ontvelde tomaten, uitgelekt
> 1 1/2 liter goede (kippe)bouillon (pag. 66)
> zout
> 4-6 oudbakken maïstortilla's
> 3/4 dl plantaardige olie
> 1-2 gedroogde *chiles pasillas*, ontdaan van steeltjes, zaadjes en zaadlijsten
> 200 gram Mexicaanse *queso fresco* (pag. 395) of een gelijksoortige kaas, bijv. verse wit-
> te meikaas of feta, in kleine blokjes gesneden
> 1 limoen, in 4 of 6 partjes gesneden

1. *De voorbereiding:* Verhit 1 eetlepel reuzel of olie in een kleine koekepan en fruit de uiringen en de knoflookteentjes op een vrij laag vuur tot ze mooi goudbruin en zacht zijn. Doe de inhoud van de pan in de kom van een blender of foodprocessor, voeg de tomaat toe en draai het geheel tot een gladde puree. Verhit opnieuw 1 eetlepel reuzel of olie in de koekepan, voeg de uien-tomatenpuree toe en roerbak de massa ca. 5 minuten op een matig hoog vuur, tot de puree zichtbaar donkerder en dikker is. Doe de puree in de pan waarin u de soep wilt maken.
2. *De soep:* Giet de bouillon al roerende bij de puree, breng het mengsel aan de kook en laat de soep, met het deksel schuin op de pan, 30 minuten zachtjes pruttelen.
3. *De vulling:* Laat de tortilla's indien nodig nog wat drogen. Snijd ze daarna doormidden en snijd de helften overdwars in reepjes van ca. 1 cm breedte. Verhit 3/4 dl olie in een middelgrote koekepan, voeg de tortillareepjes toe en bak ze onder regelmatig omscheppen tot ze krokant zijn. Schep ze met een schuimspaan uit de pan en laat ze uitlekken op keukenpapier. Snijd de gedroogde pepers in vierkantjes van ca. 2 cm en bak ze *even* – 3 à 4 seconden – in de hete olie; laat ze uitlekken en doe ze in een kommetje.

4. *De presentatie:* Verdeel achtereenvolgens de kaasblokjes en de tortillareepjes over voorverwarmde soepkommen of -borden, schep de hete soep erover en serveer direct. Laat het kommetje met de gebakken *pasilla-*pepers aan tafel rondgaan en voorzie alle tafelgenoten van een limoenpartje dat boven de soep kan worden uitgeknepen (door het sap komen de diverse smaken beter tot hun recht).

KEUKENNOTITIES

Technieken

» *Het bakken van tortilla's:* Zie pag. 80.

Ingrediënten

» *Maistortilla's:* Zie pag. 405.

» *Chile pasilla:* Deze donkerbruine, bijna zwarte gedroogde peper is de gangbare toevoeging in Midden-Mexico. In Oaxaca gebruikt men de lokale *chile pasilla oaxaqueño* en in Michoacán de *chile ancho.* In principe kan elke niet te hete gedroogde chilipeper worden gebruikt; laat u echter nooit verleiden tot het gebruik van chilipoeder of -peper.

(Voor)bereidingstijd

» Als u bouillon hebt klaarstaan, duurt de bereiding hooguit een uur. De stappen 1 en 2 kunnen desgewenst een of twee dagen van tevoren worden gedaan; bewaar de soep in dat geval – afgedekt – in de koelkast.

KIKKERERWTEN-GROENTESOEP VAN 'GEROOKTE' BOUILLON MET AVOCADO

Caldo Tlalpeño

Eerst proef je rook en de prikkeling van *picante,* dan de droge, meelachtige textuur van de kikkererwten en ten slotte de verkwikkende smaak van de bouillon en de zalvige zachtheid van de stukjes avocado. Deze soep heeft dezelfde rijke smaak als het met groenten verrijkte braadvocht dat wordt opgevangen bij de bereiding van vlees in een vuurkuil (*barbacoa*) en vermoedelijk als inspiratiebron heeft gediend voor de *caldo tlalpeño.*

Onderstaand recept is gebaseerd op de versie die wordt geserveerd in restaurant Bola Roja, in Puebla. U kunt de soep als voorgerecht geven in een menu dat verdergaat met Ossehaaspuntjes *a la Mexicana* (pag. 278) of Vis met geroosterde knoflook (pag. 246). In wat grotere porties kan de soep, vergezeld van *quesadillas* (pag. 159), echter ook dienst doen als maaltijdsoep.

Voor 6-8 personen:

> 2 liter goede kippebouillon (pag. 66)
> 1 kippeborst (met bot) van ca. 500 gram of 2 kippebouten
> 1 theelepel gemengde gedroogde kruiden (w.o. tijm en marjolein)
> 1 eetlepel reuzel of plantaardige olie
> 1 middelgrote ui, fijngehakt
> 1 grote wortel, geschild en in blokjes gesneden
> 1 groot knoflookteentje, gepeld en fijngehakt
> 1 blik (à 450 gram) kikkererwten, afgespoeld en uitgelekt
> 1 takje *epazote* (zie Keukennotities)
> zout
> 1 of 2 *chiles chipotles* uit blik, van zaadjes ontdaan en in reepjes gesneden
> 1 rijpe avocado, geschild, van de pit ontdaan en in blokjes gesneden
> 1 limoen, in 6 partjes gesneden

1. *De bouillon:* Doe de bouillon en de kippeborst of -bouten in een grote pan en breng het geheel aan de kook op een matig hoog vuur. Schep het schuim af dat komt bovendrijven, voeg de kruiden toe en laat het geheel – met het deksel op de pan – zachtjes koken tot het kippevlees (na ca. 20 minuten) gaar is. Neem de borst of bouten uit de pan, verwijder het vel en de botten en scheur het vlees in stukjes. Zeef de bouillon en schep na een paar minuten het vetlaagje van de oppervlakte.
2. *De soep:* Spoel de pan schoon en zet hem weer op het vuur. Verhit de reuzel of de olie en fruit de ui en de wortel onder regelmatig roeren tot de uisnippers glazig zijn. Laat de knoflook 1 minuut meefruiten. Giet dan de bouillon erbij, voeg de kikkererwten en de *epazote* toe en breng het geheel aan de kook. Laat de soep, met het deksel schuin op de pan, ca. 30 minuten zachtjes koken. Breng de soep op smaak met zout.
3. *De presentatie:* Roer vlak voor het opdienen het kippevlees en de in reepjes gesneden *chipotles* door de soep en laat het geheel nog even goed doorwarmen. Schep de soep in kommen en leg in elke kom een bergje avocadoblokjes. Geef de limoenpartjes er apart bij.

KEUKENNOTITIES

Technieken

» *Het toevoegen van chilipepers aan soepen:* Als u de pepers al in een vroeg stadium toevoegt, bestaat de kans dat een in wezen milde soep toch nog tongverschroeiend heet wordt.

Ingrediënten

» *Epazote:* Dit bittere kruid voegt aan de soep een extra dimensie toe, maar zelfs als het ontbreekt blijft het een smakelijke soep.

» *Chiles chipotles:* Deze gerookte pepers zijn echt onmisbaar; als u geen ingeblikte *chipotles* kunt krijgen, gebruik dan gedroogde exemplaren (geroosterd en geweekt) of maak de hieronder beschreven *sopa xóchitl.*

(Voor)bereidingstijd

» Als u kippebouillon bij de hand hebt, duurt de bereiding ca. 1/2 uur plus 1/2 uur voor het zachtjes laten koken van de soep. Desgewenst kunt u de soep tot en met stap 2 een of meer dagen van tevoren bereiden. Bewaar de soep en de kip – beide goed afgedekt – afzonderlijk in de koelkast.

TRADITIONELE VARIATIES

» *Sopa Xóchitl:* In deze, naar de Azteekse bloemengodin genoemde soep wordt de wortel vervangen door 2 eetlepels ongekookte rijst. Ga verder te werk volgens de aanwijzingen in stap 1 en 2 en voeg vlak voor het serveren, tegelijk met het kippevlees, zes courgettebloemen (waaruit u de stempels hebt verwijderd) toe. Maak de soep op het bord af met avocadoblokjes, fijngehakte verse koriander, fijngehakte ui, wat fijngesneden groene chilipepers en een partje tomaat.

Keukentaal

» Na jarenlang speuren ben ik er nog steeds niet achter waar de naam *Tlalpeño* vandaan komt. Maar er schijnt een vaag verband te bestaan tussen de voorstad van Mexico-City Tlalpan met zijn fameuze *barbacoa*-restaurants en het Nahuatl-woord *tlalpan,* dat 'op het land' betekent.

ROMIGE MAÏSSOEP MET GEROOSTERDE PEPERS
Crema de Elote

Deze fluwelige soep, doorspekt met stukjes groene chilipeper en pittige verse kaas, was de populairste soep op de kaart van restaurant Lopez y Gonzalez in Cleveland, waar ik destijds chef-kok was. De rijke smaak van deze soep komt goed tot zijn recht in een menu met Boven houtskool geroosterde kip (pag. 263) als hoofdgerecht en Verse vruchtensorbet (pag. 351) of Pecannotentaart met bruine suiker (pag. 339) als dessert. Dat in Mexicaanse *cafetarías* doorgaans een tamelijk smakeloze versie van deze soep wordt geserveerd, komt voornamelijk doordat Campbell-soepen overal verkrijgbaar zijn. In Centraal-Mexico en in het westen worden hier en daar echter nog smakelijke zelfgemaakte versies geserveerd.

Voor 4-5 personen:

3 grote verse maïskolven of 300-350 gram diepvries maïskorrels, ontdooid
4 eetlepels boter
1/2 middelgrote ui, fijngehakt
2 knoflookteentjes, gepeld en fijngehakt
1 1/2 eetlepel maïzena
1/2 liter melk plus, indien nodig, iets extra
2 verse *chiles poblanos,* geroosterd en ontveld (pag. 390), van zaadjes ontdaan en fijnge-
    sneden
1/4 liter dikke room (pag. 53), crème fraîche of slagroom
ca. 1 theelepel zout
50 gram verkruimelde Mexicaanse *queso fresco* (pag. 395) of een andere verse witte
    kaas, bijv. feta of verse meikaas
2 eetlepels fijngehakte platte peterselie

1. *De maïs*: Verwijder de eventueel aanwezige schutbladeren en de zijden draden van de maïskolven en snijd de korrels los met een scherp mes. Doe de korrels in de kom van een blender of foodprocessor. Schraap de restanten van de kolf en doe ze eveneens in de kom. Diepvriesmaïs hoeft u alleen maar te laten ontdooien.
2. *Het pureren*: Verhit 2 eetlepels boter in een kleine koekepan en fruit de uisnippers tot ze glazig zijn. Laat de knoflook 1 minuut meefruiten. Doe de inhoud van de pan bij de ingrediënten in de blender of foodprocessor, voeg de maïzena en 1/4 liter water toe en laat de machine draaien tot het mengsel glad is. Gebruik eventueel de pulseerknop of schakel de machine een paar maal aan en uit en schraap de bestanddelen die tegen de wand kleven los met een rubberen spatel.
3. *De soep*: Verhit de rest van de boter in een middelgrote pan, voeg de maïspuree toe en bak de puree onder regelmatig roeren tot ze vrij dik en romig is. Roer de melk erdoor, breng het geheel aan de kook en laat de soep, met het deksel schuin op de pan, 15 minuten zachtjes koken. Roer af en toe.

Giet de soep door een middelfijne zeef in een schone pan en voeg de fijngesneden chilipepers en de room toe. Breng de soep op smaak met zout en laat hem nog 10 minuten zachtjes koken. Als de soep te dik is uitgevallen, kunt u hem verdunnen met een scheutje melk. Schep de soep in voorverwarmde soepkommen of -borden, strooi de verkruimelde kaas en de peterselie erover en serveer direct.

KEUKENNOTITIES

Ingrediënten

» *Suikermaïs en Mexicaanse maïs*: Aangezien suikermaïs in Mexico niet erg populair is, wordt deze soep gewoonlijk gemaakt met de minder zoete veldmaïs, die voldoende zetmeel bevat om de soep te binden. Ik heb het oorspronkelijke recept uit *Recetario mexicano del maíz* aangepast door suikermaïs te gebruiken, waardoor de soep iets zoeter is dan de versie die in Mexico gangbaar is. Maïssoep van Mexicaanse maïs lijkt qua smaak meer op aardappelsoep.

» *Chile poblano*: De *chiles poblanos* kunnen worden vervangen door 3 groene lomboks (die echter minder aromatisch zijn).

(Voor)bereidingstijd

» De bereidingstijd bedraagt ca. 45 minuten. Hoewel de soep het lekkerst is als hij direct wordt gegeten, kan hij een of twee dagen in de koelkast worden bewaard. Warm hem *langzaam* op en verdun hem, indien nodig, met een beetje melk.

TRADITIONELE VARIATIES

» *Maïssoep met tomaat*: Ontvel een vleestomaat, verwijder de zaadjes en snijd het vruchtvlees in piepkleine blokjes. Roer de blokjes tegelijk met de fijngesneden pepers door de soep. Vervang de helft van de melk desgewenst door een gelijke hoeveelheid kippebouillon.

EIGENTIJDSE VARIATIES

» *Maïssoep met grote garnalen:* Laat 150 gram grote garnalen (diepvries) ontdooien; pel ze, verwijder het darmkanaal en snijd de garnalen in stukjes. Maak de soep volgens de aanwijzingen in het recept, maar vervang een van de groene lomboks of *poblanos* door een rode (beide geroosterd, ontveld, van zaadjes ontdaan en in ringetjes gesneden). Voeg, tegelijk met de pepers, 1 ontvelde in blokjes gesneden tomaat toe. Roer vlak voor het serveren de garnalen door de soep en laat ze 2-3 minuten meekoken. Bestrooi de soep op het bord met verkruimelde geitekaas of feta.

PITTIGE KRABSOEP
Chilpachole de Jaiba

Jaibas, kleine blauwe krabben, worden op de markt van Veracruz levend en wel verkocht. Ze worden in bundels aangeboden, klaar om te worden gekookt, leegge-haald en gevuld of om te worden verwerkt in een pittige *chilpachole*. Dit recept, dat ik kreeg van een serveerster in Veracruz, is een van de minst gecompliceerde die ik ken. Doordat de bereiding zo simpel is (en ook door het toevoegen van *chipotles*) komt de smaak van het krabvlees des te beter tot zijn recht. U kunt deze soep serveren als onderdeel van een feestelijk menu met Groene mole van pompoenzaad (pag. 235) als hoofdgerecht of, met *Picadillo*-pasteitjes, als maaltijdsoep (pag. 145).

Voor 4-6 personen:

> 1 kilo levende blauwkrabben (zie Keukennotities)
> 3 knoflookteentjes
> 2 rijpe tomaten, geroosterd of geblancheerd (pag. 404), ontveld, van de harde kern ont-
> daan en in stukjes gesneden of 1 klein blik ontvelde tomaten, uitgelekt en grof gesne-
> den
> 1/2 kleine ui, grof gesneden
> 2 eetlepels olijfolie
> 1 takje *epazote* (zie Keukennotities)
> 1 of 2 *chiles chipotles* uit blik, ontdaan van de zaadjes en in stukjes gesneden
> ca. 1/2 theelepel zout
> 1-2 limoenen, in partjes gesneden

1. *Het koken van de krabbetjes:* Breng in een grote pan 2 liter water aan de kook, doe de krabben in het kokende vocht en leg direct een deksel op de pan. Draai het vuur, zodra het water opnieuw begint te koken, iets lager. Na een minuut of vijf moeten de krabben helderrood zijn; als dat niet zo is, laat ze dan nog 1 of 2 minuten langer koken. Schep de krabben met een schuimspaan uit de pan en bewaar het kookvocht.

2. *Het schoonmaken van de krabben*: Haal eerst de lichamen uit de schaal: breek de pootjes en de scharen zo dicht mogelijk bij het lijf af. Duw het puntige 'flapje' aan de onderkant naar achteren en breek het af. Houd de schaal van de krab met één hand vast, pak met de andere hand het lijf beet – met uw duim aan de voorkant en uw vingers aan de achterkant waar het 'flapje' zich bevond – en wrik het lichaam los. Doe de eventueel in de schaal achtergebleven oranjekleurige eitjes in een kom. Doe het lichaam in een tweede kom en de pootjes, de schaal en het afgebroken 'flapje' in een derde kom. Kraak de scharen en doe ze in de kom met de eitjes. Behandel de rest van de krabben op dezelfde manier.

Haal nu het krabvlees uit de lichamen: schraap eventuele eitjes los met een lepeltje en doe ze in de kom met de andere eitjes. Verwijder de zachte, vezelachtige flappen langs de zijkant van het lichaam, breek het lichaam doormidden en haal het vlees aan de voorkant, daar waar de scharen vastzaten, los. Zet de helften op hun kant (met de kant waar de pootjes zaten naar onderen) en splijt ze in tweeën, zodat het vlees binnenin bereikbaar wordt. Peuter het vlees met uw vingers of een kreeftevorkje los en doe het in de kom met de eitjes; pas op dat u geen stukjes kraakbeen of schaal bij het krabvlees doet. Doe de leeggehaalde lichamen in de kom met de krabschalen.

3. *De bouillon*: Doe de krabschalen en de lichamen in de pan met het kookvocht van de krabben, breng het geheel aan de kook en laat de bouillon 30 minuten zachtjes trekken. Giet de bouillon door een fijne zeef in een schone pan en gooi de inhoud van de zeef weg.

4. *De bereiding van de soep*: Rooster de ongepelde knoflookteentjes op een grillplaat of in een kleine koekepan met dikke bodem onder regelmatig omdraaien tot, na ca. 15 minuten, de schil rondom geblakerd is en de inhoud zacht is. Laat de teentjes afkoelen alvorens de schil te verwijderen. Pureer de knoflook, de tomaten en de ui in een blender of foodprocessor.

Verhit de olijfolie in een soeppan en wacht tot de olie zo heet is dat een druppel van de tomaten-uienpuree ogenblikkelijk begint te sissen, voeg dan de rest van de puree toe en roerbak de massa ca. 4 minuten op een matig hoog vuur. Giet al roerende de krabbouillon in de pan, voeg de *epazote* toe en breng het geheel aan de kook. Laat de soep, met het deksel op de pan, 30-45 minuten zachtjes koken.

5. *Het afwerken van de soep*: Neem, ca. 15 minuten voor het serveren, de *epazote* uit de soep en schep het eventuele vetlaagje af. Roer de fijngesneden *chipotles* door de soep, leg het deksel terug op de pan en laat de soep nog 10 minuten zachtjes trekken. Breng de soep daarna op smaak met zout.

Voeg ten slotte het krabvlees, de scharen en de eitjes toe en laat het geheel nog 5 minuten goed doorwarmen. Schep de soep in kommen en zorg dat in elke kom wat krabvlees en een paar krabscharen terechtkomen; het is de bedoeling dat de scharen aan tafel uit de soep worden gevist en worden leeggehaald of -gezogen. Zet een schaaltje met limoenpartjes op tafel, die de aanwezigen boven de soep kunnen uitknijpen.

KEUKENNOTITIES

Technieken

» *Het toevoegen van chilipepers aan soepen:* Zie pag. 105.

Voetnoot van de vertaalster

» *Blauwkrabben:* Deze krabsoort wordt – zij het incidenteel – in Nederland geïmporteerd, maar uitsluitend in diepgevroren staat (ongekookt); u zou hem dus bij uw visman kunnen bestellen. Mocht hij u niettemin niet aan blauwkrabben kunnen helpen, gebruik dan een – liefst levende – Noordzeekrab. Als u opziet tegen het zelf koken van een levende krab, kunt u 150-200 gekookt gram krabvlees (uit blik of losgepeuterd uit gekookte krabscharen) gebruiken (krabsticks zijn *geen* bruikbaar alternatief!). Aangezien u in dat geval niet beschikt over krabkookvocht en lege krabschalen, moet de bouillon die in stap 4 wordt toegevoegd worden vervangen door 1 1/2 liter visbouillon (pag. 67).

Ingrediënten

» *Epazote:* Dit kruid kan worden vervangen door een paar takjes platte peterselie of wat gedroogde oregano die u in de bouillon laat trekken. Ze hebben weliswaar niet hetzelfde aroma, maar ze dragen tenminste *iets* bij aan de smaak van de bouillon.

» *Chiles chipotles:* In Mexico zelf worden ook andere chili's gebruikt, kleine gedroogde *japoneses* bijvoorbeeld (of andere gedroogde hete pepers) of verse *jalapeños*. Wat de keuze van de pepers betreft, bent u dus geheel vrij. Gebruik er niet te veel van. Week gedroogde pepers in water en verwijder uit verse pepers de zaadjes; pureer de pepers samen met de overige ingrediënten (stap 4).

(Voor)bereidingstijd

» De voorbereidingstijd is afhankelijk van het tempo waarin u krabben kunt ontmantelen en bedraagt 1-2 uur (maar als u gekookt krabvlees gebruikt uiteraard aanzienlijk minder). Het koken van de soep duurt 45 minuten. Desgewenst kunt u de soep tot en met stap 4 een of twee dagen van tevoren maken; bewaar de soep in dat geval – afgedekt – in de koelkast.

TRADITIONELE VARIATIES

» *Chilpachole van kip:* In Puebla en omgeving pocheren ze een kip (pag. 64), waarna de bouillon wordt gemengd met de tomaten-uienpuree (stap 4). In plaats van het krabvlees worden aan de soep de – al of niet ontbeende – stukken kip toegevoegd.

» *Chilpachole van garnalen:* Ga te werk zoals beschreven bij stap 4, maar vervang de krabbouillon door visbouillon (pag. 67). Laat 400-500 gram grote garnalen (diepvries) ontdooien, pel ze en verwijder het darmkanaal (in Mexico laat men de garnalen meestal ongepeld). Doe de garnalen vlak voor het serveren in de kokende soep en laat ze 3-6 minuten zachtjes meekoken.

Regionale accenten

» In vrijwel alle steden aan de Mexicaanse Golf, van Alvarado en Veracruz tot Tampico, maakt men *chilpacholes* bij voorkeur met krab (in Tampico bindt men de krabbouillon met *masa* en wordt de soep *chimpachole* genoemd). In sommige restaurants wordt de krab vervangen door vis of grote garnalen en in Puebla bestaat zelfs een versie met kip.

SOEP MET GARNALENBALLETJES, GEROOSTERDE CHILIPEPERS EN TOMAAT

Sopa de Albóndigas de Camarón

Deze specialiteit van de Mexicaanse westkust is ongecompliceerd van smaak en dus bijzonder toegankelijk. Het is een stevige soep en dus goed op zijn plaats in een menu met Krokant gebakken taco's (pag. 154) of *Enchiladas suizas* (pag. 172) als hoofdgang. Als nagerecht zou ik kiezen voor Aardbeien met room (pag. 347).

In het noordelijke deel van de westkust, ter hoogte van de stad Topolobampo, zit de zee zo vol met grote garnalen dat de bevolking ze gebruikt als vulsel voor soepen, als beleg voor taco's en – in gemalen vorm – als basis voor garnalenballetjes en -koekjes. In deze soep, die verwant is aan een verrukkelijke garnalensoep die ik ooit in Mazatlán heb geproefd, worden balletjes gebruikt; het recept is een combinatie van verschillende recepten die ik in Spaanstalige publicaties heb gevonden.

Voor 4 personen:

voor de garnalenballetjes:
> 250 gram grote garnalen (diepvries), ontdooid maar wèl goed gekoeld
> 1/4 kleine ui, zéér fijn gehakt
> 1/4 tomaat, ontdaan van de zaadjes en de harde kern en in piepkleine blokjes gesneden
> 1 grote eierdooier
> 2 eetlepels bloem
> 1/2 theelepel gedroogde oregano
> ruim 1/2 theelepel zout

voor de soep:
> 1 eetlepel plantaardige olie
> 1 kleine ui, in dunne ringen gesneden
> 1 middelgrote verse *chile poblano* of 1-2 groene lomboks*, geroosterd en ontveld (pag. 390), van zaadjes ontdaan en in smalle reepjes van ca. 2 1/2 cm gesneden
> 1 rijpe tomaat, geroosterd of geblancheerd (pag. 404), ontveld, van de harde kern ontdaan en in stukjes gesneden of 1/2 blik ontvelde tomaten, uitgelekt en grof gesneden
> 1 liter visbouillon (pag. 67)
> ca. 3/4 theelepel zout
> 2 eetlepels verse grof gehakte koriander
> 1-2 limoen, in partjes gesneden

1. *Het garnalengehakt:* Pel de garnalen. Maak een snee over de volle lengte van de rug en verwijder het donkere darmkanaal. Draai de garnalen door de vleesmolen of snijd ze in stukjes en hak de stukjes met een groot zwaar mes tot een grove puree. U kunt ook een foodprocessor gebruiken. Doe de garnalen in dat geval in twee gedeeltes in de machine en maal ze met behulp van de pulseerknop (of door de machine een paar maal achter elkaar aan en uit te schakelen) tot grove puree. Doe het garnalengehakt in een kom, voeg de overige ingrediënten toe en meng alles zorgvuldig. Bewaar het mengsel – afgedekt – in de koelkast tot u het nodig hebt.

2. *De soep*: Verhit de olie in een soeppan en fruit de uiringen op een matig hoog vuur tot ze goudgeel en glazig zijn (ca. 7 minuten). Voeg de reepjes chilipeper en de tomaten toe en laat ze 3-4 minuten zachtjes meebakken. Giet al roerende de bouillon erbij, breng de soep aan de kook en laat hem op een laag vuur, met het deksel op de pan, 15 minuten zachtjes koken. Breng de soep op smaak met zout.

3. *De afwerking*: Vorm intussen van het garnalenmengsel kleine balletjes. Doe de balletjes ca. 10 minuten voor het serveren in de soep en laat ze 5-8 minuten zachtjes meekoken. Schep de soep in kommen en strooi de koriander erover. Serveer de limoenpartjes apart, zodat de aanwezigen de soep naar eigen inzicht met limoensap kunnen besprenkelen.

KEUKENNOTITIES

Technieken

» *Het hakken van de garnalen*: Als de garnalen niet goed koud zijn, hakt u ze tot moes; haal ze dus op het laatste moment uit de koelkast. Omdat ik van een vrij grove textuur houd, hak ik ze zelf bij voorkeur met een mes.

Ingrediënten

» *De beste*: Alle ingrediënten, inclusief de visbouillon, moeten van de beste kwaliteit zijn. Deze soep is een combinatie van eenvoudige smaken en produkten; elk daarvan moet daarom uitblinken.

» *De garnalen*: In dit recept kunt u het kleinste formaat grote garnalen gebruiken; die zijn wat goedkoper, maar vergen meer tijd bij het pellen. Als u geen grote garnalen kunt krijgen of als ze exorbitant duur zijn, kunt u een stevige vis gebruiken, bijvoorbeeld zeeduivel.

» *Chile poblano*: Hoewel *poblanos* meer aroma hebben, zijn groene lomboks een uitstekend alternatief.

Voetnoot van de vertaalster

» *De hoeveelheden*: Met 'theelepel' wordt de internationale standaardtheelepel met een inhoud van 5 gram bedoeld en niet het Nederlandse theelepeltje van 3 gram.

(Voor)bereidingstijd

» Als u visbouillon bij de hand hebt, vergt de bereiding van deze soep niet meer dan ca. 45 minuten. De soep zelf (stap 2) kan een of twee dagen van tevoren worden gemaakt en moet in dat geval afgedekt in de koelkast worden bewaard. De garnalenballetjes moeten op de dag zelf worden gemaakt.

TRADITIONELE VARIATIES

» *Tortas de camarón fresco*: Lang de Mexicaanse westkust worden van het garnalenge-hakt vaak koekjes gemaakt (met het model en formaat van kleine hamburgers) die door bloem of paneermeel worden gehaald en vervolgens in olie worden gebakken. Ze kunnen zo gegeten worden, met een pittige *salsa* en een salade. Andere sauzen die er goed bij passen zijn de Gekookte tomaten-chilisaus (pag. 42) en de saus die wordt geserveerd bij de Vis *a la Veracruzana* (pag. 243).

SOEP VAN VOORGEKOOKTE GEDROOGDE MAÏS MET VARKENSVLEES, KIP EN GEMALEN POMPOENZADEN

Pozole Verde

Overal in het steile bergland van de deelstaat Guerrero, van Acapulco aan de kust tot Taxco in het binnenland, is de donderdag 'groene-*pozole*-dag'. Dan houdt men halverwege de middag op met werken om naar een van de kleine *pozole*-'restaurants' te gaan – waarvan de meeste niet meer zijn dan geïmproviseerde bedoeninkjes die uitsluitend op die ene dag van de week hun deuren openen. Het gerecht, dat in grote aardewerken kommen wordt geserveerd, is een dikke maïsbrij die geurt naar pompoenzaden en groene kruiden – mijn favoriet onder de *pozoles*. We aten hem een keer, ergens in de kronkelige straatjes van Tixtla, met *botanas* (borrelhapjes) bestaande uit malse plakjes tong en de fameuze krokante *chalupitas* (tortillaschuitjes) uit de streek met zoet-zuur van *chipotles*. En omdat we ons in Guerrero bevonden, dronken we er mescal bij, die soms prettig zacht smaakte wanneer men er *nanches* (een inheemse kers) in had gedaan.

De bereiding van het uiterst traditionele recept dat nu volgt heb ik geleerd van Abaku Chautla D. uit Almolonga in Guerrero. De soep is een complete maaltijd, maar bij speciale gelegenheden kunt u er wat *tostadas* (pag. 184-186) en een Flan (pag. 331) bij geven.

Voor 10-12 flinke eters:

> 1 kilo gedroogde witte maïs, voorgekookt met gebluste kalk (pag. 79) of 4 liter *pozole* uit blik, afgespoeld en uitgelekt
> 250 gram ontbeende varkensschouder (aan een stuk)
> 250 gram varkensbotten
> 1 kip van ca. 1200 gram, doormidden gesneden
> 300 gram gepelde, niet geroosterde pompoenzaden (*pepitas*)
> 500 gram verse *tomatillos*, van het vlies ontdaan en gewassen of 2 blikken (à 4 dl) *tomatillos*, uitgelekt
> 3-6 verse groene lomboks*, ontdaan van steeltjes en zaden
> 1 middelgrote ui, grof gehakt
> 2 takjes *epazote* (zie Keukennotities)
> 4 grote *ashoshoco*-bladeren of 2 kleine *hoja-santa*-bladeren (zie Keukennotities)
> 2 eetlepels reuzel of plantaardige olie
> ca. 1 eetlepel zout

voor het garnituur:
> 100 gram fijngehakte ui
> 3 eetlepels gedroogde oregano
> 2 rijpe avocado's, ontdaan van de pit, geschild en in blokjes van ca. 1 cm gesneden
> 150 gram *chicharrón* (gefrituurd varkenszwoerd), in stukjes gebroken (eventueel)
> 12-15 krokant gebakken tortilla's (*tostadas*, pag. 85)
> 4 limoenen, in partjes gesneden

1. *De maïs*: Kook de maïs met gebluste kalk volgens de aanwijzingen op pag. 80, verwijder de vliesjes en – eventueel – ook de kiemen. Doe de maïs in een hele grote soeppan of -ketel, voeg 7 liter water toe en breng het geheel aan de kook. Leg een deksel schuin op de pan en laat de maïs op een laag vuur 3-4 uur zachtjes koken, tot de korrels bijna gaar zijn. Voeg af en toe wat water toe, zodat het oorspronkelijke vloeistofniveau gehandhaafd blijft.
Pozole uit blik hoeft u alleen maar af te spoelen en te laten uitlekken.

2a. *Het vlees (bij het gebruik van gedroogde maïs)*: Voeg, als de maïs bijna gaar is, het varkensvlees, de botten en de twee helften van de kip toe. Wacht tot het water opnieuw begint te koken en schep dan het schuim af dat komt bovendrijven. Leg het deksel weer schuin op de pan en laat de inhoud 3 uur zachtjes koken. Voeg af en toe wat water toe, zodat het oorspronkelijke vloeistofniveau gehandhaafd blijft. Test een paar maïskorrels: als ze *door en door* zacht zijn, kunt u verder gaan; zijn ze nog stevig, laat ze dan een uurtje langer koken.

2b. *Het vlees (bij het gebruik van pozole uit blik)*: Doe 7 liter water in een hele grote soeppan of -ketel, voeg het vlees, de botten en de kip toe en breng het water aan de kook. Schep steeds het schuim af dat komt bovendrijven. Leg, als er geen nieuw schuim wordt gevormd, een deksel schuin op de pan en laat het geheel, op een laag vuur, ca. 3 uur zachtjes koken. Voeg af en toe wat water toe, zodat het oorspronkelijke vloeistofniveau gehandhaafd blijft. Terwijl het vlees op het vuur staat kunt u zich bezighouden met de stappen 3 en 4.

3. *De pompoenzaden*: Verhit een grote koekepan (Ø 30 cm) op een matig hoog vuur, voeg de pompoenzaden toe, wacht tot het eerste zaadje zachtjes ploft, en bak de zaden onder voortdurend roeren mooi goudbruin. Laat de zaden iets afkoelen en doe ze dan in een grote kom.

4. *De basispuree*: Kook verse *tomatillos* in ca. 10 minuten gaar in lichtgezouten water en laat ze uitlekken. *Tomatillos* uit blik hoeft u alleen maar te laten uitlekken. Doe de *tomatillos*, de groene chili's, de ui en de kruiden in de kom met de pompoenzaden. Schep 1/2 liter bouillon uit de soeppan over de ingrediënten in de kom. Giet ca. de helft van de inhoud van de kom in de beker van een blender en laat de machine draaien tot het mengsel glad is (als de massa zo dik is dat de messen er niet doorheen komen, kunt u nog een *klein* scheutje bouillon toevoegen). Wrijf het mengsel door een middelfijne zeef. Behandel de rest van het pompoenzaad-*tomatillo*-mengsel op dezelfde manier.
Verhit de reuzel of de olie in een grote koepan. Voeg, zodra het vet zo heet is dat een druppel van de puree ogenblikkelijk begint te sissen, de puree toe en roerbak de massa ca. 7 minuten, tot de puree iets donkerder en merkbaar dikker is geworden. Haal de pan van het vuur.

5. *Het afwerken van de pozole*: Schep het vlees, de botten en de stukken kip uit de soeppan en laat ze afkoelen. Roer de pompoenzaad-*tomatillo*-puree door de bouillon evenals de *pozole* uit blik, als u die gebruikt. Laat de soep nog 1 uur zachtjes koken en roer af en toe, om te voorkomen dat de maïs aan de bodem blijft plakken. Verwijder intussen het vel en de botjes van de kip. Scheur het kippe- en varkensvlees in vrij dikke, draderige reepjes. Breng de soep ca. 15 minuten voor het serveren op smaak met zout (de maïsbrij kan vrij veel zout hebben) en voeg op dat moment ook de stukjes vlees en kip toe. Zet de ingrediënten voor het garnituur in schaaltjes op tafel. Schep de pozole in grote soepkommen en laat de schaaltjes met de condimenten aan tafel rondgaan, opdat iedereen zichzelf kan bedienen.

KEUKENNOTITIES

Technieken

» *Gedroogde maïs koken in een hoge-drukpan:* U kunt de kooktijd aanzienlijk verkorten als u voor stap 1 gebruik maakt van een grote hoge-drukpan. Kook de voorgekookte, ontvliesde maïs ca. 1 uur in 5 liter water, tot de korrels bijna gaar zijn. Doe ze daarna in een grote soeppan, voeg 2 liter water toe en ga verder met stap 2.

» *Het toevoegen van zout aan pozole:* Voeg het zout pas toe als de maïs volledig zacht is; als u het in een te vroeg stadium toevoegt, worden de korrels stug.

» *Het toevoegen van het vlees:* Vlees dat in draderige stukjes is gescheurd valt uit elkaar als het te lang wordt meegesudderd; daarom moet het vlak voor het serveren in de soep worden gedaan.

Ingrediënten

» *Gedroogde maïs en pozole uit blik:* Pozole uit blik is gemakkelijker in het gebruik, maar de smaak en de textuur van voorgekookte gedroogde maïs zijn zoveel beter, dat het extra werk ruimschoots wordt beloond.

» *Pompoenzaden:* In Almolonga wordt *pozole verde* gemaakt van kant-en-klaar verkrijgbaar poeder van ongepelde pompoenzaden. Omdat ongepelde pompoenzaden thuis niet zo fijn kunnen worden gemalen (waardoor de *pozole* korrelig wordt), heb ik in dit recept gebruik van gepelde pompoenzaden voorgeschreven.

» *Epazote:* Dit kruid speelt in deze soep een vrij ondergeschikte rol en kan dus probleemloos worden weggelaten.

» *Ahoshoco en hoja santa:* Het eerstgenoemde kruid is nauw verwant aan weegbree en heeft een aangenaam scherp aroma. *Hoja santa* (Piper sanctum), een lid van de peperfamilie, is een struik met grote hartvormige bladeren die licht naar anijs smaken. U kunt de twee bladeren in dit recept vervangen door een handvol venkelgroen plus 1/2 theelepel vers gemalen zwarte peper. De beide kruiden worden lang niet altijd in *pozole verde* verwerkt, dus weglaten behoort ook tot de mogelijkheden.

Voetnoten van de vertaalster

» *De chilipepers:* In het oorspronkelijke recept schrijft Rick Bayless 6 verse *chiles serranos* of 3 verse *chiles jalapeños* voor.

» *Gedroogde maïs en pozole uit blik:* Gedroogde maïs is in Nederland niet verkrijgbaar; voorgekookte maïs wordt wèl geïmporteerd en is, in blikken van 850 gram, verkrijgbaar onder de naam *pozole*.

(Voor)bereidingstijd

» Hoewel u 8 uur voordat u de soep wilt serveren met de voorbereidingen moet beginnen, neemt het feitelijke werk niet meer dan ca. 1 uur in beslag. U kunt de soep, het vlees en de basispuree eventueel een of twee dagen van te voren maken en in de koelkast bewaren. Warm de soep langzaam op, verdun hem – indien nodig – met water en voeg het vlees vlak voor het opdienen toe.

EIGENTIJDSE VARIATIE

» *Pozole verde als voorgerecht*: Dit is zo'n smakelijke soep dat ik u aanraad om hem eens zonder vlees te maken en als voorgerecht te serveren. Gebruik in dat geval de helft van de voorgeschreven hoeveelheden en ga als volgt te werk: kook de ontvliesde voorgekookte maïs in 3 liter *ongezouten* runderbouillon. Maak de puree en bak haar zoals beschreven in stap 4. Roer de puree door de soep zodra de maïs zacht is en laat het geheel nog 1 uur zachtjes koken. Breng de soep op smaak met zout en serveer hem in kleine kommen, met de ingrediënten van het garnituur. (Als u *pozole* uit blik gebruikt, gebruik dan 1/4 liter runderbouillon bij het maken van de puree en verdun de puree na het bakken met de rest (1 à 1 1/4 liter) van de bouillon. Voeg de uitgelekte maïskorrels toe en laat de soep nog 1 uur sudderen.)

SOEP VAN VOORGEKOOKTE GEDROOGDE MAÏS MET VARKENSVLEES EN RODE CHILIPEPERS

Pozole Rojo

De geur die opstijgt uit een pan met maïs, varkensvlees en gedroogde rode pepers is meer dan verrukkelijk. Deze voedzame soep, die vlak voor het serveren wordt verrijkt met fijngesneden groenten, kan dienst doen als hoofdbestanddeel van een informeel etentje. Als voorgerecht zou ik *Jícama*-salade (pag. 97) of Cactussalade (pag. 49) geven en als nagerecht een bolletje zelfgemaakt ijs (pag. 350).

Deze rode *pozole* wordt vrijwel overal in Mexico gegeten, behalve in Yucatán. Hieronder een recept uit Michoacán; ik kreeg het van een uit die deelstaat afkomstige marktkoopman die zijn *pozole* verkocht op de Coyoacán-voedselmarkt in Mexico-Stad. Dezelfde soep, maar zonder rode chili's – *pozole blanco* – is een specialiteit van Guadalajara, waar de garnering van oregano meestal wordt weggelaten.

Voor 10-12 flinke eters:

> 1 kilo gedroogde witte maïs, voorgekookt met gebluste kalk (pag. 79) of 4 liter *pozole* uit blik, afgespoeld en uitgelekt
> 1/2 varkenskop (ca. 2 kilo), goed schoongeboend en doormidden gehakt
> of 3 varkenspootjes (totaal ca. 1 kilo), goed schoongeboend en in de lengte doormidden gehakt *plus* 750 gram goed bevleesde varkensbotten
> 750 gram ontbeende varkensschouder (aan een stuk)
> 4 grote knoflooktenen, gepeld en fijngehakt
> 50-60 gram gedroogde *chiles anchos*, ontdaan van steeltjes, zaadjes en zaadlijsten
> 25-30 gram gedroogde *chiles guajillos*, ontdaan van steeltjes, zaadjes en zaadlijsten
> ca. 1 eetlepel zout

voor het garnituur:
> 1/2 witte kool of 1 kleine krop ijsbergsla, ontdaan van de stronk en flinterdun geschaafd
> 8-10 radijzen, in dunne plakjes gesneden
> 150 gram fijngehakte ui
> 3 eetlepels gedroogde oregano
> 2-3 limoenen, in partjes gesneden
> 15-20 krokant gebakken tortilla's (*tostadas*, pag. 85)

1. *De maïs*: Kook de voorgekookte gedroogde maïs zoals beschreven in stap 1, pag. 79; spoel de *pozole* uit blik af en laat de korrels uitlekken.

2a. *Het vlees (bij het gebruik van gedroogde maïs)*: Voeg, als de maïs bijna gaar is, de varkenskop (of de varkenspootjes plus -botten), het vlees en de knoflook toe. Ga verder te werk zoals beschreven in stap 2, pag. 79.

2b.*Het vlees (bij het gebruik van pozole uit blik)*: Doe 7 liter water in een grote soeppan of -ketel, voeg de varkenskop (of de varkenspootjes plus -botten), het vlees en de knoflook toe en breng het water aan de kook. Ga verder te werk zoals beschreven in stap 2., pag. 79.

3. *De chilipepers*: Scheur de pepers in grote platte stukken en rooster ze, met een paar stuks tegelijk, op een hete grillplaat of in een zware koekepan. Druk de stukken gedurende een paar seconden met een spatel tegen het hete metaal tot ze blakeren en knisperen, draai ze om en rooster de andere kant op dezelfde manier. Doe alle geroosterde stukken in een kom, overgiet ze met kokend water, dek ze af met een schoteltje zodat ze ondergedompeld blijven en laat ze 30 minuten weken.

    Laat de pepers daarna uitlekken, doe ze in de kom van een blender, voeg 1 1/4 dl water toe en laat de machine draaien tot het mengsel glad is. Wrijf de puree door een middelfijne zeef rechtstreeks in de soeppan en meng alles goed. Breng de soep op smaak met zout (de maïsbrij kan veel zout hebben) en laat hem nog ca. 1 uur zachtjes koken.

4. *Het afwerken van de soep*: Schep de varkenskop (of de pootjes en de botten) en het stuk vlees uit de soep en laat ze afkoelen. Haal daarna het vlees van de botten en scheur het in kleine, draderige stukjes. Controleer of de soep zout genoeg is en voeg, indien nodig, nog wat zout toe. Laat de stukjes vlees een paar minuten meewarmen in de soep.

    Schep de soep in grote kommen en leg op elke portie een bergje fijngesneden kool of ijsbergsla en wat radijsplakjes. Laat kommetjes met uisnippers, oregano en limoenpartjes aan tafel rondgaan zodat iedereen zoveel kan toevoegen als hij of zij wil. De *tostadas* worden apart bij de soep gegeten, op dezelfde manier als stokbrood.

KEUKENNOTITIES

Technieken

»   Zie de notities onder Technieken op pag. 116.

Ingrediënten

»   *Gedroogde maïs en pozole uit blik*: Bijzonderheden hierover vindt u op pag. 116.

»   *Varkenskop*: Iedereen die wel eens een *pozole* heeft gegeten waarin een varkenskop was verwerkt, zal het met me eens zijn dat de soep juist daaraan zijn rijke smaak ontleent. Maar aangezien de meeste mensen gruwen bij de gedachte een varkenskop in de pan te moeten doen, heb ik als alternatief varkenspoten (die hetzelfde rijke, gelatineuze resultaat opleveren) opgegeven.

»   *Gedroogde chilipepers*: Het is niet ongebruikelijk om deze soep te maken met alleen maar *guajillos* of alleen maar *anchos*. Gebruik in dat geval 6 *chiles anchos* of 12 *chiles guajillos*; de anchos maken de soep zoeter, de *guajillos* maken hem heter. Als u geen van beide kunt krijgen, kunt u 9 gedroogde lomboks gebruiken.

(Voor)bereidingstijd

» Begin minstens 8 uur voor het serveren met de voorbereidingen. De bereidingstijd is lang, maar de soep kan rustig pruttelen zonder dat u er bij hoeft te zijn. Desgewenst kunt u de soep een of twee dagen van tevoren maken; bewaar de soep en het vlees in dat geval afzonderlijk in de koelkast en voeg het vlees op het laatste moment toe aan de opgewarmde soep.

TRADITIONELE VARIATIES

» *Witte pozole*: In Guadalajara en omgeving, in de deelstaat Guerrero en in sommige andere streken wordt de puree van chilipepers vaak weggelaten. In dat geval serveert men de soep met cayennepeper of andere tot poeder gemalen gedroogde pepers (bijv. *chiles de árbol* of *chiles piquín*) en/of een *salsa picante* zoals die van pag. 141. In sommige delen van Guerrero roert men op het laatst een rauw ei door de soep en garneert men hem vlak voor het opdienen met avocadoblokjes, oregano, fijngehakte rode ui en het sap van bittere *lima*.

Keukentaal

» Zowel de naam van de soep als die van de eeuwenoude behandelingsmethode van gedroogde maïs zijn een erfenis van de Azteken. Het Nahuatl-woord *pozolli* betekent 'schuim'. In de opengebarsten, van hun kiem ontdane maïskorrels zagen de Azteken kennelijk verwantschap met iets schuimigs.

SOEP VAN PENS MET RODE CHILIPEPERS
Menudo Rojo

Ik schoof op een barkruk in een piekfijn uitgemonsterde *fonda* op de markt van Tampico. Ik had, eerlijk gezegd, nooit eerder een *fonda* gezien met een espresso-apparaat en een plafondventilator. Het was zaterdagochtend en de vele aanwezigen zaten achter grote kommen met de uitsluitend in het weekend verkrijgbare *mondongo* (zoals deze populaire penssoep in de staten aan de Mexicaanse Golf wordt genoemd); ik volgde hun voorbeeld. Daarna ben ik verschillende keren teruggegaan, niet alleen om te genieten van een kom geurige bouillon met malse stukjes pens, maar ook voor een praatje met de goed doorvoede eigenaar, wiens recept u hieronder aantreft.

Hoewel veel mensen *menudo* beschouwen als een specialiteit uit het noorden (waar de rode pepers vaak worden weggelaten en men voorgekookte gedroogde maïs toevoegt), duikt de soep in diverse gedaanten vrijwel overal op. Hij wordt doorgaans 's ochtends gegeten (door het hoge vitamine B gehalte is hij prima tegen een kater, zo heb ik ergens gelezen). In een avontuurlijke bui zou u hem als brunch kunnen serveren, samen met *chilaquiles* (pag. 195) en verse papaja, maar u kunt hem ook 's avonds geven, met *guacamole* (pag. 46) en warme maïstortilla's.

Voor 4 flinke eters:

> 1 kilo verse runderpens (zie Keukennotities)
> ca. 1 eetlepel zout
> 1 limoen, uitgeperst
> 1 kalfs- of varkenspoot, in de lengte doormidden gehakt (zie Keukennotities)
> 500 gram mergpijpen
> 1/2 middelgrote ui, gepeld en fijngehakt
> 2 theelepels gedroogde oregano
> 6 knoflookteentjes, gepeld en fijngehakt
> 35-40 gram gedroogde *chiles cascabeles norteños* of 3 *chiles anchos*, ontdaan van
>   steeltjes, zaadjes en zaadlijsten
> 1/2 theelepel gemalen komijn
> ca. 1 theelepel zout

voor het garnituur:
> 2 limoen, in partjes gesneden
> ca. 50 gram fijngehakte ui
> 2-3 eetlepels gedroogde oregano
> 1 eetlepel cayennepeper of tot poeder gemalen kleine hete gedroogde pepertjes

1. *De pens:* Spoel de pens verschillende keren in warm water. Doe de pens in een kom, strooi het zout erover, pers de limoen erboven uit en wrijf het mengsel krachtig in de pens. Laat het geheel 30 minuten staan en spoel de pens daarna weer enkele keren in warm water.

   Snijd de pens in reepjes van ca. 5 x 1 cm. Doe de reepjes in een grote pan en voeg een paar liter koud water toe. Breng het water aan de kook en laat het 10 minuten zachtjes koken. Giet de inhoud van de pan daarna in een vergiet en laat de reepjes pens even uitlekken.

2. *Het koken van de pens:* Doe de pens, de kalfs- of varkenspoot en de mergpijpen in de pan, voeg 3 liter water toe en breng het water aan de kook. Schep het schuim af dat komt bovendrijven en voeg, zodra er geen nieuw schuim meer wordt gevormd, de ui, de oregano en 3 knoflookteentjes toe. Leg een deksel schuin op de pan en laat het geheel 2-3 uur zachtjes koken, tot de pens volledig zacht en gaar is.

3. *De chilipepers:* Scheur de pepers in grote platte stukken en rooster ze, met een paar stuks tegelijk, op een hete grillplaat of in een zware koekepan. Druk de stukken gedurende een paar seconden met een spatel tegen het hete metaal tot ze blakeren en knisperen, draai ze om en rooster de andere kant op dezelfde manier. Doe alle geroosterde stukken in een kom, overgiet ze met kokend water, dek ze af met een schoteltje zodat ze ondergedompeld blijven en laat ze 30 minuten weken.

4. *De afwerking:* Neem de kalfs- of varkenspoot en de mergpijpen uit de soep en schep het eventueel aanwezige vetlaagje van het oppervlak. Desgewenst kunt u het vlees van de kalfs- of varkenspoot in de soep doen.

   Laat de chilipepers uitlekken en doe ze, samen met de overgebleven knoflook en de komijn in de beker van een blender. Voeg ca. 3/4 dl van de pensbouillon toe en maal alles tot een gladde puree. Wrijf de puree door een zeef rechtstreeks in de soeppan. Breng de soep op smaak met zout en laat hem nog 30 minuten zachtjes prutelen.

5. *Presentatie*: Serveer de soep in voorverwarmde kommen en zet de ingrediënten van het garnituur in schaaltjes op tafel, zodat de tafelgenoten de soep verder naar eigen inzicht op smaak kunnen brengen.

KEUKENNOTITIES

Technieken

» *Het schoonmaken en blancheren van pens*: De pens die Nederlandse slagers verkopen is doorgaans op het abattoir al schoongemaakt en gebroeid, zodat het reinigen met zout en citroensap in de meeste gevallen achterwege gelaten kan worden. Maar het is niet verstandig om ook het blancheren over te slaan, aangezien hierdoor een deel van de onaangename geur verdwijnt.

Voetnoten van de vertaalster

» *Pens*: Nederlandse slagers houden er niet van om pens te verkopen omdat ze op het abattoir een grote hoeveelheid moeten inkopen, terwijl hun klant meestal maar een kilo of wat nodig heeft. Maar pens wordt tegenwoordig gekeurd, is dus leverbaar en kan bij de slager worden besteld (vroeger werd dit produkt niet gekeurd, waardoor het uitsluitend mocht worden verkocht als voedsel voor huisdieren). Van de vier soorten pens zijn er meestal maar twee verkrijgbaar: de poreuze netmaag met zijn honingraatstructuur en de donkere grote pens; de lebmaag en de boekmaag worden niet verkocht. De netmaag is zachter van textuur en heeft een kortere kooktijd; de grote pens heeft een vollere smaak.

» *De hoeveelheden*: Met 'theelepel' wordt de internationale standaardtheelepel met een inhoud van 5 gram bedoeld en niet het Nederlandse theelepeltje van 3 gram.

» *Chiles cascabeles norteños*: De *cascabel*, ook wel *chile bola* genoemd, is een bolronde, donkerrode, matig hete gedroogde peper met een gladde schil; deze, uit Noord-Mexico afkomstige peper wordt (nog?) niet in Nederland geïmporteerd. Hij kan in dit recept echter uitstekend worden vervangen door *chiles anchos*.

Ingrediënten

» *Kalfs- of varkenspoot*: Het toevoegen van een poot is niet strikt noodzakelijk; ook in Mexico laat men hem soms weg, maar de bouillon wordt dan minder vol van smaak en ook minder gelatineus.

(Voor)bereidingstijd

» De bereiding van de soep duurt alles bij elkaar 3 tot 4 uur, maar daarvan bent u maar ca. 1 uur echt bezig. *Menudo* kan – goed afgedekt – enkele dagen in de koelkast worden bewaard.

TRADITIONELE VARIATIE

» *Menudo met voorgekookte gedroogde maïs*: Bereid 150 gram gedroogde maïskorrels volgens de aanwijzingen op pag. 79. Kook de voorgekookte maïs daarna ca. 3 uur in 3 liter water, voeg dan de geblancheerde, in reepjes gesneden pens, de kalfs- of varkenspoot en de mergpijpen toe. Schep het schuim af, voeg de knoflook, de ui en de oregano toe en laat de soep zachtjes koken tot de pens gaar is. Maak de soep af zoals beschreven bij stap 3 t/m 5.

EIEREN
Huevos

Terras van een cafetaría, Veracruz

Voordat ik er ter plekke ook maar enige ervaring mee had opgedaan, wist ik al dat een Mexicaans ontbijt iets bijzonders was. De gebakken eieren met *picante* tomatensaus (*huevos rancheros*) waren vorstelijk en verrukkelijk, net als de roereieren met chilipepers, uien en tomaat. In het deel van de V.S. waar ik woonde at men er zachte maïstortilla's bij, die men met boter besmeerde, met zout bestrooide en rijkelijk bedroop met een gepeperde saus.

Toen ik later naar Mexico ging, werd ik overal met diezelfde gerechten geconfronteerd. Roerei werd op borden geserveerd, fungeerde als vulling van taco's en als beleg van broodjes. Eieren konden niet alleen op elk moment van de ochtend worden besteld, maar ook op elk moment van de avond, zowel in *cafetarías* en markt-*fondas*, als in *taquerías* en broodjeswinkels. Eieren waren overal. Toen ik voor het eerst een *comida corrida* (lunchmenu) bestelde, werd me gevraagd of ik misschien een gebakken ei bij de rijst-gang wilde. Als ik bij een 'sappen-bar' vruchtsap bestelde, boden ze aan er een rauw ei door te mixen en de tacovullingen van stoofvlees die in de snacksstalletjes bij de markt werden verkocht zaten tjokvol eieren. Hoe zouden de Mexicanen zich in leven houden als er geen eieren waren? vroeg ik me af.

Overal in het land figureren talloze eiergerechten op de menukaart: omelet in een bouillon-achtige, met *epazote* gekruide rode chilisaus (*huevos a la oaxaqueña*) in Oaxaca, roerei met gerookte geep (*huevos con pejelagarto*) in Tabasco, in de oven gebakken eieren met garnalen en oesters (*huevos malagueños*) in Yucatán, draadjesvlees met eieren en een lichte chilisaus (*salpicón acapulqueño*) in Acapulco, roerei – letterlijk 'gegooide' eieren – met zwarte bonen (*huevos tirados*) in Veracruz en een nogal merkwaardige 'cake' van zoetgekruide eieren en varkensvlees, geserveerd in een bouillon verrijkt met een flinke dot rokerige *chile pasilla*-saus (*higaditos*) in Tlacolula, Oaxaca.

Ik ben ook minder memorabele gerechten met ei tegengekomen, maar ook twee die inmiddels tot mijn favorieten behoren. Het eerste komt uit het noorden en bestaat uit krokant, in draadjes uiteen getrokken gedroogd vlees met roerei, knoflook, ui en chilipepers (*machacado con huevo*) en het tweede is een fantastische opeenstapeling van *tostada*, bonen, eieren, tomatensaus, ham, doperwten en kaas die in Yucatán en het zuiden van Mexico de naam *huevos motuleños* heeft gekregen.

Bij ons thuis verschijnen Mexicaanse eiergerechten vaak op tafel als lunchgerecht of snel te bereiden avondmaal. In dit hoofdstuk vindt u al onze favoriete recepten; voor de eiergerechten in andere hoofdstukken kunt u het register raadplegen.

Gouden regels voor perfect gebakken roerei

» *Het klutsen van eieren voor roerei:* Hoe langer u eieren klopt, hoe meer ze hun textuur verliezen en hoe droger ze zullen worden. Klop ze daarom niet langer dan nodig is om de dooiers en de witten te mengen. Het toevoegen van een beetje vloeistof (water, melk, room, zure room, yoghurt, enzovoort) maakt het mengsel luchtiger.

» *Het regelen van de hittebron:* Een te hoog vuur is funest voor eieren; het maakt ze levenloos en rubberachtig. Voor roereieren met fijne zachte vlokjes moet de pan op een vrij laag vuur worden gezet; als de vlokken wat groter en iets steviger moeten zijn (waaraan ik meestal de voorkeur geef, vooral als de eieren als vulling voor taco's worden gebruikt) moet u de eimassa in een *hete* pan gieten en op een matig hoog vuur onder *langzaam* en voorzichtig roeren laten stollen.

EIEREN 'NAAR SMAAK'
Huevos al Gusto

Gelukkig zijn er drie verschillende verrukkelijke bereidingen in de Mexicaanse 'eierkeuken' die afwijken van de gewone spiegel-, roer- en zachtgekookte eieren die je overal krijgt. Van die drie zijn minstens twee verkrijgbaar in de snackbars en eettentjes die zich in de buurt van busstations en dergelijke bevinden: de eerste bestaat uit roerei met hete *serrano*-pepers, tomaten en rauwe uisnippers (*huevos a la mexicana*) en de andere uit een heerlijk zacht en vettig mengsel van roerei en *chorizo* (*huevos con chorizo*). Ze worden meestal gebruikt als vulling van een zachte tortilla of een knapperig broodje en geven je een aanzienlijk voldaner gevoel dan de uitgestalde synthetische zoetigheden die eveneens naar de gunst van de passant dingen.

Ook het derde gerecht – *huevos rancheros* – is vrij eenvoudig, maar omdat het iets meer inspanning van de kok vergt, heeft het een opstapje kunnen maken naar het domein van de *cafetarías* en *restaurantes. Huevos rancheros* bestaat uit een ondergrond van zachte tortilla's met daarop gebakken eieren; het geheel wordt royaal overgoten met een frisse tomatensaus die altijd iets lijkt prijs te geven over de regionale (of economische) betrokkenheid van degene die hem heeft bereid.

GEBAKKEN EIEREN MET TOMATEN-CHILISAUS
Huevos Rancheros

Als iets op een menukaart *ranchero* of *a la ranchera* wordt genoemd, gaat het in 99 van de 100 gevallen om een gerecht met een rustieke, pittige tomatensaus, een saus die past bij het woord 'ranch'. De pittigheid wordt verkregen door het gebruik van kleine *serranos* (of, in Yucatán, *habaneros*), gedroogde *chiles de árbol, chipotles* of welke peper er in een bepaalde regio ook gebruikelijk of toevallig voorhanden is.

Persoonlijk zou ik het niet in m'n hoofd halen *huevos rancheros* te serveren zonder *frijoles refritos* (pag. 314), tropische vruchten en heel veel *café con leche* (pag. 370).

Voor 4 personen:

   ca. 1/2 liter gekookte tomaten-chilisaus (pag. 42) of een van de traditionele variaties
   daarvan
   4 medium dikke maïstortilla's, zelfgemaakt (pag. 80) of kant en klaar gekocht, bij voorkeur oudbakken
   4-5 eetlepels plantaardige olie
   8 eieren
   zout en vers gemalen zwarte peper
   2 eetlepels verkruimelde Mexicaanse *queso fresco* of *queso anejo* (pag. 395) of een andere witte kaas zoals feta of verse meikaas
   1-2 eetlepels fijngehakte peterselie

1. *De voorbereidingen*: Warm de saus op, met het deksel op de pán en op een vrij laag vuur. Laat de tortilla's, als ze vers zijn, iets drogen. Verhit 4 eetlepels olie in een grote koekepan. Leg, zodra de olie heet is, een tortilla in de pan en bak hem 2-3 seconden per kant om hem iets zachter te maken. Bak de andere tortilla's op dezelfde manier. Laat de tortilla's uitlekken op keukenpapier, verpak ze in aluminiumfolie en houd ze warm in de op de laagste stand voorverwarmde oven. Draai het vuur onder de pan laag.

2. *De eieren*: Breek 4 eieren in de pan en bak ze zachtjes tot het wit gestold is (leg eventueel korte tijd een deksel op de pan). Bestrooi de eieren met zout en peper, schep ze met een brede spatel op een bakplaat en houd ze warm in de oven. Doe, indien nodig, nog een lepel olie in de pan en bak de resterende eieren op dezelfde manier.

3. *De presentatie*: Leg de tortilla's op voorverwarmde borden en bedek elke tortilla met twee gebakken eieren. Schep de saus over de tortilla's en het wit van de eieren, zodat de dooiers zichtbaar blijven. Bestrooi het geheel met de verkruimelde verse kaas en gehakte peterselie en serveer direct.

KEUKENNOTITIES

Technieken

» *Het opbakken van tortilla's:* Zie pag. 170.

(Voor)bereidingstijd

» Als u de saus van tevoren hebt gemaakt, duurt de bereiding van *huevos rancheros* niet langer dan een kwartier. Dit gerecht is op z'n best als het direct wordt gegeten.

TRADITIONELE VARIATIES

» *Huevos rancheros met andere sauzen:* U kunt de tomaten-chilisaus vervangen door eenzelfde hoeveelheid *tomatillo*-chilisaus (pag. 44) of de rode chilisaus van pag. 38.

ROEREIEREN MET UI, TOMAAT EN CHILIPEPERS
Huevos a la Mexicana

Net als het woord *ranchero* roept ook de term *a la mexicana* ogenblikkelijk allerlei associaties op, in dit geval met typisch Mexicaanse produkten als uien, tomaten en chilipepers. Deze eieren *a la mexicana*, vormen, samen met opgewarmde zachte maïs- of tarwetortilla's en verse groene *tomatillo*-saus (pag. 37), een ideaal driemanschap. Serveer de eieren, voor een feestelijk ontbijt of een zondagsbrunch, in een decoratieve aardewerken schaal en bestrooi ze met uiringen, fijngehakte peterselie en wat verkruimelde verse kaas. Voor alledag kunt u volstaan met koffie en geroosterd brood.

Voor 4 personen:

> 3 eetlepels reuzel, plantaardige olie, spekvet of boter
> 2-3 verse groene lomboks*, ontdaan van de steeltjes (en, eventueel, de zaadjes), fijnge-
> sneden
> 1 kleine ui, fijngehakt
> 1 rijpe tomaat, ontdaan van de harde kern en in blokjes gesneden
> 8 eieren
> zout

1. *De vulling:* Smelt de reuzel, olie of andere vetsoort in een middelgrote koekepan. Voeg de fijngesneden pepers, de ui en de tomaat toe en laat alles, op een
matig hoog vuur, onder regelmatig roeren ca. 5 minuten zachtjes fruiten, tot de
uisnippers glazig zijn (maar niet bruin). Draai het vuur iets lager.
2. *De eieren:* Klop de eieren los met ca. 1 afgestreken theelepel zout; klop niet langer dan nodig is om de dooiers en de witten te mengen. Giet het eimengsel bij
de overige ingrediënten in de pan en laat het al roerende stollen. Voeg, indien
nodig, nog wat zout toe. Schep de eieren zodra ze de gewenste graad van gaarheid hebben in een schaal en serveer direct.

KEUKENNOTITIES

Voetnoot van de vertaalster

» *De chilipepers:* In het oorspronkelijke recept schrijft Rick Bayless 3 *chiles serranos* of
1 grote *chile jalapeño* voor.

(Voor)bereidingstijd

» Dit eenvoudige gerecht dat, behalve de chilipepers, niets bevat dat niet in de meeste
keukens aanwezig is, staat binnen 15-20 minuten op tafel.

TRADITIONELE VARIATIES

» *Roereieren met grote garnalen:* Pel 150-200 gram ontdooide grote garnalen, verwijder
het donkere darmkanaal en snijd de garnalen in stukjes. Bereid de eieren volgens de
aanwijzingen in het recept en laat de garnalen 2-3 minuten met de groenten
meebakken.

» *Huevos con nopales:* Bereid de eieren volgens de aanwijzingen in het recept, maar
voeg aan de groenten 200 gram in reepjes gesneden cactusblad (uit blik) toe.

EIGENTIJDSE VARIATIE

» *Roereieren met spek, kaas en avocado:* Laat 8 uitgebakken en verkruimelde plakjes
ontbijtspek met de groenten meebakken, voeg de losgeklopte eieren toe en roer er
– als de eimassa bijna gestold is – 100 gram in piepkleine blokjes gesneden jonge
Goudse kaas door. Schep de roereieren zodra de kaas zacht is in een schaal en strooi
er kleine avocadoblokjes en fijngesneden basilicum of verse koriander over.

ROEREIEREN MET *CHORIZO*

Huevos con Chorizo

In de maanden dat Deann en ik boven een *cafetaría* woonden, werden we 's ochtends gewekt door de verschillende geuren die uit de keuken opstegen: de geur van sudderende *chilaquiles* met *epazote*, van de koffie uit de espressomachine, van uitgebakken spek en kruidige *chorizo*. Ik hoefde maar een paar treden naar beneden om me te kunnen laven aan *chilaquiles* of *huevos con chorizo*.

De beste versies van dit simpele gerecht worden uiteraard daar geserveerd waar de beste *chorizo* wordt gemaakt: in Toluca, Oaxaca en – naar mijn idee – de Spaanse nederzetting Perote in Veracruz. Deze eieren doen het uitstekend als ontbijt- of brunchgerecht; zie pag. 126 voor serveersuggesties.

Voor 4 personen:

> 1 eetlepel plantaardige olie
> 200-250 verse *chorizo*, zonder worstvel (zie pag. 57)
> 1 kleine ui, fijngehakt (eventueel)
> 1 rijpe tomaat, ontdaan van de harde kern en fijngesneden (eventueel)
> 8 eieren
> zout

1. *De chorizo*: Verhit de olie in een middelgrote koekepan en bak de *chorizo* ca. 10 minuten op een vrij laag vuur tot het worstvlees rul en gaar is. Schep de *chorizo* met een schuimspaan uit de pan en giet op 2 eetlepels na het vet weg. Bak – eventueel – de ui en de tomaat in het achtergebleven vet tot de uisnippers glazig zijn. Doe de *chorizo* terug in de pan.
2. *De eieren*: Klop de eieren los met wat zout (niet te veel, de *chorizo* is ook al zout); klop niet langer dan nodig is om de dooiers en de witten te mengen. Giet het eimengsel bij de *chorizo* en laat het al roerende stollen. Voeg, indien nodig, nog wat zout toe. Schep de eieren zodra ze de gewenste graad van gaarheid hebben in een schaal en serveer direct.

KEUKENNOTITIES

(Voor)bereidingstijd

» De bereidingstijd bedraagt hooguit 20 minuten, net lang genoeg om de bijbehorende stapel maïstortilla's op te warmen.

TRADITIONELE VARIATIE

» *Huevos con chorizo y rajas*: Roerbak de *chorizo* volgens de aanwijzingen in het recept, bak in het achtergebleven vet 1 in ringen gesneden ui, 1 fijngesneden tomaat en 1 *chile poblano* of groene paprika (geroosterd, ontveld, van zaadjes ontdaan en in reepjes gesneden) en ga verder te werk zoals beschreven in het recept. Bestrooi de roereieren vlak voor het opdienen met verkruimelde verse witte kaas en fijngehakte platte peterselie.

EiGENTIJDSE VARIATIE

» *Roereieren met chorizo en paddestoelen:* Chorizo combineert goed met de vlezige paddestoelen die tegenwoordig bij elke groenteman verkrijgbaar zijn zoals shiitakes en kastanjechampignons. Snijd of hak de paddestoelen in stukjes en laat ze meebakken met de *chorizo.* Ga verder te werk zoals in het recept beschreven. Garneer de roereieren met verkruimelde verse kaas en wat verse of gedroogde oregano.

GEDROOGD VLEES MET ROEREIEREN EN CHILIPEPER
Machacado con Huevo

Deze specialiteit uit het noorden vind ik persoonlijk het lekkerste eiergerecht van allemaal. Ik ben gek op de gerijpte smaak van het in reepjes gescheurde, krokant gebakken, gedroogde vlees. In combinatie met eieren wordt het een gerecht dat je op elk moment van de dag kunt eten. Voor het ontbijt geef ik er verse vruchten, tarwetortilla's en koffie bij; 's avonds serveer ik het met een salade, tortilla's en bier. Bij beide gelegenheden zet ik een kommetje met *salsa picante* (pag. 41) op tafel.

Het woord *machacado* betekent 'geplet', waarmee exact wordt aangegeven wat er met het vlees gebeurde toen de man die mij in San Ignacio, Baja California Sur dit gerecht leerde klaarmaken, met een grote platte steen op het vlees sloeg om het gemakkelijker in draden uiteen te kunnen pluizen.

Voor 4 personen:

50-60 gram aan de lucht gedroogd vlees (pag. 60)
6 eieren
3-4 eetlepels reuzel of plantaardige olie
1 kleine ui, grof gehakt
1 verse *chile poblano*, geroosterd en ontveld (pag. 390), ontdaan van zaadjes en in kleine blokjes gesneden
1 rijpe tomaat, van de harde kern ontdaan en in piepkleine blokjes gesneden
2 knoflookteentjes, gepeld en fijngehakt
zout

1. *Het vlees:* Leg het vlees op een bakplaat en schuif deze onder de voorverwarmde grill. Na 1-3 minuten, afhankelijk van de dikte en het vochtgehalte van het vlees, zal de bovenkant beginnen te pruttelen en zullen de randen bruin en krokant zijn. Laat het vlees afkoelen en scheur het in draadjes. Maak die draadjes nog dunner en fijner door ze, met kleine hoeveelheden tegelijk, in een stenen vijzel te doen en er met de – eveneens stenen – stamper op te slaan tot het geheel eruitziet als een soort vezelig vilt. Als u dat te veel werk vindt, kunt u ze in twee of drie porties in een blender doen en 'pulserend' – door de machine een aantal keren achter elkaar aan en uit te schakelen – transformeren tot wollige draadjes.

2. *De eieren:* Klop de eieren los in een kom en zet de kom opzij.
3. *Het bakken van het vlees en de groenten:* Verhit 3 eetlepels reuzel of olie in een middelgrote koekepan en bak de uisnippers op een matig hoog vuur tot ze lichtbruin beginnen te kleuren. Voeg de vleesdraadjes toe, draai het vuur iets lager en roerbak het vlees 5-7 minuten, tot het bruin en krokant is.

   Voeg de chilipeper, de tomaat en de knoflook toe en laat de groenten al roerende ca. 2 minuten meebakken. Draai het vuur nog iets lager en voeg, als al het vet geabsorbeerd is, nog een lepel reuzel of olie toe.
4. *Het bakken van de eieren:* Giet de losgeklopte eieren in de pan en laat ze al roerende stollen. Breng de eieren op smaak met zout, schep ze in een voorverwarmde schaal en serveer direct.

KEUKENNOTITIES

Technieken

» *Het grillen van gedroogd vlees:* De hitte van de grill maakt het vlees iets zachter, waardoor het gemakkelijker in draadjes kan worden getrokken; bovendien krijgt het een geroosterd smaakje. Vlees dat te lang wordt gegrild wordt echter droog en verkruimelt bij het in draadjes scheuren.

» *Het in draadjes uiteenpluizen:* Door het in heel fijne draadjes uiteen te pluizen krijgt een taai stukje gedroogd vlees een bijzondere textuur. De draadjes moeten ca. 1 1/2 cm lang zijn en zo dun als garen. Als ze dikker zijn, wordt het vlees taai.

Ingrediënten

» *Gedroogd vlees:* Meer informatie vindt u op pag. 407. Als u geen gedroogd vlees hebt, kunt u een riblap van ca. 250 gram gaar stoven of koken en in draadjes uiteen pluizen zoals beschreven op pag. 144. Ga verder te werk volgens de aanwijzingen in het recept.

» *Chile poblano:* Deze peper kan worden vervangen door twee hete groene pepers (lomboks), geroosterd en ontveld, ontdaan van de zaadjes en in reepjes of blokjes gesneden.

Keukengerei

» *Vijzel of keukenmachine:* Ik geef er de voorkeur aan om het vlees kapot te stampen in een grote stenen vijzel, omdat ik alles dan onder controle heb en niet de kans loop dat het vlees in gehakt verandert. Maar een blender kan eveneens voor dit werkje worden gebruikt, vooropgesteld dat u de machine niet ongecontroleerd laat draaien, maar een paar maal achter elkaar snel aan- en uitschakelt. In Mexico pluist men het vlees ook wel uit met behulp van een molen (van het type dat voor het deeg van maïstortilla's wordt gebruikt).

(Voor)bereidingstijd

» De bereidingstijd bedraagt ca. 30 minuten. Als het vlees van tevoren in draadjes is uitgeplozen, is het gerecht zelfs in een kwartiertje klaar. De vleesdraadjes moeten, losjes afgedekt, bij kamertemperatuur worden bewaard.

SNACKS OP BASIS VAN *MASA*
Antojitos

De bereiding van gorditas, San Luis Potosí

> Antojo: *Gril, bevlieging, nuk, kuur...*
> (Van Dales Handwoordenboek Spaans-Nederlands)

Taco's met gegrilld vlees en uien, gebakken *masa*-schuitjes met worst en hete saus, *seviche-tostadas* en met paddestoelen of kaas gevulde pasteitjes zijn, althans volgens de *Diccionario de mejicanismos*, 'populaire, typisch provinciaalse' snacks. Gezamenlijk vormen ze een verzameling gerechten waarvan de buitenwereld vaak denkt dat ze representatief zijn voor de Mexicaanse keuken als geheel. Van *moles*, vis *a la veracruzana* of *cochinita pibil* (varkensvlees in bananeblad) schijnt niemand ooit te hebben gehoord... Veel buitenlanders verkeren dan ook in de veronderstelling dat de Mexicanen niets anders eten dan taco's, *tostadas* en *enchiladas* – smakelijke hapjes voor de lekkere trek, zoals de naam *antojitos* impliceert, maar geen uitingen van een serieus te nemen nationale keuken. *Antojitos* zijn inderdaad minder serieuze gerechten dan de geraffineerd verfijnde *moles*; ze vormen echter maar een heel klein onderdeel van de Mexicaanse keuken. Zoals de Amerikaanse keuken meer heeft te bieden dan hamburgers, hot dogs en club sandwiches, zo heeft de Mexicaanse keuken meer te bieden dan een handjevol internationaal bekende snacks.

Het heeft me jaren gekost om het foutieve beeld van de Mexicaanse keuken, gevormd in de Mexicaanse eetgelegenheden van mijn geboorteland en aangewakkerd door kranteknipsels van Mexicaanse recepten, van me af te schudden. Het is me eigenlijk pas gelukt nadat ik in Mexico-Stad was gaan wonen en me naar het ritme van de stad had leren voegen. Om elf uur 's ochtends was er een run op de straatstalletjes waar *masa*pasteitjes, zachte taco's met een vleesvulling of viscocktails werden verkocht. 's Avonds verscheen er niet ver van ons huis een hele rij *taquerías*, volledig open eettentjes met grote grillplaten voor de bereiding van vleestaco's. In het Alamedapark, iets verder weg, plaatsten vrouwen hun houtskoolbranders voor het roosteren van maïskolven of, als het een feestdag was, voor de bereiding van *masa*-schuitjes of het opwarmen van de siroop waarmee ze hun *buñuelos* (zoete beignets) overgoten. In de late ochtend en avond en praktisch de gehele zondag gingen drommen mensen de straat op om in het openbaar iets te eten – om in het gezelschap van anderen te genieten van wat anderen hadden klaargemaakt. Een uiting van culturele solidariteit? Wellicht. Maar vermoedelijk nog méér een uiting van de Mexicaanse volksaard. Voor de Mexicanen is het nu eenmaal vanzelfsprekend om enkele uren voor of na de voedzame *comida* buitenshuis iets lekkers te nuttigen.

Antojitos, die van regio tot regio verschillen, behoren tot de smakelijkste gerechten die Mexico heeft te bieden. Het deeg wordt in elke streek op een speciale manier gemengd en vervolgens, al naar de luimen van de kok, gebakken, geroosterd of gestoomd, waarna men het een toepasselijke naam geeft en voorziet van een appetijtelijke garnering. Hoe ingewikkelder de bereiding, hoe gevarieerder de vulling en hoe rijker de versiering, hoe meer de snack bij de uitbundige Mexicanen in de smaak valt. In gebieden waar het assortiment *antojitos* groot is, maken de eethuizen en betere restaurants vaak een selectie die als 'combinatieschotel' wordt aangeboden, maar over het geheel genomen zijn *antojitos* zelfstandige gerechtjes die voornamelijk bij straat- en marktstalletjes en in snackbars en *cafetarías* worden gegeten.

Antojitos maken deel uit van het openbare leven en worden vrijwel altijd gemaakt

met behulp van een speciaal, op grote hoeveelheden afgestemd stuk keukengereed-
schap, waaronder de grote, vlakke grill- en bakplaat die in de eetstalletjes wordt
gebruikt, het verticale spit voor het roosteren van dungesneden gemarineerd varkensvlees en de enorme houtskoolbranders voor het grillen van maïskolven. Voor
dit hoofdstuk heb ik echter een representatieve selectie gemaakt van regionale
antojitos die zonder probleem in de huiselijke keuken kunnen worden bereid.

Keukentaal

» Doordat het eten van *antojitos* onlosmakelijk verbonden is met de feestelijke sfeer
van fiësta's, worden andere fiëstagerechten – zoals *barbacoa, pozole, menudo* en
moles – in Mexico zelf vaak ondergebracht in de categorie *antojitos*. Anderzijds
worden de *antojitos* op basis van *masa*, die gewoonlijk fungeren als een lichte maaltijd,
in de betere restaurants vaak – uiteraard in kleinere porties – als voorgerecht
geserveerd. Dit toont wel aan hoe veelzijdig de snack is. Om verwarring te voorkomen,
heb ik bij de *antojitos* echter alleen de snacks op basis van *masa* ondergebracht.

TACO'S

Voor de meeste Mexicanen die ik ken zijn weinig dingen lachwekkender dan de
krokante U-vormige taco's gevuld met rul gebakken rundergehakt, sla en grof
geraspte kaas die, samen met een bergje bonen en wat rijst, in het buitenland worden
gepresenteerd als een Mexicaanse 'maaltijd'. Ze lijken in niets op de hartige snack
die in Mexico zelf wordt gegeten. Een authentieke Mexicaanse taco is een vrij dikke
maïstortilla die – warm en nog enigszins vettig van de bakplaat – met een handjevol
vlees wordt bedekt, met een pittige saus besprenkeld en met krokante uisnippers en
verse koriander bestrooid alvorens te worden opgerold. Een taco is in wezen niets
anders dan een geïmproviseerd gerechtje verpakt in een tortilla; het is een snack die
je staande eet. Een opmerkelijk smakelijke snack, vind ik persoonlijk. Niet alleen
omdat een verse maïstortilla van zichzelf al heerlijk is, maar ook omdat de Mexicanen
een aangeboren talent hebben om kleine beetjes van dit op een verrassende manier
met kleine beetjes van dat te combineren.

In Mexico worden maïstortilla's boven stoom verwarmd en gebruikt voor zachte,
dubbelgevouwen taco's gevuld met een dikke ragoût (*tacos de cazuela*), op een vlakke
plaat gebakken vlees, aardappelen of eieren (*tacos de la plancha*), boven houtskool
geroosterd rund- of varkensvlees of kip (*tacos al carbón*) of met gestoomd *barbacoa-*
of kopvlees (*tacos a vapor*). Maar de tortilla's kunnen ook (om te voorkomen dat ze
uitdrogen) snel worden opgebakken. De gebakken tortilla's (*tacos de canasta*) worden
gevuld met gehakt, verse witte kaas of met chilipepers gekruide aardappelen,
vervolgens dubbelgevouwen en ten slotte opgestapeld in de met doeken beklede
mand van degene die ze op straat uitvent. De tortilla's kunnen ook om een vulling
worden gerold en met vulling en al in frituurvet worden gebakken tot ze krokant
zijn (*tacos dorados*). Voor *burritos* en *tacos de harina* worden in plaats van maïstortilla's
zachte tarwetortilla's gebruikt. Dubbelgevouwen of opgerold; gefrituurd, gebakken,

snel gebakken of zacht en gevuld met alles wat er ook maar in past – in Mexico dragen ze allemaal de naam 'taco'.

Zachte taco's zijn de meest gebruikelijke van het stel. Als ik ze thuis serveer (wat ik vaak doe) probeer ik het informele aspect te benadrukken door – als er veel gasten zijn – de diverse onderdelen in buffetvorm uit te stallen zodat iedereen zijn eigen taco's kan samenstellen. Voor een lunch of simpel etentje met vrienden zet ik alles gewoon op tafel. Per persoon reken ik op drie tot vier taco's. Voor elke taco zijn twee dunne maïstortilla's (of één dikke) of één tarwetortilla nodig. Het aantal vullingen hangt af van de grootte van het gezelschap. Voor vier man maak ik meestal twee vullingen; voor een gezelschap van acht personen maak ik er drie of vier.

Ook elders in dit boek vindt u gerechten die als vulling voor taco's kunnen worden gebruikt, zoals: gesmolten kaas met geroosterde chilipepers en *chorizo* (pag. 89), salade van 'draadjesvlees' met avocado (pag. 93), roereieren met ui, tomaat en chilipepers (pag. 125), roereieren met *chorizo* (pag. 127), gedroogd vlees met roereieren en chilipeper (pag. 128), gepocheerde kalfshersens met chilipeper, ui en *epazote* (pag. 163), gesmoorde paddestoelen in tomatensaus (pag. 166), gemarineerde gekruide groenten (pag. 185), *pollo* of *cochinita pibil* (pag. 268), *barbacoa* van kip (pag. 271), tot draadjes uitgeplozen varken*stinga* (pag. 288), vlees in rode chilisaus (pag. 289), varkensvlees *carnitas* (pag. 292) en *birria* van lams- of geitevlees (pag. 298).

ZACHTE TACO'S MET EEN GESTOOFDE OF GEBAKKEN VULLING
Tacos de Cazuela y de la Plancha

Achter de toog van Spaanse bars staan grote schalen met warme gerechten, salades of gemarineerde groenten die je als snack bij je drankje kunt bestellen. Deze *tapas*, die op schoteltjes worden gepresenteerd, hebben veel gemeen met de vullingen van *tacos de cazuela*, ook al zullen de laatstgenoemde, eenmaal verpakt in een tortilla, eerder dienst doen als hartig tussendoortje dan als borrelhapje.

Vrijwel alle vleesgerechten met een saus ('stoofgerechten' zouden wij ze noemen) die in de diverse regio's worden gegeten, kunnen in *tacos de cazuela* worden aangetroffen; de vullingen van dit type taco's zijn dan ook interessant en gevarieerd. En als de verkoper het vlees en de saus warm houdt in zware aardewerken potten (*cazuelas*), is het decor minstens zo aantrekkelijk als de taco's zelf. Helaas wordt het aardewerk steeds vaker vervangen door geëmailleerd metaal en in steden als Hermosillo, Sonora en Veracruz zelfs door roestvrij stalen au-bain-mariepannen.

De grote vlakke grillplaten waarop *tacos de la plancha* worden bereid ben ik in alle steden van Mexico tegengekomen behalve in die van Yucatán. Een heel mooi tacostalletje heeft jarenlang gestaan bij de haven van Veracruz: de toog, die doorliep tot aan de butagas-grillplaat, was bedekt met een dik tapijt van platte peterselie; hierop stonden een grote stenen vijzel gevuld met *guacamole* en een aantal kommen met sauzen en garneringen – limoenpartjes, komkommerschijfjes, radijzen – waar je zelf wat van kon nemen. Het geheel zag er uiterst smaakvol uit en de taco's met biefstuk-en-ui, pens en *chorizo* waren meer dan verrukkelijk.

Onderstaande wenken en tips worden gevolgd door een selectie van op z'n minst even verrukkelijke vullingen voor zachte *tacos de cazuela* en *tacos de la plancha*.

Het voorbereiden van de tortilla's: Verwarm maïstortilla's boven stoom zoals beschreven op pag. 406 en houd ze – in de stoompan – warm in de op de laagste stand voorverwarmde oven tot u ze nodig hebt. Verwarm tarwetortilla's volgens de aanwijzingen op pag. 83, houd ze warm in de op de laagste stand voorverwarmde oven en haal ze er met een paar tegelijk weer uit. Mexicaanse *taco de la plancha*-verkopers verwarmen *zeer verse* kleine maïstortilla's doorgaans rechtstreeks op de licht ingevette grillplaat. De tortilla's worden op die manier niet alleen warm, maar ook – dankzij het kleine beetje vet – plooibaarder, waardoor ze minder gemakkelijk scheuren.

Het serveren van zachte taco's: Voor een klein gezelschap kunt u de warme tortilla's gewoon op tafel zetten en de schalen met de warme vullingen laten rondgaan. U kunt er een complete maaltijd van maken door er *frijoles refritos* (pag. 314) en een salade bij te geven. Voor een groot gezelschap is het handiger om de taco's in buffetvorm te serveren, vooral als de gasten op verschillende tijden binnenkomen en vertrekken. Zet niet méér warme tortilla's klaar – in met een doek beklede mandjes – dan absuluut noodzakelijk is en vul de mandjes regelmatig bij met de tortilla's die in de oven worden warmgehouden. Houd de vullingen warm op réchauds of in kleine au-bain-mariepannen en completeer ze met een of twee vullingen die koud of op kamertemperatuur worden geserveerd, bijvoorbeeld *seviche* (pag. 91) en/of salade van 'draadjesvlees' met avocado (pag. 93).

Zorg ook voor voldoende sauzen, liefst twee of meer verschillende, bijvoorbeeld guacamole met *tomatillos* (pag. 48), *salsa mexicana* (pag. 35) en een hete *chile de árbol*-saus (pag. 41). Geroosterde *poblano*-reepjes passen goed bij gebakken of gegrillde vullingen, die u overigens het beste zoveel mogelijk à la minute kunt klaarmaken. Desgewenst kunt u het buffet aanvullen met *frijoles charros* (pag. 316) en gemengde groentesalade (pag. 96) of pikante *jícama*salade (pag. 97).Vergeet niet wat vorken neer te leggen voor degenen die de vullingen liever zónder tortilla's eten. Voor een zoet besluit kunt u een zoete kaastaart (pag. 337) en/of verse vruchten op het buffet zetten.

KEUKENNOTITIES

Regionale accenten

»   Terwijl de vullingen voor *tacos de la plancha* in heel Mexico min of meer hetzelfde zijn, zijn die van de meer huiselijke *tacos de cazuela* duidelijk regionaal gebonden, zoals onderstaande voorbeelden aantonen. In Querétaro worden *tacos de cazuela* onder andere gevuld met in reepjes gesneden *chiles poblanos* in tomatensaus, eieren met een donkere *chile pasilla*-saus of cactusblad in een lichte saus van rode chili's; in Veracruz met stukjes kip of rundvlees in een saus van *chipotles*, bloedworst gestoofd met ui en tomaat, varkensvlees of roereieren met cactusblad of ingelegde varkenspootjes; in Toluca met gesmoorde bladgroenten zoals spinazie en zuring, gestoofde paddestoelen met groene chilipepers, pompoenbloemen of stukjes varkenszwoerd met tomaten- of *tomatillo*-saus; in Mexico-Stad met kip in een rode of groene *mole*, varkensvlees met pompoen, een *salpicón* van kip of rundvlees of reepjes groene chilipepers met aardappelen en eieren en in Mérida, Yucatán met garnalen, wulken of stukjes octopus in limoen-*vinagreta* of *escabeche*, in z'n eigen inkt gestoofde octopus, stukjes gekookte vis met doperwtjes en mayonaise of gestoofde vis in tomatensaus.

ROEREIEREN EN AARDAPPELEN IN PITTIGE GROENE SAUS

Huevos y Papas con Rajas en Salsa Verde

Deze rustieke combinatie van roerei, gebruinde aardappelen, geroosterde chili's en *tomatillo*-saus is verrukkelijk als brunchgerecht of als licht diner. Uiteraard horen er maïstortilla's bij en een portie *frijoles refritos* (pag. 314). Het recept is afkomstig uit een naamloze *taquería*, zo'n tentje van niks in het hartje van Mexico-Stad, waar geen enkel gerecht een ingewikkelder naam heeft dan 'aardappel met ei' of 'varkensvlees met courgettes'. De vrouwen die er koken weten echter wat ze doen en beschikken als weinig anderen over de gave smaken en texturen te combineren in weergaloos lekkere tacovullingen.

Voor 12 taco's oftewel voldoende als een licht hoofdgerecht voor 4 personen:

> 3 à 3 1/2 dl gekookte *tomatillo*-chilisaus (pag. 44), bereid zoals hieronder beschreven in stap 1
> 250 gram vastkokende aardappelen, doormidden gesneden
> 4 grote eieren
> zout
> 2 1/2 eetlepels reuzel of plantaardige olie
> 50-60 gram verkruimelde Mexicaanse *queso fresco* (pag. 395) of een andere verse witte kaas zoals feta of witte meikaas, plus iets extra voor de garnering
> 1/2 kleine ui, in dunne ringen gesneden
> 2 grote verse *chiles poblanos* (zie Keukennotities), geroosterd en ontveld (pag. 390)

1. *De voorbereidingen*: Maak de *tomatillo*-chilipuree volgens de aanwijzingen in stap 1 en 2 op pag. 44, maar gebruik slechts de helft van de voorgeschreven ingrediënten. Breng de helft van de in het sausrecept voorgeschreven hoeveelheid bouillon op smaak met zout.
   Kook de aardappelen bijna gaar in lichtgezouten water, giet ze af, spoel ze onder de koude kraan en pel ze als u dat nodig vindt. Snijd de aardappelen daarna in blokjes van ca. 1 1/2 cm.

2. *De eieren*: Klop de eieren met een beetje zout net lang genoeg los om de dooiers en de witten te mengen. Verhit de helft van de reuzel of olie op een matig hoog vuur in een grote koekepan met anti-aanbaklaag. Voeg, zodra het vet heet is, de eieren toe. Schuif de reeds gestolde massa om de paar seconden los van de bodem (zoals bij het bakken van een omelet), zodat het nog vloeibare deel naar de bodem vloeit en er grove vlokken ontstaan. Schep de eimassa in een kom, spatel de verkruimelde kaas erdoor en zet de kom opzij. Maak de pan schoon.

3. *Het bakken van de groenten*: Zet de koekepan ca. 30 minuten voor het serveren weer op het vuur en verhit de rest van de reuzel of olie op een matig hoog vuur. Voeg de uiringen en de aardappelblokjes toe en bak ze, onder regelmatig omscheppen, ca. 15 minuten, tot de aardappelen mooi bruin zijn. Verwijder intussen de steelaanzet en de zaadjes uit de geroosterde pepers en snijd het vruchtvlees in smalle (ca. 3 mm) reepjes. Doe de reepjes bij de overige ingrediënten in de pan en draai het vuur iets hoger.

4. *Het toevoegen van de saus:* Voeg, zodra de groenten iets heftiger beginnen te bakken, de *tomatillo*-puree toe en laat het mengsel al roerende 4-5 minuten prutterlen en inkoken, tot de saus dikker en donkerder wordt. Giet dan de bouillon erbij, breng het geheel aan de kook en draai het vuur weer iets lager. Laat de saus zachtjes inkoken tot ze dik genoeg is. Voeg ten slotte de roereieren met de kaas toe, laat alles nog een minuut of wat doorwarmen en schep de massa in een schaal. Bestrooi het geheel met verkruimelde witte kaas en serveer direct.

KEUKENNOTITIES

Ingrediënten

» Chiles poblanos: Als verse *poblanos* niet verkrijgbaar zijn, kunt u 3 lichtgroene Turkse of Marokkaanse pepers (geroosterd en ontveld) of 4 hele *jalapeños* uit blik (ontdaan van de steelaanzet en de zaadjes) gebruiken.

Voetnoot van de vertaalster

» *De hoeveelheden:* Met 'theelepel' wordt de internationale standaardtheelepel met een inhoud van 5 gram bedoeld en niet het Nederlandse theelepeltje van 3 gram.

(Voor)bereidingstijd

» De bereiding van dit gerecht vergt ca. 1 uur, maar daarvan bent u niet de hele tijd actief bezig. Desgewenst kunt u de voorbereidingen (de stappen 1 en 2) enkele uren van tevoren doen; bewaar de bestanddelen in dat geval afgedekt in de koelkast en maak het gerecht 30 minuten voor het opdienen af. Indien nodig kan het gerecht in zijn geheel zachtjes worden opgewarmd.

TRADITIONELE VARIATIE

» *Aardappelen met ui en groene pepers:* Kook de aardappelen bijna gaar volgens de aanwijzingen in stap 1 en snijd ze in kleine blokjes. Bak ze vervolgens met de ui en de in reepjes gesneden pepers zoals aangegeven in stap 3 en breng het geheel op smaak met zout. Serveer de aardappelen als bijgerecht bij gebakken of gegrild vlees of een eiergerecht; de hoeveelheid is voldoende voor 2-3 personen.

EIGENTIJDSE VARIATIE

» *Aardappelen, courgettes en groene pepers in romige tomatillosaus:* Ga te werk volgens de aanwijzingen in stap 1, maar gebruik 1 1/4 dl bouillon in plaats van 1/4 liter. Bak de aardappelblokjes, de uiringen en 2 in blokjes gesneden courgettes bruin in een hete olie (stap 3) en voeg de in reepjes gesneden pepers toe. Draai het vuur vrij hoog, voeg de *tomatillo*-puree toe en ga verder te werk volgens de aanwijzingen in stap 4. Roer de bouillon en 1/8 liter dikke room (pag. 53) of crème fraîche door de groenten en laat het geheel zachtjes prutelen tot de saus de gewenste dikte heeft. Bestrooi het gerecht met verkruimelde verse kaas en serveer direct.

COURGETTE EN VARKENSVLEES MET TOMAAT, MAÏS EN PEPERS
Calabacitas con Puerco

Het recept van dit typisch Mexicaans gekruide gerecht, met zijn geheimzinnige geur van *epazote*, is net als het vorige afkomstig uit de naamloze *taquería* in Mexico-Stad. Er zullen weinig Mexicanen zijn die dit gerecht niet talloze malen hebben gegeten of klaargemaakt. Het is een substantieel gerecht dat, samen met tortilla's en een groene salade, uitstekend dienst kan doen als hoofdmaaltijd. Als u het niet als tacovulling wilt gebruiken, kunt u het vlees en de groenten in iets grotere blokjes snijden.

Voor 12 taco's oftewel voldoende als hoofdgerecht voor 4 personen:

> 500 gram kleine courgettes, in blokjes van ca. 1 1/2 cm gesneden
> zout
> 2 eetlepels reuzel of plantaardige olie
> 500 gram ontbeende varkensschouder, ontdaan van vet en in blokjes van ca. 1 cm gesneden
> 1 kleine ui, in dunne ringen gesneden
> 2 knoflookteentjes, gepeld en fijngehakt
> 1 rijpe tomaat, geroosterd of gekookt (pag. 404), ontveld, van de harde kern ontdaan en fijngesneden
> 1 grote verse *chile poblano*, geroosterd en ontveld (pag. 390), van zaadjes ontdaan en in blokjes gesneden
> de losgesneden korrels van 1 verse maïskolf of 200 gram diepvriesmaïskorrels, ontdooid
> 1 theelepel gemengde gedroogde kruiden (o.a. oregano, marjolein en tijm)
> 2 laurierblaadjes
> 1 takje *epazote* (eventueel)
> 100 gram Mexicaanse *queso fresco* (pag. 395) of een andere verse witte kaas, bijv. feta of witte meikaas, in blokjes van ruim 1 cm gesneden.

1. *Het laten uitlekken van de courgettes*: Doe de courgetteblokjes in een zeef of vergiet, bestrooi ze met zout en laat ze 20 tot 30 minuten uitlekken.
2. *Het aanbraden van het vlees*: Verhit de reuzel of de olie in een grote koekepan. Strooi de vleesblokjes in het hete vet en laat ze onder regelmatig omscheppen op een matig hoog vuur rondom dichtschroeien en bruin kleuren. Schep het vlees met een schuimspaan uit de pan en bewaar het in een kom.
3. *De feitelijke bereiding*: Draai het vuur onder de pan iets lager, voeg de uiringen toe (gebruik, indien nodig, wat extra reuzel of olie) en bak ze in ca. 7 minuten mooi goudbruin. Laat de knoflooksnippers ca. 1 minuut meebakken, voeg dan de tomaat toe en laat het geheel 5 minuten pruttelen; roer af en toe.
    Spoel intussen de courgetteblokjes onder de koude kraan en dep ze droog met keukenpapier. Roer de courgetteblokjes, het vlees, de chilipeper en de maïskorrels door het uimengsel, voeg ook de gedroogde kruiden, de laurierblaadjes en - eventueel - de *epazote* toe en giet er 3 1/2 dl water bij. Breng het vocht aan de kook en laat het geheel op een vrij laag vuur ca. 30 minuten zachtjes sudderen, tot het vlees gaar is en het vocht vrijwel volledig is geabsorbeerd. Breng het gerecht op smaak met zout, schep het in een schaal en bestrooi het met de in blokjes gesneden verse kaas.

KEUKENNOTITIES

Technieken

»   *Het laten uitlekken van de courgettes:* Zie pag. 137

Ingrediënten

»   *Chile poblano:* Deze chilipeper kan worden vervangen door 2 lichtgroene Turkse of Marokkaanse pepers (geroosterd, ontveld, van zaadjes ontdaan en in blokjes gesneden) of zoveel verse groene lomboks (ontdaan van zaadjes en fijngesneden) als u kunt verdragen.

Voetnoot van de vertaalster

»   *De hoeveelheden:* Met 'theelepel' wordt de internationale standaardtheelepel met een inhoud van 5 gram bedoeld en niet het Nederlandse theelepeltje van 3 gram.

(Voor)bereidingstijd

»   De bereidingstijd bedraagt ca. 1 1/2 uur, waarvan ca. de helft nodig is voor het gaar sudderen van het vlees. U kunt het gerecht desgewenst 1 of 2 dagen van tevoren maken; bewaar het in dat geval afgedekt in de koelkast, warm het langzaam op (met het deksel op de pan) en bestrooi het vlak voor het serveren met de kaasblokjes.

TRADITIONELE VARIATIES

»   Het varkensvlees kan desgewenst worden vervangen door mager rundvlees of kipfilets (gebruik in het laatste geval kippebouillon in plaats van water en doe de voorgebakken kipblokjes pas 5-10 minuten voor het serveren bij de overige ingrediënten). U kunt het vlees ook helemaal weglaten; vervang in dat geval het water door 1/4 liter kippebouillon. Het groentegerecht dat op die manier ontstaat, bewijst goede diensten als bijgerecht bij vlees of gevogelte.

Tomatillos

GROTE GARNALEN MET LIMOENDRESSING EN KROKANTE GROENTEN

Camarones a la Vinagreta

Deze tacovulling, gebaseerd op het recept van een *taquería*-kokkin uit Yucatán, is verrassend licht en simpel, waardoor ze uitstekend kan worden gecombineerd met een van de zwaardere vullingen. Met tortilla's of brood en een romige aardappelsalade erbij kunnen de garnalen dienst doen als een zomerse maaltijd, maar u kunt ze natuurlijk ook als voorgerecht serveren.

Voor 12 taco's oftewel voldoende als licht hoofdgerecht voor 4 personen:

> 1 limoen, doormidden gesneden
> 300-350 rauwe ongepelde grote garnalen (diepvries)
> 1/2 theelepel zwarte peper, grof gemalen
> 1/4 theelepel pimentkorrels, gekneusd of grof gemalen
> 3 laurierblaadjes
> 1/2 kleine rode ui, in blokjes van ca. 1/2 cm gesneden
> 1 rijpe tomaat, ontdaan van de zaadjes en de harde kern en in blokjes van
>   ca. 1/2 cm gesneden
> 5 radijsjes, in piepkleine blokjes gesneden
> 1 1/2 eetlepel verse fijngehakte koriander
> 2 1/2 eetlepel vers geperst limoensap
> 5 eetlepels plantaardige olie (waarvan de helft olijfolie)
> zout

voor de garnering:
> 2 of 3 slabladeren (kropsla of bindsla)
> een paar takjes koriander en/of radijsroosjes

1. *De garnalen:* Laat de garnalen ontdooien. Pers de limoenhelften uit boven een middelgrote (steel)pan, giet er 1 liter water bij en voeg de uitgeperste limoenen, de peper, de piment en de laurierblaadjes toe. Breng het water aan de kook en laat het op een laag vuur, met het deksel op de pan, ca. 10 minuten zachtjes trekken. Draai het vuur weer hoog, voeg de garnalen toe, leg het deksel op de pan terug en wacht tot het water opnieuw begint te koken. Neem dan direct de pan van het vuur, giet het water af (maar zorg dat de garnalen in de pan achterblijven) en laat de garnalen 15 minuten staan in de gesloten pan. Spoel de garnalen daarna onder de koude kraan om het garingsproces stop te zetten. Pel de garnalen, maak een inkeping over de volle lengte van de rug en verwijder het donkere darmkanaal. Snijd de garnalen in stukjes van ca. 1 1/2 cm en doe ze in een kom.
2. *De overige voorbereidingen:* Doe de blokjes ui, tomaat en radijs in de kom met de garnalen en voeg ook de fijngehakte koriander toe. Doe het limoensap, de olie en een mespuntje zout in een jampot met een goed sluitend deksel.
3. *De afwerking en presentatie:* Meng de ingrediënten voor de dressing door de pot stevig op en neer te schudden. Giet de dressing over de garnalen met toebehoren en schep alles zorgvuldig door elkaar; breng de salade – indien nodig – op smaak met zout. Zet de kom afgedekt in de koelkast of maak de salade direct serveerklaar. Bekleed een ondiepe schaal met slabladeren, schep de garnalen in de schaal en garneer het geheel met plukjes koriander en/of radijsroosjes. Serveer direct.

KEUKENNOTITIES

Voetnoot van de vertaalster

»   *De hoeveelheden:* Met 'theelepel' wordt de internationale standaardtheelepel met een inhoud van 5 gram bedoeld en niet het Nederlandse theelepeltje van 3 gram.

(Voor)bereidingstijd

»   De bereidingstijd bedraagt, inclusief het marineren van de garnalen, ca. 1 3/4 uur. U kunt de garnalen enkele uren van tevoren bereiden en pellen; bewaar ze in dat geval – goed afgedekt – in de koelkast. Meng de diverse bestanddelen maximaal 1 uur voor het serveren met de dressing.

TRADITIONELE VARIATIE

»   *Zeebanket met limoendressing:* U kunt de garnalen desgewenst vervangen door 300 à 350 gram gemengde zeedieren: inktvis of octopus (gekookt en in stukjes gesneden), krabvlees, langoustinestaartjes en/of een stevige vissoort (gepocheerd en in stukjes verdeeld).

EIGENTIJDSE VARIATIE

»   *Grote garnalen, jícama en geroosterde chilipepers met limoendressing:* Volg de aanwijzingen in het recept, maar vervang de tomaat door 100 gram in blokjes gesneden *jícama,* 1 grote *chile poblano* of 2 lichtgroene Turkse of Marokkaanse pepers (beide soorten geroosterd, ontveld, van zaadjes ontdaan en in smalle reepjes gesneden) en 2 eetlepels fijngesneden bieslook. Garneer de salade eventueel met ontvliesde sinaasappelpartjes.

Regionale accenten

»   In Mérida (Yucatán), dat een tropisch klimaat heeft, zijn de tacostalletjes gespecialiseerd in warme tortilla's met een koele vulling (*fiambres*). De vullingen bestaan meestal uit lokale vissoorten en schaal- en schelpdieren *en escabeche* dan wel aangemaakt met een limoen-*vinagreta* of de met de tomaten-olijven-kruidensaus die *a la veracruzana* wordt genoemd

KOUDE VULLING VAN KIP EN AVOCADO MET *CHILES CHIPOTLES*

Pollo, Aguacate y Chile Chipotle en Frío

In dit recept, afkomstig uit een *taquería* in Mexico-Stad, wordt gekookte kip gecombineerd met groenten, avocado, *chipotles* en een lichte dressing; het eindresultaat kan worden beschouwd als een variant van de *salpicón* van pag. 93. U kunt de kip, met warme tortilla's of knapperig stokbrood en een frisse salade, serveren als een zomerse maaltijd en er desgewenst – heel on-Mexicaans – een gekoelde Elzasser wijn bij schenken.

Voor 12 taco's oftewel voldoende als licht hoofdgerecht voor 4 personen:

    1 flinke kippepoot of 1 kleine dubbele kipfilet
    zout
    200 gram vastkokende aardappelen, doormidden gesneden
    200 gram worteltjes, geschrapt en in stukjes van ca. 3 1/2 cm gesneden
    4 eetlepels ciderazijn
    1 theelepel gedroogde oregano
    2-4 *chiles chipotles* uit blik, ontdaan van de zaadjes en in smalle reepjes gesneden
    1/4 kleine ui, fijngehakt
    4 grote slabladeren (bij voorkeur bindsla), in reepjes van ca. 1 cm breedte gesneden
    1 rijpe avocado, ontdaan van de schil en de pit en in kleine blokjes gesneden
    4 eetlepels plantaardige olie

voor de garnering:
    slabladeren
    1 dunne plak ui, in ringen verdeeld

1. *De kip, de groenten en de dressing*: Breng 1/2 liter water aan de kook in een middelgrote pan, voeg de kippepoot of kipfilet en 1/2 theelepel zout toe en wacht tot het water opnieuw begint te koken. Schep het schuim af dat komt bovendrijven, draai het vuur iets lager, leg een deksel schuin op de pan en laat de kip zachtjes gaar pocheren; reken ca. 25 minuten voor een kippepoot en ca. 15 minuten voor een kipfilet. Laat de kip afkoelen in de bouillon.

   Kook intussen de aardappelen en de worteltjes in 12-15 minuten nèt gaar in lichtgezouten water. Spoel de worteltjes onder de koude kraan en pel de aardappelen. Snijd beide in blokjes van ca. 1 cm en doe ze in een kom.

   Verwijder het vel en ontbeen de kippepoot of snijd de kipfilet overdwars in 3 stukken. Scheur het kippevlees in kleinere stukjes en doe ze in de kom met de aardappel- en wortelblokjes.

   Ontvet het kookvocht van de kip. Meng 3 eetlepels van het kookvocht met de ciderazijn, de oregano en een beetje zout en giet het mengsel in de kom. Voeg de *chipotle*-reepjes en de uisnippers toe, schep alles door elkaar en zet de kom – afgedekt met folie – 45 minuten in de koelkast of op een niet te warme plaats in de keuken.

2. *De afwerking*: Meng de ingrediënten in de kom vlak voor het serveren met de in reepjes gesneden sla en de avocadoblokjes, besprenkel het geheel met olie en hussel alles nogmaals luchtig door elkaar.

   Bekleed een platte schaal met slabladeren en schep hierop de salade. Garneer de salade met uiringen en serveer direct.

Krokant gebakken taco's

KEUKENNOTITIES
Ingrediënten

» *Chiles chipotles*: Dit gerecht dankt zijn speciale karakter aan het gebruik van *chipotles*, maar als u ze niet kunt krijgen, kunt u ingemaakte *jalapeños* of een andere in azijn ingemaakte groene peper gebruiken en de salade vlak voor het opdienen bestrooien met fijngehakte verse koriander. Overigens worden dit soort salades in Mexico-Stad vaak gemaakt met in azijn ingemaakte *chipotles* (dus niet met de algemeen verkrijgbare in *adobe* ingeblikte pepers).

Voetnoot van de vertaalster

» *De hoeveelheden*: Met 'theelepel' wordt de internationale standaardtheelepel met een inhoud van 5 gram bedoeld en niet het Nederlandse theelepeltje van 3 gram.

(Voor)bereidingstijd

» De feitelijke bereiding vergt niet meer dan ca. 45 minuten, maar u moet wel enkele uren van tevoren met de voorbereidingen beginnen. Desgewenst kunt u het mengsel van kip, aardappel en wortel een hele nacht laten marineren (in de koelkast) en de salade zo'n kwartier voor het serveren afmaken.

TRADITIONELE VARIATIES

» Zoals de meeste salades biedt ook deze salade ruime mogelijkheden voor persoonlijke varianten. De kip kan bijvoorbeeld worden vervangen door in reepjes gesneden ham of restjes varkens- dan wel rundvlees.

EIGENTIJDSE VARIATIE

» *Salade van gerookte kip met avocado en chipotles*: Vervang de gepocheerde kip door 125-150 gram gerookte kipfilet en serveer de salade op een bedje van krulsla.

GEBAKKEN KIPPELEVERS MET *TOMATILLO*-SAUS
Azadura con Salsa Verde

In alle kleine eetstalletjes en stoepkraampjes van Querétaro staan de sauzen met vlees klaar om als vulling voor broodjes, *tacos de cazuela* of *gorditas* (gerezen 'broodjes' van *masa*) te worden gebruikt. Een van die vullingen is *azadura* (letterlijk 'ingewanden'), die in dit geval bestaat uit gebakken kippelevers met een frisse *tomatillo*-saus. In combinatie met warme tortilla's en een salade van *jícama* (pag. 97) vormen de levers een complete maaltijd. Maar u zou ze, gegarneerd met warme hardgekookte eieren, ook als brunchgerecht kunnen serveren.

Voor 10 taco's oftewel voldoende als licht hoofdgerecht voor 3 à 4 personen:

> 3 à 3 1/2 dl gekookte *tomatillo*-chilisaus (pag. 44), bereid zoals hieronder beschreven in stap 1
> 500 gram kippelevers
> ca. 40 gram bloem
> zout
> 2 eetlepels reuzel of plantaardige olie
> 1/2 middelgrote ui, in dunne ringen gesneden
> 1 eetlepel fijngehakte ui
> 1 eetlepel fijngehakte verse koriander

1. *De saus*: Maak de saus volgens de aanwijzingen op pag. 44, maar gebruik slechts de helft van de voorgeschreven hoeveelheden en laat de saus 5 minuten langer inkoken, tot ze zo dik is als tomatenketchup. Neem de pan van vuur en laat de saus afkoelen.
2. *Het bakken van de kippelevers en de ui*: Spoel de levers af en verwijder eventueel aanwezige vliesjes en bloedstolsels; dep de levers droog met keukenpapier en snijd ze doormidden. Meng de bloem in een diep bord met 1/2 theelepel zout.
   Verhit de reuzel of olie in een grote koekepan en bak de uiringen op een matig hoog vuur tot ze glazig zijn. Wentel de kippelevers snel door het bloem-zout-mengsel en schud de overtollige bloem eraf. Draai het vuur onder de pan iets hoger, voeg de levertjes toe en bak ze onder regelmatig omscheppen in 6 à 8 minuten mooi bruin (vanbinnen moeten ze enigszins roze blijven).
3. *De afwerking*: Warm de *tomatillo*-saus op terwijl de levertjes bakken; als de saus te dik is uitgevallen, kunt u haar verdunnen met een scheutje water. Schep de kippelevers op een voorverwarmde schaal en giet de warme saus erover. Bestrooi het geheel met een mengsel van fijngehakte ui en verse koriander en serveer direct.

KEUKENNOTITIES
Voetnoot van de vertaalster

» *De hoeveelheden*: Met 'theelepel' wordt de internationale standaardtheelepel met een inhoud van 5 gram bedoeld en niet het Nederlandse theelepeltje van 3 gram.

(Voor)bereidingstijd

» De bereiding van de *tomatillo*-saus vergt ca. 30 minuten en kan van tevoren worden gedaan. Begin ca. 20 minuten voor het serveren met het bakken van de uiringen en de levers.

EIGENTIJDSE VARIATIE

» *Gebakken kippelevers met tomatillosaus en grove mosterd*: Gebruik bij de bereiding van de *tomatillo*-saus een dubbele hoeveelheid koriander en 3 geroosterde knoflookteentjes en verrijk de saus op het laatst met 2 eetlepels grove mosterd. Ga verder te werk volgens de aanwijzingen in het recept.

GEKOOKT EN DAARNA GEBAKKEN 'DRAADJESVLEES' MET TOMATEN, CHILIPEPERS EN LENTE-UITJES

Carne Deshebrada a la Norteña

In heel Mexico worden gerechten en snacks gemaakt van gekookt, in draadjes uiteengeplozen rundvlees, maar nergens is die gewoonte zo ingeburgerd en het resultaat zo smakelijk als in het noorden. De combinatie van 'draadjesvlees', tomaten, chilipepers en lente-uitjes wordt daar niet alleen gebruikt als vulling voor zachte taco's, maar ook als beleg voor *tostadas* (pag. 154), die in dit deel van het land overigens *flautas* worden genoemd, en als vulling voor *chivichangas* (pag. 158). Onderstaand gerecht vormt, samen met tarwetortilla's, *frijoles refritos* (pag. 314) en een salade een complete maaltijd.

Voor 10 taco's oftewel voldoende als hoofdgerecht voor 3 à 4 personen:

500 gram mager rundvlees (riblappen, sukadevlees of klapstuk), in dobbelstenen van ca. 4 cm gesneden
zout
1 middelgrote ui, doormidden gesneden
3 knoflookteentjes, gepeld
3 eetlepels reuzel of plantaardige olie
250 gram rijpe tomaten, gekookt of geroosterd (pag. 404), ontveld, van de harde kern ontdaan en fijngehakt of 1 blik (à 4 dl) ontvelde tomaten, uitgelekt en in stukjes gesneden
2 grote lente-uitjes, ontdaan van het worteluiteinde en in stukjes van ca. 6 mm gesneden
1-3 verse groene lomboks*, ontdaan van de steeltjes en zaadjes en fijngehakt

1. *Het vlees*: Breng in een grote pan 2 liter water op een hoog vuur aan de kook. Voeg het vlees en 1 theelepel zout toe en schep het schuim af dat in de eerste minuten komt bovendrijven. Draai het vuur lager, zodat het zachtjes borrelt. Snijd de ene helft van de ui in ringen en doe ze in de pan. Snijd 1 knoflookteentje doormidden en doe het eveneens in de pan. Leg een deksel schuin op de pan en laat het vlees zachtjes koken tot het gaar is (1 à 2 uur, afhankelijk van het soort vlees). Laat het vlees daarna afkoelen in de bouillon. Schep het vlees met een schuimspaan uit de pan en verdeel het in draadjes (zie Keukennotities). Zeef de bouillon en ontvet hem.
2. *De afwerking*: Hak de overgebleven halve ui en de twee knoflookteentjes fijn. Verhit de reuzel of olie in een grote, zware koekepan. Voeg, zodra het vet heet is, de uisnippers en het uitgeplozen vlees toe en roerbak het geheel 8 à 10 minuten, op een matig hoog vuur, tot het vlees mooi bruin is. Draai het vuur iets lager, voeg de gehakte knoflook, de tomaten, de lente-uitjes en de chilipeper toe en laat alles nog een minuut of 4 zachtjes sudderen, tot de tomaten zacht zijn. Voeg dan 1 1/2 dl gezeefde runderbouillon toe, breng de bouillon aan de kook en laat de saus 10-15 minuten zachtjes inkoken, tot de vloeistof vrijwel volledig is verdampt. Breng het gerecht op smaak met zout en serveer direct.

KEUKENNOTITIES

Technieken

» Het in draadjes uiteenpluizen van gekookt rundvlees: Sommige vleessoorten zijn steviger en compacter dan andere, waardoor het uiteenpluizen soms iets meer moeite kost. U kunt het vlees in dat geval in kleine stukjes scheuren en de stukjes – met kleine hoeveelheden tegelijk – in de foodprocessor fijnmaken (gebruik daarbij de pulseerknop of schakel de machine drie- of viermaal snel achter elkaar aan en uit). U kunt de stukjes echter ook met behulp van twee vorken uit elkaar trekken (dit levert uiteraard een mooiere 'draadjes-structuur' op).

Voetnoot van de vertaalster

» De chilipepers: In het oorspronkelijke recept schrijft Rick Bayless 2-3 verse chiles poblanos of 1-2 verse chiles jalapeños voor.

(Voor)bereidingstijd

» De bereidingstijd bedraagt minstens 2 uur, maar het grootste deel van die tijd wordt in beslag genomen door het koken van het vlees. Desgewenst kunt u het gerecht 1 tot 4 dagen van tevoren klaarmaken en het vlak voor het serveren opwarmen. Bewaar het gerecht in dat geval afgedekt in de koelkast.

TRADITIONELE VARIATIES

» 'Draadjesvlees' met chiles poblanos of andere milde pepers: Vervang de hete pepers door 2 à 3 grote chiles poblanos of 3 à 4 lichtgroene Turkse of Marokkaanse pepers (in beide gevallen geroosterd, ontveld, van zaadjes ontdaan en fijngesneden).

» Varkensvlees a la Veracruzana: Vervang het rundvlees door 500 gram ontbeende varkensschouder en de lente-uitjes en groene chilipepers door 2 chiles chipotles uit blik (ontdaan van de zaadjes en in reepjes gesneden) plus 2 à 3 met azijn ingemaakte (pag. 390) chiles jalapeños (ontdaan van de zaadjes en in reepjes gesneden); ga verder te werk volgens de aanwijzingen in het recept.

» 'Draadjesvlees' van kip: Gebruik in plaats van rundvlees 2 kipfilets. Pocheer de filets volgens het recept op pag. 65 en bewaar de bouillon. Scheur het kippevlees in vrij grove reepjes. Ga verder te werk zoals beschreven in stap 2 van het recept, maar voeg het kippevlees pas toe als de bouillon vrijwel volledig is verdampt.

GROF GEMALEN VARKENSVLEES MET AMANDELEN, ROZIJNEN EN SPECERIJEN

Picadillo Oaxaqueño

De *picadillo* uit Oaxaca heeft weinig gemeen met de nietszeggende, soep-achtige *picadillos* van gehakt en aardappelen die in de rest van Mexico worden gegeten. Dit zoet gekruide mengsel van gemalen vlees, tomaten, rozijnen en amandelen kan niet alleen dienst doen als vulling van zachte taco's, maar ook als die van *chiles rellenos* (pag. 284) of *picadillo*-pasteitjes (pag. 167). De naam *picadillo* is overigens afgeleid van het werkwoord *picar*, dat onder andere 'fijnmalen' betekent.

Voor 12 taco's oftewel voldoende als hoofdgerecht voor 4 personen:

> 600-700 gram rijpe tomaten, geroosterd of gekookt (pag. 404), ontveld, van de harde
> kern ontdaan en grof gesneden of 1 groot blik ontvelde tomaten (*niet* uitgelekt)
> 1 1/2 eetlepel plantaardige olie
> 1 middelgrote ui, gepeld en fijngehakt
> 1 knoflookteentje, ontveld en fijngehakt
> 600 gram grof gemalen mager varkensvlees (zie Keukennotities)
> 1/2 theelepel zwarte peperkorrels (of ca. 3/4 theelepel gemalen peper)
> 1 stukje pijpkaneel van ca. 2 1/2 cm (of ca. 1 theelepel kaneelpoeder)
> 5 kruidnagels (of 1 flinke mespunt kruidnagelpoeder)
> 30 gram rozijnen
> 4 theelepels ciderazijn
> 10 gram geschaafde amandelen
> zout

1. *De tomaten*: Pureer ontvelde verse tomaten in een blender of foodprocessor, onder toevoeging van 3/4 dl water tot u een gladde, vloeibare puree hebt verkregen of pureer de tomaten uit blik samen met hun eigen vocht.
2. *Het vlees*: Verhit de olie in een grote koekepan en fruit de uisnippers op een matig hoog vuur tot ze goudgeel en glazig zijn. Laat de fijngehakte knoflook ca. 2 minuten meefruiten. Voeg dan het vlees toe en bak het onder regelmatig omscheppen lichtbruin en gaar (giet het eventueel vrijgekomen vet uit de pan).
3. *De afwerking*: Maak de peperkorrels, de kaneel en de kruidnagels fijn in een vijzel of specerijenmolentje en strooi het aldus verkregen poeder over het vlees. Voeg ook de tomatenpuree, de rozijnen en de azijn toe, breng het geheel aan de kook en laat het mengsel 30 tot 45 minuten (afhankelijk van het vochtgehalte van de tomaten) pruttelen en inkoken tot een dikke massa. Rooster intussen de geschaafde amandelen onder regelmatig omschudden mooi lichtbruin in een droge koekepan. Roer de amandelen door het vleesmengsel, breng het geheel op smaak met zout en serveer direct.

KEUKENNOTITIES
Ingrediënten
» *Grof gemalen vlees*: Kant en klaar gekocht varkensgehakt bevat doorgaans veel vet en vocht. Voor een smakelijk eindresultaat kunt u beter een stuk mager varkensvlees kopen (bijvoorbeeld ontbeende schouder) en dit eenmaal door een vleesmolen draaien (gebruik het voorzetstuk met de grootste gaatjes) of – met kleine hoeveelheden tegelijk – fijnhakken in een foodprocessor.

Voetnoot van de vertaalster
» *De hoeveelheden*: Met 'theelepel' wordt de internationale standaardtheelepel met een inhoud van 5 gram bedoeld en niet het Nederlandse theelepeltje van 3 gram.

(Voor)bereidingstijd
» De totale bereidingstijd bedraagt ca. 1 uur, waarvan de helft nodig is voor het inkoken van de saus. Desgewenst kunt u de *picadillo* 1-3 dagen van tevoren maken en na afkoeling – afgedekt – in de koelkast bewaren.

TRADITIONELE VARIATIES

» *Noordmexicaanse picadillo:* Begin direct met stap 2 (stap 1 kan worden overgeslagen), maar vervang het varkensvlees door grof gemalen rundvlees en gebruik 4 knoflookteentjes in plaats van één. Voeg na het aanbraden toe: 1 klein blik (à 4 dl) ontvelde tomaten (uitgelekt en grof gesneden), 2 theelepels gemengde gedroogde kruiden, 1/2 theelepel gemalen zwarte peper, 30 gram rozijnen, 20-25 groene olijven (ontpit en fijngesneden) en zout naar smaak. Laat het geheel zachtjes pruttelen tot het vocht vrijwel volledig is verdampt.

» *Picadillo van varkens'draadjesvlees':* Snijd 600 à 700 gram ontbeende varkensschouder in flinke dobbelstenen en kook het vlees gaar in lichtgezouten water. Laat het vlees afkoelen en verdeel het met de vingers of twee vorken in fijne draadjes. Volg voor het overige de aanwijzingen in het recept (waarschijnlijk zult u iets meer olie nodig hebben).

» *Oaxacaanse picadillo met bakbanaan:* Bereid de *picadillo* volgens de aanwijzingen in het recept. Snijd, terwijl de vleesmassa inkookt, 1 rijpe bakbanaan in kleine blokjes en bak de blokjes goudbruin in een scheutje hete olie. Roer de banaanblokjes tegelijk met de amandelen door het vleesmengsel.

EIGENTIJDSE VARIATIE

» *Picadillo met rode chilipepers:* Verwijder de zaadjes uit 4 grote gedroogde *chiles anchos,* rooster de pepers (pag. 385) en week ze in water tot ze zacht zijn. Gebruik de helft van de voorgeschreven hoeveelheid verse of ingeblikte tomaten en pureer ze samen met de chilipepers. Wrijf de puree door een zeef. Bereid de *picadillo* volgens de aanwijzingen in het recept, maar vervang de tomatenpuree door de tomaten-chilipuree.

AARDAPPELEN MET MEXICAANSE *CHORIZO*
Papas y Chorizo

Boven vrijwel alle openlucht tacostalletjes hangt een naakte gloeilamp, in het flauwe schijnsel waarvan je je kunt verlustigen in een aards en tegelijk hemels tafereel. De aardappelen en worstjes die op het hete metaal liggen te knetteren en te knisperen verspreiden een veelbelovende geur en het is of je de hitte van de pepers die ernaast liggen kunt proeven. Dit is het decor van de licht vettige taco's die je 's avonds laat op straat eet. Het plezierige van straatvoedsel schuilt dan ook niet alleen in het voedsel zelf, maar ook in de sfeer, het gevoel van saamhorigheid en de gloed van het vuur.

Het is gebruikelijk om deze aardappel-*chorizo*-vulling vlak voor het opdienen te bestrooien met een mengsel van fijngehakte ui en verse koriander en er een groene *tomatillo*-saus bij te serveren. U kunt het worstmengsel echter ook heel on-Mexicaans gebruiken als vulling van grote champignonhoedjes.

Voor 12 taco's oftewel voldoende als hoofdgerecht voor 4 personen:

ca. 500 gram vastkokende aardappelen, doormidden gesneden
2 eetlepels plantaardige olie
200-250 gram Mexicaanse *chorizo*, zelfgemaakt (pag. 57) of uit de diepvries, het vel verwijderd
1 ui, fijngehakt
zout (indien nodig)

1. *De aardappelen*: Kook de aardappelen bijna gaar in lichtgezouten water en giet ze af. Pel de aardappelen als u dat nodig vindt en snijd ze in blokjes van ca. 2 cm.
2. *De chorizo*: Verhit de olie in een grote koekepan en bak de chorizo ca. 10 minuten op een vrij laag vuur, tot het worstvlees rul en kruimelig is. Schep het vlees met een schuimspaan uit de pan en zorg dat het vet goeddeels in de pan achterblijft. Giet op ca. 2 eetlepels na al het vet uit de pan.
3. *De afwerking*: Bak de aardappelen en de uisnippers op een matig hoog vuur, onder regelmatig omscheppen, in ca. 15 minuten mooi goudbruin. Voeg de gebakken *chorizo* toe en laat het geheel goed doorwarmen; roer af en toe. Breng het mengsel – indien nodig – op smaak met zout en serveer direct.

KEUKENNOTITIES
(Voor)bereidingstijd

» De bereidingstijd van het hele gerecht bedraagt ca. 40 minuten. U kunt de aardappelen en de *chorizo* eventueel enkele uren of een hele dag van tevoren bereiden en ze – afgedekt – in de koelkast bewaren. Begin ca. 20 minuten voor het serveren met stap 3. U kunt het gerecht, losjes afgedekt met aluminiumfolie, eventueel warm houden in de op de laagste stand voorverwarmde oven of – als u het volledig hebt laten afkoelen – vlak voor het opdienen snel opwarmen (zonder folie) in de op 200° C voorverwarmde oven.

TRADITIONELE VARIATIES

» *Aardappelen en chorizo met tomaat en/of chile poblano*: Voeg tijdens stap 3 aan de gebakken aardappelen naar keuze toe: 1 grote *chile poblano* (geroosterd, ontveld, van zaadjes ontdaan en in reepjes gesneden) en/of 1 à 2 tomaten (geroosterd of gekookt, ontveld en fijngesneden), laat de tomaat even meesudderen alvorens de *chorizo* toe te voegen (de saus wordt gladder van textuur als u, tegelijk met de *chorizo*, 4 eetlepels water door de massa roert).

EIGENTIJDSE VARIATIES

» *Aardappelen met chorizo en bakbanaan*: Vervang de helft van de aardappelen door een gelijke hoeveelheid in blokjes gesneden bakbanaan en bak de banaan mee met de aardappelen. Voeg, tegelijk met de chorizo, een handjevol gewelde rozijnen, een eetlepel geroosterde geschaafde amandelen en/of in reepjes gesneden *chile chipotle* toe.

BIEFSTUKREEPJES MET GEBAKKEN UIEN
Bistec Encebollado

Bij het vallen van de avond verschijnen vrijwel overal in Mexico draagbare butagas-grills op straat en in de parken, waardoor de geuren van de stad worden overvleugeld door die van geroosterd vlees en gebruinde zoete uien. Dit gerecht, waaraan u gemakkelijk verslaafd kunt raken, wordt doorgaans geserveerd met warme maïs- of tarwetortilla's en een grove *guacamole* (pag. 46) of rode chilisaus (pag. 38).

Voor 12 taco's oftewel voldoende als licht hoofdgerecht voor 4 personen:

> 500 gram dunne biefstukken of bieflappen (zie Keukennotities)
> zout en vers gemalen peper
> ca. 3 eetlepels plantaardige olie
> 1 grote ui, fijngehakt of in ringen gesneden
> 2 grote knoflookteentjes, gepeld en fijngehakt

1. *Het vlees*: Dep de biefstukken of -lappen droog met keukenpapier en bestrooi ze met zout en peper. Verhit de olie in een grote, zware koekepan en laat het vlees op een vrij hoog vuur aan beide kanten dichtschroeien en bruin kleuren (reken 1 à 2 minuten per kant). Leg de biefstukken daarna op een rooster (met een bord eronder om de sappen op te vangen) en houd ze warm in de op de laagste stand voorverwarmde oven. Draai het vuur onder de pan iets lager.
2. *De ui*: Bak de uisnippers of -ringen in het achtergebleven vet onder regelmatig omscheppen in ca. 10 minuten mooi goudbruin. Voeg de knoflook toe en laat de snippers ca. 2 minuten meebakken.
3. *De afwerking*: Snijd het vlees haaks op de draad in smalle reepjes en doe de reepjes, zodra de uien bruin en gaar zijn, in de koekepan (als het vlees nogal taai is, kunt u het beter in kleine stukjes snijden). Laat het vlees al roerende even meewarmen. Breng het geheel – indien nodig – op smaak met zout en serveer het vlees-uienmengsel in een voorverwarmde diepe schaal.

KEUKENNOTITIES
Technieken
» *Het bakken van het vlees*: Als de olie en de pan goed heet zijn op het moment dat u het vlees erin doet, zal het vlees ogenblikkelijk dichtschroeien en zal zich een fraai korstje vormen; als u het vlees te vroeg in de pan doet, blijft het bleek en verliest het zijn sappen.

Ingrediënten
» *Het vlees*: Mexicaanse *bisteces* worden vaak gesneden uit de minder malse delen van het rund en met een houten hamer bewerkt om het vlees zachter te maken. Voor dit gerecht hoeft u dan ook geen dure biefstuk van de haas of entrecôte te gebruiken. Gewone bieflappen voldoen uitstekend, maar u zou uw slager ook om 'runderschnitzel' kunnen vragen. Mexicaanse tacoverkopers gebruiken voor dit gerecht ook wel dun gesneden *cecina* (pag. 60); dit vlees is echter tamelijk taai, reden waarom het niet in reepjes wordt gesneden, maar in kleine stukjes.

(Voor)bereidingstijd

» De bereiding van dit gerecht vergt ongeveer 25 minuten; er zijn geen onderdelen die van tevoren kunnen worden gemaakt.

EIGENTIJDSE VARIATIES

» Er zijn allerlei kleine variaties mogelijk: U zou het vlees vooraf kunnen marineren (zie pag. 283); u zou de blonde ui kunnen vervangen door een rode ui en in plaats van 2 rauwe knoflookteentjes zou u 4 geroosterde teentjes kunnen gebruiken. En natuurlijk kunt u aan het geheel 1 of meer in reepjes gesneden geroosterde chilipepers (pag. 385) toevoegen (het maakt niet uit welk type peper u kiest).

GEBAKKEN VARKENSVLEES IN CHILI-MARINADE
Puerco Enchilado a la Plancha

Deze typisch Mexicaans gekruide tacovulling heb ik niet ontdekt bij een van de mobiele eetkraampjes, maar bij de kleine *taquerías* die je in steden als Toluca, Oaxaca, San Luis Potosí en Chilpancingo in de nabijheid van busstations en markthallen kunt vinden. *Puerco enchilado* is een van hun specialiteiten. Deze vulling is het lekkerst in combinatie met een vers gebakken tortilla, een beetje groene *tomatillo*-saus (pag. 37) en een garnering van in reepjes gesneden geroosterde *chiles poblanos* (pag. 390).

Voor 12 taco's oftewel voldoende als licht hoofdgerecht voor 4 personen:

ca. 500 gram varkensvlees in chili-marinade (pag. 63)
ca. 2 eetlepels plantaardige olie

1. *Het bakken van het vlees*: Snijd de strook varkensvlees in stukken die in uw grootste koekepan passen en strijk de *adobo*-marinade met een kwastje gelijkmatig uit over het vlees.
   Verhit, ca. 15 minuten voor het serveren, een grote koekepan op een matig hoog vuur en giet de olie erin (er moet voldoende zijn om de hele bodem met een waasje olie te bedekken). Leg, zodra de olie heet is, een aantal stroken vlees in de pan en bak ze ca. 2 minuten per kant. Neem de stroken uit de pan, leg ze op een rooster (met een schaal eronder om de sappen op te vangen) en houd ze warm in de op de laagste stand voorverwarmde oven. Bak de rest van het vlees op dezelfde manier (voeg tussendoor eventueel nog wat olie toe) en laat ook de laatst gebakken hoeveelheid een paar minuten rusten in de warme oven.
2. *De presentatie*: Snijd het vlees vlak voor het opdienen haaks op de draad in smalle reepjes, doe de reepjes in een voorverwarmde schaal en zet de schaal op tafel.

KEUKENNOTITIES

Technieken

» *Het bakken van met chilipasta gemarineerd vlees:* Gebruik een koekepan die goed 'ingebrand' is of een pan voorzien van een anti-aanbaklaag en zorg dat de hittebron niet te hoog is, anders bestaat de kans dat de marinadepasta aan de bodem vastplakt en verbrandt. Als u een goede pan gebruikt, met de juiste hoeveelheid olie, zullen de vlokjes chilipasta die tijdens het bakken loslaten en in de pan terechtkomen niet verbranden; als u het vlees in drie of meer 'ladingen' moet bakken, is het verstandig om eventuele losse stukjes chilipasta die in de pan zijn achtergebleven met een lepeltje te verwijderen.

(Voor)bereidingstijd

» Het bakken van het gemarineerde vlees duurt niet langer dan ca. 15 minuten; het van tevoren bakken en vervolgens warmhouden of opwarmen is niet aan te raden.

ZACHTE TACO'S MET VULLINGEN VAN DE HOUTSKOOLGRILL

Tacos al Carbón

Jarenlang hebben de zogeheten kenners van de Mexicaanse keuken geen goed woord overgehad voor de houtvuurtjes en de bergen gloeiende houtskool waarop dunne lappen vlees werden geroosterd en aardewerken potten met bonen, *pozole* en *menudo* werden verhit. Tot op de dag van vandaag vinden de meeste Mexicaanse fijnproevers die bereidingstechniek maar een primitieve bedoening, op z'n hoogst bruikbaar voor het roosteren van biefstuk of geitevlees, maar niet voor de bereiding van serieuze gerechten. Maar ik ben opgegroeid in een gezin dat brood op de plank had door andere gezinnen te voorzien van boven hickoryhout gerookte vleeswaren en dus ben ik altijd meer gefascineerd geweest door het effect van levend vuur dan door de mogelijkheden die gasfornuizen en elektrische kookplaten te bieden hebben.

Boven houtskool geroosterd vlees (alsook de taco's die ermee worden gemaakt) waren lange tijd een specialiteit van de noordelijke deelstaten. Maar de *tacos al carbón* werden op een gegeven moment zo populair dat in vrijwel het hele land *taquerías* zijn ontstaan die er een houtskoolgrill op na houden; in veel gevallen serveren ze zelfs de uit het noorden afkomstige tarwetortilla's, althans, als die verkrijgbaar zijn.

Tacos al carbón zijn gemakkelijk te maken en uitstekend geschikt als hoofdbestanddeel van een lichte zomermaaltijd of een etentje in de tuin. De bijgerechten kunnen van tevoren worden gemaakt, zodat u vlak voordat u wilt gaan eten alleen nog maar het vlees hoeft te roosteren op de ruim van te voren aangestoken barbecue. Voor een Mexicaans barbecuefestijn zou u eigenlijk, vooropgesteld dat uw barbecue groot genoeg is voor een omvangrijk gezelschap, zo'n 8 of 10 mensen moeten uitnodigen. In het ideale geval moet het rooster van de barbecue ruim genoeg zijn om er een stuk folie van 30x30 cm op te kunnen leggen voor het warm houden van geroosterde lente-uitjes, verder moet er plaats zijn voor twee aardewerken schalen met een diameter van ca. 20 cm (een voor de bonen en een voor de tortilla's) en dan moet er nog ruimte over zijn voor het te roosteren vlees. (Als uw barbecue niet voldoet aan deze eisen, kunt u een deel van de gerechten uiteraard gewoon op het fornuis bereiden en warm houden. F.Z.) Zorg dat het merendeel van de gloeiende houtskool daar ligt waar u het vlees wilt roosteren en maar een handvol kooltjes onder de folie en de beide schalen. Leg in de buurt van de barbecue een snijplank plus mes klaar en zet schaaltjes en kommetjes met condimenten en sauzen op tafel. Rooster een paar bosjes lente-uitjes en houd de uien warm op een stuk folie terwijl u – met kleine hoeveelheden tegelijk – het vlees roostert. Serveer elke portie vlees met een of twee warme tortilla's, een paar geroosterde lente-uitjes en een kommetje met bonen.

De tortilla's: Warm maïstortilla's ca. 20 minuten voor het begin van de maaltijd op boven stoom (zie pag. 405) en houd ze verder warm op de rand van de barbecue (waar ze zo'n 45 minuten op temperatuur blijven). Tarwetortilla's doen het ook goed bij deze Noordmexicaanse kost: verwarm ze in stapeltjes van 8 of 10 stuks volgens de aanwijzingen op pag. 83, houd ze warm in de op de laagste stand voorverwarmde oven en breng ze stapel voor stapel naar de eettafel. In Mexico worden bij *tacos al carbón* meestal op een vlakke plaat gebakken tortilla's gegeven, maar voor thuisgebruik is dat niet aan te raden.

Mexicaanse biersoorten

MENUSUGGESTIES

» Persoonlijk vind ik dat je bij een barbecuefestijn alles op de barbecue moet bereiden, dus niet alleen de vleesgerechten van de hierna volgende pagina's, maar ook boven houtskool geroosterde lente-uitjes (pag. 325), geroosterde maïskolven (pag. 318) en geroosterde *poblano*reepjes (pag. 325), maar dan bereid op de barbecue. *Frijoles charros* doen het ook altijd goed en zo ook gesmolten kaas met chilipepers en *chorizo* (pag. 89), *guacamole* (pag. 47 of 48), *salsa mexicana* (pag. 35), *chipotle*-chilisaus (pag. 40) en/of rode chilisaus (pag. 38). Ingemaakte uiringen (pag. 52) zijn niet gebruikelijk als bijgerecht bij geroosterd vlees, maar smaken er uitstekend bij. Als zomers nagerecht kies ik meestal ijs of een vruchtensorbet (pag. 351-353).

Ten slotte de dranken: voor bij het eten bier of wijn en wellicht een frisse zomerdrank van *jamaica*-bloesems en om de maaltijd in Mexicaanse sfeer te besluiten raad ik u aan een echt Mexicaanse *café de olla* te maken. Een memorabeler barbecuemenu is welhaast niet denkbaar...

VINKENLAP VAN DE HOUTSKOOLGRILL
Arrachera al Carbón

De vinkenlap, een plat, mager en vrij mals stuk vlees afkomstig van de achtervoet, is een heerlijk stukje rundvlees. In het noorden van Mexico wordt de boven houtskool geroosterde vinkenlap samen met een flinke schep groene *tomatillo*-saus (pag. 37) of grove *guacamole* (pag. 47) en een handjevol geroosterde *poblano*-reepjes in een warme tarwetortilla verpakt. Voor *fajitas*, de 'Tex-Mex'-versie van *arrachera al Carbón*, wordt het vlees doorgaans gemarineerd (zie pag. 283).

Hoewel in alle noordelijke deelstaten dunne plakken vlees boven houtskool worden geroosterd, is de *arrachera* (vinkenlap) eigenlijk alleen maar populair in het noord-oosten van Mexico (met name in Monterrey en omgeving). *Tacos al bistec* zijn inmiddels in heel Mexico verkrijgbaar, dus niet alleen in het noorden, maar overal waar de noorderlingen *taquerías* zijn begonnen. In Hermosillo, in de deelstaat Sonora, beschikken sommige tacoverkopers over een ingenieuze verrijdbare houtskoolgrill voorzien van een schoorsteen en ingebouwde containers voor de diverse sauzen en condimenten. *Tacos al carbón* worden vrijwel altijd geserveerd met een limoenpartje, dat boven het vlees moet worden uitgeknepen.

Voor 12 taco's oftewel voldoende als licht hoofdgerecht voor 4 personen:

> 500 gram vinkenlap, in stroken van 8 cm breedte gesneden (zie Keukennotities)
> 1 limoen, doormidden gesneden
> zout en vers gemalen peper

1. *De voorbereidingen*: Verwijder de eventueel achtergebleven stukjes vet en resten van het zilverachtige vlies, leg het vlees in een schaal en bewaar het afgedekt in de koelkast. Steek, 30-45 minuten voordat u wilt gaan eten, de barbecue aan en neem het vlees uit de koelkast.

2. *Het roosteren van het vlees*: Wacht tot de houtskool gloeiend heet is. Besprenkel het vlees met limoensap en rooster het 2-3 minuten per kant (de exacte tijd is afhankelijk van de dikte van het vlees, de hitte van de houtskool en de gewenste graad van gaarheid; vinkenlap smaak het beste als het vlees roze is).

3. *De afwerking*: Bestrooi het vlees met zout en peper, schuif het naar de rand van het rooster (zodat het warm blijft, maar niet doorgaart) en laat het een paar minuten rusten. Snijd het vlees daarna haaks op de draad in smalle reepjes of in vierkantjes van ruim 1 cm. Doe het vlees in een voorverwarmde schaal en serveer direct.

KEUKENNOTITIES

Technieken

» *Het ontvliezen van de vinkenlap*: De vinkenlap wordt omgeven door een laagje vet en een stug zilverkleurig vlies; vraag de slager om vet en vlies zorgvuldig te verwijderen of doe het zelf. Snijd het vlees daarna met de draad mee in stroken van ca. 8 cm breedte.

Voetnoot van de vertaalster

» *Vinkenlap*: De vinkenlap is een plat stuk vlees met een duidelijk zichtbare vezelstructuur dat zich aan de binnenzijde van de 'vang' bevindt. Het vlees wordt in Nederland meestal verwerkt tot biefstuktartaar. Omdat het in Nederlandse supermarkten en slagerswinkels niet gebruikelijk is vlees aan te bieden onder de vaktechnische namen, zult u in de vitrine tevergeefs naar de vinkenlap zoeken. Maar elke goede slager weet wat u bedoelt als u om een vinkenlap vraagt. Wèl is het zaak het vlees tijdig te bestellen. Als uw slager onverhoopt geen vinkenlap kan leveren, vraag hem dan om 'dunne plaat' (een onderdeel van het spierstuk) of om 'zijlende'.

(Voor)bereidingstijd

» Het op temperatuur brengen van de houtskool duurt 30-45 minuten; het roosteren van het vlees neemt echter maar een paar minuten in beslag.

TRADITIONELE VARIATIES

» *Geroosterd varkensvlees uit Oaxaca*: Snijd ca. 500 gram varkensvlees in chili-marinade (pag. 63) in stukken van ca. 15 cm. Strijk de marinade uit met een kwastje en bestrijk de stukken vlees aan beide kanten met olie. Rooster het vlees 2 à 3 minuten per kant boven gloeiende houtskool, laat het even rusten en snijd het dan overdwars in smalle reepjes. Geef er warme tortilla's, geroosterde *poblano*-reepjes en *salsa verde cruda* (pag. 37) bij.

» *Geroosterde kip met groene chilipepers*: Rooster 1 kip volgens de aanwijzingen op pag. 263. Verwijder de botjes en snijd het vlees in blokjes en stukjes van ca. 2 1/2 cm. Meng het kippevlees met 4 in reepjes gesneden geroosterde *chiles poblanos* (zie recept pag. 390) en serveer het mengsel met warme tortilla's.

KROKANT GEBAKKEN TACO'S

Tacos Dorados

Met dezelfde voorspelbare regelmaat als het verspringen van verkeerslichten, brengen de inwoners van Mexicaanse steden een bezoek aan de helder verlichte eetgelegenheden die *cafetarías* worden genoemd. Het zijn de plekken waar ze typische café-snacks als *tostadas* en *tacos dorados* plegen te nuttigen. *Tacos dorados* (ook wel *tacos de pollo* genoemd) zijn krokante, tot cilinders opgerolde tortilla's gevuld met kip; ze worden doorgaans geserveerd met *guacamole* en dikke room. Onderstaande versie vormt, samen met een portie *frijoles refritos* (pag. 314), een compleet hoofdgerecht. Bij speciale gelegenheden kunt u vooraf soep met garnalenballetjes en geroosterde pepers (pag. 112) geven.

Voor 12 taco's oftewel voldoende als licht hoofdgerecht voor 4 personen:

200-250 gram rijpe tomaten, geroosterd of gekookt, ontveld, van de harde kern ontdaan
  en grof gesneden of ca. 3/4 van een klein (4 dl) blik ontvelde tomaten, uitgelekt en
  grof gesneden
1/2 ui, grof gehakt
1 knoflookteentje, gepeld en grof gesneden
1 eetlepel reuzel of plantaardige olie
ca. 500 gram gepocheerde kip in reepjes (pag. 64)
zout
12 maïstortilla's (bij voorkeur dunne exemplaren)
ca. 2 dl plantaardige olie
8 grote slabladeren (bij voorkeur bindsla)
1/8 liter dikke room (pag. 53), crème fraîche of zure room, verdund met 1 à 2 eetlepels
  melk of koffieroom
ca. 3 dl grove *guacamole* (pag. 47), eventueel
1 eetlepel verkruimelde Mexicaanse *queso fresco* of *queso añejo* (pag. 395) of een andere verse witte kaas, bijv. feta of verse meikaas
radijsjes voor de garnering

1. *De vulling*: Maal de tomaten, de ui en de knoflook in een blender of foodprocessor tot een gladde puree. Verhit de reuzel of olie in een middelgrote koekepan
   en bak de puree op een matig hoog vuur, onder regelmatig roeren, tot u - na
   een minuut of 4 - een dikke saus hebt verkregen. Roer het kippevlees door de
   saus en breng het geheel op smaak met zout.
2. *Het vullen van de tortilla's*: Leg de tortilla's, als ze nog enigszins vochtig zijn,
   naast elkaar op het werkvlak en laat ze een paar minuten drogen. Verhit 4 eetlepels olie in een middelgrote koekepan, op een matig hoog vuur. Bak de tortilla's een voor een 2-3 seconden per kant, om ze zacht te maken, en laat ze uitlekken op keukenpapier. Leg op het midden van elke tortilla (op de denkbeeldi-
   ge as) een paar lepels vulling, rol de tortilla's op en steek het uiteinde vast met
   een cocktailprikker. Dek de tortilla's af met plasticfolie.
3. *Het bakken van de taco's*: Giet de rest van de olie in de koekepan en zet de pan
   weer op een matig hoog vuur. Leg, zodra de olie heet is, de helft van de tacorol-
   letjes in de pan en bak ze, onder regelmatig omdraaien, ca. 4 minuten, tot ze
   rondom bruin en krokant zijn. Laat de taco's uitlekken op keukenpapier en
   houd ze warm in de op de laagste stand voorverwarmde oven terwijl u de rest
   bakt.
4. *De presentatie*: Gebruik 4 slabladeren voor het bekleden van een platte schaal;
   snijd de rest van de sla in smalle reepjes en verdeel de reepjes over het midden
   van de schaal. Leg de taco's naast elkaar op de sla en schep de room erover.
   Schep, eventueel, de *guacamole* in een baan op het midden en bestrooi de avo-
   cadosaus met verkruimelde verse kaas en/of plakjes radijs. Leg hier en daar
   een radijsroosje en serveer direct.

KEUKENNOTITIES

Ingrediënten

»   *Maïstortilla's:* Zie pag. 405.

(Voor)bereidingstijd

»   De bereidingstijd van deze taco's bedraagt ca. 45 minuten (de tijd benodigd voor het pocheren van de kip en de bereiding van de *guacamole* niet meegerekend). De vulling kan desgewenst een dag van tevoren worden gemaakt en – afgedekt – in de koelkast worden bewaard. Na het vullen en oprollen kunnen de taco's ongeveer een uur worden bewaard alvorens ze te bakken.

TRADITIONELE VARIATIES

»   *Noordmexicaanse rundvleesflautas:* Vervang de kipvulling door 250 gram gekookt en daarna gebakken 'draadjesvlees' (pag. 144) en ga verder te werk volgens de aanwijzingen in het recept.

»   *Andere flautas:* Koop 24 zeer dunne maïstortilla's en bak ze zoals beschreven in stap 2. Leg twee tortilla's gedeeltelijk op elkaar, zodanig dat de randen elkaar ca. 5 cm overlappen. Schep de vulling in een smalle baan op de langste as en rol de tortilla's zo strak mogelijk op, zodat een zeer lang, dun rolletje wordt verkregen. Vul de rest van de tortilla's op dezelfde manier. Bak de *flautas* goudbruin en krokant in een grote koekepan.

Regionale accenten

»   In de gebieden ten noorden van Guadalajara worden dubbelgevouwen gebakken tortilla's, doorgaans gevuld met varkensvlees, *tacos* genoemd. Cilindervormige snacks krijgen de naam *flauta* (letterlijk 'fluit') en zijn meestal gevuld met rundvlees. In Guerrero worden dunne tortillarolletjes gevuld met ricotta aangeduid met de naam *taquitos*. In Mérida, Yucatán, worden, onder de naam *codzitos*, krokante tortillahulzen (die wel iets weg hebben van de Siciliaanse *cannoli*) gegeten; ze zijn gevuld met *picadillo* van grof gemalen vlees en worden overgoten met tomatensaus. De krokante, met rundergehakt gevulde U-vormige taco's worden alleen in het uiterste noorden, vlak bij de grens gegeten (waaruit je de richting van de wederzijdse culinaire beïnvloeding kunt afleiden...).

Mexicaanse maalsteen (metate)

BURRITOS MET PITTIG GEKRUID GEDROOGD 'DRAADJESVLEES'

Burritos de Machaca

Na een lange, weinig opwindendende rit van honderden kilometers, waarvan het merendeel voerde door de fascinerende zongebleekte vlaktes van het dunbevolkte schiereiland Baja California, waren Deann en ik blij het koele, schaduwrijke centrum van San Ignacio te hebben bereikt. We vonden een tentje waar we even konden bijkomen en iets te eten konden bestellen. Zoals in bijna alle eetgelegenheden die we onderweg waren gepasseerd, bestond het menu-aanbod voornamelijk uit *burritos de machaca*. Maar in dit afgelegen stadje serveerden ze tot mijn verrassing de authentieke versie: in plaats van het gekookte rundvlees dat ik had verwacht, had de kokende eigenaresse een stuk zelfgedroogd rundvlees gebruikt. Ze had het vlees geroosterd, tot draadjes gestampt en vervolgens met wat groenten gebakken alvorens het in een tarwetortilla te verpakken. Zowel het eiergerecht op pag. 160 als onderstaand recept voor *burritos* zijn van haar afkomstig. Deze rustieke, pittig gekruide *burritos* kunnen, zoals vrijwel alle taco's, als hoofdgerecht worden geserveerd. U hoeft er alleen maar wat *salsa picante* (pag. 41), een portie *frijoles charros* (pag. 316) en een groene salade bij te geven.

Voor 8-10 burritos oftewel voldoende als lichte maaltijd voor 3 à 4 personen:

> 8-10 tarwetortilla's, kant en klaar gekocht of zelfgemaakt (pag. 83)
> 100 à 120 gram aan de lucht gedroogd vlees (pag. 407)
> 5 à 6 eetlepels reuzel of plantaardige olie
> 1 grote ui, fijngehakt
> 2 verse *chiles poblanos* (zie Keukennotities), geroosterd en ontveld (pag. 390), ontdaan van de zaadjes en in blokjes gesneden
> 2 rijpe tomaten, ontdaan van de harde kern en in blokjes gesneden
> 3 knoflookteentjes, gepeld en fijngehakt
> zout

1. *De tortilla's*: Verwarm de tortilla's volgens de aanwijzingen op pag. 83 (tenzij u vers gebakken exemplaren gebruikt).
2. *De vulling*: Begin ca. 30 minuten voor het serveren: Rooster het vlees, scheur het in draderige stukjes en stamp de stukjes tot vezels zoals beschreven in stap 1 op pag. 128.

   Verhit 5 eetlepels reuzel of olie in een middelgrote koekepan op een matig hoog vuur. Voeg, zodra het vet heet is, de uisnippers toe en laat ze al roerende goudbruin kleuren. Voeg het vlees toe, draai het vuur iets lager en bak het vlees, onder regelmatig omscheppen tot het – na 5 tot 7 minuten – diep bruin is (als het vlees al het vet blijkt te absorberen, kunt u nog een lepel reuzel of olie toevoegen). Roer de chilipepers, de tomaten en de knoflook door het vleesmengsel en laat het mengsel pruttelen tot u een dikke, homogene massa hebt verkregen. Breng het mengsel, indien nodig, op smaak met zout (wees voorzichtig, het gedroogde vlees is van zichzelf al vrij zout).
3. *De burritos*: Schep op elke warme tortilla een bergje vleesvulling en rol de tortilla's op. Leg de *burritos* naast elkaar op een voorverwarmde schaal en serveer direct.

KEUKENNOTITIES

Technieken

» Zie pag. 129.

Ingrediënten

» *Gedroogd vlees:* Zie pag. 407. Als u geen tijd of zin hebt om zelf gedroogd vlees te maken, gebruik dan een stuk runderborst van ca. 500 gram en kook het zachtjes gaar in lichtgezouten water of runderbouillon. Pluis het vlees na afkoeling in draadjes zoals beschreven op pag. 144. Ga verder te werk zoals beschreven in de stappen 2 en 3.

» *Chile poblano: Machaca* kan ook gemaakt worden met andere pepersoorten, de twee *poblanos* kunnen bijvoorbeeld worden vervangen door 2 lichtgroene Turkse of Marokkaanse pepers (geroosterd, ontveld, van zaadjes ontdaan en fijngesneden) of 1 à 2 hete groene pepers (lomboks), ontdaan van de zaadjes en fijngesneden.

(Voor)bereidingstijd

» De bereidingstijd bedraagt ruim 30 minuten. Het gedroogde vlees kan van tevoren worden geroosterd en in draadjes worden uiteengeplozen, maar de vulling moet op het laatste moment worden gebakken.

TRADITIONELE VARIATIES

» *Burritos met andere vullingen:* De *machaca* kan worden vervangen door elke wille-keurige andere tacovulling (pag. 135-151) of door een combinatie van *frijoles refritos* (pag. 314) en een goed smeltende kaas zoals een milde cheddar of een licht belegen Goudse (leg de *burritos* in dat geval in een ovenschaal, dek de schaal af met aluminiumfolie en zet hem in de op 200° C voorverwarmde oven tot de kaas gesmolten is).

» *Chivichangas:* In Sonora en omstreken maken ze kleine, dunne, krokant gebakken *burritos* (verre verwanten van Vietnamese loempiaatjes). Snijd vier grote kant-en-klaar gekochte tarwetortilla's (25 cm) doormidden. Bedek de helften met een bergje gekookt en daarna gebakken 'draadjesvlees' (pag. 144), rol ze stevig op en zet de uiteinden vast met een cocktailprikker. Bak de rolletjes in een laagje olie tot ze rondom goudbruin en krokant zijn, laat ze uitlekken op keukenpapier en leg ze op een met fijngesneden sla bedekte schaal. Bestrooi het geheel met tomaatblokjes en leg hier en daar een dot mayonaise (of gebruik mijn simpele avocadomayonaise: pureer het vruchtvlees van 1 avocado met 6-8 eetlepels mayonaise, 1 theelepel citroensap, 2-3 theelepels fijngehakte ui en 4 takjes verse koriander in een blender of foodprocessor en breng het mengsel op smaak met zout en peper).

Keukentaal

» De naam *burritos* wordt voornamelijk in Noord-Mexico gebruikt. Meer naar het oosten worden de tortillarolletjes *tacos de harina* (letterlijk: 'tarwetaco's') genoemd en in de Noordmexicaanse restaurants buiten de noordelijke deelstaten heten ze *burritas*.

PASTEITJES
Quesadillas y Empanadas

Hoe ze ook worden genoemd – *quesadillas, empanadas, molotes, tlacoyos* en zelfs, in het verwarring zaaiende taalgebruik van de inwoners van San Luis Potosí, *enchiladas* – het gaat om verrukkelijke, typisch Mexicaanse hapjes. Kleine gefrituurde of op een vlakke grillplaat gebakken deegpakketjes gevuld met pittig gekruid vlees, gesmolten kaas of geurige groenten; speelse lekkernijen die je eet met een gepeperde saus of een zalvige *guacamole*. Op straat en in de markthallen worden ze gemaakt voor de late ochtend-*almuerzos* of de avondlijke *cenas* van voorbijgangers die ergens vandaan komen of ergens naar toe gaan. In de *restaurantes* worden ze geserveerd als *entremeses* (hors d'oeuvre), iets dat je eet voordat het echte eten begint. Als ik ze thuis maak, gebruik ik alle deegsoorten die in de diverse regio's van Mexico gangbaar zijn, van *masa* tot het deeg voor tarwetortilla's. Ik serveer ze als borrelhapje, als informele 'amuse' bij een etentje met vrienden of als onderdeel van een lichte lunch of avondmaaltijd. Op de volgende pagina's vindt u de recepten van een groot aantal bekende regionale specialiteiten op dit gebied.

Gouden regels voor perfecte pasteitjes

» *De temperatuur van het frituurbad:* Gebruik een elektrische frituurpan met thermostaat of een zware, hoge koekepan en een frituurthermometer. Zorg dat de temperatuur van de olie 190° C bedraagt en frituur niet te veel pasteitjes tegelijk, anders koelt de olie te sterk af. Olie die niet heet genoeg is, maakt het voedsel vet.

» *Het controleren van de gaarheid:* Deeg gemaakt van *masa harina* wordt sneller bruin dan deeg gemaakt van verse *masa*; hieruit volgt dat pasteitjes gemaakt van *masa harina* doorgaans pas gaar zijn als het deeg vrij donker van kleur is.

GEFRITUURDE *MASA*PASTEITJES MET KAAS
Quesadillas Fritas

De krokant gefrituurde buitenkant van de *quesadilla* vormt een smakelijk contrast met het zachte maïsdeeg en de gesmolten of pittig gekruide vulling. *Quesadillas* behoren tot de populairste etenswaren van Midden-Mexico; ze maken deel uit van het menu-repertoire van vrijwel alle eetgelegenheden, van de sjiekste restaurants in Mexico-Stad tot de geïmproviseerde eetkraampjes langs de weg. De lekkerste exemplaren ben ik tegengekomen op de 'snackmarkt' in Coyocán, een welvarende buurt in Mexico-Stad. Daar verkopen ze pasteitjes gevuld met niet-alledaagse zaken als pens en grijs-zwarte maïszwammen (*huitlacoche*), maar ook gewoon met *queso* ('kaas'), het produkt waaraan de *quesadilla* zijn naam ontleent.

Hoewel ik niet dol ben op *masa harina*, bewijst het maïsmeel in dit geval goede diensten. Serveer de *quesadillas* met *guacamole* met *tomatillos* (pag. 48), rode chilisaus (pag. 38) of verse groene *tomatillo*-saus (pag. 37). Voor een complete maaltijd kunt u er ook nog *caldo tlalpeño* (kikkererwten-groentesoep) bij geven.

Voor 12 middelgrote pasteitjes, voldoende als lichte maaltijd voor 4 personen of als voorgerecht/snack voor 6 personen:

voor het deeg:
> 500 gram verse *masa* of 250 gram *masa harina* gemengd met 1/4 liter heet water uit de kraan
> 2 eetlepels reuzel of plantaardige margarine
> 35 gram bloem (45 gram als u *masa harina* gebruikt)
> 1 afgestreken theelepel bakpoeder
> zout

voor de vulling:
> 300 gram grof geraspte goed smeltende kaas (zie pag. 395), bijv. mozzarella of een mengsel van mozzarella en jong belegen Goudse plus (eventueel) 12 *epazote*-blaadjes
> óf 300 gram verkruimelde Mexicaanse *queso fresco* (pag. 395) of een andere verse witte kaas, bijv. feta of verse meikaas plus (eventueel) 12 *epazote*-blaadjes
> óf een van de andere *quesadilla*vullingen (pag.162-167)

voor het frituren:
> plantaardige olie

1. *Het deeg*: Meng de *masa harina* met het hete water en laat het mengsel, afgedekt, 20-30 minuten rusten. Meng de aldus verkregen *masa* (of de verse *masa*) met de reuzel of margarine, de bloem, het bakpoeder en ruim 1/2 theelepel zout. Corrigeer de consistentie van het deeg – indien nodig – door het toevoegen van extra water of *masa harina*. Verdeel het deeg in 12 bolletjes en dek ze af met plasticfolie.

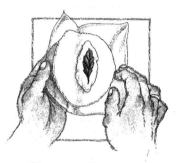

Leg de vulling op de ongebakken tortilla

2. *Het maken van de quesadillas*: Verdeel de vulling in 12 porties. Als u kaas gebruikt, kneed elke portie dan tot een plat ovaaltje van ca. 5 x 6 cm. Druk de deegballetjes met behulp van een tortillapers plat tussen twee velletjes plasticfolie, zodat kleine (Ø 12-13 cm), vrij dikke tortilla's worden verkregen. Verwijder het bovenste velletje plastic en leg de vulling op één helft van de tortilla, zodanig dat aan één kant een rand van ca. 1 1/2 cm onbedekt blijft (als de vulling uit kaas bestaat, leg dan eventueel een *epazote*-blaadje op de kaas). Leg uw hand tegen het plastic aan de onderkant van de niet met vulling bedekte helft van de tortilla en vouw het deeg – met plastic en al – zorgvuldig over de vulling. Druk de randen stevig op elkaar.
   Trek het plastic aan de bovenkant van de *quesadilla* voorzichtig los, draai het pasteitje

Vouw de onbedekte helft over de vulling

om op uw hand en trek het plastic aan de andere kant eveneens los. Leg het pasteitje op een met plasticfolie bedekte plank of bakplaat en maak de andere *quesadillas* op dezelfde manier (leg de gevormde pasteitjes op enkele centimeters afstand van elkaar, zodat ze later gemakkelijk kunnen worden opgepakt). Dek de *quesadillas* af met plasticfolie.

3. *Het frituren*: Verhit de olie tot 190° C en frituur de pasteitjes – met 2 à 3 stuks tegelijk – ca. 2 minuten per kant, tot het deegkorstje mooi goudbruin is. Laat de *quesadillas* uitlekken op keukenpapier en houd ze warm in de op de laagste stand voorverwarmde oven terwijl u de volgende lading frituurt. Serveer de pasteitjes zodra de laatste lading klaar is.

Verwijder het plastic van de quesadilla

KEUKENNOTITIES

Technieken

» *Het frituren van quesadillas*: Bij ontstentenis van een frituurpan kunt u de pasteitjes frituren in een hoge koekepan waarin u een laagje olie giet van 2 1/2 à 3 cm. Draai de pasteitjes regelmatig om, zodat beide kanten gelijkmatig bruin en gaar worden. Zie ook pag. 86.

Voetnoot van de vertaalster

» *De hoeveelheden*: Met 'theelepel' wordt de internationale standaardtheelepel met een inhoud van 5 gram bedoeld en niet het Nederlandse theelepeltje van 3 gram.

(Voor)bereidingstijd

» De bereidingstijd van met kaas gevulde *quesadillas* bedraagt ca. 45 minuten plus 30 minuten voor het maken van de *masa*. *Quesadillas* met een droge vulling kunnen een dag van tevoren worden gemaakt en tot gebruik in de koelkast worden bewaard. Frituur de pasteitjes vlak voordat u ze wilt serveren; als ze te lang in de oven worden warmgehouden, wordt het korstje taai.

TRADITIONELE VARIATIES

» *Quesadillas bereid op een vlakke grillplaat*: Maak het deeg volgens de aanwijzingen in stap 1, maar gebruik verse *masa* en laat de bloem en het bakpoeder weg. Verhit een vlakke grillplaat (of een zware koekepan) op een matig hoog vuur. Maak, met behulp van een tortillapers, een tortilla (zie pag. 80), verwijder het plastic en leg hem op de hete plaat. Wacht tot de tortilla na zo'n 30 seconden loskomt, schep dan op de ene helft 2 eetlepels vulling, vouw de andere helft over de vulling en druk de randen van de beide helften stevig op elkaar, zodat de vulling goed opgesloten is. Draai de *quesadilla* om zodra – na ca. 2 minuten – de onderkant mooi bruin is en bak de andere kant eveneens 2-3 minuten, tot de halfronde rand van het pasteitje droog en stevig aanvoelt. Serveer direct.

» *Snelle quesadillas van de grillplaat:* Dit type *quesadillas* is populair in vrijwel heel Mexico, maar vooral in het noorden (waar ze vaak worden gemaakt van tarwetortillas). De vulling bestaat uit kaas, waaraan vaak nog iets wordt toegevoegd: gebakken ui, reepjes geroosterde chilipeper, 'draadjesvlees' van rundvlees of kip, flinters ham of biefstuk en zelfs vlokjes gare vis.

Verhit een vlakke grillplaat en bestrijk hem met een waasje olie. Leg zoveel kant-en-klaar gekochte of zelfgebakken tortilla's op de plaat als erop passen en bedek elke tortilla met 30-40 gram grof geraspte goed smeltende kaas (pag. 396) al of niet aangevuld met een van bovengenoemde toevoegingen. Vouw de tortilla's dubbel zodra de kaas begint te smelten en bak de *quesadillas*, onder regelmatig omdraaien, tot ze krokant zijn.

Regionale accenten

» Hoewel dit soort pasteitjes het meest worden gegeten in Midden-Mexico, kom je ze – met uiteenlopende vullingen – ook in de rest van het land tegen, maar vaak onder andere namen. In het zuiden van Mexico en op het schiereiland Yucatán heten ze bijvoorbeeld *empanadas* en in Puebla en Veracruz worden ze *molotes* genoemd.

VULLINGEN VOOR PASTEITJES

Rellenos para Quesadillas

Onderstaande vullingen zijn voornamelijk afkomstig uit Midden-Mexico. In Puebla worden kleine gefrituurde pasteitjes gevuld met mengsels waarin reepjes groene chilipeper prominent aanwezig zijn; de grotere, op een grillplaat bereide exemplaren worden gevuld met tot draadjes uitgeplozen varkens-*tinga* (pag. 286). De gefrituurde *quesadillas* die in Cuernavaca en omstreken populair zijn, worden gevuld met een *picadillo* van rundvlees, kip of grof gemalen varkensvlees (pag. 145), zwarte maïs-zwammen (*huitlacoche*), gepocheerde kalfshersens met *epazote* (recept hierna) of een mengsel van paddestoelen en groene chilipepers. In Toluca worden grote *quesadillas* gevuld met pompoenbloemen (ik heb het recept opgenomen, want wellicht kunt u 's zomers de hand leggen op een hoeveelheid pompoen- of courget-tebloemen). Aan de kust worden pasteitjes uiteraard gevuld met dingen uit de zee, zoals garnalen, krabvlees en gepocheerde vis. En hoewel ik ze in Mexico zelf nooit in een *quesadilla* ben tegengekomen, kunnen het gekookte en daarna gebakken 'draadjesvlees' van pag. 144 en de aardappelen met *chorizo* van pag. 147 eveneens als vulling worden gebruikt.

AARDAPPELEN MET IN REEPJES GESNEDEN GROENE PEPERS

Papas con Rajas

Voor 12 middelgrote pasteitjes, voldoende als lichte maaltijd voor 4 personen of als voorgerecht/snack voor 6 personen:

> 150-180 gram vastkokende aardappelen, doormidden gesneden
> 1 1/2 eetlepel reuzel of plantaardige olie
> 1/2 kleine ui, in dunne ringen gesneden
> 3 middelgrote verse *chiles poblanos* (zie Keukennotities), geroosterd en ontveld
> (pag. 390)
> zout
> 100 gram verkruimelde Mexicaanse *queso fresco* of een andere verse witte kaas, bijv.
> feta of verse geitekaas

1. *De aardappelen*: Kook de aardappelen bijna gaar in lichtgezouten water. Giet ze af, spoel ze even onder de koude kraan, pel ze en snijd ze in blokjes van ca. 6 mm.
2. *De bereiding*: Verhit de reuzel of de olie in een middelgrote koekepan en bak de aardappelblokjes en de uiringen 10-15 minuten op een matig hoog vuur, tot het mengsel mooi goudbruin is; schep de massa af en toe om. Verwijder intussen de zaadjes uit de geroosterde pepers en snijd het vruchtvlees in smalle reepjes. Roer de reepjes door de aardappelen en breng het geheel op smaak met zout. Neem de pan van het vuur, schep de kaas door het aardappelmengsel en laat het mengsel afkoelen in een kom alvorens het te gebruiken.

KEUKENNOTITIES

Ingrediënten

» *Chiles poblanos*: Als u geen verse *poblanos* kunt krijgen, kunt u ze vervangen door 3-4 lichtgroene Turkse of Marokkaanse pepers (geroosterd en ontveld) of 4-5 hete groene pepers (lomboks), geroosterd, ontveld en ontdaan van de zaadjes en zaadlijsten.

(Voor)bereidingstijd

» De bereidingstijd van deze vulling bedraagt ca. 30 minuten; het mengsel kan – afgedekt met folie – enkele dagen in de koelkast worden bewaard.

TRADITIONELE VARIATIES

» *Verse kaas met groene pepers*: Meng de in reepjes gesneden geroosterde pepers met 200 gram verkruimelde Mexicaanse *queso fresco* (of een andere verse witte kaas, bijv. geitekaas, feta of witte meikaas) en – eventueel – 8 fijngehakte *epazote*-blaadjes.

» *Roereieren met groene pepers*: Fruit 1 kleine fijngehakte ui in 1 eetlepel reuzel of olie tot de uisnippers glazig zijn, voeg dan de in reepjes gesneden geroosterde pepers toe en draai het vuur iets hoger. Giet 4 losgeklopte eieren in de pan en bak het geheel al roerende tot de eimassa gestold is. Breng het geheel op smaak met zout en laat het mengsel afkoelen in een kom alvorens het te gebruiken.

GEPOCHEERDE KALFSHERSENS MET CHILIPEPER, UI EN *EPAZOTE*

Sesos con Epazote

Voor 12 middelgrote pasteitjes, voldoende als lichte maaltijd voor 4 personen of als voorgerecht/snack voor 6 personen:

300-400 gram kalfshersens
1/2 limoen, uitgeperst
1 à 2 groene lomboks*, ontdaan van steeltjes en zaadjes en fijngesneden
1 royale eetlepel fijngehakte *epazote*-blaadjes of fijngehakte verse koriander
1/4 middelgrote ui, fijngehakt
zout

1. *De hersens*: Leg de hersens 30 minuten in een bak met koud water. Laat ze daarna uitlekken en verwijder het buitenste vlies. Leg de hersens nu ca. 1 uur in lichtgezouten koud water. Laat de hersens uitlekken, doe ze daarna in een pan en giet er zoveel water over dat ze onderstaan. Voeg het limoensap en een lepel zout toe, breng het water aan de kook en draai het vuur direct iets lager, zodat de temperatuur van het water nèt onder het kookpunt blijft. Pocheer de hersens 20 à 25 minuten, tot ze stevig zijn en laat ze afkoelen in het vocht. Laat de hersens uitlekken op keukenpapier en verwijder eventuele ongerechtigheden.
2. *De afwerking*: Doe de hersens in een kom en prak ze grof. Voeg de fijngehakte chilipepers, de *epazote* of koriander en de fijngehakte ui toe, meng alles zorgvuldig en breng het geheel op smaak met zout. Bewaar het mengsel in de koelkast tot u het nodig hebt.

KEUKENNOTITIES

Technieken

» *Het spoelen, ontvliezen en pocheren van hersens*: Het spoelen van de hersens is nodig om restjes bloed te verwijderen en de hersens mooi blank te houden. U kunt het buitenste vlies naar keuze verwijderen na het eerste waterbad of nadat u de hersens hebt gepocheerd (de hersens zijn dan beter te hanteren, maar het vlies laat minder gemakkelijk los). Bij het pocheren is het van belang dat de temperatuur van het water net onder het kookpunt blijft; als het water te heftig borrelt, bestaat de kans dat de hersens uit elkaar vallen.

(Voor)bereidingstijd

» De feitelijke bereiding duurt niet langer dan ca. een half uur, maar vanwege het spoelen van de hersens moet u minstens 3 uur van tevoren met de voorbereidingen beginnen. De hersens moeten worden gegeten op de dag dat ze zijn klaargemaakt.

EIGENTIJDSE VARIATIE

» *Gebakken kalfshersens*: Snijd de gepocheerde en afgekoelde hersens in kleine dobbelsteentjes en bak de blokjes goudbruin en krokant in een bodempje hete olie. Laat de blokjes uitlekken op keukenpapier en meng ze, zodra ze afgekoeld zijn, met de overige ingrediënten.

GESTOOFDE COURGETTEBLOEMEN MET TOMAAT EN CHILIPEPERS

Flores de Calabaza Guisadas

Voor 12 middelgrote pasteitjes, voldoende als lichte maaltijd voor 4 personen of als voorgerecht/snack voor 6 personen:

20 courgettebloemen
1/2 middelgrote ui, fijngehakt
1 à 2 groene lomboks*, ontdaan van de steeltjes en zaadjes en fijngesneden
1 eetlepel reuzel of plantaardige olie
200 gram tomaten, geroosterd of gekookt (pag. 404), ontveld, van de harde kern ontdaan en in stukjes gesneden of ca. 2/3 van een klein blik (à 4 dl) gepelde tomaten, uitgelekt en in stukjes gesneden
1 eetlepel fijngehakte *epazote*-blaadjes, verse koriander of peterselie
zout
2 eetlepels verkruimelde Mexicaanse *queso fresco* (pag. 395) of een andere verse witte
kaas, bijv. feta, witte meikaas of verse geitekaas

1. *De courgettebloemen*: Verwijder de meeldraden en stampers uit de courgettebloemen en snijd de onderkant van de bloemkelken af als die erg hard zijn. Was de
   bloemen in koud water, laat ze uitlekken en snijd ze overdwars in stukjes van
   ruim 1 cm.
2. *De bereiding*: Verhit de reuzel of olie in een middelgrote koekepan en bak de ui
   en de groene pepers ca. 5 minuten op een matig hoog vuur. Voeg, zodra de
   uisnippers glazig zijn, de tomaten, de courgettebloemen en de gekozen fijngehakte kruiden toe, draai het vuur iets lager, leg een deksel op de pan en laat
   het mengsel ca. 8 minuten zachtjes stoven. Breng het geheel op smaak met
   zout, strooi de kaas erover en laat het mengsel afkoelen in een kom.

Flores de calabaza (pompoenbloemen)

KEUKENNOTITIES

Voetnoot van de vertaalster

» *De courgettebloemen*: In het oorspronkelijke recept worden pompoenbloemen voorgeschreven. Zie voor meer informatie pag. 403.

(Voor)bereidingstijd

» De bereiding van deze vulling vergt ca. 1/2 uur. U kunt het mengsel desgewenst enkele
uren of een hele dag van tevoren maken en – afgedekt met folie – tot gebruik in de
koelkast bewaren.

GESMOORDE PADDESTOELEN IN TOMATENSAUS
Hongos Guisados

300-350 gram paddestoelen, schoongeborsteld en grof gesneden
1/2 middelgrote ui, fijngehakt
1 à 2 groene lomboks*, ontdaan van steeltjes en zaadjes en fijngesneden
1 1/2 dl gevogeltebouillon of water
1/2 limoen, uitgeperst
1 eetlepel reuzel, spekvet of uitgesmolten vet van *chorizo*
200 gram rijpe tomaten, geroosterd of gekookt (pag. 404), ontveld, van de harde kern
   ontdaan en in stukjes gesneden of ca. 2/3 van een klein blik (à 4 dl) gepelde tomaten,
   uitgelekt en in stukjes gesneden
2 knoflookteentjes, gepeld en grof gehakt
1 1/2 eetlepel fijngehakte *epazote*-blaadjes (eventueel)
zout

1. *De paddestoelen en de tomaten*: Doe de paddestoelen, de uisnippers en de fijngesneden groene pepers in een middelgrote pan, voeg de bouillon of het water,
   het limoensap en de reuzel of het vet toe en breng het geheel op een matig
   hoog vuur aan de kook. Leg een deksel op de pan en laat de inhoud 3 minuten
   koken. Verwijder het deksel en laat de pan op het vuur staan tot al het vocht is
   verdampt en de paddestoelen beginnen te bakken in het vet. Pureer intussen
   de tomaten en de knoflook in een blender of foodprocessor tot een vloeibare
   puree.
2. *De afwerking*: Giet de tomatenpuree op het moment dat de paddestoelen beginnen te bakken in de pan, voeg – eventueel – de *epazote* toe en laat het geheel ca.
   5 minuten pruttelen en inkoken, tot het mengsel de consistentie van een dikke
   ragoût heeft. Breng de paddestoelen op smaak met zout en laat ze afkoelen in
   een kom.

KEUKENNOTITIES

Voetnoot van de vertaalster
» *De chilipepers*: In het oorspronkelijke recept schrijft Rick Bayless 1 verse *chile jalapeño*
   of 2 verse *chiles serranos* voor.

(Voor)bereidingstijd
» De bereidingstijd bedraagt ca. 1/2 uur. Het paddestoelenmengsel kan enkele dagen
   in de koelkast worden bewaard.

TRADITIONELE VARIATIE
» *Roergebakken paddestoelen*: In sommige eetkraampjes langs de weg worden *quesadillas* gevuld met roergebakken paddestoelen: Bak de grof gesneden paddestoelen
   in reuzel of olie tot ze hun sappen prijsgeven, blijf roeren tot het vocht verdampt is,
   voeg dan de fijngesneden ui en chilipepers (en eventueel de *epazote*) toe en roerbak
   het geheel nog een paar minuten alvorens de pan van het vuur te nemen.

KROKANTE, MET VLEES GEVULDE PASTEITJES VAN TARWEBLOEM

Empanadas de Picadillo

In het noorden van Mexico, waar tarwetortilla's deel uitmaken van het dagelijkse menu, maken de koks en kokkinnen van restaurants en eetkraampjes pasteitjes van het deeg waarvan de tarwetortilla's worden gemaakt. Het deeg wordt gevuld met een pittig gekruid mengsel van vlees, noten en olijven en vervolgens in hete olie goudbruin gefrituurd. Nadat ik ze in het noordoosten had leren maken, hoopte ik dat ik ze op mijn tocht naar het westen, dwars door de noordelijke deelstaten, nog vaak zou kunnen eten. Maar ik kwam ze minder vaak tegen dan ik had verwacht. Ze verschijnen bij ons thuis echter vaak op tafel, samen met *salsa picante* (pag. 41) of *guacamole* (pag. 47 of 48) en een salade of een soep, bijvoorbeeld de *sopa xóchitl* (pag. 106), zodat het geheel een complete maaltijd vormt. Zo nu en dan maak ik de pasteitjes een maatje kleiner, zodat ik ze als borrelhapje of voorgerecht kan serveren.

Voor 12 middelgrote pasteitjes, voldoende als lichte maaltijd voor 4 personen of als voorgerecht/snack voor 6 personen:

voor het deeg:
 350 gram bloem plus iets extra voor het uitrollen van het deeg
 3 eetlepels reuzel of margarine of 4 eetlepels ongezouten boter
 3/4 theelepel zout
 ca. 1 3/4 dl warm water uit de kraan

voor de vulling en het frituren:
 1 hoeveelheid *picadillo* van grof gemalen varkensvlees of Noordmexicaanse *picadillo*
 (pag. 146), op kamertemperatuur
 olie

1. *Het deeg*: Maak het deeg volgens de aanwijzingen op pag. 83: Meng de bloem in een kom met de reuzel, margarine of boter. Los het zout op in het hete water en meng het met het bloem-vetmengsel tot een compact deeg. Kneed het deeg nog een paar minuten goed door om het glad en soepel te maken en verdeel het dan ih 12 porties van gelijke grootte. Vorm van elke portie een bal, leg de deegballen op een bord, dek ze af met plasticfolie en laat ze minstens 30 minuten rusten (het deeg is dan gemakkelijker uit te rollen).

2. *De pasteitjes*: Rol een van de deegballetjes op een met bloem bestoven ondergrond uit tot een ronde plak met een diameter van 17-18 cm (zie stap 3 pag. 83). Bestrijk de rand van de deeglap met een beetje water. Schep 2-3 eetlepels vulling op de ene helft van de deeglap, vouw de niet-bedekte helft over de vulling (zorg dat er zo min mogelijk lucht in het pasteitje wordt gevangen) en druk de randen van het deeg stevig op elkaar. Leg de *empanada* op een bakplaat en maak de andere pasteitjes op dezelfde manier. Maak de *empanadas* goed dicht door de ronde kant met de tanden van een vork stevig aan te drukken of door de rand met kleine plooitjes om te vouwen volgens de hieronder beschreven methode.

3. *Het met kleine plooitjes omvouwen van de rand*: Houd een van de *empanadas* met één hand vast en knijp met de duim en wijsvinger van de andere hand in de rand van het pasteitje (op de plek waar de ronde rand begint), zodat het deeg daar iets platter wordt en een klein eindje uitsteekt voorbij de rest van de deeg-rand. Duw dat stukje nu naar boven en naar het midden (de beweging lijkt zo'n beetje op de halve krul die een golf vormt vlak voordat hij breekt) en druk het stevig vast. Verplaats duim en wijsvinger nu 1 cm verder en herhaal het om-vouwen. Ga zo door tot de hele rand met kleine plooitjes is omgevouwen en de empanada eruitziet alsof hij met een gedraaid koord is afgebiesd. Bewerk de rest van de *empanadas* op dezelfde manier.

4. *Het frituren*: Verhit de olie ca. 15 minuten voordat u de *empanadas* wilt serveren en wacht tot de temperatuur 190° C bedraagt. Frituur de pasteitjes met 2 of 3 stuks tegelijk tot ze rondom goudbruin zijn (2-3 minuten per kant), laat ze uit-lekken op keukenpapier en houd ze warm terwijl u de rest frituurt. Serveer di-rect.

Het met kleine plooitjes dichtvouwen van een empanada

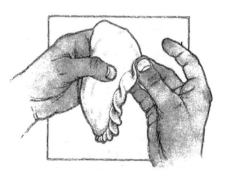

... zodat het lijkt of ze afgebiesd zijn met een koord

KEUKENNOTITIES

Technieken

» *Het mengen van het deeg*: Zie de notities onder het kopje 'technieken' op pag. 81.

Voetnoot van de vertaalster

» *De hoeveelheden*: Met 'theelepel' wordt de internationale standaardtheelepel met een inhoud van 5 gram bedoeld en niet het Nederlandse theelepeltje van 3 gram.

(Voor)bereidingstijd

» Uitgaande van de veronderstelling dat u de vulling van tevoren hebt bereid, duurt het maken van de *empanadas* ca. 1 uur, waarvan de helft nodig is om het deeg te laten rusten. *Empanadas* met een droge vulling kunnen t/m stap 2 of 3 desgewenst 1 dag van tevoren worden klaargemaakt; dek ze in dat geval af met plasticfolie en bewaar ze in de koelkast tot het moment dat u ze wilt frituren.

TRADITIONELE VARIATIES

» *Empanadas met andere vullingen*: Pasteitjes van dit type worden vrijwel altijd gevuld met wat er toevallig voorhanden is of waar de kok die dag de hand op kan leggen, bijvoorbeeld 'draadjesvlees' van kip of varkensvlees, *carne deshebrada* (pag. 144), geroosterde *poblano*-reepjes (pag. 325), gemengde groenten of een goed smeltende kaas zoals mozzarella of een mengsel van mozzarella en een andere kaas (zie ook pag. 395). Kortom, de mogelijkheden zijn schier eindeloos.

EIGENTIJDSE VARIATIE

» *Empanadas gevuld met lamsvlees en verse koriander*: Snijd ca. 500 gram mager lamsvlees in grote dobbelstenen en kook ze gaar in lichtgezouten water. Trek het afgekoelde vlees met twee vorken in draadjes. Meng de draadjes in een kom met 1/2 fijngehakte kleine ui, 2 eetlepels geroosterde grof gemalen gedroogde *guajillos* (of een andere gedroogde rode chilipeper) en 3 eetlepels fijngehakte verse koriander en breng het geheel op smaak met zout. Maak het deeg, vul de *empanadas* volgens de aanwijzingen in het recept en frituur ze in hete olie. Geef er *guacamole* met *tomatillos* (pag. 48) bij.

De Mexicaanse bakker

» Mexicaanse bakkerijen zijn anders dan elders. De klantenkring van een Mexicaanse bakkerij bestaat zowel uit huisvrouwen die de dagelijkse boodschappen doen als uit in uniform gestoken schoolkinderen, zakenlieden, ambtenaren en bouwvakkers, die geduldig in de rij staan alvorens een keuze te maken uit de rijk gevulde vitrine. De Mexicaanse bakker bakt en verkoopt immers niet alleen brood en broodjes, maar ook een enorme sortering koekjes, koffiebroodjes, feestelijk versierde taarten en allerhande kleingebak. En, uiteraard, ook *empanadas*, zoete zowel als hartige. De vulling van de zoete versies bestaat doorgaans uit appel, ananas, bataat (zoete aardappel) of pompoen. De hartige pasteitjes zijn gevuld met vlees en groenten of – op vrijdagen en tijdens de vastentijd – tonijn.

Empanadas gevuld met picadillo

ENCHILADAS EN VERWANTEN
Enchiladas y sus Parientes

Veel Mexicanen uit Midden-Mexico zijn geëmigreerd naar Los Angeles of Chicago, de stad waar ik woon. Bij hun verhuizing namen ze ook hun liefde voor *enchiladas* mee: in chilisaus gedoopte tortilla's die even worden gebakken (waardoor de saus er beter in kan doordringen), vervolgens worden bedekt met een kleine hoeveelheid gebakken aardappelen en worteltjes en ten slotte worden bestrooid met verkruimelde of grof geraspte kaas. In de V.S. gelden ze als een snack die je op straat eet, maar in

Mexico zelf worden *enchiladas* voornamelijk in *cafetarías* gegeten, aangezien de vullingen vaak nogal substantieel zijn en de bereiding in veel gevallen bewerkelijker is dan die van de snacks die als straatvoedsel fungeren. Niettemin zal de Mexicaan ze nooit bestellen als onderdeel van zijn middagmaal: zodra er tortilla's aan te pas komen, zo lijkt het wel, nemen de Mexicanen een gerecht niet echt *au sérieux*, het is immers maar een *antojito*... Dat is jammer, want dankzij de grote variatie in vullingen en sauzen zouden *enchiladas* juist goede sier kunnen maken als hoofdgerecht.

Op de volgende pagina's vindt u vier, uit verschillende regio's afkomstige versies, die ik bij elkaar heb gegroepeerd omdat ze alle vier bestaan uit tortilla's die in een saus worden gedoopt – ook al bevat die saus soms zó weinig chili, dat het gerecht eigenlijk niet de naam *enchilada* mag dragen. Naast de èchte *enchiladas*, zoals die waarin een *tomatillo*-chilisaus, een *mole* of een West- of Noordmexicaanse rode chilisaus wordt verwerkt, bestaan er talloze varianten zónder chilisaus. Bijvoorbeeld de *enfrijoladas* uit Oaxaca, waarin de tortilla's in een pittige bonensaus worden gedoopt; de *entomatadas*, waarin de chilisaus heeft plaatsgemaakt voor een tomatensaus, en de met ei gevulde *papadzules* uit Yucatán, die met een saus van pompoenpitten worden bereid. Zelfs de 'sandwich' van tortilla's met zwarte bonen en vis die in Yucatán *pan de cazón* wordt genoemd, behoort tot de *enchilada*-familie. En zo heeft elke streek wel een eigen variant op het thema.

Enchiladas kunnen op drie manieren worden gemaakt en elk van die manieren komt in de hierna volgende recepten aan bod. Als de saus bestaat uit een ongekookte puree van in water geweelde gedroogde rode chili's, worden de tortilla's vóór het bakken in de saus gedoopt. Bij gekookte *tomatillo*- of tomatensauzen en *moles* worden de tortilla's (om ze iets plooibaarder te maken en tevens om te voorkomen dat ze in de saus weer snel zacht worden) eerst snel gebakken en dan pas in de saus gedoopt. De derde methode wordt alleen gebruikt voor tortilla's die zó vers zijn dat ze niet hoeven te worden opgebakken. De – gekookte – saus wordt in dat geval over de nog warme tortilla's geschept, waarna de *enchiladas* direct (voordat ze te veel vocht absorberen en zacht worden) moeten worden gegeten. Bij elke methode zijn de smaak en de textuur van het eindresultaat nèt even anders; probeer ze alledrie dus een keertje uit en experimenteer daarna met uw eigen varianten.

Gouden regels voor perfecte enchiladas

» *Het snel bakken van tortilla's* (voor *enchiladas* uit de categorie 'eerst bakken, dan dopen'): De tortilla's moeten, om te voorkomen dat ze erg veel vet absorberen, volkomen droog zijn en enigszins leerachtig aanvoelen. Bak ze snel en laat ze goed uitlekken op keukenpapier. De bedoeling is dat de tortilla's soepel genoeg worden om ze te kunnen vouwen zonder dat ze scheuren of barsten; het is *niet* de bedoeling dat ze krokant worden!

» *Het in de oven bakken van enchiladas:* Met uitzondering van de *enchiladas suizas* (pag. 173) worden de echte Mexicaanse *enchiladas* meestal niet in de oven bereid of gegratineerd. De warme bestanddelen worden op het laatste moment samengevoegd en direct geserveerd, waardoor ze minder heet op tafel verschijnen dan de meeste niet-Mexicanen gewend zijn. Als u prijs stelt op gloeiend hete *enchiladas* kunt u ze vlak voor het serveren een paar minuten in de voorverwarmde oven zetten (maar vooral niet te lang, want dan worden ze zacht en sponzig). De saus moet in dat geval vrij dun zijn, omdat ze tijdens het verblijf in de oven nog iets indikt.

KEUKENNOTITIES

Keukentaal

» Het Spaanse werkwoord *enchilar* betekent 'met chilipepers kruiden'. Een *tortilla enchilada* – meestal afgekort tot *enchilada* – is dus een maïstortilla die in een met chilipepers gekruide saus wordt gedoopt en vervolgens, al of niet voorzien van een vulling, wordt opgerold of dubbelgevouwen. Wat *enchiladas* betreft zijn er zoveel smaken mogelijk als er sauzen zijn. Om het verschil met 'echte' *enchiladas* aan te geven worden *enchilada*-achtige gerechten in sommige gebieden genoemd naar de saus waarmee ze zijn bereid, bijvoorbeeld e*nfrijoladas* voor tortilla's met een saus van bonen (*frijoles*), *enmoladas* voor tortilla's die met een *mole* zijn bereid, enzovoort.

» In Mexico speelt verder vooral de *vorm* van de gerechten een rol. Elke tortilla die met een vulling erin wordt opgerold, wordt door Mexicanen een *taco* genoemd, ongeacht of die tortilla in een saus is gedoopt of niet. Zodra een tortilla in een chilisaus wordt gedoopt, zou je van een *enchilada* kunnen spreken, maar alleen als die tortilla dubbelgevouwen is of in vieren wordt gevouwen; een gevulde, opgerolde tortilla die in dezelfde saus werd gedoopt, heet immers *taco*. Alsof het geheel nog niet ingewikkeld genoeg is, hebben de Mexicanen ook nog een naam bedacht voor tortilla's die in een saus worden gedoopt en vervolgens om een vulling worden dubbelgevouwen: *envueltos* ('pakketjes') worden ze genoemd.

» In de meeste Mexicaanse kookboeken wordt die onlogische differentiatie tussen de diverse tortillagerechten gehandhaafd, waardoor je – onder verschillende namen (en in verschillende vormen) – vrijwel identieke recepten kunt aantreffen. In een dappere poging mijnerzijds om orde te scheppen in de taalkundige chaos, heb ik voor dit boek echter mijn eigen – functionele – definitie bedacht: alle tortilla's die in een saus worden gedoopt, heb ik – ongeacht hun verschijningsvorm en de aard van de saus – samengebracht onder de noemer *enchiladas*.

Olijfolie uit Baja California

MET KIP GEVULDE *ENCHILADAS* MET *TOMATILLOSAUS*
Enchiladas Verdes

Onderstaand recept is voor de klassieke Mexicaanse *enchilada*. De neutrale stevig-heid van de gevulde, opgerolde maïstortilla wordt in deze *enchilada* gecombineerd met de friszure smaak van *tomatillos*, de malse textuur van kippevlees en de pittigheid van verkruimelde of grof geraspte kaas. Deze *enchiladas* maken in heel Mexico, maar misschien nog het meest frequent in de binnenlanden van Midden-Mexico, deel uit van het menu-repertoire van *cafetarías* (vooral in de glimmende, wat nieuwere filialen van restaurantketens). Onderstaande versie is gemakkelijk te maken, aangenaam maagvullend en bovendien erg lekker. Met een portie *frijoles refritos* (pag. 314) en een frisse *jícama*-salade (pag. 97) erbij vormen ze een complete maaltijd. U kunt er bier, wijn of ijsthee bij drinken.

Voor 4-6 personen:

> 1 hoeveelheid gekookte *tomatillo*-chilisaus (pag. 35)
> de twee borststukken van een kip (of 1 grote dubbele kipfilet), gepocheerd, ontdaan van
> vel en botjes en in stukjes gescheurd (pag. 64)
> 4 eetlepels dikke room (pag. 53) of crème fraîche
> 1 eetlepel fijngehakte ui
> zout
> 12 kant en klaar gekochte maïstortilla's
> 4 eetlepels plantaardige olie
> ca. 40 gram Mexicaanse *queso añejo* (pag. 395) of een andere kaas, bijv. feta, mild bele-
> gen Goudse of gruyère, verkruimeld of grof geraspt
> 2 plakken ui, in ringen verdeeld
> radijsjes voor de garnering

1. *De saus en de vulling*: Warm op een laag vuurtje de *tomatillo*-saus op (met het deksel op de pan). Warm het kippevlees op in een tweede pan (sprenkel er – om uitdrogen te voorkomen – een klein beetje water over). Meng het kippevlees met de room, de uisnippers en een flinke mespunt zout en zet de pan – met het deksel erop – opzij.
2. *De tortilla's*: Laat de tortilla's, als ze nog wat vochtig zijn, drogen door ze naast elkaar op het werkvlak te leggen. Verhit de olie in een koekepan op een matig hoog vuur. Bak de tortilla's, zodra de olie dampend heet is, een voor een (niet langer dan 2-3 seconden per kant) en laat ze uitlekken op keukenpapier.
3. *Het dopen en vullen van de tortilla's*: Verhit de oven ca. 20 minuten voordat u de *enchiladas* wilt serveren op 180° C. Giet ca. 1/4 liter warme *tomatillo*-saus in een groot, diep bord. Leg een tortilla in de saus, draai hem om, schep 2 eetle-pels van de kipvulling in een baan op het midden en rol de tortilla op. Leg de *enchilada* in een ovenschaal en behandel de rest van de tortilla's op dezelfde manier. Giet de rest van de saus over de *enchiladas* (zorg daarbij dat ook de uit-einden van de rolletjes met saus bedekt zijn).
4. *Het verblijf in de oven*: Dek de schaal direct af met aluminiumfolie en zet hem 5-10 minuten in de voorverwarmde oven, tot de inhoud door en door heet is. Neem de schaal uit de oven, verwijder het folie en bestrooi de *enchiladas* met de kaas, garneer het geheel met uiringen en radijsjes en serveer direct.

KEUKENNOTITIES

Technieken

» *Het snel bakken van tortilla's:* Zie pag. 405.

Ingrediënten

» *Maïstortilla's:* Zie pag. 80.

(Voor)bereidingstijd

» Als de tomatillo-chilisaus en het kippevlees van tevoren zijn gemaakt, vergt de bereiding niet langer dan ca. een half uur. Hoewel de Mexicanen het er vermoedelijk niet mee eens zullen zijn, kunnen deze *enchiladas* gedeeltelijk van tevoren worden gemaakt. Bak de tortilla's zoals aangegeven in stap 2, maar doop ze *niet* in de saus. Vul ze, rol ze op en bewaar ze afgedekt in de koelkast. Laat ze tijdig weer op kamertemperatuur komen, dek ze af met aluminiumfolie en zet ze 10 minuten in de op 180° C voorverwarmde oven. Giet de warme saus erover en zet de schaal nog 5 minuten in de oven terug. Garneer het geheel met kaas, uiringen en radijsjes en serveer direct.

TRADITIONELE VARIATIES

» *Enchiladas suizas:* Roer 1/4 dikke room (pag. 53) of crème fraîche door de *tomatillo*-chilisaus en ga verder te werk volgens de aanwijzingen in het recept. Bestrooi de *enchiladas* vlak voordat ze de oven ingaan met 150 gram grof geraspte goed smeltende kaas (zie pag. 395) en zet de schaal (onafgedekt) 10 minuten in de op 200° C voorverwarmde oven. Laat de andere garneringen weg.

» *Entomatadas:* Dit type *enchiladas* wordt vooral gegeten in het noorden van Mexico en in de deelstaat Oaxaca. Maak een gladde tomaten-chilisaus (pag. 35), voeg 1 3/4 dl kippebouillon toe en laat de saus zachtjes inkoken tot ze zo dik is als een tomatensaus hoort te zijn. Maak de *enchiladas* zoals beschreven in het recept, maar met de tomatensaus in plaats van de *tomatillo*-saus.

» *Enchiladas met vis of zeevruchten:* In het noordwesten van Mexico wordt de kipvulling vaak vervangen door een vulling van in vlokjes verdeelde gare vis (bijvoorbeeld zeebaars, heilbot of kabeljauw) en soms zelfs door grof gehakte grote garnalen of uitgeplozen krabvlees. Voor het overige wijkt de bereiding niet af van nevenstaand recept.

AMERIKAANSE VARIATIE

» *Kaas-enchiladas:* Vervang de kipvulling door ca. 400 gram grof geraspte kaas* (eventueel aangevuld met een beetje geraspte ui) en ga verder te werk zoals beschreven in het recept. Eventueel kunt u de *enchiladas* voordat ze de oven ingaan bestrooien met een beetje geraspte kaas. Het verblijf in de oven duurt in dit geval overigens iets langer omdat de kaasvulling de kans moet krijgen te smelten. De *tomatillo*-chilisaus kan desgewenst worden vervangen door ca. 6 dl Noordmexicaanse rode chilisaus (pag. 38).

Voetnoot van de vertaalster

» In de V.S. wordt in Mexicaanse gerechten meestal de bleke, vrij smakeloze Monterey Jack of de Amerikaanse versie van cheddar gebruikt. Aangezien deze kazen niet in Nederland verkrijgbaar zijn, kunt u het beste experimenteren met combinaties van verschillende, niet al te sterk gezouten kaassoorten, bijvoorbeeld half om half jong belegen Goudse en mozzarella, of een combinatie van gruyère en verse meikaas.

ENCHILADAS MET KAAS, GROENTEN EN RODE CHILISAUS

Enchiladas a la Plaza

Mexicanen uit de noordelijke deelstaten en uit het westen van Midden-Mexico maken *enchiladas* meestal met een gespierde ongekookte saus van gedroogde chilipepers. De tortilla's worden in de saus gedoopt en dan snel gebakken in hete olie, zodat de smaak van de saus in het deeg kan doordringen. De hoofdrol is in dit geval dan ook weggelegd voor de met pepers gekruide tortilla's en niet zozeer voor de vulling. Bij sommige versies gaat er een beetje kaas of room in of op (zoals bij de in de Keukennotites beschreven variatie) en soms worden ze bedekt met een gebakken ei (*enchiladas montadas*) of met een bergje pittig gekruide groenten. Laatstgenoemde variant (uit de deelstaat Michoacán) is de feestelijkste en populairste van dit type *enchiladas*. Hoewel ik onderstaand recept heb gekregen van een medewerkster van een restaurant in Morelia, heb ik deze *enchiladas* het vaakst gegeten bij de eetstalletjes die 's avonds opdoken op de *plaza*, waaraan ze hun naam ontlenen.

Serveer de *enchiladas* met *frijoles refritos* (pag. 314) en - al of niet Mexicaans - bier.

Voor 4-6 personen:

voor de enchiladas:
  12 kant en klaar gekochte maïstortilla's

voor de saus:
  4 grote knoflooktenen, ongepeld
  25-30 gram gedroogde *chiles guajillos*, ontdaan van steeltjes, zaadjes en zaadlijsten
  75-100 gram gedroogde *chiles anchos*, ontdaan van steeltjes, zaadjes en zaadlijsten
  1/4 theelepel zwarte peperkorrels (of 1/3 theelepel gemalen zwarte peper)
  1/4 ttheelepel komijnzaadjes (of krap 1/3 theelepel gemalen komijn)
  1/2 liter gevogeltebouillon
  zout
  suiker (eventueel)

voor de groenten:
  200 - 250 gram vastkokende aardappelen, geschild en in blokjes van ruim 1 cm gesneden
  200-250 gram worteltjes, geschrapt en in stukjes van 1 cm gesneden
  3 eetlepels ciderazijn
  1 theelepel zout

overige benodigdheden:
  1/2 kleine kool (250-300 gram)
  3 eetlepels ciderazijn
  6-8 eetlepels plantaardige olie
  1/2 theelepel zout
  2 dunne plakken ui, in ringen verdeeld
  50-60 gram verkruimelde Mexicaanse *queso fresco* (pag. 395) of een andere verse witte kaas, bijv. feta of witte meikaas

1. *Voorbereidingen*: Laat de tortilla's, indien nodig, drogen op het werkvlak en verpak ze daarna in plasticfolie.
2. *De saus*: Zet een zware koekepan of een vlakke grillplaat op een middelhoog vuur en leg de ongepelde knoflook erop. Scheur de gedroogde pepers in platte stukken en leg ze – steeds met een paar stuks tegelijk – in de pan. Druk de stukken met een metalen spatel tegen de hete panbodem, draai ze om en druk ze weer plat tegen het hete metaal, tot ze beginnen te knisperen en te verkleuren. Herhaal dit met de rest van de pepers. Doe de geroosterde pepers in een kom, overgiet ze met kokend water en laat ze minstens 1 uur (maar liever 2 of 3 uur) weken; dek ze in die tijd af met een schoteltje, zodat ze goed ondergedompeld blijven.

   Draai, terwijl u de pepers roostert, ook de knoflookteentjes af en toe om, tot het velletje rondom geblakerd is en de pulp zacht is. Laat de teentjes daarna afkoelen, verwijder het vlies en doe de pulp in de kom van een blender. Maak de peperkorrels en komijnzaadjes fijn in een vijzel of specerijenmolentje en doe ze bij de knoflook.

   Laat de stukken chilipeper uitlekken en knijp ze zachtjes uit. Doe de pepers in de blender, voeg 3 1/2 dl bouillon toe en laat de machine draaien tot u een vloeibare puree hebt verkregen. Giet de puree door een zeef in een wijde kom, voeg eventueel nog wat bouillon toe (de puree moet de consistentie hebben van een dunne tomatensaus) en breng de saus op smaak met zout en (als de saus bitter en/of erg scherp is) een beetje suiker.
3. *De groenten*: Doe de aardappelen en de worteltjes in een pan, overgiet ze met water en voeg de azijn en het zout toe. Breng het water aan de kook en kook de groenten in ruim 15 minuten nèt gaar; giet ze af en zet ze opzij.
4. *De kool en de garnering*: Verwijder de stronk en snijd of schaaf de kool in ragdunne reepjes. Meng de azijn met 2 eetlepels olie en 1/2 theelepel zout en giet het mengsel over de kool. Zet de uiringen en de kaas klaar in kommetjes.
5. *Het bakken van de enchiladas*: Begin ca. 15 minuten voordat u de *enchiladas* wilt serveren: leg de gemarineerde kool in een afgeplat bergje op het midden van de borden. Verhit 3 eetlepels olie in een grote koekepan of wok (zie Keukennoties), op een matig hoog vuur. Doop de beide kanten van een tortilla in de chilisaus en leg hem direct in de hete olie, draai de tortilla na 20 seconden om en bak de andere kant eveneens 20 seconden. Vouw de tortilla dubbel en vouw hem daarna nogmaals dubbel, zodat hij het formaat van een kwart tortilla krijgt. Schep hem met een schuimspaan uit de olie (laat hem even uitlekken boven de pan), leg hem op een bakplaat en houd hem warm in de op de laagste stand voorverwarmde oven. Bak de rest van de tortilla's op dezelfde manier; voeg – indien nodig – tussendoor nog wat olie toe.
6. *De afwerking*: Giet nog een klein scheutje olie in de koekepan of wok, voeg de aardappelen, de worteltjes en 2 of 3 eetlepels chilisaus toe en roerbak de groenten 3 à 4 minuten, tot ze door en door heet zijn.
7. *De presentatie*: Leg de *enchiladas* op het bedje van gemarineerde kool, schep de aardappelen en worteltjes erover en bestrooi het geheel met uiringen en verkruimelde kaas. Serveer direct.

KEUKENNOTITIES

Technieken

» *Het bakken van in chilisaus gedoopte tortilla's*: Drie gulden regels: 1. Gebruik een goed 'ingebrande' pan. 2. Bak de tortilla's op een vrij hoog vuur. 3. Zorg dat de saus niet dikker is dan een dunne tomatensaus uit blik (als sausdeeltjes onverhoopt licht aanbranden, maak dan de pan schoon en begin opnieuw).

» *Het weken van de chilipepers*: Omdat de saus weinig ingrediënten bevat die tegenspel bieden aan de wrangheid van de pepers, moeten de pepers wat langer worden geweekt dan gebruikelijk, zodat ze iets van hun bittere scherpte verliezen.

Ingrediënten

» *Maïstortilla's*: Zie pag. 04

» 5.*Gedroogde chilipepers*: De saus wordt ook wel gemaakt met uitsluitend *anchos* of uitsluitend *guajillos*. Laatstgenoemde soort kan eventueel worden vervangen door ca. 12 grote gedroogde rode pepers.

Keukengerei

» *Bakpan voor het bakken van enchiladas*: In Mexico worden deze *enchiladas* vaak gemaakt op wat ik een 'baktafel' noem: een grote metalen rechthoek met een ondiepe 'kuil' in het midden. Het vuur bevindt zich onder de 'kuil' waarin de tortilla's worden gebakken; de vlakke zijkanten worden gebruikt om de *enchiladas* warm te houden (en de spatten op te vangen). Hoewel een wok meestal dieper is en geen vlakke zijkanten heeft waardoor je dingen kunt warm houden, kan hij in dit geval goede diensten bewijzen. Als de wok goed is 'ingebrand', zal de chilisaus niet aanbakken en als hij groot genoeg is, passen er meerdere tortilla's in, zodat het bakken minder lang duurt.

Voetnoot van de vertaalster

» *De hoeveelheden*: Met 'theelepel' wordt de internationale standaardtheelepel met een inhoud van 5 gram bedoeld en niet het Nederlandse theelepeltje van 3 gram.

(Voor)bereidingstijd

» Vanwege de lange weektijd van de chilipepers moet u minstens 2 à 3 uur van tevoren met de bereiding beginnen. U kunt de saus natuurlijk ook 1 of 2 dagen van tevoren maken; bewaar haar in dat geval afgedekt in de koelkast. Ook de groenten kunnen enkele uren van tevoren worden gekookt, maar het bakken van de *enchiladas* moet op het laatste moment worden gedaan.

TRADITIONALE VARIATIES

» *Kip-enchiladas met rode chilisaus*: Ga te werk volgens de aanwijzingen in het recept, maar voeg aan de roergebakken groenten (stap 6) 150-200 gram in smalle stukjes gescheurd kippevlees toe.

» *Enchiladas met room*: Maak de *enchiladas* zoals beschreven in het recept, maar laat de groenten en de gemarineerde kool weg. Leg de warme *enchiladas* na het bakken op een schaal en schep er 1 1/2 dl dikke room (pag. 53) of crème fraîche over. Bestrooi het geheel met 100 gram verkruimelde Mexicaanse *queso fresco* (pag. 395) of een andere verse witte kaas, bijvoorbeeld feta of verse geitekaas, een handvol gesnipperde ui en wat fijngehakte verse koriander.

MET VARKENSVLEES GEVULDE *ENCHILADAS* IN ORANJE⸴RODE *MOLE*

Enchiladas de Coloradito

Als ik vrienden voor het eerst wil laten kennismaken met een van de rijke, authentiek Mexicaanse rode chilisauzen, onthaal ik ze meestal niet op de bekende, maar ingewikkelde *mole poblano*, maar op deze gladde, milde *mole coloradito* uit Oaxaca. Het recept is afkomstig van een fantastische Indiaanse kokkin van Zapoteekse afkomst, die haar *enchiladas* maakt zonder ze te bakken. Ze vult ze met een kruidig mengsel van varkensvlees, aardappel en bakbanaan.

Serveer de *enchiladas* als hoofdgerecht, met een frisse salade erbij en verse vruchten met dikke room (pag. 53) of crème fraîche als dessert.

Voor 4-6 personen (met 6-7 dl saus):

voor het vlees:
350 gram mager varkensvlees (bijv. ontbeende schouder), in dobbelstenen van 2-3 cm gesneden
1 theelepel zout
1/2 theelepel gemengde gedroogde kruiden (w.o. marjolein en tijm)
1 dikke plak ui, grof gehakt

voor de coloraditosaus:
100 gedroogde *chiles anchos*, ontdaan van steeltjes, zaadjes en zaadlijsten
5 knoflookteentjes, ongepeld
2 sneetjes wittebrood
200 gram rijpe tomaten, geroosterd of gekookt (pag. 404), ontveld en van de harde kern ontdaan of 3/4 van een klein blik (à 4 dl) ontvelde tomaten, uitgelekt
1 kleine ui, grof gehakt
1 royale theelepel gedroogde oregano
3 kruidnagels (of een flinke mespunt kruidnagelpoeder)
3 zwarte peperkorrels (of een flinke mespunt gemalen peper)
1 stukje pijpkaneel van ruim 1 cm (of krap 1/2 theelepel kaneelpoeder)
1 1/2 eetlepel reuzel of plantaardige olie
zout
ca. 1 eetlepel suiker

voor de vulling:
100 gram vastkokende aardappelen, geschild en in blokjes van ca. 6 mm gesneden
3 eetlepels reuzel of plantaardige olie
1 middelgrote ui, gepeld en fijngehakt
1/2 rijpe bakbanaan, gepeld en in blokjes van ca. 6 mm gesneden (zie Keukennotities)
1 grote rijpe tomaat, geroosterd of gekookt (pag. 404), ontveld en van de harde kern ontdaan of 2/3 van een klein blik (à 4 dl) ontvelde tomaten, uitgelekt
zout en vers gemalen peper

voor de afwerking:
12 kant-en-klaar gekochte maïstortilla's
100-120 gram verkruimelde Mexicaanse *queso fresco* of *queso añejo* (pag. 395) of een andere kaas, bijv. feta, verse geitekaas of een milde Goudse kaas
2 eetlepels fijngehakte ui

1. *Het vlees*: Breng 1 liter water aan de kook in een grote pan, voeg het vlees toe en schep het schuim af dat in het begin komt bovendrijven. Voeg dan het zout, de kruiden en de ui toe, leg het deksel schuin op de pan en laat het vlees in ca. 45 minuten zachtjes gaar koken. Schep het vlees daarna met een schuimspaan uit de pan en laat het afkoelen. Zeef de bouillon en ontvet hem.

2. *De saus*: Overgiet de *chiles anchos* met kokend water, bedek ze met een schoteltje zodat ze ondergedompeld blijven en laat ze 30 minuten weken. Rooster de ongepelde knoflookteentjes op een grillplaat of in een kleine koekepan met dikke bodem onder regelmatig omdraaien tot, na ca. 15 minuten, de schil rondom geblakerd is en de inhoud zacht is. Laat de teentjes afkoelen alvorens de schil te verwijderen. Doe de knoflookpulp in de kom van een blender. Rooster de sneetjes brood (ze mogen diepbruin worden) en breek ze in stukjes. Doe het brood, de tomaten, de ui en de oregano eveneens in de blender. Maak de kruidnagels, de peperkorrels en het stukje pijpkaneel fijn in een vijzel of specerijenmolentje en doe ze bij de rest van de ingrediënten.

   Laat de chilipepers uitlekken. Houd 1 peper apart en doe de rest in de kom van de blender, samen met 1/8 liter van de gezeefde varkensbouillon. Draai alles tot een gladde puree en wrijf de puree door een middelfijne zeef.

   Verhit 1 1/2 eetlepel reuzel of olie in een grote steelpan, op een matig hoog vuur. Wacht tot de olie zo heet is dat een druppel chilipuree ogenblikkelijk begint te sissen, voeg dan alle puree toe en bak de puree al roerende tot ze, na een paar minuten, dikker wordt. Giet er 6 dl varkensbouillon bij en breng het geheel aan de kook. Leg het deksel schuin op de pan, draai het vuur laag en laat de saus 45 minuten zachtjes koken. Breng de saus op smaak met zout en suiker. Als de saus te dik is uitgevallen, kunt u haar verdunnen met een extra scheutje bouillon.

3. *De vulling*: Maak de vulling terwijl de saus op het vuur staat. Kook de aardappelblokjes nèt gaar in lichtgezouten water en laat ze uitlekken. Scheur het varkensvlees in smalle reepjes.

   Verhit 3 eetlepels reuzel of olie in een grote koekepan, op een matig hoog vuur. Voeg het vlees, de aardappelblokjes, de uisnippers en de bakbanaan toe en bak het geheel onder regelmatig omscheppen mooi goudbruin (ca. 8 minuten). Pureer intussen de tomaat en de apart gehouden chilipeper in de blender. Roer het mengsel door de ingrediënten in de pan en laat het geheel al roerende nog een paar minuten indikken. Breng het mengsel op smaak met zout en peper en houd het - afgedekt - warm in de op de laagste stand voorverwarmde oven.

4. *De afwerking*: Warm de tortilla's op boven stoom, zoals beschreven op pag. 406 en warm op een laag vuur ook de saus weer op.

   Neem de schaal met de vulling vlak voor het serveren uit de oven en zet de thermostaat op 180° C. Leg twee of drie warme tortilla's op een plank, schep wat vulling in een baan op het midden en rol de tortilla's op. Leg de rolletjes met de sluiting naar onderen in een voorverwarmde ovenschaal en houd ze warm in de oven terwijl u de volgende rolletjes maakt. Schep de chilisaus over de *enchiladas* en zet de schaal nog ca. 5 minuten in de oven terug, tot de inhoud door en door heet is.

   Bestrooi de *enchiladas* met de verkruimelde of grof geraspte kaas en de gesnipperde ui en serveer direct.

KEUKENNOTITIES

Technieken

»   *Het snel bakken van tortilla's:* Zie pag. 405.

Ingrediënten

»   *Chiles anchos:* Deze chilipepers, die de saus een zoetige smaak geven, kunnen niet door een andere pepersoort worden vervangen.

»   *Bakbanaan:* Om er zeker van te zijn dat de bakbanaan goed rijp is, kunt u hem het beste een paar dagen of een hele week van tevoren inkopen; als u niet over een rijpe bakbanaan beschikt, kunt u een onrijpe – groengele – gewone banaan gebruiken en die tegelijk met de tomaten-chilipuree door de rest van de vulling roeren.

»   *Maïstortilla's:* Zie pag. 405.

Voetnoot van de vertaalster

»   *De hoeveelheden:* Met 'theelepel' wordt de internationale standaardtheelepel met een inhoud van 5 gram bedoeld en niet het Nederlandse theelepeltje van 3 gram.

(Voor)bereidingstijd

»   Het bereiden van de saus, de vulling en de *enchiladas* zelf vergt 1 1/2 à 2 uur. Desgewenst kunt u de vulling en de saus 1 of 2 dagen van tevoren maken en ze – afgedekt – bewaren in de koelkast. Begin in dat geval ca. 1/2 uur voordat u de *enchiladas* wilt serveren met stap 4.

TRADITIONELE VARIATIES

»   *Enchiladas de moles:* Vervang de in het recept beschreven vulling door ca. 300 gram gepocheerd, in reepjes gescheurd kippevlees (pag. 64). Vul de boven stoom opgewarmde maïstortilla's met het kippevlees (stap 4) en overgiet de *enchiladas* met 6-7 dl *mole poblano* (pag. 224) of *mole rojo* (pag. 228).

EIGENTIJDSE VARIATIE

»   *Enchiladas met eend en oranje-rode mole:* Vervang het varkensvlees door een gelijke hoeveelheid gebraden eendevlees. Scheur of snijd het vlees in reepjes en roer ze tegelijk met de tomaten-chilipuree door de vulling (stap 3). Ga verder te werk zoals beschreven in het recept.

Keukentaal

»   Als u in een eetgelegenheid in Oaxaca *enchiladas* bestelt, krijgt u vermoedelijk deze opgerolde of dubbelgevouwen tortilla's met *coloradito*-saus en een garnering van verkruimelde verse kaas en peterselie (maar zonder vulling). Als de *enchiladas* met een zwarte *mole* worden geserveerd in plaats van met een oranje-rode, noemt men ze *enmoladas* en als de *coloradito*-saus wordt vervangen door tomatensaus heten ze *entomatadas*.

TORTILLA-'SANDWICH' MET ZWARTE BONEN, VIS EN TOMATENSAUS

Pan de Cazón

Deze 'sandwich' van tortilla's met zwarte bonen, vis en een pittige, friszure tomatensaus wordt op het hele schiereiland Yucatán gegeten, maar vooral in Campeche, waar de hondshaai overvloedig voorkomt. *Pan de cazón* is een van de favoriete snacks in de markt-*fondas* en eethuisjes van de streek. Het is een eenvoudige, maar smakelijke combinatie, die bovendien ook thuis gemakkelijk te bereiden is. Geef er als bijgerecht een salade van *jícama* (pag. 394) bij en en als drank de traditionele *horchata* (pag. 362).

De lantaarnvormige *chiles habaneros* (madame jeanettes) zijn een onmisbaar bestanddeel van de tomatensauzen in Yucatán; ze geven de saus de zo noodzakelijke chili-kick. Hun kruidige smaak staan ze echter niet af, aangezien ze in hun geheel worden toegevoegd. Op het laatste moment worden ze uit de saus gevist en boven op het gerecht gelegd (om naar te kijken, niet om te eten!).

Voor 6 personen als snack of – met de nodige bijgerechten – als lichte maaltijd:

> 1/2 hoeveelheid *frijoles refritos* gemaakt van zwarte bonen (pag. 314)
> 2 hoeveelheden gladde tomaten-chilisaus (zie Traditionele variaties, pag. 35)
> 3 madame jeanettepepers, geroosterd (pag. 389)
> 12 kant en klaar gekochte maïstortilla's (pag. 405)
> 3 eetlepels bitter sinaasappelsap (pag. 393)
> 6 *epazote*-blaadjes, fijngehakt
> 350 gram gefileerde hondshaai (zie Keukennotities)
> zout
> plantaardige olie

1. *Voorbereidingen*: Doe de bonen in een kleine pan en verwarm ze – met het deksel op de pan – op een laag vuur. Warm de tomatensaus op dezelfde manier op in een tweede pan. Maak een snee in de zijkant van de chilipepers en doe ze in de pan met de saus. Warm de tortilla's op boven stoom zoals beschreven op pag. 406.
2. *De vis*: Breng 3/4 liter water met wat zout aan de kook, voeg 2 eetlepels bitter sinaasappelsap en de helft van de fijngehakte *epazote* toe en doe de vis in de pan. Leg een deksel op de pan en kook de vis 10 minuten; laat hem daarna afkoelen in het vocht.

    Schep de vis met een schuimspaan uit de pan en verdeel het visvlees in vrij kleine vlokjes. Doe het visvlees in een ovenschaal, bestrooi het met een beetje zout en besprenkel het met de rest van het bittere sinaasappelsap. Roer de overgebleven *epazote* erdoor, dek de schaal af met aluminiumfolie en zet hem in de koude oven. Zet de thermostaat op 180° C.

3. *De afwerking*: Bestrijk een bakplaat met olie en leg er 6 warme tortilla's op. Bestrijk elke tortilla met 1/6 deel van de bonen, verdeel het visvlees erover en schep een lepel saus over het geheel. Dek elke tortilla nu af met een tweede tortilla en bestrijk de bovenkant met een beetje saus. Dek het geheel af met een groot vel aluminiumfolie en schuif de bakplaat in de voorverwarmde oven. Verwarm de 'sandwiches' ca. 8 minuten, tot ze door en door warm zijn. Verdeel de 'sandwiches' over zes voorverwarmde borden, schep er een paar lepels tomatensaus over en garneer het geheel met een stukje van de uit de saus opgeviste madame jeanettes. Serveer direct.

Epazote (ganzevoet)

KEUKENNOTITIES

Technieken

» *Het bereiden van enchiladas*: Zie pag. 170. Overigens is het in dit geval misschien handiger om de maïstortilla's snel op te bakken (pag. 172, stap 2) in plaats van ze boven stoom op te warmen; gebakken tortilla's zijn iets steviger, waardoor ze wat gemakkelijker van de bakplaat naar de borden kunnen worden verplaatst.

Ingrediënten

» *Maïstortilla's*: Zie pag. 405.

» *Epazote*: Aangezien geen andere kruiden worden gebruikt, is de *epazote* in dit gerecht duidelijk te proeven. Maar als u geen verse of gedroogde *epazote* kunt krijgen, kunt u het gewoon weglaten of – als u toch iets wilt toevoegen – vervangen door wat fijngehakte platte peterselie.

» *Hondshaai*: Op de markt van Campeche zijn boven houtskool geroosterde moten *cazón* te koop; de buitenkant is bijna zwart geblakerd, maar van binnen zijn ze zacht en sappig. Het houtskoolaroma past uitstekend in dit gerecht, omdat de vis dan niet ten onder gaat in het smaakgeweld van de saus en de bonen. Als het even kan, raad ik u daarom aan de vis niet te koken, maar op de barbecue te roosteren.

Voetnoot van de vertaalster

» *Hondshaai*: Honds- of doornhaai is ook in Nederland geen onbekende vis; hij wordt in viswinkels en op de markt vaak aangeboden onder de misleidende naam 'zeepaling'. Hondshaai wordt altijd zonder vel verkocht en is herkenbaar aan de inkeping aan de bovenkant, waar de rugvin is weggesneden. Als alternatieven voor hondshaai noemt Rick Bayless onder meer: verse tonijn, heilbot en kabeljauw.

(Voor)bereidingstijd

» Als de saus en de bonen van tevoren zijn klaargemaakt, vergt de bereiding van dit gerecht niet meer dan ca. een half uur. Ook de vis kan desgewenst een dag van tevoren worden gaar gemaakt; bewaar hem in dat geval afgedekt in de koelkast. Warm alle ingrediënten op zoals beschreven in stap 1 en assembleer de 'sandwiches' vlak voor het serveren (stap 3).

TRADITIONELE VARIATIES

» *Pan de camarones:* Vervang de hondshaai door 350 à 400 gram grote garnalen uit de diepvries. Stoom ze gaar volgens de aanwijzingen op pag. 139, pel ze, verwijder het darmkanaal en snijd ze in kleine stukjes. Ga verder te werk volgens het recept.

Tostadas met kip

ANDERE SNACKS
Otros Antojitos

Het aantal fantasierijke namen van de fantasievolle hapjes die in Mexico liefkozend *antojitos* worden genoemd, lijkt nog steeds toe te nemen. Zowel de koks als de eters houden zich continu bezig met het bedenken van nieuwe namen – soms beeldende en soms zeer onflatteuze – voor de manier waarop het maïsdeeg geknepen, gekneed, gebakken, gestoomd of gefrituurd op tafel verschijnt. Mexicaanse kookboekenschrijvers hebben er doorgaans een handje van om die namen uitgebreid op te sommen, zonder er ooit aan toe voegen dat het niet gaat om allerlei verschillende gerechten, maar om tientallen variaties op een handjevol thema's.

Na de *tacos*, *quesadillas*, *empanadas* en *enchiladas* zijn we nu toegekomen aan de grote groep van andere snacks, zoals de *masa*-schuitjes (die in Mexico onder meer *sopes* en *garnachas* worden genoemd), de heerlijke *gorditas* (kleine dikke tortilla's die opzwellen als pitabroodjes) met hun pittige vullingen, de fameuze belegde harde broodjes die *tortas* worden genoemd en de alom populaire in een saus gesudderde tortilla's (*chilaquiles*) die wij thuis vaak eten als lunch of lichte avondmaaltijd. Al deze snacks zijn net zo veelzijdig als de andere *antojitos*, in die zin dat ze als voorgerecht, als snack, als lichte maaltijd en soms zelfs – zoals de *chilaquiles* – als bijgerecht kunnen worden geserveerd.

In een verzameling *antojito*-recepten mogen de *tostadas* uiteraard niet ontbreken. Ik heb heel veel verschillende soorten gegeten. De knapperige versie die ik in Tuxtla Gutiérrez, Chiapas, kreeg voorgezet was niet groter dan 10 cm en belegd met in limoensap gemarineerd vlees. In het westen van Midden-Mexico hadden de *tostadas* een diameter van 15 cm en bestond het beleg uit ingemaakte varkenspoten en stukjes zwoerd. In Yucatán waren ze gevuld en werden ze *panuchos* genoemd. En de met allerlei onalledaagse ingrediënten belegde *tostadas* die in Oaxaca onder de naam *clayudas* werden geserveerd, waren vliesdun, zo groot als een bord en – doordat ze geroosterd waren in plaats van gebakken – zo krokant als kroepoek. Nergens in Mexico ben ik echter versies tegengekomen die enige verwantschap vertoonden met dat wat in Californië 'tostada's' wordt genoemd: krokant gefrituurde bakjes van tarwetortilla's gevuld met voldoende sla om een half dozijn vitaminefreaks te verzadigen...

Nee, een Mexicaanse *tostada* is niets anders dan een platte, krokant gebakken maïstortilla waarop iets lekkers wordt gelegd, een soort eetbaar bordje. Ze worden niet alleen bij de eetkraampjes op straat verkocht, maar ook in *cafetarías*, waar ze vaak iets royaler worden belegd, zodat ze als een lichte maaltijd kunnen fungeren. In de wat sjiekere restaurants worden ze meestal, belegd met iets pittigs, als aperitiefhapje geserveerd. Met de recepten op de volgende pagina's zijn vrijwel alle traditionele Mexicaanse *antojitos* in dit boek aan bod gekomen.

KIP-*TOSTADAS* MET SLA EN ROOM

Tostadas de Pollo

Deze *tostadas* belegd met bonenpuree, kippevlees, in reepjes gesneden sla en aangezuurde room hebben in heel Mexico een vaste plaats op het menu van *cafetarías* (en zelfs op dat van de fast-food-restaurants die aan de andere kant van de grens, in de V.S. liggen). Ze zijn voedzaam en smakelijk, maar natuurlijk niet zo spannend als een met varkenspoten belegde *tostada* gemaakt van de kloeke, zoutige gebakken tortilla's die in het westen van Midden-Mexico gangbaar zijn. En misschien ook minder spannend dan de frisse, met *seviche* belegde versie die op vrijwel alle zondoorstoofde Mexicaanse stranden verkrijgbaar is.

De hieronder beschreven *tostadas* zijn geschikt als lunchgerecht maar kunnen ook dienst doen als lichte avondmaaltijd. In de deelstaat Guerrero worden ze vaak geserveerd bij een groene *pozole* (pag. 144), maar bij een kikkererwten-groentesoep (pag. 105) passen ze naar mijn idee ook heel goed. En omdat het een van de weinige lichte gerechten is, mag er best een stevig nagerecht op volgen, bijvoorbeeld de taart van verse roomkaas op pag. 337.

Voor 12 stuks oftewel voldoende als lichte maaltijd voor 4 personen:

12 krokant gebakken maïstortilla's (pag. 405)
400-500 gram gepocheerd kippevlees (pag. 64), in smalle reepjes gescheurd
1 hoeveelheid *frijoles refritos* (pag. 314)
2 eetlepels ciderazijn
6 eetlepels plantaardige olie (waarvan ca. de helft olijfolie)
zout en vers gemalen peper
1/2 krop sla (bij voorkeur bindsla of ijsbergsla), gewassen, drooggeslingerd en in smalle reepjes gesneden
1 kleine ui, fijngehakt
1 rijpe avocado, geschild, van de pit ontdaan en in blokjes gesneden
1/4 liter dikke room (pag. 53) of zure room, verdund met een scheutje melk of koffieroom
2 rijpe tomaten, ontdaan van de harde kern en in plakjes of blokjes gesneden
100 gram Mexicaanse verkruimelde *queso fresco* (pag. 395) of een andere stevige verse witte kaas, bijv. feta, verse geitekaas of witte meikaas

1. *Voorbereidingen*: Begin ca. 25 minuten voordat u de *tostadas* wilt serveren. Bak de tortilla's krokant volgens de aanwijzingen op pag. 405. Bestrooi het kippevlees eventueel met een beetje zout. Warm, op een laag pitje, de bonenpuree op; voeg eventueel – als de puree erg dik is – een klein scheutje water toe. Doe de azijn en de olie met wat zout en peper in een kom en klop het mengsel met een garde, voeg vlak voor het opdienen de sla toe en hussel alles luchtig door elkaar.

2. *Het assembleren van de tostadas*: Bestrijk de krokant gebakken tortillas met een beetje bonenpuree. Verdeel het kippevlees, de uisnippers en de avocadoblokjes over de tortillas en schep er 2 lepels room over. Leg op elke *tostada* een bergje sla en wat tomaat en bestrooi het geheel met de verkruimelde verse kaas. Serveer direct.

KEUKENNOTITIES

Technieken

» De *temperatuur van tostadas*: Niet-Mexicanen vinden meestal dat een gerecht òf echt warm, òf echt koud moet zijn, terwijl Mexicanen doorgaans dik tevreden zijn als iets op kamertemperatuur wordt geserveerd. Waarschijnljk is het opwarmen van de bonenpuree voor *tostadas* in hun ogen dan ook volstrekt overbodig. Als u dat wilt, kunt u deze handeling dus met een gerust hart overslaan.

(Voor)bereidingstijd

» Als u de bonenpuree van tevoren hebt gemaakt en gaar kippevlees bij de hand hebt, duurt het maken van de *tostadas* niet langer dan een minuut of twintig. Bak de tortilla's niet te lang van tevoren, anders verliezen ze hun knapperigheid.

TRADITIONELE VARIATIES

» *Tostadas met zwarte bonen en room*: Een elegante manier om *frijoles refritos* van zwarte bonen (pag. 314) als bijgerecht te serveren, is door er *tostadas* van te maken. Verdeel de bonenpuree over 6 krokant gebakken maïstortilla's en giet er 1 à 2 eetlepels met een beetje melk of koffieroom verdunde dikke room (pag. 53) of zure room over. Bestrooi het geheel ten slotte met fijngehakte ui en verkruimelde Mexicaanse *queso añejo* (pag. 395) of een andere kaas, bijvoorbeeld feta of grof geraspte gruyère.

» *Tostadas met ceviche*: Bereid de *ceviche* voor *tostadas* zoals beschreven bij de Traditionele variaties op pag. 92. Verdeel de gemarineerde vis over 10-12 krokant gebakken maïstortilla's en garneer de *tostadas* met een plukje verse koriander en een beetje hete chilisaus (pag. 41).

TOSTADAS MET GEMARINEERDE GEKRUIDE GROENTEN

Tostadas de Chileajo

In de deelstaten Oaxaca en Guerrero wordt met de term *chileajo* (letterlijk: 'chili-knoflook') een eenvoudige saus bedoeld gemaakt van milde chilipepers, heel veel knoflook en een scheutje azijn. In de eetstalletjes langs de weg naar Taxco wordt de saus gebruikt als stoofvocht voor konijn en leguaan, maar de voedselverkopers die in de vallei van Oaxaca van markt naar markt trekken, gebruiken de saus als een soort marinade voor groenten.

Onderstaand recept voor *tostadas* met gemarineerde groenten is gebaseerd op de versie die ik vond in Guzmáns *Tradiciones gastronómicas oaxaqueñas*. De *tostadas* kunnen fungeren als onderdeel van een lichte maaltijd die verder bestaat uit maïssoep met grote garnalen (Eigentijdse variaties, pag. 108) en een vruchtensorbet (pag. 353) als dessert. U kunt de krokant gebakken tortilla's ook weglaten en de groenten zelfstandig serveren, als zomers bijgerecht bij gepocheerde vis dan wel gegrillde of boven houtskool geroosterde kip.

Voor 12 stuks oftewel voldoende als voorgerecht voor 6 personen:

25-30 gram gedroogde *chiles guajillos*, ontdaan van steeltjes, zaadjes en zaadlijsten
6 grote knoflooktenen, ongepeld
100 gram sperziebonen of haricots verts, schoongemaakt en in stukjes van ruim 1 cm gesneden
100 gram doperwtjes, vers of uit de diepvries
150-200 gram vastkokende aardappelen, geschild en in kleine blokjes gesneden
100 gram worteltjes, geschrapt en in stukjes of blokjes gesneden
2 kruidnagels (of een mespuntje kruidnagelpoeder)
1/4 theelepel zwarte peperkorrels (of 1/8 theelepel gemalen peper)
1/2 theelepel gedroogde oregano
1 eetlepel reuzel of plantaardige olie
1 1/2 eetlepel ciderazijn
zout en suiker
12 krokant gebakken maïstortilla's (pag. 405)
ca. 30 gram verkruimelde Mexicaanse *queso añejo* (pag. 395) of een andere kaas, bijv.
 feta of grof geraspte gruyère
1/2 kleine ui, in flinterdunne ringen gesneden

1. *De chilipepers en de knoflook*: Doe de pepers in een kom, overgiet ze met kokend water en laat ze 30 minuten weken (dek ze af met een schoteltje, zodat ze
ondergedompeld blijven); laat ze daarna uitlekken. Rooster, terwijl de pepers
staan te weken, de ongepelde knoflookteentjes op een grillplaat of in een kleine koekepan met dikke bodem onder regelmatig omdraaien tot, na ca. 15 minuten, de schil rondom geblakerd is en de inhoud zacht is. Laat de teentjes afkoelen alvorens de schil te verwijderen. Doe de pepers en de knoflookpulp in
de kom van een blender.
2. *De groenten*: Breng in een pan water met wat zout aan de kook en kook de
groenten afzonderlijk beetgaar (u kunt steeds hetzelfde water gebruiken).
Spoel de groenten direct onder koud stromend water om het garingsproces
stop te zetten en laat ze goed uitlekken (leg ze op het laatst nog even op dubbelgevouwen keukenpapier). Doe de groenten in een kom.
3. *De saus*: Maak de kruidnagels en de peperkorrels fijn in een vijzel of specerijenmolentje en doe ze bij de ingediënten in de blender. Maal de knoflook, de chilipepers en de specerijen tot een gladde puree en wrijf de puree door een zeef.
 Verhit de reuzel of olie in een kleine koekepan, op een matig hoog vuur.
Voeg, zodra het vet heet is, de puree toe en bak de puree al roerende 2 à 3 minuten, tot de massa zichtbaar dikker en donkerder is. Draai het vuur laag, voeg
de azijn toe en zoveel water als nodig is om de saus de consistentie van dunne
ketchup te geven. Laat de saus nog even zachtjes pruttelen, zodat de smaken
zich goed vermengen. Breng de saus op smaak met zout en suiker en laat haar
afkoelen. Meng de saus daarna met de groenten en laat het geheel – als er voldoende tijd is – een paar uur (afgedekt) marineren.
4. *De tostadas*: Bak de tortilla's krokant zoals beschreven op pag. 405 en bedek ze
vlak voor het opdienen met 2-3 eetlepels gemarineerde groenten. Bestrooi de
tostadas met de verkruimelde kaas en de uiringen en serveer direct.

KEUKENNOTITIES

Technieken

» *Groenten koken*: Uit het oogpunt van voedingswaarde is het wellicht beter om de groenten te stomen in plaats van te koken en daar is niets op tegen. Maar stomen is een bereidingstechniek die in Mexico niet veel wordt toegepast, vandaar dat ik in dit recept ben uitgegaan van gekookte groenten.

Ingrediënten

» *Chiles guajillos*: Als u geen gedroogde *guajillos* kunt vinden, kunt u 3 of 4 gedroogde rode pepers (lomboks) gebruiken.

Voetnoot van de vertaalster

» *De hoeveelheden*: Met 'theelepel' wordt de internationale standaardtheelepel met een inhoud van 5 gram bedoeld en niet het Nederlandse theelepeltje van 3 gram.

(Voor)bereidingstijd

» Voor de bereiding van de saus en het koken van de groenten moet alles bij elkaar zo'n 45 minuten worden uitgetrokken. Als u de groenten langer dan een uur wilt laten marineren, kunt u het beste een halve of een hele dag van tevoren beginnen. Dek de kom met het mengsel van groenten en saus af en zet hem in de koelkast. Neem de kom er ook weer tijdig uit, zodat de groenten op kamertemperatuur zijn op het moment dat u de *tostadas* wilt maken.

HALFGEBAKKEN TORTILLA'S MET ZWARTE BONEN EN GEKRUIDE GEMARINEERDE KIP

Panuchos Yucatecos con Pollo

Het aantrekkelijke van deze verrukkelijke, met gemarineerde kip belegde *tostadas* is dat de onderkant krokant is, terwijl de bovenkant als het ware is versmolten met de vulling van bonenpuree. In Mérida, de hoofdstad van Yucatán, zijn ze zowel bij de eetkraampjes verkrijgbaar als in de betere restaurants met een regionale keuken. Maar ook elders langs de kust van de Mexicaanse Golf zijn ze populair.

Onderstaand recept is gebaseerd op de versie die wordt geserveerd in restaurant Los Almendros in Mérida, waar ze de *panuchos* doorgaans bedekken met wat frisse sla. Ze vormen een passend begin voor een maaltijd in Yucatánse stijl met *cochinita pibil* (pag. 269) als hoofdgerecht en kokoscrème met geroosterde amandelen (pag. 334) als toetje. Maar u kunt ze ook, met een salade erbij, als hoofdbestanddeel van een maaltijd serveren; in dat geval zou u de maaltijd kunnen besluiten met een Mexicaanse rijstpudding (pag. 335).

Voor 12 stuks, voldoende als hoofdgerecht voor 4 personen of als voorgerecht voor 6 personen:

12 maïstortilla's (zie Keukennotities)
1/2 hoeveelheid gekruide gemarineerde kip (pag. 265) of ca. 400 gram gepocheerd kippevlees (pag. 164), in smalle reepjes gescheurd plus 100 gram gemarineerde uiringen (pag. 52)
1/3 hoeveelheid gladde bonenpuree (*frijoles refritos*, pag. 314), gemaakt van zwarte bonen
1 1/2 dl plantaardige olie
4-6 slabladeren, in smalle reepjes gesneden
6 ingemaakte *chiles jalapeños*, zelfgemaakt (pag. 51) of kant-en-klaar gekocht, ontdaan van steeltjes, zaadjes en zaadlijsten en in smalle reepjes gesneden (eventueel)

1. *Het opensnijden van de tortilla's*: Leg de tortilla's naast elkaar op het werkvlak en draai ze af en toe om, tot ze niet meer vochtig zijn en leerachtig aanvoelen (maar laat ze niet zó droog worden dat ze omkrullen of hard worden).
   Leg een van de tortilla's met de bovenkant naar boven op een plank (de bovenkant is de kant waar het deeg het dunst is en je het beste kunt zien dat de tortilla enigszins hol is). Maak, op ca. 1 cm van de rand, een inkeping in de bovenkant van de tortilla, zodanig dat de punt van het mes tussen de beide deeglagen eindigt. Maak nu een cirkelvormige opening tussen de beide deeglagen door de tortilla, evenwijdig aan de rand, voor ca. 3/4 open te snijden. Maak een zakvormige holte in de tortilla door de beide deeglagen met uw vingers voorzichtig, zonder het deeg te scheuren, van elkaar los te duwen (als het deeg toch mocht scheuren, is de tortilla onbruikbaar geworden, tenzij het scheurtje maar heel klein is). Maak op dezelfde manier een holte in de overige tortilla's.
2. *Het vullen van de tortilla's*: Doe het gekruide kippevlees ca. 45 minuten voor het serveren in een zeef of vergiet en laat het uitlekken of meng de reepjes gepocheerd kippevlees met de gemarineerde uiringen.
   Schep 1 eetlepel bonenpuree in de holte van elke tortilla en druk de onder- en bovenkant van de tortilla's lichtjes op elkaar, zodat de puree zich door de hele holte verspreidt. Leg de tortilla's op elkaar en verpak de stapel in plasticfolie.
3. *Het bakken van de panuchos*: Verhit de olie in een grote koekepan op een matig hoog vuur. Leg, zodra de olie dampend heet is, 2 of 3 gevulde tortilla's in de pan (met de ingesneden kant naar boven) en bak ze ca. 3 minuten, tot de onderkant mooi bruin en krokant is. Laat ze ondersteboven (dus met de ingesneden kant naar onderen) uitlekken op keukenpapier, leg ze daarna met de krokant gebakken kant naar boven op een bakplaat en houd ze warm in de oven terwijl u de volgende tortilla's bakt.
4. *De presentatie*: Leg de *panuchos* op voorverwarmde borden en bedek ze met wat fijngesneden sla. Schep het gekruide kippevlees (of het mengsel van reepjes kip en gemarineerde uiringen) in een bergje op de sla en bestrooi het geheel - eventueel - met de in reepjes gesneden *jalapeños*. Serveer direct.

KEUKENNOTITIES

Ingrediënten

» De *tortilla's*: Dit gerecht kan het beste worden gemaakt met kant-en-klaar gekochte maïstortilla's, maar als de tortilla's van het merk dat u koopt zich niet gemakkelijk laten opensnijden, kunt u misschien beter zelfgebakken tortilla's gebruiken. Als de boven- en onderkant moeilijk van elkaar te scheiden zijn, kunt u de tortilla's even opbakken op een vlakke grillplaat of in een zware koekepan; draai ze daarbij regelmatig om en neem ze van het vuur zodra ze iets steviger zijn en licht beginnen te kleuren. Snijd ze dan in en duw de beide helften los van elkaar.

(Voor)bereidingstijd

» De bonenpuree en de kip kunnen van tevoren worden bereid en in de koelkast worden bewaard. Het opensnijden van de tortilla's duurt ca. 30 minuten; als u ze daarna goed verpakt, kunt u ze eveneens een dag in de koelkast bewaren. Vul ze niet langer dan ca. 1 uur van tevoren met de bonenpuree, anders worden ze taai. Snijd de slabladeren vlak voordat u de tortilla's gaat bakken.

TRADITIONELE VARIATIES

» *Panuchos met pollo of cochinita pibil*: Vervang de gekruide kip door een gelijke hoeveelheid kip of varkensvlees-*pibil* (pag. 268 en 269) en stop – eventueel – samen met de bonenpuree een paar plakjes hardgekookt ei in de tortilla's.

» *Panuchos met picadillo of vis*: In de versie die in markt-*fondas* wordt geserveerd, wordt het kippevlees vaak vervangen door grof gemalen rund- of varkensvlees (pag. 145). Overgiet het vlees met 1 eetlepel tomatensaus uit Yucatán (pag. 43) en bedek het met fijngesneden sla, gemarineerde uiringen en reepjes ingemaakte *jalapeños*. Er zijn ook varianten waarin de plaats van de kip of het vlees wordt ingenomen door in vlokjes verdeelde gekookte vis (meestal hondshaai, maar andere vissoorten met stevig visvlees zijn eveneens geschikt).

Regionale accenten

» De met bonenpuree gevulde *panuchos* zijn kenmerkend voor Mérida; buiten de stad zijn het meestal gewone, met zwarte-bonenpuree bestreken *tostadas* bedekt met kippevlees of grof gemalen rundvlees. Maar in Campeche en Villahermosa worden *panuchos* gemaakt door twee zeer dunne ongebakken tortilla's met wat bonenpuree of vlees ertussen op elkaar te drukken en vervolgens te bakken. Voor het serveren worden ze bedekt met een passende saus en wat andere condimenten. Ze smaken verrukkelijk.

Gedroogde chiles anchos

KROKANTE *MASA*-SCHUITJES MET *CHORIZO*

Sopes Tapatíos

Deze knapperige schuitjes, gemaakt van *masa* en bedekt met iets zachts en vlezigs dan wel iets fris en pittigs, zijn niet meer weg te denken uit het snackassortiment van de eetstalletjes en *taquerías* in Guadalajara. Met hun verrassende contrast in smaken en texturen behoren deze *sopes* tot de elegantste tussendoortjes van heel Mexico.

Onderstaande versie heb ik leren maken in een restaurant in Mexico-Stad, waar de *sopes* als voorgerecht werden geserveerd. Ze zijn ook uitermate geschikt als hartig hapje bij een uitgebreide borrel of een feestje in Mexicaanse stijl; serveer ze in het laatste geval samen met *seviche-tostadas* (pag. 185) en *tamales* uit Nuevo León (pag. 211). Of geef ze, samen met soep met garnalenballetjes en geroosterde chilipepers (pag. 112), als hoofdbestanddeel van een lichte maaltijd.

Voor 24 stuks, voldoende als voorgerecht of snack voor 8-12 personen:

voor het deeg:
 600 gram verse *masa* of 350 gram *masa harina* gemengd met 3 1/2 dl heet (kraan)water
 2 eetlepels reuzel of margarine
 45 gram bloem (55 gram als u *masa harina* gebruikt)
 3/4 theelepel zout
 1 theelepel bakpoeder

voor het overige:
 1/6 hoeveelheid gekookte bonen (pag. 312), fijngeprakt met een kleine scheutje van het kookvocht
 plantaardige olie
 200-250 gram chorizo (pag. 59), zonder worstvel
 3 1/2 dl groene *tomatillo*-saus (pag. 37)
 50-60 gram verkruimelde Mexicaanse *queso fresco* of *queso añejo* (pag. 395) of een andere kaassoort, bijv. feta, verse geitekaas of gruyère
 3-4 slabladeren (bij voorkeur bindsla), in smalle reepjes gesneden
 3-4 radijsjes, in dunne plakjes gesneden

1. *De sopeschuitjes*: Meng de *masa harina* in een kom met heet water en laat het mengsel afgedekt 20-30 minuten rusten. Meng de aldus verkregen *masa* (of de verse *masa*) met de overige ingrediënten en kneed het deeg goed door. Voeg, als het deeg te stijf is, iets meer water toe (zie pag. 81). Verdeel het deeg in 12 balletjes van gelijke grootte, leg ze op een bord en dek ze af met plasticfolie.

   Zet een vlakke grillplaat of een zware koekepan op een matig hoog vuur. Knip een vierkant uit stevig plastic (bijv. uit een diepvrieszakje). Leg het plastic op een plank, leg een van de deegballetjes erop en druk het zachtjes uit tot een dikke (ca. 1 cm) ronde plak met een diameter van ca. 6 1/2 cm. Draai de deegplak met plastic en al om op uw hand en trek het plastic eraf. Leg de tortilla direct op de hete grillplaat of in de koekepan en bak hem aan beide kanten mooi lichtbruin (ca. 2 minuten per kant); vanbinnen is de tortilla dan nog rauw en zacht. Leg de tortilla op een schaal en bak de rest van de deegballetjes op dezelfde manier.

Snijd de tortilla's als een broodje doormidden. Leg de helften met de gebakken zijde naar onderen op een plank en knijp de randen, samen met het zachte, kneedbare binnenste, rondom iets naar boven, zodat een opstaand randje van ca. 1 cm ontstaat en het geheel de vorm van een plat, rond bakje krijgt. Behandel de rest van de halve tortilla's op dezelfde manier. Dek de *sopes* af met folie, zodat ze niet uitdrogen.

2. *De bonen en de chorizo*: Warm de fijngemaakte bonen ca. 30 minuten voor het serveren op in een kleine pan (de bonen moeten de consistentie hebben van dikke erwtensoep; is het mengsel te dun, laat het dan iets inkoken – is het te dik, voeg dan een klein scheutje water toe); houd ze afgedekt warm in de oven.

Verhit 1 eetlepel olie in een kleine koekepan en roerbak de *chorizo* ca. 10 minuten, tot het vleesmengsel gaar en kruimelig is. Giet het vet af en houd de *chorizo* warm in de oven.

3. *Het bakken van de sopes*: Giet een laag olie van ca. 2 cm in een hoge koekepan en verhit de olie tot 185° C. Frituur de *sopes* met 3 à 4 stuks tegelijk in ca. 45 seconden mooi lichtbruin; het is de bedoeling dat de buitenkant licht krokant is, terwijl de binnenkant zacht blijft. Laat de *sopes* uitlekken op keukenpapier en houd ze warm in de oven terwijl u de volgende hoeveelheid frituurt.

4. *De afwerking*: Vul elk van de schuitjes met 2 eetlepels fijngemaakte bonen en schep hierop, in de aangegeven volgorde: 1/2 eetlepel *chorizo*, 1 afgestreken eetlepel *tomatillo*-saus, 1 theelepel verkruimelde kaas, een plukje fijngesneden sla en een paar plakjes radijs. Leg de *sopes* op een schaal en serveer direct.

KEUKENNOTITIES

Technieken

» *Een andere manier om sopes te maken*: Verdeel het deeg in 18 balletjes en druk elk deegballetje uit tot een kleine ronde plak (diameter ca. 6 1/2 cm en ruim 1/2 cm dik). Bak de tortilla's ca. 1 1/2 minuut per kant op een hete grillplaat of in een koekepan en laat ze afkoelen. Vorm een opstaand randje door rondom in het korstje te knijpen en het zachte binnenste iets omhoog te drukken. Frituur de schuitjes volgens de aanwijzingen in het recept (stap 3).

» *Het frituren van de sopes*: Zie 'Gulden regels voor perfecte pasteitjes', pag. 159.

Voetnoot van de vertaalster

» *De hoeveelheden*: Met 'theelepel' wordt de internationale standaardtheelepel met een inhoud van 5 gram bedoeld en niet het Nederlandse theelepeltje van 3 gram.

(Voor)bereidingstijd

» Het maken van de *sopes* duurt ca. 1 uur (plus de tijd benodigd voor het rusten van het deeg). De in stap 1 beschreven voorbereidingen kunnen desgewenst 1 of 2 dagen van tevoren worden gedaan en ook de bonen en de *chorizo* kunnen van tevoren worden bereid en in de koelkast worden bewaard. De in de stappen 2 t/m 4 beschreven handelingen moeten echter vlak voor het serveren worden verricht.

TRADITIONELE VARIATIES

» *Andere vullingen voor masaschuitjes:* Bijna alle tacovullingen (pag. 162-167) en *quesadilla*-vullingen (pag. 135-155) kunnen voor *sopes* worden gebruikt (wel moet u de ingrediënten iets fijner snijden) en zo ook de roereieren met *chorizo* (pag. 127), gedroogd vlees (pag. 128) of met ui, tomaat en chilipepers (pag. 129).

EIGENTIJDSE VARIATIE

» *Sopes van bakbanaan met varkensvlees:* Het deeg voor *masa*-schuitjes wordt in sommige gevallen verrijkt met andere ingrediënten, bijvoorbeeld bakbanaan en verse kaas. Kook het vruchtvlees van 1 grote, niet al te rijpe bakbanaan gaar in lichtgezouten water (30-40 minuten). Laat het vruchtvlees, zodra het zacht is, afkoelen en pureer het in een foodprocessor. Meng de puree in een kom met 300 gram *masa*, 50 gram verkruimelde *queso fresco*, feta of verse geitekaas en de in het recept voorgeschreven hoeveelheden reuzel of margarine, bloem, zout en bakpoeder. Maak er kleine dikke tortilla's van, bak ze 3-4 minuten per kant op een hete grillplaat (op een laag vuur), snijd ze doormidden, vorm er schuitjes van en frituur ze mooi goudbruin in hete olie. Bedek de *sopes* met *picadillo* van grof gemalen varkensvlees (pag. 145) en een beetje verkruimelde verse witte kaas.

Regionale accenten

» Ook elders in Mexico duiken *sopes* op, maar doorgaans onder andere namen. In Veracruz heten ze *picadas* (letterlijk 'ingeprikt'); in grote delen van Midden-Mexico en langs de Golf van Mexico worden ze *pellizcadas* ('ingeknepen') genoemd; in het gebied tussen Mexico-Stad en Yucatán verschijnen ze op tafel onder de naam *garnachas*, in Puebla en omgeving noemt men ze *chalupas* ('schuitjes' of 'bootjes') en in de deelstaat Oaxaca spreekt men van *memelas* ('dikke ovale tortilla's'). In Hermosillo, Sonora, heten ze *gorditas* (letterlijk 'kleine dikkertjes') en in Tampico *migadas* ('verkruimeld'). Gelukkig wordt ook de alledaagse, neutrale term *sopes* vrijwel overal begrepen. Al die regionale variëteiten hebben met elkaar gemeen dat ze een opstaand randje hebben, maar de vullingen verschillen van streek tot streek. De uit Guadalajara afkomstige *sopes* die in bovenstaand recept worden beschreven, zijn iets kleiner dan die uit de andere delen van Mexico en doorgaans ook wat royaler gevuld.

GEVULDE *MASA*-'BROODJES' MET VERSE WITTE KAAS EN CHILIPEPERS

Gorditas de Chile con Queso

In een van de eetkraampjes op de markt van San Luis Potosí liggen kleine dikke 'broodjes' van *masa* te bakken op een grote metalen plaat die boven een houtskool-vuur is gelegd. De vullingen staan klaar in eenvoudige aardewerken kommen die gevangen zijn in banen zonlicht en de lucht vullen met hun heerlijke geuren. Het geheel heeft de rustieke sfeer die past bij een snack als *gorditas*.

Gorditas zijn gemeengoed in de deelstaat Querétaro en verder noordwaarts. Ze worden gemaakt met een eindeloze hoeveelheid verschillende vullingen. Voor dit recept heb ik een vulling van kaas en chilipepers gekozen, die een van de meest gangbare is en bovendien erg lekker smaakt. *Gorditas* kunnen als lunch of lichte maaltijd worden geserveerd, maar ook als voorgerecht.

Voor 12 stuks, voldoende als licht hoofdgerecht voor 4 personen of voedzaam voorgerecht voor 6 personen:

voor de vulling:
  200 gram rijpe tomaten, geroosterd of gekookt (pag. 405), ontveld en van de harde kern ontdaan of 3/4 van 1 klein blik (à 4 dl) ontvelde tomaten, uitgelekt
  4 middelgrote verse *chiles poblanos* (zie Keukennotities), geroosterd en ontveld, van zaadjes ontdaan en in smalle reepjes gesneden
  1/4 liter kippebouillon
  200-250 gram Mexicaanse *queso fresco* (pag. 395) of een andere verse witte kaas, bijv. feta, witte meikaas of verse geitekaas, in blokjes van 1 cm gesneden (zie Keukennoti-ties)
  zout
  4-6 slabladeren (bindsla of ijsbergsla), in reepjes gesneden (eventueel)

voor de gorditas:
  500 gram verse *masa* of 250 gram *masa harina* plus 1/4 liter heet (kraan)water
  2 eetlepels reuzel of margarine
  1/2 theelepel zout
  35 gram bloem (45 gram als u *masa harina* gebruikt)
  1 afgestreken theelepel bakpoeder

1. *De vulling:* Pureer de tomaten in een blender of foodprocessor en giet de puree door een zeef in een steelpan. Voeg de in reepjes gesneden pepers en de bouil-lon toe, breng de vloeistof aan de kook en laat het mengsel ca. 10 minuten zachtjes koken, tot de pepers zacht zijn en en de saus sterk is ingekookt. Neem de pan van het vuur, voeg de kaas toe en breng het mengsel (indien nodig) op smaak met zout.
2. *Het deeg:* Meng de *masa harina* in een kom met heet water en laat het mengsel afgedekt 20-30 minuten rusten. Meng de aldus verkregen *masa* (of de verse *masa*) met de overige ingrediënten en kneed het deeg goed door. Voeg, als het deeg te stijf is, iets meer water toe (zie pag. 81). Verdeel het deeg in 12 balletjes van gelijke grootte, leg ze op een bord en dek ze af met plasticfolie.
3. *Het maken van de gorditas:* Zet een vlakke grillplaat of een zware koekepan op een matig hoog vuur. Knip uit stevig plastic (bijv. uit een diepvrieszakje) een vierkant van ca. 15x15 cm. Leg het plastic op een plank, leg een van de deeg-balletjes erop en druk het zachtjes uit tot een dunne (ca. 3 mm) ronde plak met een diameter van ca. 10 cm. Draai de deegplak met plastic en al om op uw hand en trek voorzichtig het plastic eraf. Leg de tortilla direct op de hete grill-plaat of in de koekepan en bak hem onder regelmatig omdraaien aan beide kanten mooi lichtbruin en krokant (totaal 3 à 4 minuten); laat de tortilla afkoelen op een rooster en behandel de rest van de deegballetjes op dezelfde manier.
4. *Het bakken en vullen:* Verhit de olie ca. 20 minuten voor het serveren op 190° C. Warm de vulling iets op in de lauwwarme oven.
   Bak de *gorditas* met 2 of 3 stuks tegelijk in de hete olie, onder regelmatig om-draaien, tot ze opzwellen (als ze dat niet doen kunt u ze later gewoon opensnij-den). Schep ze met een schuimspaan uit de pan, laat ze uitlekken op keukenpa-pier en houd ze warm in de oven terwijl u de volgende lading frituurt.
   Snijd de *gorditas* een stukje open, vul ze met 3 eetlepels van het tomaat-kaas-pepermengsel en – eventueel – wat fijngesneden sla en serveer direct.

KEUKENNOTITIES

Technieken

» *De eerst-bakken-en-dan-frituren methode*: Vaak zwellen de *gorditas* al op als ze op de grillplaat of in de koekepan worden gebakken, maar dat is lang niet altijd het geval. De meest betrouwbare methode is die van de eigenaars van eetstalletjes: bak de tortilla's krokant op de bakplaat (of in de koekepan) en dompel ze daarna in een heet frituurbad – dan zwellen ze vrijwel altijd op.

» *Het frituren van de gorditas*: Zie 'Gulden regels voor perfecte pasteitjes', pag. 159.

Ingrediënten

» *Chiles poblanos*: Als u geen verse *chiles poblanos* kunt krijgen, kunt u ze vervangen door 3-5 (afhankelijk van de grootte) lichtgroene Turkse of Marokkaanse groene pepers (geroosterd, ontveld, van de zaadjes ontdaan en in smalle reepjes gesneden).

» *Kaas*: Hoewel in de westelijke deelstaten van Midden-Mexico en in het noorden vrijwel altijd de kruimelige *queso fresco* of de sponsachtige *panela* wordt gebruikt, kunnen de *gorditas* ook, zoals in Chihuahua, met een goed smeltende kaas (bijvoorbeeld half om half mozzarella en licht belegen Goudse kaas of gruyère) worden gevuld. Het vullen gaat alleen makkelijker met een kruimelige kaas.

Voetnoot van de vertaalster

» *De hoeveelheden*: Met 'theelepel' wordt de internationale standaardtheelepel met een inhoud van 5 gram bedoeld en niet het Nederlandse theelepeltje van 3 gram.

(Voor)bereidingstijd

» Het maken van de *gorditas* en de vulling duurt ca. 45 minuten. Als u begint met het mengen van de *masa harina* en het water, kunt u de vulling maken terwijl het mengsel moet rusten. U kunt de vulling echter ook 1 of 2 dagen van tevoren maken en – afgedekt – in de koelkast bewaren.

TRADITIONELE VARIATIES

» *Andere formaten en vullingen*: In de streek rond Tampico worden kleine *gorditas* gemaakt die bekendheid genieten onder de naam *bocoles*. Deze kleine versie is bij uitstek geschikt als borrelhapje. Verdeel de hoeveelheid *masa* in het vorige recept in 24 balletjes en ga verder te werk volgens de aanwijzingen in het recept.

» Vrijwel alle vullingen voor taco's en *quesadillas* (pag. 135-155 en 162-167) kunnen ook voor *gorditas* worden gebruikt.

Verse en gerijpte Mexicaanse kaas
(queso fresco en queso añejo)

TORTILLA'S IN GROENE OF RODE SAUS

Chilaquiles Verdes o Rojos

Wat dit gerecht zo aantrekkelijk maakt, is de stevige textuur van de met de smaak van bouillon, tomaten, *tomatillos* en chilipepers doortrokken tortilla's. En niet te vergeten de frisrinse toevoeging van een beetje aangezuurde room. *Chilaquiles* worden in heel Mexico gegeten, van de noordgrens tot aan de grens met Guatemala, maar de sauzen en de overige ingrediënten – groenten, vlees, eieren en worst – verschillen van streek tot streek. Op de markt van Guadalajara worden de *chilaquiles* 's ochtends al klaargemaakt in grote *cazuelas*; na een paar uur sudderen worden ze zo dik als een grove polenta. De versie die in Mexico-Stad in zwang is, wordt gemaakt met een pittige *tomatillo*-saus en flink veel *epazote* – toepasselijke ingrediënten voor een gerecht waarvan de Indiaanse naam 'chili's en kruiden' betekent.

Onderstaande versie van *chilaquiles* wordt in de eethuisjes van Mexico-Stad voornamelijk als ontbijt geserveerd. Het gerecht kan echter heel goed, in combinatie met een salade en/of gebakken varkensvlees in chili-marinade (pag. 63), dienst doen als onderdeel van een avondmaaltijd. U kunt het zelfs gebruiken als vervanging voor de *enchiladas* in gegrilld vlees *a la Tampiqueña* (pag. 281).

Voor 2 personen als hoofdgerecht of voor 4 personen als onderdeel van een wat uitgebreidere maaltijd:

> 6 medium dikke maïstortilla's (totaal ca. 150 gram), bij voorkeur enigszins oudbakken
> 3/4 dl plantaardige olie
> 3 1/2 dl gekookte groene *tomatillo*-saus (pag. 37) of gekookte tomaten-chilisaus (pag. 42)
> 1 1/4 liter kippebouillon als u *tomatillo*-saus gebruikt of 1/4 liter als u tomaten-chilisaus gebruikt
> 100 gram gepocheerd kippevlees (pag. 64), in stukjes gesneden (eventueel)
> 1 groot takje *epazote* (eventueel)
> zout
> 4 eetlepels dikke room (pag. 53) of crème fraîche, verdund met een klein beetje melk of koffieroom
> 2 eetlepels verkruimelde Mexicaanse *queso fresco* of *queso añejo* (pag. 395) of een andere kaas, bijv. feta, verse geitekaas of witte meikaas
> 1 dunne plak ui, in ringen verdeeld

1. *De tortilla's*: Snijd de tortilla's in 8 punten. Leg de stukken, als ze nog enigszins vochtig zijn, een paar minuten in de op 180° C voorverwarmde oven, tot ze leerachtig aanvoelen.

Verhit de olie in een koekepan op een matig hoog vuur. Voeg, zodra de olie dampend heet is, de helft van de tortillapunten toe en frituur ze, onder regelmatig omdraaien, tot ze lichtbruin beginnen te kleuren en bijna krokant zijn. Schep ze met een schuimspaan uit de pan en laat ze uitlekken op keukenpapier. Frituur de rest van de tortilla's op dezelfde manier. Draai het vuur iets lager en giet de overgebleven olie uit de pan.

2. *Het bereiden van de chilaquiles*: Doe de tortillapunten terug in de pan, voeg de saus, de bouillon en - eventueel - het kippevlees en de *epazote* toe en laat het geheel ca. 5 minuten zachtjes sudderen, tot de tortilla's zacht (maar niet papperig) zijn. Breng het geheel op smaak met zout.

3. *De presentatie*: Doe het mengsel in een verwarmde schaal. Schenk of schep de room erover en bestrooi de bovenkant met de verkruimelde kaas en de rauwe uiringen. Serveer direct.

KEUKENNOTITIES

Technieken

» *Het frituren van de tortilla's*: Zie 'Gulden regels voor perfecte pasteitjes', pag. 159.

Ingrediënten

» *Maïstortilla's*: De tortilla's mogen niet te dun zijn, want dan vallen ze uit elkaar tijdens het opwarmen in de saus.

(Voor)bereidingstijd

» Als de saus van tevoren is gemaakt, duurt de bereiding van de *chilaquiles* niet langer dan een minuut of 20. Het frituren van de tortillapunten kan desgewenst een tijdje van tevoren worden gedaan. Aangezien de punten, als ze eenmaal met de saus zijn vermengd, snel zacht worden, moet de bereiding zelf vlak voor het serveren plaatsvinden.

TRADITIONELE VARIATIES

» *Chilaquiles met roerei en reepjes chile poblano*: Fruit 1/2 in ringen gesneden ui en 2 *chiles poblanos* (geroosterd, ontveld, van de zaadjes ontdaan en in smalle reepjes gesneden) in een scheutje olie tot de groenten zacht zijn. Voeg 3 losgeklopte eieren toe en laat het eimengsel al roerende stollen. Maak de *chilaquiles* volgens de aanwijzingen in het recept. Voeg de roereieren tegelijk met de saus toe en laat het geheel nog een paar minuten sudderen.

» *Chilaquiles voor 4-8 personen* : Deze huiselijke versie is min of meer hetzelfde als wat in Mexico een 'droge' tortillasoep wordt genoemd. Verdubbel de hoeveelheden. Frituur de in punten gesneden tortilla's – met kleine hoeveelheden tegelijk – in hete olie tot ze bijna krokant zijn, laat ze uitlekken op keukenpapier en doe ze in een ovenschaal. Verhit de saus met de bouillon en giet het mengsel in de schaal. Voeg – eventueel – het kippevlees en de *epazote* toe en bestrooi het geheel met zout. Meng alles goed, dek de schaal af met aluminiumfolie en zet hem ca. 20 minuten in de op 180° C voorverwarmde oven. Schep de room over de *chilaquiles* en strooi de verkruimelde kaas en de uiringen erover.

EIGENTIJDSE VARIATIE

» *Chilaquiles met roergebakken snijbiet en kaas*: Roerbak 200-250 gram in reepjes gesneden snijbiet in een scheutje hete olie tot de groente nèt gaar is. Maak een gekookte tomaten-chilisaus, maar vervang de verse groene chilipepers door 2 *chiles chipotles* (ontdaan van de zaadjes). Maak de *chilaquiles* t/m stap 2. Voeg na het sudderen de snijbiet toe en schep het mengsel in een ovenschaal. Bestrooi de bovenkant met grof geraspte kaas (jong belegen Goudse of gruyère) en zet de schaal onder de hete grill tot de kaas gesmolten is. Serveer direct.

TORTILLASCHOTEL UIT DE OVEN
Búdin de Tortillas

Voor ca. 6 personen:

Deze verrukkelijke, lasagne-achtige variant van *chilaquiles* wordt ook wel *búdin cuauhtémoc* of *búdin azteca* genoemd. De bereidingswijze is als volgt: bak 12 maïstortilla's 2-3 seconden per kant in een beetje olie en laat ze goed uitlekken. Verder hebt u nodig: 1/2 liter gekookte groene *tomatillo*-saus*, 3 grote *chiles poblanos* (geroosterd, ontveld, van de zaadjes ontdaan en in smalle reepjes gesneden, zie pag. 390), 3 dl dikke room (pag. 53) of crème fraîche en 175 gram grof geraspte kaas (bijv. jong belegen Goudse, gruyère of een mengsel van mozzarella en een van beide kazen). Beleg de bodem van een rechthoekige of vierkante ovenschaal met 3 tortilla's, zodanig dat ze elkaar gedeeltelijk overlappen. Schep hierop 1/4 van de saus, de room en de geraspte kaas en 1/3 van de *poblano*-reepjes. Maak de volgende drie lagen op dezelfde manier (de bovenste laag hoeft geen reepjes chilipeper te bevatten). Dek de schaal af met aluminiumfolie en zet hem ca. 30 minuten in de op 180° C voorverwarmde oven. Verwijder het folie, bestrooi de bovenkant van de *búdin* met rauwe uiringen en plakjes radijs en serveer direct.

* Desgewenst kunt u de saus verrijken met 250-300 gram in stukjes verdeelde gare kip, varkensvlees of vis.

TAMALES

> (De Nobelen aten) *tamales* bereid met een deeg van in kalk zachtgemaakte maïs, met daarop bonen die een schelp vormden; *tamales* van in as zachtgemaakte maïs; ...*tamales* van vlees gekookt met maïs en gele chili...
> **Broeder Bernardino de Sahagún, omstreeks 1550**

Ik heb me vaak afgevraagd hoe die *tamales* van vierhonderdvijftig jaar geleden smaakten. Waren ze gemaakt van grof gemalen maïs en werden ze, zoals de meeste *tamales* van nu, verpakt in gedroogde maïsbladeren? Of was het deeg glad (en wellicht al gedeeltelijk gekookt voordat er *tamales* van werden gemaakt)? Zou de verpakking ook wel eens uit bananeblad hebben bestaan? Is het mogelijk dat de dichtgebonden pakketjes in een kokende vloeistof werden gaar gemaakt, zoals ik in Chiapas heb zien doen, in plaats van erboven? Zouden ze een beetje naar pudding hebben gesmaakt, zoals de *tamales* met wilde kersen die wel eens op de markt van Toluca worden verkocht? En zouden die precolumbiaanse maïspakketjes zonder de door de Spanjaarden meegebrachte reuzel niet erg droog en compact zijn geweest?

Wat de vaardigheden en de kennis van de toenmalige koks betreft, is er -jammer genoeg -weinig exacte informatie bewaard gebleven, wat inhoudt dat ik op de meeste van mijn vragen vermoedelijk nooit een bevredigend antwoord zal krijgen. Oude kookboeken bieden weinig details over zaken die destijds, zowel bij de schrijvers als bij de lezers, geacht werden algemeen bekend te zijn. En de historisch-antropologische verslagen uit die tijd, met hun vage toespelingen inzake de kleuren, vormen en smaken van voedsel, bieden eveneens weinig houvast. Wel bevatten ze beschrijvingen van de speciale *tamales* die in de twaalfde maand van het uit achttien maanden bestaande Aztekenjaar als geschenk aan de goden werden geoffreerd. Dat offer vond plaats op een Azteekse feestdag die toevallig samenviel met de dag waarop de Spaanse veroveraars hun doden herdachten: Allerzielen. Dit verklaart wellicht waarom Allerzielen of 'Dag van de Doden', zoals ze in Mexico zeggen, in de loop der eeuwen is uitgegroeid tot een typisch mestiezenfeest. Een dag waarop men de doden eert, onder andere met kleine aardse geschenken, zoals drank en voedsel, waaronder -uiteraard - ook *tamales*.

Als mensen in het Mexico van vandaag *tamales* eten, hangt er dan ook (behalve wellicht in de grote steden) bijna altijd iets feestelijks in de lucht. Als familie en vrienden bij elkaar komen om *tamales* te maken, is dat overigens op zich al een feestje, een gelegenheid om ten volle te genieten van elkaars gezelschap en het gezamenlijk bezig zijn met de voorbereidingen van het wèrkelijke feest.

Wie *tamales* niet zelf maakt, kan ze kopen bij de met grote stoompannen uitgeruste eetstalletjes die strategisch zijn opgesteld op de pleinen en in de parken waar de mensen 's avonds een ommetje maken. In de steden waar in maïs- of bananeblad verpakte *tamales* een lokale specialiteit zijn, worden ze geserveerd in markt-*fondas* en *cafetarías*, in veel gevallen vergezeld van een aardewerken mok met de traditionele, met *masa* gebonden en met vruchten, noten of chocolade verrijkte *atole*. Tegenwoordig wordt de combinatie van *tamales* en *atole* ouderwets gevonden en drinken veel mensen koffie, warme chocolademelk of een frisdrank bij de gestoomde maïspakketjes. Maar in de tijd dat er maar één vloeibare metgezel mogelijk was, schreef Señora Josefina Velásquez de Léon haar klassiek geworden *Tamales y Atoles*, een kookboek dat uitsluitend recepten bevat voor smakelijke varianten van de beroemde maïspap en voor tientallen regionale versies van *tamales*.

Vrijwel alle *tamales* worden - hoe ze ook worden gevuld, gekruid en verpakt - gemaakt van *masa para tamales* ('maïsdeeg voor *tamales*') of van *harina para tamales* ('maïsmeel voor *tamales*'). Zowel het vrij korrelige maïsdeeg als het grove maïsmeel wordt gemaakt van gedroogde maïskorrels die kort gekookt zijn met wat gebluste kalk, vervolgens van hun vliezen worden ontdaan en dan worden gemalen. Het maïsdeeg (*masa*) ontstaat door de maïskorrels direct na het pellen te malen; het maïsmeel (*harina*) wordt verkregen door de korrels na het pellen te drogen en pas in gedroogde staat te malen.

Het tweede belangrijke ingrediënt is reuzel, goede verse reuzel die de *masa*-vulling mals en zacht maakt en bij het kloppen van het deeg de lucht gevangen houdt, waardoor de vulling tijdens het stomen uitzet. Het deeg wordt verder gemengd met een licht gekruide bouillon en - om de vulling luchtiger te maken - een beetje bakpoeder. Bakpoeder is natuurlijk een moderne vinding; vroeger werd het rijzen c.q. het luchtig worden van de vulling bevorderd door wat *agua de tequesquite* (een mengsel van salpeter en water waarin men de velletjes van *tomatillos* had gekookt) aan het maïsdeeg toe te voegen.

Het organiseren van een tamalfestijn: Omdat *tamales* van tevoren kunnen worden gemaakt, zijn ze bij uitstek geschikt voor een eetfestijn met een wat groter gezelschap, vooral als u niet één soort, maar meerdere soorten maakt. Afhankelijk van het aantal eters kunt u de in de recepten genoemde hoeveelheden vertwee-, verdrie- of verviervoudigen. Als u over een goede keukenmachine beschikt, kunt u het deeg daarin mengen (gebruik de kneedhaken, niet de gardes!) en vervolgens een aantal vrienden vragen om u te assisteren bij het maken van de pakketjes. Voor het stomen kunt u een grote, uit meerdere etages opgebouwde Chinese stoompan gebruiken. Kleine *tamales* kunt u, met verpakking en al, als voorgerecht serveren, samen met groenten en een dipsaus, een salade van *jícama* (pag. 97) of cactusbladeren (pag. 49) en een grove *guacamole* (pag. 47). Maar grotere *tamales* zijn voedzaam genoeg om te kunnen fungeren als onderdeel van een buffetmaaltijd die verder zou kunnen bestaan uit *frijoles refritos* (pag. 314) of *frijoles charros* (pag. 316), een gemengde groentesalade (pag. 96) en als dessert een *flan* (pag. 331). Behalve bier, zou u als begeleidende drank ook een zelfgemaakte alcoholvrije zomerdrank (pag. 360-365) kunnen schenken en – ter wille van de traditie – een warme chocolade-*atole*.

Regionale accenten

» Gezien mijn zwak voor *tamales* en het eindeloze aantal variaties dat ervan bestaat, zou ik met gemak een heel boek met *tamal*-recepten en -omschrijvingen kunnen vullen. Maar omdat ik het geduld van de lezers niet op de proef wil stellen, heb ik hieronder alleen de meest voorkomende en de meest specifieke varianten opgenomen. Culiacán, Sinaloa: grote *tamales* gevuld met vlees en groenten en kleinere exemplaren voor alledag, onder andere gemaakt van gezoete bruine bonen, ananas en verse maïs. Veracruz: *tamales* van verse maïs met varkensvlees en het enigszins anijs-achtige kruid *hoja santa*, plus in bananeblad verpakte *tamales* gemaakt van gladde *masa*, kippevlees en hetzelfde kruid. Monterrey: kleine sigaarvormige *tamales*, gemaakt van gladde of korrelige, met rode chilipepers gekruide *masa* en gevuld met uitgeplozen vlees. Oaxaca: grote, in bananeblad verpakte *tamales* verrijkt met een zwarte *mole*, plus in maïsblad verpakte exemplaren gevuld met de lokale groene of gele *mole*, zwarte bonen of het kruid dat *chepil* wordt genoemd. Yucatán: zeer grote, in de oven of een vuurkuil gebakken *pibipollos*, gemaakt van fijngemalen *masa*, gekruid met *achiote* en gevuld met kip en/of varkensvlees, als ook *chanchames* (in maïsblad verpakte *tamales* met een met *achiote* gekruide vulling), *vapaorcitos* (een bolletje *masa* platgedrukt op een bananeblad, dubbelgevouwen om een vulling en vervolgens gaar gestoomd), *tamales colados* (gemaakt van een licht, voorgekookt deegje van gezeefde *masa* en bouillon, gevuld met kip, tomaat en *achiote*). San Cristóbal de las Casas, Chiapas: *tamales untados*, in bananeblad verpakte *tamales* gevuld met varkensvlees en een zoete *mole* (verkrijgbaar in huizen waar op zaterdagavond een rode lantaarn brandt), *tamales de mumu*, *tamales* die eerst in een aan *hoja santa* verwant *mumu*blad worden gewikkeld en vervolgens in maïsblad worden verpakt. Michoacán: *corundas*, compacte, ruitvormige, in het verse bladgroen van de maïsplant verpakte *tamales* zonder vulling en *uchepos*, gemaakt van verse maïs. Noordwest-Mexico, met name Pánuco, Veracruz: reusachtige, ca. 1 meter grote *zacahuiles* die uitsluitend in het weekend in gespecialiseerde restaurants worden geserveerd. Deze mega-*tamales* worden gemaakt van zeer grof gemalen maïs, op smaak gebracht met rode chili's, gevuld met varkensvlees, verpakt in bananebladeren en bereid in een enorme houtgestookte oven. Midden-Mexico en de westelijke deelstaten: zie pag. 205.

HET MAKEN VAN *TAMALES*

» *HET VOORBEREIDEN VAN DE MAÏS- OF BANANEBLADEREN*

Maïsbladeren: Breng de bladeren in ruim water aan de kook en kook ze 10 minuten op een laag vuur. Neem de pan van het vuur, leg een schoteltje op de maïsbladeren, zodat ze ondergedompeld blijven, en laat het geheel zo een paar uur staan, tot de bladeren soepel zijn. Zoek, op het moment dat u de *tamales* wilt gaan maken, de grootste bladeren uit; ze moeten 15-18 cm lang zijn en op het breedste punt minstens 15 cm meten. Als u onvoldoende exemplaren van die afmeting hebt, leg dan twee kleinere bladeren half over elkaar, zodat het oppervlak groot genoeg is om het deeg op uit te spreiden. Dep de uitgezochte bladeren droog met keukenpapier.

Bananebladeren: Laat diepgevroren exemplaren ontdooien. Vouw het blad dan uit en knip de harde rand (aan de kant waar de bladnerf is weggesneden) eraf. Knip het blad – gaten en scheuren omzeilend – in vierkante stukken van 30 x 30 cm. Breng in het onderste deel van een stoompan een laagje water aan de kook. Rol de stukken bananeblad losjes op, leg ze in het bovenste deel van de stoompan en stoom ze – met het deksel op de pan – 20 à 30 minuten, tot ze zacht en soepel zijn. Of beweeg de stukken een voor een langzaam heen en weer boven een middelhoge gasvlam, tot de textuur verandert (doordat het vocht naar buiten treedt) en de bladeren soepel worden; doe dit niet te lang, anders worden ze bros en breekbaar.

» *HET STOMEN*

Voor het stomen van 20 of minder in maïsblad verpakte *tamales* kunt u een inklapbaar stoommandje gebruiken dat u in een gewone diepe pan zet. Voor grotere hoeveelheden is een echte stoompan ideaal, bijvoorbeeld van het type dat in Chinese toko's wordt verkocht. Deze aluminium pannen bestaan uit een ondiepe, vrij wijde pan waarop een of meer stapelbare opzetstukken passen. Die opzetstukken hebben een bodem voorzien van grote gaten waar de stoom doorheen kan. Beschikt u niet over zo'n pan, dan kunt u natuurlijk ook een gewone pan gebruiken met daarop een of meer stapelbare bamboe stoommandjes. Ook kunt u improviseren met een rond rekje dat u, op vier omgekeerde koffiekopjes of kleine kommetjes, in een grote pan legt.

In bananeblad verpakte *tamales* hebben veel ruimte nodig. In Mexico stapelt men ze op elkaar in een grote stoomketel, maar ik leg ze liever naast elkaar in de etages van een Chinese stoompan of in stapelbare bamboe stoommandjes; op die manier garen ze gelijkmatiger en behouden ze hun vorm.

Voor extra smaak en tevens om de *tamales* te beschermen tegen rechtstreeks contact met de hete stoom, is het aan te raden het stoomgedeelte of het stoommandje te bekleden met overgebleven maïs- of bananebladeren. Wel is het zaak dat u hier en daar een opening vrijlaat, waardoor het condensvocht kan afvloeien.

» *HET VERPAKKEN VAN DE TAMALES*

Tamales in maïsbladeren: Scheur een of twee van de reservemaïsbladeren in de lengte in smalle (5-6 mm) linten, ca. 18 cm lang (u hebt evenveel linten nodig als u tamales gaat maken). Leg een van de maïsbladeren met de smalle kant naar u toe op een plank. Schep ca. 3 eetlepels deeg op het maïsblad en strijk het uit in een vierkant

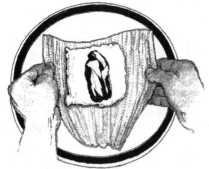

Deeg en vulling uitgespreid op maïsblad

Het dichtvouwen, zodat deeg en vulling omsloten zijn

Het dichtbinden van een in maïsblad verpakte tamal

Tamal in de met maïsbladeren beklede stoompan

Deeg en vulling uitgespreid op bananeblad

van 10 x 10 cm; zorg dat aan de onderkant van het maïsblad een rand van minstens 4 cm onbedekt blijft en aan de boven- en zijkanten een rand van ca. 2 cm (als het maïsblad erg groot is, zullen de randen uiteraard breder uitvallen). Schep de vulling (als er een vulling wordt gebruikt) op het midden van het deeg. Pak nu de beide zijkanten vast en vouw ze naar het midden (het deeg wordt daarbij vanzelf om de vulling gerold). Als de onbedekte randen van het maïsblad smal zijn, kunt u de ene zijkant onder de andere vouwen; zijn de randen breed, vouw ze dan samen naar één kant. Als het maïsblad klein is, verpak het dan in een tweede blad. Vouw de 4 cm brede onderkant nu naar boven, zodat de onderkant goed afgesloten is (de boven-kant mag 'open' blijven) en bind het omgeslagen deel vast door een van de smalle, uit maïsblad gescheurde linten losjes om de *tamal* te knopen. Zet de *tamal*, met de opening naar boven, min of meer rechtop in een met maïsbladeren beklede stoompan of in een stoommandje. *Tamales* hebben ruimte nodig omdat ze tijdens het stomen uitzetten, bind ze daarom niet te stevig dicht en leg ze in de stoompan ook niet te dicht op elkaar.

Tamales in bananebladeren: Knip uit de restanten van de bananebladeren smalle linten met een lengte van ca. 30 cm. Leg een van de vierkante stukken bananeblad met de glanzende kant naar boven op een plank, schep 3 à 4 eetlepels deeg op het midden en strijk het uit in een rechthoek van ca. 10 x 20 cm (zie illustratie). Schep of leg de vulling op de linkerhelft van de rechthoek. Vouw de rechterzijkant van het blad nu naar het midden, zodat het deeg de vulling omsluit. Vouw de linker zijkant vervolgens over de rechter en vouw dan de onderkant naar boven en de bovenkant naar onderen, zodat een klein min of meer vierkant pakketje wordt verkregen. Bind het pakketje losjes vast met een van de linten en leg het in een stoompan of -mandje.

»   *HET STOMEN VAN TAMALES*

Bedek de *tamales* met maïs- of bananebladeren. Als de in maïsblad verpakte *tamales* niet de hele stoompan vullen, kunt u, om te voorkomen dat de pakketjes omvallen, de lege plekken opvullen met propjes aluminiumfolie. Breng in het onderste deel van de stoompan water aan de kook, zet het stoomgedeelte met de *tamales* erop, dek het geheel af met een deksel en stoom *tamales* gemaakt met verse *masa* ca.1 uur en *tamales* gemaakt met 'instant' *masa* ca. 1 1/2 uur. Controleer af en toe of het water in het onderste deel van de stoom pan niet te sterk verdampt en vul het eventuele tekort aan met *kokend* water (zodat het stomen ongehinderd kan doorgaan). De *tamales* zijn gaar als het maïs- of bananeblad gemakkelijk loslaat; *tamales* gemaakt met 'instant' *masa* voelen vlak na het stoombad vaak wat kleverig aan; als u ze – van het vuur af – even in de stoompan laat rusten, worden ze iets steviger.

Verschillende manieren om tamales *in maïsblad te verpakken*

KEUKENNOTITIES

Technieken

» *Het toevoegen van vloeistof aan het deeg*: Als het deeg te stijf is, worden de *tamales* droog, kruimelig en zwaar. Deeg gemaakt van verse *masa* moet de consistentie hebben van medium dik cakebeslag, maar niet dikker. Deeg gemaakt van 'instant' *masa* zal iets steviger zijn. Het is onmogelijk om precies aan te geven hoeveel bouillon u nodig hebt, aangezien de consistentie van verse *masa* erg wisselvallig is.

» *Het kloppen van het deeg*: Als alle bestanddelen op kamertemperatuur zijn, zal het deeg soepel genoeg zijn om tijdens het kloppen grote hoeveelheden lucht te kunnen opnemen (hetgeen resulteert in luchtige en zachte *tamales*).

» *Het gebruik van de foodprocessor*: Als de hoeveelheid voor het deeg benodigde *masa* niet méér weegt dan 500 gram, kunt u alle ingrediënten (behalve de bouillon) in de kom van de foodprocessor doen en ze mengen met behulp van de pulseerknop (of door de machine een paar maal achter elkaar snel aan en uit te schakelen). Laat de machine daarna 15 seconden draaien, schraap het deeg van de wanden naar onderen en laat de machine opnieuw 15 seconden draaien. Giet er, terwijl de machine draait, in een gelijkmatige straal de bouillon bij en voeg ook het zout toe. Schakel de machine daarna uit en controleer of het deeg luchtig genoeg is door een klein deegballetje in een kopje water te laten vallen; het balletje moet blijven drijven – als het zinkt, moet u de machine iets langer laten draaien en de test herhalen.

» *Het stomen van de tamales*: U hoeft niet bang te zijn dat *tamales* die aan één kant open zijn, klef worden; dat kan alleen gebeuren als het condenswater rechtstreeks in de opening zou druppelen. De stoompan moet voldoende water bevatten (of tijdig met kokend water worden bijgevuld) om te voorkomen dat de 'stoomvoorziening' de eerste 45 minuten onderbroken wordt.

Ingrediënten

» *Grof gemalen masa voor tamales of gladde masa voor tortilla's en eventuele vervangingen*: Hoewel *tamales* gemaakt van grof gemalen *masa* het zachtst en 'spannendst' van textuur zijn, zijn *tamales* gemaakt van fijngemalen *masa* voor *tortilla's* (zoals in de *tamales* uit Nuevo León, pag. 211) ook heel lekker; gebruik dus het type *masa* waarop u de hand kunt leggen. *Tamales* gemaakt van 'instant' masa, smaken redelijk authentiek, maar zijn wat zachter van textuur dan die van verse *masa*.

» *Reuzel*: De traditie schrijft het gebruik van reuzel voor en als die reuzel vers en van goede kwaliteit is, draagt hij het nodige bij aan de smaak van de *tamales*, zelfs aan die van de zoete varianten. In navolging van sommige Mexicanen vervang ik de reuzel in *tamales* van verse maïs en in zoete *tamales* echter gedeeltelijk door boter. Als u margarine wilt gebruiken, kies dan *tamales* waarin een vulling wordt verwerkt.

» *Maïs- en bananebladeren*: Zie resp. pag. 400 en 380. Beide soorten wikkels dragen bij aan de smaak van de *tamales*, waardoor er eigenlijk geen alternatieven mogelijk zijn. Maar aangezien bananebladeren moeilijk te krijgen zijn, kunt u ze eventueel vervangen door vierkante stukken aluminiumfolie of boterhampapier. In het recept voor de *pibipollo* uit Yucatán (pag. 213), kunt u het bananeblad gewoon weglaten.

Voorbereidingstijd

» Na het stomen kunnen de *tamales* nog ca. 45 minuten worden warm gehouden in de stoompan, op een laag vuur. *Tamales* kunnen echter ook meerdere dagen van tevoren worden bereid en – zorgvuldig verpakt – in de koelkast worden bewaard of worden ingevroren. Warm ze op door ze 10-15 minuten te stomen (diepgevroren exemplaren moeten uiteraard eerst worden ontdooid).

> **»** Alternatieve vormen voor *tamales* in maïsbladeren: De vorm van *tamales* hangt nauw samen met het formaat van de maïsbladeren; kleinere bladeren leveren kleinere *tamales* op. Als de bladeren groot genoeg zijn, kunnen de *tamales* ook op andere manieren worden dichtgevouwen en opgebonden. Zo kunt u het deeg op het midden van het blad uitspreiden, het blad vervolgens losjes oprollen en de beide uiteinden dichtbinden, u kunt de uiteinden ook omvouwen en de omslagen met een maïslint vastbinden. Ook bij deze methodes moet u ervoor zorgen dat het deeg, dat ruimte nodig heeft om te kunnen uitzetten, niet te strak wordt verpakt.

'INSTANT'-MASA VOOR *TAMALES*

Masa Fingida para Tamales

Voor ca. 500 gram deeg voor *tamales*:

    120 gram snelkokende maïsgrutten
    100 gram *masa harina*

1. *De maïsgrutten*: Maal de maïsgrutten zo fijn mogelijk in een elektrisch hakmolentje en doe ze in een kom. Giet er 3 dl kokend water op en laat het geheel zo 10 minuten staan.
2. *Het maken van de masa*: Voeg de *masa harina* toe en roer tot de massa samenhangt. Dek de kom af met folie en laat de inhoud afkoelen tot kamertemperatuur.

TAMALES MET KIP EN *TOMATILLOSAUS*

Tamales de Pollo y Salsa Verde

Dit type *tamal* wordt door de meeste Mexicanen beschouwd als de meest representatieve van allemaal: een wit, zacht, licht en niet te korrelig deegje gemaakt van grof gemalen maïs gevuld met een paar plukjes kippevlees en een klein beetje pittige saus... Als u ooit een *tamal*-festijn organiseert, horen deze *tamales* – met kip en *tomatillo*-saus of met een van de in de Traditionele variaties beschreven vullingen – er beslist bij. U kunt ze echter ook als voorgerecht serveren; pak ze in dat geval uit en serveer ze (al of niet boven op de opgevouwen wikkels) op kleine borden, bestrooi de *tamales* met gesnipperde ui en schep er een klein beetje overgebleven *tomatillo*saus over. Als hoofdgerecht kunt u boven houtskool geroosterde kip (pag. 263) of gebakken vis met geroosterde knoflook (pag. 246) serveren.

Voor ca. 16 middelgrote exemplaren, voldoende als licht hoofdgerecht voor 4-5 personen:

> 200 gram gedroogde maïsbladeren (zie pag. 400)
> 200-250 gram gepocheerde kip (pag. 64), in kleine stukjes gescheurd
> 1 1/4 liter gekookte groene *tomatillo*-saus (pag. 137)

voor het deeg:
> 100 gram verse reuzel (zie Ingrediënten pag. 203)
> 500 gram verse *masa voor tamales*, zelfgemaakt (pag. 77) of kant-en-klaar gekocht
>   of 1 hoeveelheid 'instant' *masa* (pag. 204)
> ca. 1 1/2 dl lichtgezouten kippebouillon, op keukentemperatuur
> 1 theelepel bakpoeder
> zout

1. *De maïsbladeren*: Week de bladeren zoals beschreven op pag. 200. Zoek 16 grote bladeren uit voor de *tamales* en bewaar de rest voor de linten en het bekleden van de stoompan.
2. *Het deeg*: Leg de reuzel, als deze erg zacht is, even in de koelkast om hem iets steviger te maken. Klop de reuzel daarna ca. 1 minuut met een elektrische handmixer tot hij mooi luchtig is. Voeg de helft van de verse of 'instant'-*masa* toe en klop met de mixer tot alles goed vermengd is. Voeg, terwijl u blijft kloppen, om en om steeds een beetje *masa* en een scheutje bouillon toe, tot het mengsel de consistentie heeft van vrij dik cakebeslag. Strooi het bakpoeder en wat zout (de hoeveelheid is afhankelijk van het zoutgehalte van de bouillon) over het deeg en klop alles nog ca. 1 minuut met de mixer. Controleer of het deeg luchtig genoeg is door een klein deegballetje in een kopje water te laten vallen; als het balletje niet blijft drijven, maar zinkt, moet u het deeg iets langer kloppen en de test herhalen.
3. *De vulling*: Meng het kippevlees in een kom met de *tomatillo*-saus en zet de kom opzij.
4. *Het verpakken en stomen van de tamales*: Bekleed een stoommandje of het bovenste deel van een stoompan met enkele overgebleven maïsbladeren. Vul en verpak de *tamales* zoals beschreven op pag. 200 (leg daarbij op het uitgespreide deeg een klein beetje vulling) en zet ze min of meer rechtop in het stoommandje. Bedek de pakketjes met de resterende maïsbladeren, leg een deksel op de pan en stoom de *tamales* 1 à 1 1/2 uur, tot de wikkel gemakkelijk loslaat van het deeg.

KEUKENNOTITIES

Technieken

» *De bereiding van het deeg:* zie pag. 200

Voetnoot van de vertaalster

» *De hoeveelheden:* Met 'theelepel' wordt de internationale standaardtheelepel met een inhoud van 5 gram bedoeld en niet het Nederlandse theelepeltje van 3 gram.

Bereidingstijd

» Als de *masa* en de vulling van tevoren zijn gemaakt, vergt het vullen en verpakken van de *tamales* ca. 45 minuten. Het stomen duurt 1 à 1 1/2 uur.

TRADITIONELE VARIATIES

» *Tamales van maïsbladeren met andere vullingen:* Volg de aanwijzingen in het recept, maar vervang de vulling van kippevlees en *tomatillo*-saus naar keuze door:
  * 200 gram in stukjes gescheurd kippe- of varkensvlees vermengd met 1 1/4 liter gekookte tomaten-chilisaus (pag. 42)
  * 200 gram in stukjes gescheurd kippe- of varkensvlees vermengd met 1 1/4 liter vrij dikke rode *mole* (pag. 42)
  * 200 gram *picadillo* van grof gemalen varkensvlees
  * 200 gram gekookt en daarna gebakken 'draadjesvlees' (pag. 144) vermengd met 30-40 gram gehakte olijven
  * 200 gram goed smeltende kaas (bijv. licht belegen Goudse, gruyère of een mengsel van mozzarella en een van deze twee kazen), in dunne staafjes (ca. 5 cm lang en 1/2 cm breed) gesneden en vermengd met 1 in reepjes gesneden *chile poblano* (geroosterd, ontveld en van de zaadjes ontdaan)
  * 200 gram in reepjes gesneden geroosterde pepers met tomaat (pag. 325)

Regionale accenten

» Hoewel dit type *tamales* (met het hele scala van vullingen die ervoor zijn bedacht) bij alle Mexicanen geliefd is, worden ze het meest gegeten in Midden-Mexico en in de westelijke deelstaten. In San Luis Potosí worden in vrijwel alle *cafetarías tamales* geserveerd met een vulling van in stukjes gescheurd varkensvlees of een *picadillo* van grof gemalen varkensvlees. Zowel in Puebla als in Mexico-Stad worden de *tamales* gevuld met kip, varkensvlees, groene chilipepers en/of kaas vermengd met tomaten- of *tomatillo*-saus of een pittige *mole*. Het *tamal*-assortiment van Aguascalientes is min of meer hetzelfde, maar bevat bovendien *tamales* met een vulling van gehakte groenten vermengd met een rode chilisaus.

Keukentaal

» Deze *tamales* hebben doorgaans geen andere naam dan die van de vulling, behalve in Puebla, waar ze *tamales cernidos* (letterlijk 'gezeefde *tamales*') worden genoemd omdat het deeg – naar men zegt – door een zeef wordt gewreven om de harde kiemen te verwijderen. Alle *tamal*-makers die ik in Puebla heb gesproken, gebruiken echter een droge mix die eruitziet als griesmeel.

ZOETE *TAMALES*

Tamales de Dulce

Hoe onwaarschijnlijk de term 'zoete *tamales*' wellicht ook klinkt, de voltallige bevolking van Mexico schijnt er een zwak voor te hebben. Ze worden op precies dezelfde manier gemaakt als hartige *tamales*, maar aan het deeg wordt suiker toegevoegd in plaats van zout en de vulling bestaat uit een handjevol rozijnen. De smaak van zoete *tamales* is moeilijk te omschrijven, want ze lijken nergens anders op, maar ik moet bekennen dat ik persoonlijk liever in een zoete *tamale* hap dan in een croissant of een koffiebroodje.

Evenals dat van de hiervoor beschreven *tamales* is dit een traditioneel recept. Een groot aantal details omtrent de bereidingswijze heb ik opgestoken uit het boek *Tamales y Atoles* van Josefina Velázquez de León. Een *tamal*-festijn is niet compleet als deze zoete variant ontbreekt; ze kunnen echter ook dienst doen als brunchgerecht, samen met roereieren *a la mexicana* (pag. 125) en chocolade-*atole* (pag. 371). Een andere mogelijkheid is om ze als nagerecht te serveren. Haal ze in dat geval uit hun verpakking en bak ze kort in boter; serveer ze met zure room of crème fraîche en verse vruchten.

Voor ca. 12 stuks, voldoende als snack, brunchgerecht of dessert voor 4-6 personen:

> 200 gram gedroogde maïsbladeren (zie pag. 400)
> 40-50 gram rozijnen of fijngesneden gekonfijte vruchten

voor het deeg:
> 100 gram verse reuzel (zie Ingrediënten pag. 203), boter of margarine (of een mengsel
>   daarvan)
> 150 gram suiker
> 500 gram verse *masa* voor *tamales*, zelfgemaakt (pag. 77) of kant-en-klaar gekocht
>   of 1 hoeveelheid 'instant'-*masa* (pag. 204)
> ca. 1 1/2 dl ongezouten kippebouillon of melk, op keukentemperatuur
> 1 theelepel bakpoeder
> 1/4 theelepel zout

1. *De maïsbladeren*: Week de bladeren zoals beschreven op pag. 200. Zoek 12 grote bladeren uit voor de *tamales* en bewaar de rest voor het maken van de linten en het bekleden van de stoompan.
2. *Het deeg*: Klop de reuzel, boter of margarine ca. 1 minuut met een elektrische handmixer tot hij mooi luchtig is. Voeg de suiker en de helft van de verse of 'instant'-*masa* toe en klop met de mixer tot alles goed vermengd is. Voeg, terwijl u blijft kloppen, om en om steeds een beetje *masa* en een scheutje bouillon of melk toe, tot het mengsel de consistentie heeft van vrij dik cakebeslag. Strooi het bakpoeder en het zout over het deeg en klop alles nog ca. 1 minuut met de mixer. Controleer of het deeg luchtig genoeg is door een klein deegballetje in een kopje water te laten vallen; als het balletje zinkt, moet u het deeg iets langer kloppen en de test herhalen.

3. *Het verpakken en stomen van de tamales*: Bekleed een stoommandje of het bovenste deel van een stoompan met enkele overgebleven maïsbladeren. Vul en verpak de *tamales* zoals beschreven op pag. 200 (leg daarbij op het uitgespreide
deeg een klein bergje rozijnen of gekonfijte vruchtjes) en zet ze min of meer
rechtop in het stoommandje. Bedek de pakketjes met de resterende maïsbladeren, leg een deksel op de pan en stoom de *tamales* 1 à 1 1/2 uur, tot de wikkel
gemakkelijk loslaat van het deeg.

KEUKENNOTITIES

Technieken

» *De bereiding van het deeg*: zie pag. 200

Ingrediënten

» *Reuzel, suiker en bouillon*: Deze zoet-zoute combinatie is werkelijk lekker, aangezien
noch de reuzel noch de bouillon de zoete smaak van de *masa* overheerst, maar als
u dat niet gelooft, kunt u de reuzel vervangen door boter of margarine en de bouillon
door melk.

Voetnoot van de vertaalster

» *De hoeveelheden*: Met 'theelepel' wordt de internationale standaardtheelepel met
een inhoud van 5 gram bedoeld en niet het Nederlandse theelepeltje van 3 gram.

Bereidingstijd

» Als de *masa* en de vulling van tevoren zijn gemaakt, vergt het vullen en verpakken
van de *tamales* ca. 45 minuten. Het stomen duurt 1 à 1 1/2 uur.

TRADITIONELE VARIATIES

» *Tamales met kokos of noten*: Verrijk het deeg met 40 gram geraspte kokos of
fijngehakte noten (amandelen, hazelnoten, ongezouten pecannoten of walnoten) en
ga verder te werk volgens de aanwijzingen in het recept.

» *Roodgekleurde tamales*: Om ze van gewone tamales te kunnen onderscheiden wordt
het deeg vaak gekleurd met verdunde rode kleurstof.

» *Ananastamales*: Maak het deeg zoals beschreven in het recept, maar vervang de
bouillon of de melk door 1/4 liter gepureerde ananas.

EIGENTIJDSE VARIATIE

» *Tamales met zuidvruchten*: Verrijk het deeg met 50 gram fijngesneden gedroogde
zuidvruchten (dadels, abrikozen, vijgen, enzovoort), 30 gram geroosterde pijnboompitjes en 1/4 theelepel kaneelpoeder en ga verder te werk volgens de aanwijzingen
in het recept.

TAMALES VAN VERSE MAÏS
Tamales de Elote

Het deeg van deze *tamales* heeft een heerlijke maïssmaak, die wordt versterkt door het omhulsel van verse maïsbladeren. U kunt ze serveren zoals ze zijn, rechtstreeks uit de stoompan, of u kunt ze uitpakken en even in boter bakken. Serveer ze in het laatste geval met *salsa picante* (pag. 41) of met dikke room (pag. 53) of crème fraîche en Mexicaanse *queso fresco* (pag. 395) of een andere verse witte kaas, bijv. feta of verse geitekaas. In Mexico worden *tamales* van verse maïs vrijwel altijd gemaakt van *witte* maïs; deze maïssoort, die in grote delen van de V.S. en in Europa niet of nauwelijks verkrijgbaar is, bevat minder vocht en meer zetmeel dan gele suikermaïs en is daardoor veel steviger. Daardoor kan witte maïs jammer genoeg niet worden vervangen door suikermaïs – het deeg zou slap en soep-achtig worden. Maar in restaurant Pichanchas in Tuxtla Gutiérrez ontdekte ik een oplossing voor dit probleem: een combinatie van verse (suiker)maïs en *masa*.

Voor ca. 12 stuks, voldoende als snack of voorgerecht voor 6 personen:

> 2 verse maïskolven met schutbladeren
> 500 gram verse *masa* voor *tamales*, zelfgemaakt (pag. 77) of kant-en-klaar gekocht
> of 1 hoeveelheid 'instant'-*masa* (pag. 204)
> 50 gram ongezouten boter, in blokjes van 1 cm gesneden
> 50 gram verse reuzel (zie Ingrediënten pag. 203), in blokjes van 1 cm gesneden
> 2 eetlepels suiker
> 1/2 theelepel zout
> 1 1/2 theelepel bakpoeder

1. *De verse maïs*: Snijd met een groot scherp mes de onderkant van de maïskolven af, iets boven de plek waar de kolf vastzit aan de stengel. Haal voorzichtig, zonder ze te scheuren, een voor een de schutbladeren los, doe ze in een plastic zakje en leg ze opzij. Verwijder de zijdeachtige draden langs de kolven. Zet de kolven rechtop en snijd de korrels los; doe de korrels in de kom van een foodprocessor. Schrap met een lepel langs de kern van de maïskolven om de laatste restjes van de korrels los te maken en doe ze bij de rest van de maïs. Maal de maïskorrels tot een vrij grove puree.

2. *Het deeg*: Doe de verse *masa* of de 'instant'-*masa* bij de de maïspuree, voeg ook de boter, de reuzel, de suiker, het zout en het bakpoeder toe en meng alle ingrediënten met behulp van de pulseerknop (of door de machine een aantal keren achter elkaar snel aan en uit te schakelen). Laat de machine daarna 1 minuut draaien, tot u een luchtig, homogeen deeg hebt verkregen.

3. *Het verpakken en stomen van de tamales*: Bekleed een stoommandje of het bovenste deel van een stoompan met de kleinste maïsbladeren. Vorm van het deeg 12 *tamales* en verpak ze in de grootste maïsbladeren (of in twee kleinere die u, elkaar gedeeltelijk overlappend, naast elkaar legt), zoals beschreven op pag. 201. Als de maïsbladeren omkrullen en moeilijk te hanteren zijn, kunt u ze even blancheren in kokend water om ze wat soepeler te maken. Zet de *tamales* min of meer rechtop in het stoommandje. Bedek de pakketjes met de resterende maïsbladeren, leg een deksel op de pan en stoom de *tamales* 1 à 1 1/2 uur, tot de wikkel gemakkelijk loslaat van het deeg.

KEUKENNOTITIES

Technieken

» *De bereiding van het deeg:* Het deeg kan ook zonder foodprocessor worden gemaakt. Pureer de maïskorrels in dat geval in een blender. Klop de boter en de reuzel luchtig in een kom, voeg de maïspuree, de *masa* en de overige ingrediënten toe en klop alles tot een luchtig deeg. Zie ook pag. 200.

Ingrediënten

» *Verse maïs:* Koop maïskolven waarvan de schutbladeren intact zijn, want u hebt ze nodig voor de verpakking van de *tamales.* Als u geen kolven mèt schutbladeren kunt krijgen, neem dan 'blote' kolven (of gebruik maïskorrels uit de diepvries) en verpak de *tamales* in gedroogde maïsbladeren (geweekt volgens de beschrijving op pag. 200).

Voetnoot van de vertaalster

» *De hoeveelheden:* Met 'theelepel' wordt de internationale standaardtheelepel met een inhoud van 5 gram bedoeld en niet het Nederlandse theelepeltje van 3 gram.

Bereidingstijd

» Als de *masa* van tevoren is gemaakt, vergt de bereiding van de *tamales* ca. 1 uur. Het stomen duurt 1 à 1 1/2 uur.

OPMERKING

» U kunt de hoeveelheden eventueel verdubbelen en het verkregen deeg in plaats van in maïsbladeren, in bananebladeren verpakken.

TRADITIONALE VARIATIES

» *Tamales van verse maïs met picadillo:* Voor deze *tamales* hebt u ca. 250 gram *picadillo* van grof gemalen varkensvlees (pag. 145) nodig. Maak de *tamales* volgens de aanwijzingen in het recept en vul elke *tamal* met 1 1/2 eetlepel van het vleesmengsel.

» *Tamales van verse maïs met kaas en geroosterde chilipeper:* Rooster 1 *chile poblano* (pag. 390), ontvel hem, verwijder de zaadjes en snijd het vruchtvlees in smalle reepjes. Snijd 175 gram jong belegen Goudse kaas of gruyère in smalle staafjes. Maak de *tamales* volgens de aanwijzingen in het recept en vul elke *tamal* met reepjes kaas en geroosterde peper.

» N.B. De suiker kan bij deze variaties desgewenst uit het deeg worden weggelaten.

Regionale accenten

» In restaurant Fonda el Recuerdo in Mexico-Stad, dat gespecialiseerd is in gerechten uit Veracruz, serveert men zoete, in boter gebakken en met verse kaas bestrooide *tamales* van verse maïs. In de stad Veracruz zelf zijn de van verse maïs gemaakte *tamales* echter ongezoet en ongebakken, maar worden ze gevuld met kruidig varkensvlees. Iets minder elegante, van verse maïs gemaakte *tamales* worden in Chiapas verkocht onder de naam *pictes* en in Michoacán onder de naam *uchepos.*

TAMALES UIT NUEVO LEÓN

Tamales Estilo Nuevo León

Deze kleine *tamales* uit de noordelijke deelstaat Nuevo León zijn compact, vrij vochtig en doortrokken van het aroma van gedroogde chilipepers en specerijen. Ze lijken sterk op de *tamales* die ik als kind in Oklahoma en Texas heb leren eten. Ze worden in Mexico niet gerekend tot de meest geliefde *tamales*, maar ik heb het recept opgenomen omdat ik denk dat het bij veel mensen in de smaak zal vallen. Ik heb me hierbij laten inspireren door een recept in Josefina Velázquez de Leóns boek *Cocina de Nueva León*.

U zou deze *tamales*, samen met krokant gebakken taco's (pag. 405), *frijoles refritos* (pag. 314), met kaas gevulde chilipepers (pag. 284) en Mexicaanse rijst (pag. 306) kunnen serveren als onderdeel van een uitgebreide noordelijke maaltijd. Maar u kunt ook volstaan met wat bonenpuree en een frisse salade. Op een *tamal*-festijn mogen ze uiteraard niet ontbreken.

Voor ca. 16 stuks, voldoende als licht hoofdgerecht voor 4-5 personen:

> 200 gram gedroogde maïsbladeren (zie pag. 400)

voor de vulling:
> 300-350 gram ontbeende varkensschouder, in blokjes van 1 cm gesneden
> 1 1/4 theelepel zout
> ca. 40 gram gedroogde *chiles anchos*, ontdaan van steeltjes, zaadjes en zaadlijsten
> 15-20 gram gedroogde *chiles cascabeles norteños* (zie Keukennotities), ontdaan van
>   steeltjes, zaadjes en zaadlijsten
> 1/4 theelepel zwarte peperkorrels (of 1/8 theelepel gemalen peper)
> 1/4 theelepel komijnzaadjes (of krap 1/4 theelepel gemalen komijn)
> 1 groot knoflookteentje, gepeld en grof gehakt
> 1 eetlepel reuzel of plantaardige olie
> ca. 1 theelepel suiker
> 2 eetlepels rozijnen (eventueel)
> 30-40 gram gehakte olijven (eventueel)

voor het deeg:
> 100 gram verse reuzel (zie Ingrediënten pag. 203)
> 500 gram verse *masa voor tamales*, zelfgemaakt (pag. 77) of kant en klaar gekocht of
>   250 gram *masa harina* gemengd met 1/4 liter heet (kraan)water of 1 hoeveelheid
>   'instant'-*masa* (pag. 204)
> 1 theelepel bakpoeder
> 1/2 theelepel zout

1. *De maïsbladeren:* Week de bladeren zoals beschreven op pag. 200. Zoek 16 grote bladeren uit voor de *tamales* en bewaar de rest voor het maken van de linten en het bekleden van de stoompan.
2. *Het vlees en de chilipepers:* Breng 1 liter water in een middelgrote pan aan de kook, voeg het vlees en 1 theelepel zout toe en schep het schuim af dat komt bovendrijven. Draai het vuur iets lager, leg een deksel op de pan en laat het vlees in ca. 40 minuten zachtjes gaar koken.

   Scheur intussen de chilipepers in platte stukken. Verhit een koekepan of vlakke grillplaat, leg er een paar stukken peper in, druk ze met een spatel tegen het hete metaal tot ze knisperen en beginnen te verkleuren, draai ze om en rooster de andere kant op dezelfde manier. Doe de geroosterde pepers in een kom, overgiet ze met kokend water en laat ze – afgedekt met een schoteltje zodat ze ondergedompeld blijven – 20 minuten weken.
3. *De vulling:* Giet het kookvocht van het vlees door een zeef in een kom, laat de bouillon even staan en schep dan het vet van de oppervlakte. Laat de chilipepers uitlekken en doe ze in de kom van een blender. Maak de peperkorrels en de komijnzaadjes fijn in een vijzel en doe ze in de blender. Voeg ook de knoflook en 1 3/4 dl varkensbouillon toe. Maal het geheel tot een vloeibare puree en wrijf de puree door een middelfijne zeef.

   Verhit de reuzel of olie in een steelpan en wacht tot het vet zo heet is dat het ogenblikkelijk begint te spetteren als u er een beetje puree in laat vallen. Voeg dan de rest van de puree toe en 'bak' de puree 4-5 minuten, onder regelmatig roeren, tot ze dikker en donkerder wordt. Giet er 1 3/4 dl van de gezeefde varkensbouillon bij, draai het vuur laag en laat de saus ca. 15 minuten zachtjes inkoken, tot u ca/ 1/4 liter over hebt; roer af en toe. Breng de saus op smaak met zout en suiker.

   Scheur intussen het vlees in smalle reepjes en doe ze in een kom. Schep 2 eetlepels saus in een kommetje en zet dit opzij. Meng de rest van de saus met het vlees en – eventueel – de rozijnen en de olijven; laat het mengsel afkoelen.
4. *Het deeg:* Leg de reuzel, als deze erg zacht is, even in de koelkast om hem iets steviger te maken. Klop de reuzel daarna ca. 1 minuut met een elektrische handmixer tot hij mooi luchtig is. Voeg de helft van de verse of 'instant'-*masa* en de apart gehouden saus toe en klop met de mixer tot alles goed vermengd is. Voeg, terwijl u blijft kloppen, om en om steeds een beetje *masa* en een scheutje varkensbouillon (in totaal ca. 1/8 liter) toe, tot het mengsel de consistentie heeft van vrij dik cakebeslag. Strooi het bakpoeder en het zout over het deeg en klop alles nog ca. 1 minuut met de mixer. Controleer of het deeg luchtig genoeg is door een klein deegballetje in een kopje water te laten vallen; als het balletje niet blijft drijven, maar zinkt, moet u het deeg iets langer kloppen en de test herhalen.
5. *Het verpakken en stomen van de tamales:* Bekleed een stoommandje of het bovenste deel van een stoompan met enkele overgebleven maïsbladeren. Vul en verpak de *tamales* zoals beschreven op pag. 200 (leg daarbij op het uitgespreide deeg een klein beetje vulling) en zet ze min of meer rechtop in het stoommandje. Bedek de pakketjes met de resterende maïsbladeren, leg een deksel op de pan en stoom de *tamales* 1 à 1 1/2 uur, tot de wikkel gemakkelijk loslaat van het deeg.

KEUKENNOTITIES

Technieken

» *De bereiding van het deeg*: zie pag. 200.

Ingrediënten

» *Chiles anchos en cascabeles*: De *chile cascabel norteño* is een vrij milde gedroogde rode peper; u kunt hem eventueel vervangen door een andere gedroogde rode-pepersoort. *Chiles anchos* zijn gedroogde *poblanos*; u kunt ze desgewenst vervangen door andere gedroogde pepers, maar de saus wordt dan minder aromatisch en – vermoedelijk – aanzienlijk 'heter'.

Voetnoot van de vertaalster

» *De hoeveelheden*: Met 'theelepel' wordt de internationale standaardtheelepel met een inhoud van 5 gram bedoeld en niet het Nederlandse theelepeltje van 3 gram.

Bereidingstijd

» Als de *masa* en de vulling van tevoren zijn gemaakt, vergt het vullen en verpakken van de *tamales* ca. 45 minuten. Het stomen duurt 1 à 1 1/2 uur.

TAMAL IN BANANEBLAD UIT DE OVEN

Pibipollo

Ze behoren tot de vaste inventaris van een aantal eetkraampjes op de markt van Mérida, de hoofdstad van Yucatán, de grote, rustiek ogende maïs-'broden', nog half verpakt in de bananebladeren waarin ze werden gebakken. *Pibipollos* worden ze genoemd, maar de Maya's hebben een eigen welluidende naam voor deze grote *tamal* met zijn kruidige geur van *achiote*-pasta en bananeblad.

Onderstaande versie, gebaseerd op een recept uit de *Recetario mexicano del maíz*, vertoont veel overeenkomst met de luchtige, malse *pibipollo* die ik ooit in Campeche heb gegeten. Hij wordt gemaakt met grof gemalen *masa* en niet met het gebruikelijke gladde en compacte maïsdeeg. Dit recept bewijst dat *tamales*, als je het deeg maar lang genoeg klopt, ook zonder toevoeging van bakpoeder licht en luchtig worden.

Pibipollo is bij uitstek geschikt als hoofdbestanddeel van een informeel etentje met vrienden. U kunt de maaltijd completeren met een salade en Mexicaans bier of een traditionele *horchata* (pag. 362).

Voor 1 grote *tamal*, voldoende als hoofdgerecht voor 4 personen:

voor de vulling:
>2 hele kippebouten
>1 1/2 theelepel *achiote*-kruidenpasta (pag. 72)
>1 takje *epazote* (zie Keukennotities)
>100 gram tomaten, gekookt of geroosterd (pag. 404), ontveld, van de kern ontdaan en in stukjes gesneden of 1/2 klein blik (à 4 dl) ontvelde tomaten, uitgelekt en fijngesneden
>100 gram verse *masa* voor *tamales* (pag. 77) of 65 gram *masa harina* vermengd met 6 eetlepels heet (kraan)water
>zout

voor het deeg:
>175 gram verse reuzel (zie Ingrediënten pag. 203)
>750 gram verse *masa voor tamales*, zelfgemaakt (pag. 77) of kant-en-klaar gekocht of 1 1/2 hoeveelheid 'instant'-*masa* (pag. 204)
>ca. 1/4 liter lichtgezouten kippebouillon, op keukentemperatuur
>2 theelepels *achiote*-kruidenpasta (pag. 72)
>zout

voor het verpakken van de tamal:
>2 vierkante, onbeschadigde stukken bananeblad van 30 x 30 cm

1. *De vulling*: Doe de kippebouten in een pan, voeg 3/4 liter water toe en breng het geheel aan de kook. Schep het schuim af dat komt bovendrijven en voeg, zodra er geen nieuw schuim meer wordt gevormd, de kruidenpasta, de *epazote* en de fijngesneden tomaten toe. Leg een deksel schuin op de pan en laat de bouten ca. 25 minuten zachtjes koken; laat ze daarna afkoelen in de bouillon.
   Neem de kippebouten uit de pan, verwijder het takje *epazote* en laat de bouillon inkoken tot u ruim 3 dl over hebt. Verwijder het vel en de botjes uit de kippebouten en scheur het vlees in smalle reepjes.
   Doe de *masa* in de kom van een blender of foodprocessor, giet er 1 3/4 dl ingekookte bouillon bij en laat de machine draaien tot alles goed vermengd is. Giet het mengsel door een middelfijne zeef bij de rest van de bouillon, zet de pan op een matig hoog vuur en verwarm het mengsel al kloppende tot u een vrij dikke saus hebt verkregen. Neem de pan van het vuur, breng de saus op smaak met zout en roer het kippevlees erdoor.
2. *Het deeg*: Leg de reuzel, als deze erg zacht is, even in de koelkast om hem iets steviger te maken. Klop de reuzel daarna ca. 1 minuut met een elektrische handmixer tot hij mooi luchtig is. Voeg de helft van de verse of 'instant'-*masa* toe en klop met de mixer tot alles goed vermengd is. Voeg, terwijl u blijft kloppen, om en om steeds een beetje *masa* en een scheutje bouillon toe, tot het mengsel de consistentie heeft van vrij dik cakebeslag. Voeg ten slotte de kruidenpasta toe en voldoende zout om het deeg goed op smaak te brengen en klop alles nog ca. 1 minuut met de mixer. Controleer of het deeg luchtig genoeg is door een klein deegballetje in een kopje water te laten vallen; als het balletje niet blijft drijven, maar zinkt, moet u het deeg iets langer kloppen en de test herhalen.

3. *De bereiding*: Verwarm de oven voor op 180° C. Knip het bananeblad in 2 vierkante stukken van 30 x 30 cm en maak ze soepel in een stoompan of boven een gasvlam (zie pag. 200). Leg een van de stukken met de glanzende kant naar boven in een vierkante ovenschaal of bakvorm (afm. 20 x 20 cm) en duw het blad in de hoeken goed aan, zodat de schaal of vorm volledig met het blad bekleed is. Schep tweederde van het deeg in de vorm en strijk het uit tot een egale laag, maar zodanig dat de randen iets hoger zijn dan het midden. Verdeel de vulling in het midden. Schep de rest van het deeg op de glanzende kant van het tweede bananeblad en strijk het uit tot een vierkant van 20 x 20 cm. Leg het blad ondersteboven op de schaal of vorm en vouw de randen naar binnen, zodat het deeg en vulling volledig omsloten zijn. Dek de schaal of vorm af met aluminiumfolie en bak de *tamal* ca. 1 uur in de voorverwarmde oven, tot het bovenste bananeblad gemakkelijk loslaat van het deeg. Laat de *tamal*, afgedekt, 10-15 minuten rusten alvorens hem op te dienen.

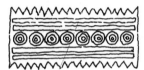

KEUKENNOTITIES

Technieken

» *Het toevoegen van vloeistof aan en het kloppen van het deeg: zie pag. 200)*

» *Het gebruik van achiote of annatto*: In recepten uit andere kookboeken wordt reuzel of olie vaak rood gemaakt door er hele *annatto*-zaden in te laten meebakken. Dat is met name in de Caribische keuken heel gebruikelijk, maar ik vind dat de zaden meer smaak afgeven als ze, zoals in Yucatán, eerst worden fijngemaakt.

Ingrediënten

» *Epazote*: Hoewel dit kruid in Yucatán nooit zal worden weggelaten, is de smaak in dit geval weinig geprononceerd; u kunt de *epazote* daarom probleemloos vervangen door platte peterselie.

» *Masa, reuzel, bananebladeren*: zie pag. 203.

Voetnoot van de vertaalster

» *De hoeveelheden*: Met 'theelepel' wordt de internationale standaardtheelepel met een inhoud van 5 gram bedoeld en niet het Nederlandse theelepeltje van 3 gram.

(Voor)bereidingstijd

» De voorbereiding van dit gerecht vergt ca. 1 1/4 uur, de voor de *masa* en de *achiote*-kruidenpasta benodigde tijd niet meegerekend. Het gaar maken in de oven neemt 1 uur in beslag. De vulling kan 1 of 2 dagen van te voren worden gemaakt en in de koelkast worden bewaard. U kunt de *tamal* ook enkele uren van tevoren assembleren en hem afgedekt op een koele plaats zetten tot het moment dat hij de oven in gaat. Eventueel kunt u hem zelfs van tevoren bakken en weer opwarmen, maar hij smaakt het lekkerst als hij net is gemaakt.

Regionale accenten

» Dit soort grote, in bananeblad verpakte *tamales* wordt in Yucatán ook gevuld met varkensvlees of kleine verse zwarte bonen die *espelóns* worden genoemd. Het assortiment *pibes* (een generieke term die refereert aan het feit dat het gerecht oorspronkelijk werd bereid in een in de grond gegraven *pib* – 'oven') is vrij uitgebreid. De met kip gevulde *pibipollo*, die doorgaans een diameter heeft van 25-30 cm, is een van de populairste varianten.

» In tegenstelling tot *tamales de cazuela* (twee lagen *masa* met een vulling ertussen) die in een aardewerken schotel – *cazuela* – worden gebakken, wordt *pibipollo* zelden in de huiselijke keuken bereid; het is een fiëstagerecht dat in Yucatán – met name met Allerzielen – op de markten wordt verkocht en in de eethuizen op het menu wordt gezet.

Keukentaal

» De kans is groot dat u, als u zelf in Mexico op culinaire ontdekkingsreis gaat, op menukaarten namen aantreft als *mucbipollo, pibipollo, shacabihua, cortados, pib de pollo* en kortweg *pibes*; laat u daardoor niet van de wijs brengen – het zijn gewoon verschillende namen voor een en hetzelfde gerecht.

Aardewerken kookpotten (ollas) voor o.a. bonen

OAXACAANSE *TAMALES*

Tamales Estilo Oaxaqueño

Het was liefde op het eerste gezicht. De eerste keer dat ik de geuren opsnoof die uit de stoompan opstegen, wist ik dat ik deze *tamales* heerlijk zou vinden. Ik heb ze in 1978 in Mexico-Stad leren maken. María Villalobos, die uit Oaxaca afkomstig was, nam de bereiding stap voor stap met me door, van de inkoop van de speciale grootkorrelige maïs (*maíz cacahuacincle*) in de grote overdekte *merced*-markt, tot het malen van de gekookte maïskorrels en het vouwen van de bananebladeren.

Onderstaand recept is gebaseerd op dat van María, maar in plaats van de traditionele zwarte *mole* uit Oaxaca (die gemaakt wordt van pepers die buiten de streek zelf niet of nauwelijks verkrijgbaar zijn), vul ik ze met de donkere *mole poblano*. Deze *tamales* kunnen uitstekend dienst doen als hoofdgerecht. Vouw ze gedeeltelijk open en serveer ze met *frijoles refritos* (pag. 314), een groene salade en Mexicaanse chocolademelk (pag. 392) of chocolade *atole* (*champurrado*, pag. 371).

Voor 10 grote *tamales*, voldoende als hoofdgerecht voor 5 personen:

10 onbeschadigde vierkante stukken bananeblad (afm. 30 x 30 cm)

Voor het deeg:
200 gram verse reuzel (zie Ingrediënten pag. 203)
1 kilo verse *masa* voor *tamales*, zelfgemaakt (pag. 77) of kant-en-klaar gekocht
   of 2 hoeveelheden 'instant'-*masa* (pag. 204)
ca. 3 1/4 dl lichtgezouten kippebouillon, op keukentemperatuur
1 1/2 eetlepel medium dikke *mole poblano* (pag. 224; zie Keukennotities)
1 1/2 theelepel bakpoeder
ca. 1 theelepel zout

Voor de vulling:
250 gram gepocheerde kip (pag. 64), in smalle reepjes gescheurd
3 1/2 dl medium dikke *mole poblano* (pag. 224; zie ook Keukennotities)

1. *De bananebladeren:* Knip de bladeren zoals beschreven op pag. 200 en maak ze soepel in een stoompan of boven de gasvlam. Bewaar de restanten van de bladeren voor de linten en het bekleden van de stoompan.
2. *Het deeg:* Leg de reuzel, als deze erg zacht is, even in de koelkast om hem iets steviger te maken. Klop de reuzel daarna ca. 1 minuut met een elektrische handmixer tot hij mooi luchtig is. Voeg de helft van de verse of 'instant' *masa* toe en klop met de mixer tot alles goed vermengd is. Voeg, terwijl u blijft kloppen, om en om steeds een beetje *masa* en een scheutje bouillon toe, tot het mengsel de consistentie heeft van vrij dik cakebeslag. Voeg de *mole poblano*, het bakpoeder en wat zout (de hoeveelheid is afhankelijk van het zoutgehalte van de bouillon) toe en klop alles nog ca. 1 minuut met de mixer. Controleer of het deeg luchtig genoeg is door een klein deegballetje in een kopje water te laten vallen; als het balletje niet blijft drijven, maar zinkt, moet u het deeg iets langer kloppen en de test herhalen.
3. *Het verpakken en stomen van de tamales:* Bekleed een stoommandje of het bovenste deel van een stoompan met enkele overgebleven stukken bananeblad. Vul en verpak de *tamales* zoals beschreven op pag. 200 (leg daarbij op het uitgespreide deeg 2 eetlepels kippevlees en 2 eetlepels *mole poblano*) en leg ze in het stoommandje. Bedek de pakketjes met stukken bananeblad, leg een deksel op de pan en stoom de *tamales* 1 à 1 1/2 uur, tot de wikkel gemakkelijk loslaat van het deeg.

KEUKENNOTITIES

Technieken

» De bereiding van het deeg: zie pag. 200.

Ingrediënten

» Mole: zie Keukennotities pag. 236.

Voetnoot van de vertaalster

» De hoeveelheden: Met 'theelepel' wordt de internationale standaardtheelepel met een inhoud van 5 gram bedoeld en niet het Nederlandse theelepeltje van 3 gram.

Bereidingstijd

» Als de masa en de vulling van tevoren zijn gemaakt, vergt het vullen en verpakken van de tamales ca. 45 minuten. Het stomen duurt 1 à 1 1/2 uur.

EIGENTIJDSE VARIATIE

» Tamales met vis: Maak de tomatensaus uit Yucatán (pag. 43) en laat de saus inkoken tot ze vrij dik is. Snijd 500 gram gefileerde vis (heilbot, zeebaars of hondshaai) in smalle reepjes. Breng de masa op smaak met 2 theelepels achiote-kruidenpasta (pag. 72) in plaats van de mole poblano. Maak de tamales en stoom ze gaar zoals beschreven in het recept, maar vul ze met reepjes rauwe vis en tomatensaus in plaats van kip en mole poblano.

Regionale accenten

» Deze tamales zijn in Oaxaca, de hoofdstad van de gelijknamige deelstaat, vrijwel overal verkrijgbaar – zowel in markt-fondas en cafetarías als in de betere restaurantes. Ze zijn wat vochtiger en misschien ook iets compacter dan de tamales uit Midden-Mexico; het deeg wordt altijd op smaak gebracht met een beetje saus en het bananeblad zorgt voor extra aroma.

Verse poblano-chilipepers

MOLES

Mole op de markt van Puebla

Mole", zeiden de Spanjaarden nadat ze de Azteken hun stoofpotten en sauzen 'molli' hadden horen noemen en *mole* is het gebleven. *Mole* is de eeuwenoude naam van een groot aantal traditioneel Mexicaanse bereidingen. De veel later geïntroduceerde begrippen *guisado* (stoofschotel) en *salsa* (saus) worden gebruikt voor gerechten die minder diep in de tradities zijn geworteld en een minder 'inheems' karakter hebben. Het woord 'mole' is onder meer herkenbaar in *guacamole* (letterlijk 'avocado' plus 'saus'), in het Mexicaanse woord voor 'vijzel' *molcajete* (letterlijk 'saus' plus 'kom') en in tal van andere culinaire termen. Maar het is in de eerste plaats de verzamelnaam van een aantal unieke Mexicaanse specialiteiten.

Wordt met het woord *mole* alleen de saus bedoeld? Of heeft het betrekking op de hele stoofschotel, inclusief het vlees? Over deze vragen wordt al honderden jaren gediscussieerd en ik denk niet dat men er ooit uitkomt. Mexicaanse *moles* zijn geen sauzen die *bij* een gerecht worden geserveerd, zoals een beurre blanc of een hollandaisesaus, maar ze *zijn* het gerecht – de vloeistof, de vaste bestanddelen, de smaak en de voedingswaarde. Iedereen die wel eens een portie *mole poblano* heeft gegeten, heeft kunnen vaststellen dat deze 'saus' in alle eetgelegenheden – behalve wellicht in de chique restaurants – in buitensporig grote hoeveelheden wordt geserveerd. Naar mijn idee wordt dan ook met de term *mole* zowel de saus als de stoofschotel in z'n geheel bedoeld.

Dit soort geharrewar valt evenwel in het niet vergeleken bij de misverstanden die het woord 'mole' in andere opzichten veroorzaakt. Zeg *mole* of *mole poblano* en iedere niet-Mexicaan denkt ogenblikkelijk aan kalkoen of kip in chocoladesaus, terwijl de Mexicanen zelf visioenen krijgen van complexe, donkere sauzen gemaakt van gedroogde chilipepers, noten, zaden, aromatische groenten, specerijen en, jawel, een klein beetje chocolade. Het beroemde gerecht uit Puebla, dat oorspronkelijk *mole de olores* ('geurige *mole*') heette, dankt het tweede deel van zijn naam aan de stad waarin het is ontstaan. Tegenwoordig hoef je echter maar het woord *mole* te noemen of iedereen denkt automatisch dat daarmee de *mole poblano* wordt bedoeld.

Wie de moeite neemt wat verder te kijken dan de veelgeprezen Pueblaanse *mole*, zal ontdekken dat er nog tal van andere *moles* bestaan, die met elkaar het hele gamma van kleuren, smaken en texturen omspannen. Maar lang niet elke Mexicaanse saus/stoofschotel heeft recht op de naam *mole*. Een *mole* is altijd een gekookte saus. Sommige *moles* danken hun kleur aan rode chili's, sommige worden gebonden met fijngemalen noten of zaden en sommige danken hun speciale karakter aan de toegevoegde kruiden en specerijen. De meeste hebben een lange historie en worden, net als de *mole poblano*, gegeten bij feestelijke gelegenheden. Ze maken zowel deel uit van het menu-repertoire van markt-*fondas* als van dat van de betere restaurants.

Vrijwel overal in Mexico wordt wel een donkerrode *mole* gemaakt die enigszins lijkt op de versie uit Puebla. Zelfs in Yucatán, waar echter ook een puur lokale versie wordt gegeten, die *chirmole* (letterlijk 'chili' plus 'saus') wordt genoemd: een pittige, bijna zwarte chilisaus/stoofpot waarvan de smaak totaal anders is dan van enige andere *mole*. Naast de rode bestaat er in veel streken ook een groene *mole*, gemaakt van *tomatillos*, groene chilipepers, kruiden en gemalen noten of zaden, die de saus 'body' en smaak geven. Daar vindt men vaak ook de *clemole* (letterlijk 'heet' of 'gekookt' plus 'saus'), een simpel gerecht, dat meer in de huiselijke keuken wordt bereid dan in openbare eetgelegenheden. En dan is er nog Oaxaca, de stad die vermaard is vanwege zijn zeven *moles*: een zwarte, twee steenrode (de ene vrij eenvoudig en enigszins zoet en de andere meer complex van smaak), een groene, een gele, een donkere jus-achtige die *chichilo* wordt genoemd en ten slotte de milde, donkerrode, met vruchten bereide *manchamanteles*.

Het rijtje kan worden aangevuld met tal van *moles* uit andere landstreken, zoals de rode chilisoep die de naam *mole de olla* heeft gekregen, de met gemalen kalebaszaden (*guaje*) gebonden *guasmole* en de *moles* waarin in een vuurkuil gestoofd lamsvlees wordt verwerkt. Er zijn vele soorten sauzen/stoofgerechten die *mole* worden genoemd, maar er is er niet een die zo complex en rijk van smaak is als de donkere *mole poblano*. De bereidingswijze van deze beroemde feestelijke mole, die door menigeen wordt beschouwd als het nationale gerecht van Mexico, vindt u op de volgende pagina's. Het is een recept waar u wel wat tijd voor moet uittrekken, maar als u wel eens een echte *mole poblano* hebt gegeten, hoef ik u niet te vertellen dat uw moeite ruimschoots wordt beloond. In dit hoofdstuk vindt u ook een aantal recepten voor *moles* waarvan de bereiding iets eenvoudiger is, maar het resultaat is minstens even lekker. Voor *mole*-recepten die in andere hoofdstukken zijn ondergebracht kunt u het register raadplegen.

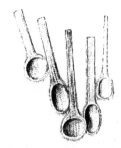

Mexicaanse houten lepels

Gouden regels voor met noten en zaden gebonden sauzen

» *Het pureren*: Eeuwenlang hebben de Mexicanen noten, specerijen en gedroogde chilipepers fijngemaakt op een driepoots stenen *metate*; het resultaat is te vergelijken met dat van een met maalstenen uitgeruste molen. Maar aangezien de meesten van ons over geen van beide beschikken, rest ons de blender, die echter meer hakt dan maalt. Hier een paar tips om met behulp van de blender een zo glad mogelijke saus te maken: 1 Vul de kom van de blender niet meer dan halfvol. 2 Voeg niet meer vloeistof toe dan nodig is om de massa rond de mesjes in beweging te houden; als het mengsel te dun is, zullen de harde bestanddelen niet door de mesjes 'gepakt' worden. 3 Meng de ingrediënten en hak ze bij lage snelheid tot alle stukjes min of meer even groot zijn, zet de blender dan op de hoogste stand en laat de machine draaien tot het mengsel glad aanvoelt als u een paar druppels tussen uw vingers wrijft. 4 Wrijf de massa na het blenderen door een zeef. 5 Als de saus er na het sudderen korrelig uitziet, blendeer hem dan nogmaals (dit wordt in Mexico zelf echter zelden gedaan).

» *Het serveren*: Omdat met noten en zaden gebonden sauzen tijdens het koken (of tijdens het opwarmen) aanzienlijk dikker worden, moeten ze vlak voor het opdienen worden verdund met een scheutje bouillon. Op het bord verliezen de sauzen doorgaans snel hun glans; als u er een nieuw laagje saus overheen schept, wordt de fraaie glans in zijn volle glorie hersteld.

Het combineren van Mexicaanse sauzen met vlees

» Wat de combinatie van sauzen en vlees betreft zijn de Mexicanen erg flexibel; een bepaalde saus kan met verschillende vleessoorten worden gemaakt. Het in mijn recepten voorgeschreven vlees kan dus heel goed door een andere vleessoort worden vervangen. Vergeet in dat geval echter niet om de in de saus te verwerken bouillon aan de gekozen vleessoort aan te passen. De sauzen die desgewenst met een andere vleessoort kunnen worden gemaakt zijn: *mole poblano* (pag. 224), rode *mole* (pag. 228), *oranje-rode* mole (pag. 177), groene pompoenzaad-*mole* (pag. 232), pompoen-zaad-*pipián* (pag. 259), *veracruzana*-saus (pag. 243), *adobo*-saus (pag. 295) Noordmexi-caanse rode chilisaus (pag. 28), gekookte tomaten-chilisaus (pag. 42) en gekookte *tomatillo*-saus (pag. 44). Wat de vleessoorten betreft kunt u kiezen uit: kip (pag. 61, stappen 1-3), eend (pag. 260, stappen 1, 3 en 6), kalkoen (pag. 225, stappen 1, 9, 11 en 12), varkensvlees (pag. 287, stap 1) en rundvlees (pag. 146, stap 1 – maar zonder het vlees in draadjes te pluizen).

DE LEGENDE VAN DE *MOLE POBLANO*

Er doen – in kookboeken, op papieren placemats en in foldertjes die in Puebla worden rondgedeeld – nogal wat verhalen de ronde over waar, wanneer en door wie de *mole poblano* is gecreëerd. Het is immers, ook al wordt het naar mijn idee aanzienlijk minder vaak gegeten dan taco's of *enchiladas,* 'het beroemdste gerecht' van Mexico. Maar het is duidelijk te speciaal om het dagelijks te kunnen eten. Geen mens die op den duur nog ten volle zou kunnen genieten van het brede scala van chili-aroma's, geraffineerd doorweven met de zachte textuur van noten en zaden, de aardse smaak van groenten en vruchten en de subtiele accenten van kruiden, specerijen en chocolade. En dat allemaal in één diep donkere saus waarvan de niet-ingewijden zeggen dat ze niet om aan te zien is... tot het moment waarop ze betoverd raken door de aroma's waaraan de saus haar oorspronkelijke naam *mole de olores* – 'mole van de geuren' – te danken heeft.

De papieren placemat die ik in Puebla op een ochtend op de ontbijttafel vond, was geïllustreerd met een afbeelding van engelen die een pot flankeerden met de Enige Ware *Mole* (waar een enorme kalkoenpoot bovenuit stak). In de bijbehorende tekst werd de non *Sor* Andrea geroemd omdat ze zo slim was geweest haar 17e-eeuwse bisschop tijdens zijn bezoek aan het Santa Rosa-klooster te verrassen met een nieuwe *mole*-creatie. Het culinaire foldertje dat mij in het plaatselijke VVV-kantoor werd overhandigd en waarin het gerecht van de nonnen eveneens werd beschreven, bezwoer mij echter met bijna religieuze stelligheid dat *Sor* Andrea door Bisschop Fernández de Santa Cruz werd verzocht haar Beste Gerecht te bereiden op de dag (de derde zondag voor de vasten, ergens tussen 1680 en 1688) dat Don Tomás Antonio de la Cerda y Aragón, de onderkoning van Nieuw-Spanje, de stad met een bezoek zou vereren. Geen wonder dat ik me, wellicht als enige, verplicht voel elke tekst aandachtig te lezen, de discussie met belangstelling te volgen en de heilige tegelvloer van de keuken in het Santa Rosa-klooster met gepaste eerbied te betreden. Hoe amusant ik de ernst waarmee men met elkaar redetwist soms ook vind, ik heb respect voor de trots en de volharding die uit die discussies naar voren komt.

Paco Ignatio Taibo was zo gefascineerd door alle verhalen over de *mole poblano* dat hij er een paar jaar geleden een boek over heeft geschreven (waarbij hij zijn spottende pen even vaak in de saus als in de inkt moet hebben gedoopt). Señor Taibo gelooft namelijk, net als ik, dat Mexicanen een sterk ontwikkeld gevoel voor het barokke hebben. En *Sor* Andrea had, zoals bekend, de leiding over de kloosterkeuken in de periode dat de barok op zijn hoogtepunt was. 'Het verschijnsel *mole*,' schrijft Taibo, 'zou buiten de wereld van de barok niet zijn begrepen en de barok was nergens zo op zijn plaats als in Puebla.' En hij vervolgt:

> ... *in de schitterende keuken, gedecoreerd met (Talavera) tegels... (en) doordrongen met de geur van specerijen en chocolade, stond Sor Andrea voor een moeilijke keuze. (Zij) besloot de enorm ingewikkelde weg van de gastronomische barok in te slaan en in één gerecht alle luxe produkten van het land te verenigen. Het was een groots moment en bovenal een heroïsch moment, bijzonder heroïsch zelfs. Een ei bakken is een serieuze zaak, zoals iedereen weet die goed is in eieren bakken, maar het bereiden van een mole voordat iemand anders op het idee komt, getuigt van fantasie en is iets wat alleen dappere zielen klaarspelen.*
>
> *Ik kan me voorstellen hoe het mengen van zoveel ingrediënten in zijn werk ging in die keuken in de prachtige stad Puebla de Los Angeles, (maar) ik heb moeite om me voor te stellen hoe de maaltijd zelf is verlopen.*
>
> *Ik kan me nog wel voorstellen hoe de nonnen af en aan liepen, beladen met dienbladen en karaffen, hun gezichten getooid met een professionele glimlach en een blik van stille verwondering. Ik heb echter moeite om me voor te stellen dat de mole op tafel is verschenen met medeweten en instemming van de moeder-overste, die in het gerecht een absolute breuk met het Hof van Madrid moet hebben gezien.*
>
> *Maar wat ik me echt onmogelijk kan voorstellen is de uitdrukking op het gezicht van de onderkoning op het moment dat hij werd geconfronteerd met die donkere, dik uitziende merkwaardige melange van geuren.*
>
> *Wat zou de onderkoning hebben gezegd toen hem die mole werd voorgezet?*

Paco Ignatio Taibo I: *Breviario del mole poblano*

Nou, ik weet nog wat *ik* zei, die middag in Ixmiquilpan, Hildalgo. Ik was zestien en ik had zojuist een hap genomen van een donkere, bijna zwarte saus met een stukje vlees erin. 'Het smaakt anders,' luidde mijn commentaar. Maar nadat op die eerste hap een tweede was gevolgd, en een derde, en een vierde, was ik verslaafd en klaar om een tweede portie te bestellen. Helaas gaat het lang niet bij iedereen zo, zelfs niet bij een wereldwijze bereisde journaliste als Kate Simon. 'De bezoeker krijgt al gauw verhalen te horen over de verrukkingen van de *mole*,' schrijft ze in 'Mexico: Places and Pleasures'. '... en het is duidelijk een gerecht dat je moet respecteren, maar bij mijn weten heeft geen enkele niet-Mexicaan het klaargespeeld er een passie voor te ontwikkelen...' Het is jammer dat Kate Simon en ik elkaar nooit hebben ontmoet...

PITTIGE DONKERE *MOLE* MET KALKOEN
Mole Poblano de Guajolote

Na tientallen recepten voor de Pueblaanse *mole* met elkaar te hebben vergeleken, heb ik onderstaande variant ontwikkeld, die de complexe smakenrijkdom evenaart van de versies die in de gastronomische hoofdstad van Mexico worden geserveerd. Hoewel kant-en-klare *mole*-pasta's in enorme bergen op de markt van Puebla uitgestald liggen, maken de koks en kokkinnen van *fondas* en restaurants in veel gevallen liever hun eigen mengsel. Paco Ignatio Taibo heeft dus gelijk als hij schrijft: 'Het recept is geen recept, maar een veelheid van recepten... Er bestaan voor *mole poblano* evenveel recepten als er fantasievolle koks zijn.' Het is een wonderbaarlijk gerecht. En het loont de moeite het te maken.

Voor 12-15 personen, met ca. 3 liter saus:

het vlees:
> 1 kalkoen van 5 à 6 kilo

de chilipepers:
> 200-250 gram gedroogde *chiles mulatos* (zie Keukennotities)
> 60-75 gram gedroogde *chiles anchos* (zie Keukennotities)
> 50-60 gram gedroogde *chiles pasillas* (zie Keukennotities)
> 1 *chile chipotle* uit blik, ontdaan van steeltje en zaden (eventueel)

de noten, zaden, groenten en bindmiddelen:
> 30 gram sesamzaadjes (plus iets extra voor de garnering)
> 1/2 theelepel korianderzaadjes
> 1/8 liter reuzel of plantaardige olie
> 50-60 gram niet-ontvliesde amandelen
> 50-60 gram rozijnen
> 1/2 middelgrote ui, in ringen gesneden
> 2 knoflookteentjes, gepeld
> 1 maïstortilla, oudbakken
> 2 sneetjes stevig wittebrood, oudbakken
> 150 gram tomaten, geroosterd of gekookt (pag. 404), ontveld en van de kern ontdaan of
>   3/4 van een klein blik (à 4 dl) gezeefde tomaten, goed uitgelekt

de smaakmiddelen:
> 60 à 65 gram Mexicaanse chocolade (zie Keukennotities), grof gehakt
> 10 zwarte peperkorrels (of krap 1/4 theelepel gemalen peper)
> 4 kruidnagels (of 1/8 theelepel kruidnagelpoeder)
> 1/2 theelepel anijszaadjes (of ruim 1/2 theelepel gemalen anijs)
> 1 stukje pijpkaneel van ca. 2 1/2 cm (of 1 theelepel kaneelpoeder)

voor de afwerking:
> 4 eetlepels reuzel of plantaardige olie
> ca. 2 1/2 liter gevogeltebouillon (pag. 66), bij voorkeur gemaakt van kalkoen
> ca. 2 theelepels zout
> ca. 50 gram suiker

1. *De kalkoen*:
   Vraag de poelier om de kalkoen in stukken te verdelen of doe het zelf: snijd de beide bouten los en snijd ze bij het gewricht in twee stukken. Snijd de vleugels los, zet de kalkoen dan rechtop (met de voorkant naar onderen) en maak, met behulp van een hakmes, een diepe snee aan weerskanten van de ruggewervel. Verwijder de wervelkolom en verdeel het borststuk ter hoogte van het borstbeen in tweeën. Bewaar de afsnijdsels – vleugelpunten, wervelkolom, hals en de eventuele ingewanden (behalve de lever) – voor de bouillon. Bewaar de kalkoendelen afgedekt in de koelkast.

2. *De mise-en-place*: Zoals bij elk gerecht waarin zo'n vijfentwintig verschillende ingrediënten worden verwerkt, hebt u veel baat bij een goede mise-en-place. Zet de ingrediënten daarom als volgt klaar: ontdoe de gedroogde pepers van hun steeltjes, zaden (houd 2 theelepels zaadjes apart) en zaadlijsten en scheur de pepers in platte stukken. Als u een *chile chipotle* gebruikt, verwijder dan de zaadjes en bewaar de peper apart. Weeg de sesam- en korianderzaadjes, de amandelen en de rozijnen en zet ze klaar in kommetjes. Pel de ui, snijd hem in ringen en doe deze in een kommetje. Leg de knoflook, de tortilla en het brood op een bord. Prak de tomaten fijn in een grote kom en voeg de in stukjes gehakte chocolade toe. Maak de specerijen fijn in een vijzel of specerijenmolentje en doe ze in de kom met de tomaten en chocolade. Zet de reuzel of olie en de bouillon klaar.

3. *Het roosteren van de zaden*: Verhit een koekepan op een matig hoog vuur en rooster de apart gehouden chilizaden en de sesam- en korianderzaadjes afzonderlijk tot ze beginnen te kleuren; doe ze in de kom met de tomaten.

4. *De chilipepers*: Verhit 4 eetlepels reuzel of olie in dezelfde koekepan en bak de stukken chilipeper met een paar stuks tegelijk tot ze diep goudbruin beginnen te kleuren (zet de afzuigkap op de hoogste stand, zodat de krachtige geur van de pepers direct wordt afgezogen), schep ze met een schuimspaan uit de pan (houd de spaan even boven de pan, zodat zoveel mogelijk olie in de pan terugdruipt) en doe ze in een grote kom. Overgiet de pepers met kokend water, leg er een schoteltje op, zodat ze ondergedompeld blijven en laat ze minstens 1 uur weken. Giet dan het water af en voeg – eventueel – de *chile chipotle* toe.

5. *Het bakken van de amandelen, rozijnen, ui en knoflook*: Verhit opnieuw 4 eetlepels reuzel of olie in de koekepan en bak de amandelen, onder regelmatig omscheppen, in ca. 4 minuten mooi goudbruin. Schep ze met een schuimspaan uit de pan en doe ze bij de tomaten. Bak de rozijnen ca. 1 minuut in hetzelfde vet tot ze opzwellen en bruin kleuren. Schep ze met een schuimspaan uit de pan en doe ze bij de tomaten. Bak, op een vrij laag vuur, de knoflookteentjes en de uiringen tot ze – na 8 of 9 minuten – goudbruin en zacht zijn, schep ze met een schuimspaan uit de pan, druk met een houten lepel het overtollige vet eruit en doe ze bij de tomaten en de overige ingrediënten.

6. *Het bakken van de tortilla en het brood*: Doe, indien nodig, nog wat reuzel of olie in de pan en bak de tortilla aan beide kanten mooi bruin. Laat de tortilla even uitlekken, breek haar in stukjes en doe de stukjes in de kom met de tomaten. Bak de sneetjes brood eveneens aan beide kanten mooi goudbruin, laat ze even uitlekken en scheur ze in grote stukken. Doe de stukken in de kom met de overige ingrediënten.

7. *Het pureren van de tomaten en de overige ingrediënten*: Meng de ingrediënten in de kom goed door elkaar. Schep ca. 1/4 van het mengsel in de kom van de blender, voeg 1 1/4 dl bouillon toe en laat de machine draaien tot u een gladde puree hebt verkregen. Voeg, als het mengsel te compact is om door de mesjes in beweging te worden gehouden, nog een *klein* scheutje bouillon toe. Wrijf de puree door een middelfijne zeef en vang de puree op in een grote kom. Pureer de rest van de ingrediënten op dezelfde manier, steeds met toevoeging van 1 1/4 dl bouillon, en wrijf elke hoeveelheid door een zeef bij de reeds verkregen puree in de kom.

8. *Het pureren van de chilipepers*: Pureer de pepers in drie porties en voeg aan elke portie, vóór het pureren, 1 1/4 dl bouillon toe. Wrijf de inhoud van de blender door dezelfde zeef en vang de puree op in een tweede kom.

9. *Het aanbraden van de kalkoen*: Dep de kalkoendelen droog met keukenpapier. Verhit 4 eetlepels reuzel of olie in een grote braadpan en laat de kalkoendelen met een paar stukken tegelijk rondom dichtschroeien en bruin kleuren. Leg de stukken in een grote braadslee en zet de braadslee opzij (bij kamertemperatuur) tot de saus klaar is.

10. *De saus*: Giet het overtollige vet uit de braadpan (maar zorg dat onderin een dun waasje vet achterblijft) en zet de pan op het vuur. Voeg de chilipuree toe en roerbak de massa ca. 5 minuten, tot de puree donker kleurt en dik is. Voeg dan de puree van de overige ingrediënten toe en laat het geheel, al roerende, nog een minuut of 5 pruttelen, tot het mengsel opnieuw dik is. Giet dan 1 1/4 liter bouillon in de pan en breng het geheel aan de kook. Draai het vuur laag, leg een deksel schuin op de pan en laat de saus ca. 45 minuten zachtjes pruttelen; roer af en toe. De saus moet de consistentie hebben van losgeroerde crème fraîche; als ze dikker is, kunt u haar verdunnen met een scheutje bouillon. Breng de saus daarna op smaak met zout en suiker.

11. *De bereiding van de kalkoen*: Verhit de oven voor op 180° C. Giet de saus over de kalkoendelen in de braadslee en dek de braadslee af met aluminiumfolie. Zet de braadslee in de voorverwarmde oven en stoof de kalkoen in ca. 2 uur gaar. Schep de kalkoendelen daarna met een schuimspaan uit de saus en laat ze afkoelen in een grote schaal. Ontvet de saus of laat de saus afkoelen in een kom en zet de kom daarna in de koelkast, zodat het vet stolt en gemakkelijk kan worden afgeschept.

12. *De afwerking en presentatie*: Verwijder het vel van de kalkoen en snijd het vlees dwars op de draad los van de botten. Verdeel het vlees over twee of drie ovenschalen. Giet de saus ca. 20 minuten voor het moment dat u de *mole* wilt serveren over het kalkoenvlees, dek de schalen af met aluminiumfolie en zet ze 15-20 minuten in de op 180° C voorverwarmde oven, tot de inhoud door en door heet is. Neem de schalen uit de oven, schep wat saus van de zijkant over het kalkoenvlees, zodat het vlees een mooie glans krijgt en bestrooi de bovenkant met sesamzaadjes. Serveer direct.

KEUKENNOTITIES

Technieken

» *Het pureren van met noten en zaden gebonden sauzen:* zie pag. 221.

» *Moles en vet:* Mexicaanse sauzen zijn vaak voorzien van een vetlaagje dat in Mexicaanse ogen onontbeerlijk is voor de smaak. Maar, zoals Paula Wolfert zo gloedvol betoogde in haar boek *The Cooking of South-West France,* de smaak van vet is oplosbaar in water. Laat het dus rustig meesudderen om de *mole* meer smaak te geven en schep het daarna af.

» *Het op smaak brengen van een mole:* Het met elkaar versmelten van de diverse smaken begint tijdens de bereiding. Een of twee dagen later is het versmeltingsproces voltooid en smaakt de *mole* zoals hij behoort te smaken. Om die reden voeg ik in het beginstadium maar een deel van het zout en de suiker toe; vlak voor het serveren proef ik de saus en breng ik haar definitief op smaak. Zowel het zout als de suiker zijn nodig om bepaalde smaakfacetten van deze complexe saus te accentueren of met elkaar in evenwicht te brengen.

Ingrediënten

» *De chilipepers:* Een authentieke *mole poblano* kan niet worden gemaakt zonder de heilige drieëenheid van *mulato, ancho* en *pasilla*-chilipepers; de *chipotle* is niet essentieel, maar voegt naar mijn idee een extra dimensie toe. Als u de goede chilipepers niet kunt vinden, kunt u dit recept beter overslaan, want een *mole poblano* zal het nooit worden. Kies dan liever de met één pepersoort gemaakte variatie van de op pag. 228 beschreven rode *mole.*

» *Mexicaanse chocolade:* Het type chocolade luistert mijns inziens minder nauw dan het type pepers. De voorgeschreven chocolade kan dan ook heel goed worden vervangen door 2 eetlepels cacao.

Voetnoot van de vertaalster

» *De hoeveelheden:* Met 'theelepel' wordt de internationale standaardtheelepel met een inhoud van 5 gram bedoeld en niet het Nederlandse theelepeltje van 3 gram.

(Voor)bereidingstijd

» Het maken van *mole poblano* vergt ca. 6 uur (als u de bouillon van tevoren hebt gemaakt), waarvan ca. 3 uur in beslag wordt genomen door stoven en sudderen. Maar als u alles op één dag doet, krijgt de smaak van de *mole* geen kans om zich volledig te ontplooien (en bent u zelf vermoedelijk niet meer in de juiste stemming om ervan te genieten). Het is handiger – en gemakkelijker – om de voorbereidingen over een aantal dagen te verdelen. Eerste dag: Zet alle ingrediënten klaar en rooster/bak de in stap 3 t/m 6 beschreven bestanddelen (maar wacht met het weken van de chilipepers!). Tweede dag: Verdeel de kalkoen in stukken en maak de bouillon. Derde dag: Week de chilipepers en maak de saus. Braad de kalkoendelen aan en stoof de kalkoen gaar in de oven (stappen 9 t/m 11). Laat de kalkoen en de saus afzonderlijk afkoelen, dek ze af met folie en bewaar ze tot gebruik in de koelkast. Vierde dag: Ontvel de kalkoen en snijd het vlees los van de botten. Warm het vlees en de saus op volgens de aanwijzingen in stap 12.

MENUSUGGESTIES

»   De Mexicaanse culinaire historicus Amando Farga beschreef hoe *Sor* Andrea met haar houten schaal gevuld met de geurige, met chocolade gekruide saus vergezeld werd door twee mede-zusters, van wie de een schaal met *tamales* droeg en de ander een kruik met *pulque* (een eeuwenoude drank gemaakt van het gefermenteerde sap van de magueycactus). Dat was prima in de tijd van *Sor* Andrea, maar niet in de onze. *Pulque* is buiten Mexico geen gangbare drank en *tamales* zijn volgens mij totaal ongeschikt om de saus mee te soppen (hoewel in sommige kookboeken staat dat je bij een *mole* simpele, niet-gevulde *tamales* moet serveren, heb ik dat persoonlijk in Mexico nooit meegemaakt). Maar wat er ook bij wordt gegeven, *mole poblano* is synoniem met feest en *fiesta* en vormt als zodanig de hoofdattractie van een etentje. Het gerecht is bij uitstek geschikt voor een buffetmaaltijd, maar kan ook, als u de voorkeur geeft aan een iets formeler etentje, aan tafel worden geserveerd. Geef in dat geval als voorafje bijvoorbeeld een tortillasoep (pag. 104) en serveer bij de *mole* zelf Pueblaanse rijst (pag. 308) en warme tortilla's. Als besluit van de maaltijd kunt een verrukkelijke amandelflan (pag. 331) serveren. Als begeleidende drank raad ik u aan uw gasten te laten kiezen tussen een niet te zware rode wijn, bier en *limonada* gemaakt met koolzuurhoudend mineraalwater (pag. 364).

Van *mole* leren houden...

»   Als u een echte *mole*-liefhebber wilt worden, kunt u het beste beginnen met eenvoudige, met varkensvlees gevulde *enchiladas* in oranje-rode *mole* (pag. 177) en daarna vervolgen met de kip in rode *mole* (pag. 228). Als die twee *moles* goed zijn bevallen, kunt u de overstap maken naar de beroemde *mole poblano*. En als u deze niet zelf kunt maken omdat de benodigde pepers niet verkrijgbaar zijn, wacht dan tot u de kans krijgt naar Mexico te gaan en proef hem daar. Uiteraard bij voorkeur in Puebla zelf, in een van de kleine *fondas* op de Victoriamarkt, waar de geurige donkere ragoût in enorme *cazuelas* staat te pruttelen...

RODE *MOLE* MET KIP

Mole Rojo con Pollo

Hoewel niet-Mexicanen de neiging hebben in elke *mole* een *mole poblano* te zien, zijn de meeste *moles* aanzienlijk simpeler dan de complexe, licht naar anijs geurende versie uit Puebla. De *moles* die op feestdagen in Guadalajara, Morelia, Guanajuato en vrijwel overal elders worden bereid zijn lichter en minder 'moeilijk' van smaak. Uit de collectie recepten die ik in de loop der jaren heb weten los te peuteren van Otomí-Indianen, Zapoteken, stedelingen, nonnen en zelfs puur Spaanse Mexicanen heb ik een recept gedestilleerd voor een welhaast verslavend lekkere *mole*, een *mole* waarvan ik denk dat hij bij iedereen die niet in Puebla is opgegroeid in de smaak zal vallen.

Deze verrukkelijke *mole* verdient een plaatsje in een traditioneel menu met kikkererwten-groentesoep (pag. 105, maar zonder kip) als voorgerecht en flensjes met karamel en pecannoten (pag. 344) als nagerecht. Serveer bij de *mole* zelf Mexicaanse rijst (pag. 306).

Voor 4 personen, met 1 à 1 1/4 liter saus:

de chilipepers:

    50-60 gram gedroogde *chiles anchos*, ontdaan van steeltjes, zaadjes en zaadlijsten
    25-30 gram gedroogde *chiles mulatos*, ontdaan van steeltjes, zaadjes en zaadlijsten
    ca. 10 gram gedroogde *chile pasilla*, ontdaan van steeltjes, zaadjes en zaadlijsten

de noten, zaden, groenten en bindmiddelen:

    1 1/2 eetlepel sesamzaadjes (plus iets extra voor de garnering)
    ca. 3/4 dl reuzel of plantaardige olie
    25-30 vliespinda's
    2 eetlepels rozijnen
    1/4 ui, grof gesneden
    1 knoflookteentje, gepeld
    1/3 rijpe bakbanaan, geschild en in blokjes gesneden (eventueel)
    1/2 maïstortilla, oudbakken
    1 sneetje stevig wittebrood, oudbakken
    100 gram tomaten, geroosterd of gekookt (pag. 404), ontveld, van de harde kern ontdaan en in stukjes gesneden of 1/2 van 1 klein blik (à 4 dl) ontvelde tomaten, uitgelekt en grof gesneden
    120 gram verse *tomatillos*, ontdaan van het vlies, gewassen en gaar gesudderd of 100 gram uitgelekte *tomatillos* uit blik

de smaakmiddelen:

    25 gram Mexicaanse chocolade, in kleine stukjes gehakt
    1/2 theelepel gedroogde oregano
    1/4 theelepel gedroogde tijm
    1 laurierblaadje
    8 peperkorrels (of 1/8 theelepel gemalen peper)
    3 kruidnagels (of krap 1/8 theelepel kruidnagelpoeder)
    1 stukje pijpkaneel van ca. 2 1/2 cm (of 1 theelepel kaneelpoeder)

het vlees:

    1 grote kip van ca. 1500 gram, in vieren verdeeld of ca. 1500 gram kipdelen

voor de afwerking:

    ca. 1 1/4 liter kippebouillon (pag. 66)
    ca. 1 theelepel zout
    ca. 1 eetlepel suiker

1. *De mise-en-place*: Ga te werk zoals aangegeven in stap 2 op pag. 225 en zet de ingrediënten klaar volgens de beschrijving in de ingrediëntenlijst. Doe de tomaten, de *tomatillos*, de chocolade, de oregano en de tijm in een grote kom. Maak het laurierblaadje, de peperkorrels en de overige specerijen fijn in een vijzel en doe ze eveneens in de kom.

2. *Het roosteren van de zaden*: Verhit een koekepan op een matig hoog vuur en rooster de sesamzaadjes afzonderlijk tot ze goudbruin beginnen te kleuren; doe ze in de kom met de tomaten en *tomatillos*.

3. *Het bakken en weken van de chilipepers*: Verhit 3 eetlepels reuzel of olie in dezelfde koekepan en bak de stukken chilipeper zoals beschreven in stap 4 op pag. 225. Overgiet de pepers met kokend water, leg er een schoteltje op, zodat ze ondergedompeld blijven en laat ze minstens 1 uur weken; giet dan het water af.

4. *Het bakken van de pinda's, rozijnen, ui en knoflook*: Zet de pan weer op het vuur (als er onvoldoende vet is achtergebleven, voeg dan nog wat reuzel of olie toe, maar laat de ingrediënten na het bakken steeds goed uitlekken, anders wordt de *mole* erg vet.) Bak de pinda's, de rozijnen, de ui, de knoflook, de tortilla en het brood afzonderlijk, zoals beschreven in de stappen 5 en 6 op pag. 225. Bak ook de blokjes bakbanaan (als u die gebruikt) 4-5 minuten. Doe alles in de kom met de tomaten en de *tomatillos*.

5. *Het pureren van de tomaten en de overige ingrediënten*: Meng de ingrdiënten in de kom goed door elkaar. Schep de helft van het mengsel in de kom van de blender, voeg 1 1/4 dl bouillon toe en laat de machine draaien tot u een gladde puree hebt verkregen. Voeg, als het mengsel te compact is om door de mesjes in beweging te worden gehouden, nog een *klein* scheutje bouillon toe. Wrijf de puree door een middelfijne zeef en vang de puree op in een grote kom. Pureer de rest van de ingrediënten op dezelfde manier, met toevoeging van 1 1/4 dl bouillon, en wrijf de massa door een zeef bij de reeds verkregen puree in de kom.

6. *Het pureren van de chilipepers*: Pureer de pepers in twee porties en voeg aan elke portie, vóór het pureren, 4 eetlepels bouillon toe. Wrijf de inhoud van de blender door dezelfde zeef en vang de puree op in een tweede kom.

7. *Het aanbraden van de kip*: Dep de kipdelen droog met keukenpapier. Verhit 1 1/2 eetlepel reuzel of olie in een braadpan en laat de kipdelen rondom dichtschroeien en bruin kleuren. Neem de stukken kip uit de pan en houd ze apart.

8. *De saus*: Giet het overtollige vet uit de braadpan (maar zorg dat onderin een dun waasje vet achterblijft) en zet de pan weer op het vuur. Roerbak de chilipuree en de puree van de overige ingrediënten volgens de aanwijzingen in stap 10 op pag. 226, maar voeg 6 dl bouillon toe in plaats van de in de ingrediëntenlijst genoemde 1 1/4 liter. Gebruik de overgebleven bouillon om de saus – indien nodig – te verdunnen. Breng de saus daarna op smaak met zout en suiker.

9. *De bereiding van de kip*: Breng de saus ca. 30 minuten voor het opdienen aan de kook, draai het vuur iets lager, voeg de kippebouten toe en stoof ze 10 minuten, met het deksel schuin op de pan. Voeg dan de borststukken van de kip toe en laat het geheel nog ca. 15 minuten zachtjes sudderen (als u alleen bouten gebruikt, laat ze dan 25-30 minuten stoven).

10. *De afwerking en presentatie*: Schep de stukken kip uit de pan en leg ze op een schaal. Ontvet de saus (als u dat nodig vindt) en giet de saus over de kipdelen. Bestrooi het geheel met sesamzaadjes en serveer direct.

KEUKENNOTITIES

Technieken

» *Het pureren van met noten en zaden gebonden sauzen:* zie pag. 221.

» *Het op smaak brengen van moles:* zie pag. 227.

Ingrediënten

» *Chilipepers:* Als de drie genoemde chilipepers niet allemaal verkrijgbaar zijn, maak dan de bij Variaties beschreven versie waarin uitsluitend *chiles anchos* worden verwerkt.

» *Mexicaanse chocolade:* De chocolade kan worden vervangen door 1 eetlepel cacao-poeder.

Voetnoot van de vertaalster

» *De hoeveelheden:* Met 'theelepel' wordt de internationale standaardtheelepel met een inhoud van 5 gram bedoeld en niet het Nederlandse theelepeltje van 3 gram.

(Voor)bereidingstijd

» De bereiding van deze *mole* vergt in totaal ca. 3 1/2 uur, inclusief de voor het gaar sudderen benodigde tijd (45 minuten). U kunt het gerecht 1 à 2 dagen van tevoren maken; bewaar de kip en de saus in dat geval afzonderlijk in de koelkast. Warm de kip vlak voor het opdienen op in de saus; voeg als de saus te dik is, een scheutje bouillon toe.

TRADITIONELE VARIATIES

» *Rode mole met chiles anchos:* Maak de *mole* volgens de aanwijzingen in het recept, maar vervang de drie verschillende soorten chilipeper door 100-120 gram gedroogde *chiles anchos,* laat de tomaten weg en gebruik 50 gram chocolade (of 2 volle eetlepels cacao) in plaats van de in het recept voorgeschreven hoeveelheid.

Keukentaal

» De term *mole,* de Spaanse transcriptie van het Azteekse woord voor 'saus', wordt in Mexico nog steeds gebruikt als aanduiding van een van vele inheemse gekookte sauzen. Maar als het woord wordt uitgesproken met een soort van eerbiedige nadruk, bedoelt men over het algemeen dé *mole,* dat wil zeggen, de met dieprode en donkerbruine gedroogde chili's gemaakte koningin der sauzen.

Traditionele cazuelas uit diverse landstreken

GROENE POMPOENZAAD‚MOLE MET KIP

Mole Verde con Pechugas de Pollo

Vrijwel alles wat rood is in de hiervoor beschreven *mole rojo*, wordt in de *mole verde* vervangen door iets groens: de tomaten door *tomatillos*, de gedroogde rode chili's door verse groene pepers en de specerijen door groene kruiden. Terwijl de rode *mole* zijn volume gedeeltelijk heeft te danken aan de gedroogde chili's, wordt de consistentie van de groene voornamelijk verkregen door het gebruik van fijngemalen pompoenzaden (die de saus tevens een 'typisch Mexicaanse' smaak geven).

Omdat het magere borstvlees van kip bij veel mensen in de smaak valt, heb ik dit deel van de kip verwerkt in de bleekgroene *mole* die hieronder wordt beschreven. U kunt bij dit verfijnde gerecht het beste Pueblaanse rijst (pag. 308) serveren. Als voorgerecht komen zowel *seviche* (pag. 91) als soep met garnalenballetjes en geroosterde chilipepers (pag. 112) in aanmerking en als nagerecht zou u kokoscrème met geschaafde amandelen (pag. 334) kunnen geven. Een kruidige witte wijn, zoals een gewürztztraminer, smaakt er goed bij, maar als u echt in de stijl van het land wilt blijven, schenk er dan een sprankelende *limonada* bij (pag. 364).

Voor 4-6 personen, met ca. 3/4 liter saus:

voor de kip en de bouillon:
    1 kleine ui, fijngehakt
    1/2 theelepel zout
    3-4 kippeborsten met bot (totaal ca. 2 kilo, zie pag. 258), in de lengte in tweeën verdeeld

voor de saus:
    100-120 gram gepelde, niet-geroosterde (en ongezouten) pompoenzaden (*pepitas*)
    300-350 verse *tomatillos*, van het vlies ontdaan en gewassen of 300-350 gram uitgelekte *tomatillos* uit blik
    2-3 verse groene pepers (lomboks)*, ontdaan van de steeltjes en zaden
    5 grote bladeren bindsla
    1/2 ui, grof gehakt
    3 kleine knoflookteentjes, gepeld en grof gehakt
    3 grote takjes verse koriander
    1/8 theelepel komijnzaadjes (of ruim 1/8 theelepel gemalen komijn)
    6 zwarte peperkorrels (of een flinke mespunt gemalen peper)
    1 stukje pijpkaneel van ca. 2 cm (of ca. 3/4 theelepel kaneelpoeder)
    2 kruidnagels (of een mespuntje kruidnagelpoeder)
    1 1/2 eetlepel reuzel of plantaardige olie
    ca. 1/2 theelepel zout

voor de garnering:
    een paar takjes verse koriander
    4 radijsroosjes

1. *De kip*: Breng in een grote pan 1 1/2 liter water met de gehakte ui en 1/2 theelepel zout aan de kook. Voeg de kippeborsten toe en schep het schuim af dat komt bovendrijven. Leg, zodra er geen nieuw schuim meer wordt gevormd, een deksel schuin op de pan en pocheer de kippeborsten 12 minuten, tot het vlees nèt gaar is. Laat de borsten afkoelen in de bouillon en neem ze daarna uit de pan. Zeef de bouillon en ontvet hem.

2. *De pompoenzaden*: Verhit een middelgrote koekepan op een matig hoog vuur, voeg de pompoenzaden toe en spreid ze uit over de bodem van de pan. Wacht tot het eerste zaadje begint te ploffen, en rooster de zaden dan – onder regelmatig roeren en omschudden – in 4-5 minuten mooi lichtbruin en krokant. Laat ze afkoelen in een kommetje. Maal de zaden daarna tot poeder in een specerijenmolentje (of in een elektrisch hakmolentje). Zeef het poeder door een middelfijne zeef en meng het met 1/4 liter kippebouillon.

3. *De groenten en smaakmiddelen*: Kook de verse *tomatillos* en de hele groene pepers in 10-15 minuten gaar in lichtgezouten water, laat ze uitlekken en doe ze in de kom van een blender of foodprocessor. Of laat *tomatillos* uit blik goed uitlekken en doe ze samen met de rauwe groene pepers in de blender of foodprocessor.

   Scheur de slabladeren in stukken en doe ze in de blender of foodprocessor, samen met de ui, de knoflook en de verse koriander. Maak de specerijen fijn in een vijzel of specerijenmolentje en doe ze eveneens in de blender. Laat de machine draaien tot u een gladde puree hebt verkregen.

4. *De bereiding van de saus*: Verhit de reuzel of olie in een grote steelpan op een matig hoog vuur. Voeg, zodra het vet heet is, het pompoenzaad-bouillonmengsel toe en verhit het al roerende tot het, na 4-5 minuten – donkerder en dik is. Voeg dan de *tomatillo*-puree toe en laat mengsel al roerende nog een paar minuten zachtjes pruttelen. Giet er 1/2 liter kippebouillon bij, breng het geheel aan de kook en draai het vuur iets lager. Leg een deksel schuin op de pan en laat de saus ca. 30 minuten zachtjes koken. Als u een werkelijk gladde saus wilt hebben, pureer de inhoud van de pan dan nogmaals in de blender of foodprocessor en giet de saus daarna in de pan terug. Breng de saus op smaak met zout en verdun haar – indien nodig – met een scheutje bouillon.

5. *De afwerking en presentatie*: Warm de kippeborsten vlak voor het opdienen op in de saus. Leg ze, zodra ze door en door heet zijn, op een voorverwarmde schaal en schep de saus erover. Garneer het geheel met plukjes verse koriander en radijsroosjes en serveer direct.

KEUKENNOTITIES

Technieken

» *Het pureren van met noten en zaden gebonden sauzen*: zie pag. 221. De hakmessen van een specerijenmolentje en een blender of foodprocessor hebben niet hetzelfde effect als de stenen roller en idem *metate* die van oudsher in Mexico worden gebruikt. Vandaar dat een *mole verde* die met eigentijds keukengerei wordt gemaakt doorgaans wat korreliger is dan de versie die op de traditionele manier wordt bereid. Dit probleem kan worden ondervangen door de saus na de bereiding nogmaals te pureren (dit is mijn persoonlijke bijdrage aan de bereidingswijze van een *mole verde*).

Voetnoten van de vertaalster

» *De hoeveelheden:* Met 'theelepel' wordt de internationale standaardtheelepel met een inhoud van 5 gram bedoeld en niet het Nederlandse theelepeltje van 3 gram.

» *De chilipepers:* In het oorspronkelijke recept schrijft Rick Bayless 3 *chiles serranos* of 2 kleine *chiles jalapeños* voor.

(Voor)bereidingstijd

» De bereidingstijd bedraagt in totaal ca. 1 1/2 uur, waarvan ca. de helft nodig is voor het gaar maken van de kip en de saus. U kunt het gerecht desgewenst t/m stap 4 één dag van tevoren maken; bewaar de kippeborsten en de saus in dat geval (afgedekt met folie) afzonderlijk in de koelkast. Verdun de saus, indien nodig, met bouillon alvorens de kip er in op te warmen.

TRADITIONELE VARIATIE

» *Kip in tomatillosaus,* een snel te bereiden gerecht met een authentiek Mexicaans karakter: Pocheer de kippeborsten zoals beschreven in stap 1. Maak vervolgens, met gebruikmaking van de verkregen kippebouillon, de gekookte *tomatillo*-saus van pag. 37. Warm de kippeborsten op in de saus en garneer het gerecht vlak voor het serveren met rauwe uiringen en verse koriander.

EIGENTIJDSE VARIATIE

» *Gebakken kalfslever met groene mole:* Maak de saus (stap 2 t/m 4) met gebruikmaking van een lichte gevogelte-, kalfs- of runderbouillon. Haal 4-6 dunne plakken kalfslever door met zout en peper gekruide bloem en bak ze om en om in een beetje plantaardige olie (de lever moet van binnen enigszins roze blijven). Schik de plakken op een schaal en schep de warme saus erover. Garneer het geheel met grof gehakte geroosterde pompoenzaden en verse koriander.

Regionale accenten

» In de deelstaat Guerrero, waar de *mole verde* een specialiteit van de streek is, krijgt de *mole* een heel eigen karakter en bijzondere textuur doordat de saus wordt gemaakt van tot poeder gemalen *ongepelde* pompoenzaden. Persoonlijk geef ik echter, getuige bovenstaand recept, de voorkeur aan de versies die worden bereid met gepelde pompoenzaden en iets meer groen (zoals koriander en bindsla). Mijn variant is gebaseerd op een recept uit het boek 'Cocina Mexicana' van Mayo Antonio Sánchez.

» Ik heb onnoemelijk vaak te horen gekregen (zo vaak dat ik het inmiddels ben gaan geloven) dat er geen wezenlijk verschil is tussen *mole verde* en *pipián verde.* In beide gerechten worden verschillende soorten noten en zaden verwerkt, alsook *tomatillos,* verse kruiden en/of specerijen. Het is gewoon zo dat het gerecht in Puebla *pipián verde* wordt genoemd, terwijl men in de rest van Midden-Mexico en meer naar het zuidwesten, richting Acapulco, de voorkeur geeft aan de naam *mole verde.* Maar in Veracruz gebruiken ze de term *mole verde* voor een met verse kruiden gemaakte *tomatillo*-saus waaraan in het geheel geen noten en/of zaden te pas komen.

» Hoe het gerecht ook wordt genoemd en welke ingrediënten er ook in worden verwerkt, het is in grote delen van Mexico populair als hoofdbestanddeel van een betaalbare *comida corrida,* zowel in de betere eetgelegenheden als in eenvoudige markt-*fondas.*

EENVOUDIGE RODE *MOLE* MET VLEES, KIP EN FRUIT

Manchamanteles de Cerdo y Pollo

De inwoners van Oaxaca beschouwen dit gerecht als een van hun zeven *moles* en in kookboeken wordt het recept vaak ondergebracht in het hoofdstuk over de kookkunst van Guadalajara, maar de enige plek waar ik het regelmatig ben tegengekomen (en heb gegeten) is Mexico-Stad. Waar het ook vandaan komt, deze milde, met peper, kruidnagel en kaneel gekruide en met vruchten verrijkte chilisaus vindt altijd een warm onthaal bij mijn gasten.

Mijn versie van *manchamanteles*, gebaseerd op een recept uit *Tradiciones gastronómicas oaxaqueñas*, is niet alleen erg lekker, maar ook eenvoudig te maken en uitermate geschikt als buffetgerecht. Als u het liever aan tafel serveert, geef er dan een salade bij. Als voorgerecht zou u gefrituurde *masa*-pasteitjes (*quesadillas*, pag. 159) kunnen geven en als nagerecht een Mexicaanse rijstpudding (pag. 335) of een *flan* (pag. 331).

Voor 4 personen:

ca. 100 gram gedroogde *chiles anchos*, ontdaan van steeltjes, zaadjes en zaadlijsten
4-5 eetlepels reuzel of plantaardige olie
1/2 ui, gepeld en fijngehakt
5 grote knoflooktenen, gepeld en doormidden gesneden
400-500 gram ontbeende varkensschouder, in dobbelstenen van ca. 5 cm gesneden
1 grote kippeborst (met bot, totaal ca. 700 gram), gedeeltelijk ontbeend en in de lengte in tweeën gesneden (zie pag. 258)
2 kruidnagels (of 1 mespuntje kruidnagelpoeder)
3 zwarte peperkorrels (of 1 flinke mespunt gemalen peper)
1 stukje pijpkaneel van ca. 1 1/2 cm (of 1/2 theelepel kaneelpoeder)
2 sneetjes stevig wittebrood, in stukjes gebroken
ca. 1 theelepel zout
2 eetlepels ciderazijn
1/4 verse ananas, van de schil en de kern ontdaan en in blokjes gesneden
1 rijpe middelgrote bakbanaan (zie Keukennotities)
ca. 1 1/2 eetlepel suiker

1. *De chilipepers*: Scheur de pepers in platte stukken en rooster ze met een paar stuks tegelijk op een vlakke grillplaat of in een zware koekepan, op een matig hoog vuur. Druk de stukken met een metalen spatel een paar seconden tegen de hete grillplaat of panbodem, draai ze om en druk ze opnieuw tegen het hete metaal. Als de stukken van kleur veranderen en een krachtige geur verspreiden, zijn ze klaar. Doe de pepers in een kom, overgiet ze met kokend water, leg er een schoteltje op zodat ze ondergedompeld blijven en laat ze 30 minuten weken.

2. *Het fruiten van de groenten en het aanbraden van het vlees*: Verhit 2 eetlepels reuzel of olie in een middelgrote koekepan en fruit de uisnippers tot ze zacht en glazig zijn. Voeg de knoflookteentjes toe en laat ze meefruiten tot de uien, na ca. 4 minuten, goudbruin beginnen te kleuren. Laat de ui en de knoflook goed uitlekken boven de pan en doe ze in de kom van een blender.

   Dep het vlees en de stukken kippeborst zorgvuldig droog met keukenpapier. Draai het vuur onder de pan iets hoger, voeg eventueel nog wat reuzel of olie toe en laat het vlees rondom dichtschroeien en bruin kleuren. Schep het vlees met een schuimspaan uit de pan en doe het in een kom. Braad de stukken kippeborst rondom bruin in het achtergebleven vet en doe ze bij het vlees. Zet de koekepan even opzij.

3. *De saus*: Laat de chilipepers uitlekken en doe ze in de kom van de blender. Maak de specerijen fijn in een vijzel of specerijenmolentje en doe ze eveneens in de blender. Voeg ook de stukjes brood toe en giet er 1/4 liter water bij. Laat de machine draaien tot u een gladde puree hebt verkregen en wrijf de puree door een middelfijne zeef.

   Zet de koekepan weer op het vuur, voeg eventueel nog wat reuzel of olie toe en wacht tot het vet heet is. Giet dan de puree in de pan en laat het mengsel, onder regelmatig roeren, 4-5 minuten heftig pruttelen, tot de puree donker kleurt en dik is.

4. *De bereiding en presentatie*: Doe de ingekookte puree in een grote pan en roer er 1/2 liter water door. Voeg het zout, de azijn en het varkensvlees toe en breng de saus aan de kook. Leg een deksel schuin op de pan en laat het vlees op een vrij laag vuur 45 minuten stoven. Voeg dan de kippeborsten en de ananas toe, leg het deksel op de pan terug en laat het geheel nog 13 minuten stoven.

   Schil intussen de bakbanaan en snijd het vruchtvlees in blokjes. Verhit 1 eetlepel reuzel of olie in een koekepan, bak de blokjes in 3 à 4 minuten mooi bruin en roer ze, als de kip zo goed als gaar is, door de saus. Breng de saus op smaak met zout en suiker (de smaak moet fruitig en enigszins zoet zijn) en verdun haar, indien nodig, met een klein scheutje water. Serveer *manchamanteles* in een voorverwarmde schaal of verdeel hem over diepe (voorverwarmde) borden.

KEUKENNOTITIES

Ingrediënten

» *Chiles anchos*: Deze zoetige pepers zijn ideaal voor dit gerecht. Sommige Mexicanen maken de saus echter voller en complexer van smaak door een deel van de *anchos* te vervangen door *chiles pasillas* en/of *chiles mulatos*.

» *Bakbanaan*: Als u geen rijpe bakbanaan kunt krijgen, gebruik dan twee onrijpe (groene) gewone bananen. Snijd het vruchtvlees in blokjes, maar bak ze niet. Roer de blokjes vlak voordat u de pan van het vuur haalt door de saus.

Voetnoot van de vertaalster

» *De hoeveelheden*: Met 'theelepel' wordt de internationale standaardtheelepel met een inhoud van 5 gram bedoeld en niet het Nederlandse theelepeltje van 3 gram.

(Voor)bereidingstijd

» De bereiding van dit gerecht vergt ca. 1 1/2 uur plus ca. 1 uur voor het gaar sudderen van het vlees en de kip. Het gerecht kan van a tot z van tevoren worden gemaakt: neem de pan van het vuur zodra u de (bak)banaan hebt toegevoegd en laat de inhoud zo snel mogelijk afkoelen. Dek de pan af en zet hem in de koelkast; op die manier kan de *manchamanteles* 1-4 dagen worden bewaard (de smaak wordt er zelfs iets beter op). Warm het gerecht langzaam op, op het vuur of in de op 180° C voorverwarmde oven; verdun de saus, indien nodig, met een scheutje water.

TRADITIONELE VARIATIE

» *Uitgebreide manchamanteles voor een wat groter gezelschap*: Ga te werk volgens de aanwijzingen in het recept, maar gebruik de dubbele hoeveelheid vlees en kip en verdubbel de voorgeschreven hoeveelheden saus-ingrediënten. Voeg, vóór het pureren, aan de chilipepers 25 gram geroosterde ontvliesde pinda's en 25 gram geroosterde blanke amandelen toe. Voeg, tegelijk met de ananas, 1 grote zoete aardappel (bataat), 1 appel en 1 peer toe (alle geschild, van eventueel klokhuis ontdaan en in blokjes gesneden). Voor een bijzonder effect kunt u ook nog, tegelijk met de kippeborsten, 200-250 gram gebakken *chorizo* toevoegen. Garneer het gerecht met ingemaakte *jalapeño*-pepers.

Keukentaal

» De naam *manchamanteles* is geen overblijfsel uit de tijd van de Azteken, maar is een samenvoeging van de Spaanse woorden *mancha* (vlek) en *mantel* (tafellaken). Als u dit gerecht serveert, kunt u uw mooiste tafellinnen dus beter in de kast laten liggen...

VIS EN SCHAAL- EN SCHELPDIEREN
Pescados y Mariscos

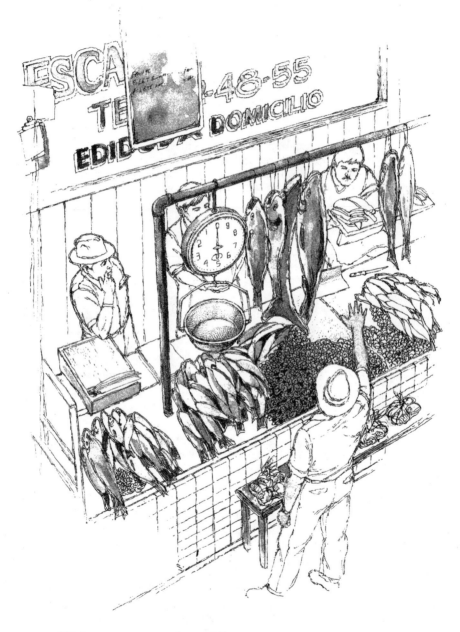

Viskraam op de markt van Veracruz

Veracruz is *de* stad voor visliefhebbers. In vrijwel eetgelegenheden wordt een smakelijke versie van de klassieke rode snapper *a la veracruzana* geserveerd en ook voor een kom heerlijk pittige *chilpachole* (krabsoep) en *seafood*-cocktails of -salades kun je bijna overal terecht. Hetzelfde geldt voor de paella-achtige *arroz a la tumbada* en voor de grote, uit de Mexicaanse Golf afkomstige garnalen geserveerd met een bruine knoflook- of *chipotle*-saus.

De vismarkt in Veracruz is ongetwijfeld een van de volmaaktste in zijn soort. De toonbank van de betegelde visstalletjes liggen hoog opgetast met bergen helderrode snappers, kleine kreeftjes die *langostinos* worden genoemd, wriemelende krabben, verse garnalen en minstens twee dozijn andere eetbare zeedieren die naar niets anders ruiken dan naar de zilte zee. De hele ochtend heerst er op de markt een enorme bedrijvigheid. Zouden de marktgangers ooit even stilstaan om het schub-benpatroon te bewonderen van al die kleurrijke vissen, zo vraag ik me vaak af, of de unieke manier waarop de kippen en de repen rundvlees aan de kraampjes hangen? Vangen ze, terwijl ze een uitstalling van tacovullingen voorbijsnellen, nog een zweem op van de geur van gerookte *chipotle*-pepers en aromatische kruiden? Kunnen ze werkelijk mijn favoriete 'seafood cocktailbar' voorbij lopen zonder even te willen toekijken hoe de 'barman' zijn tomaatroze mengsels van oesters en garnalen voorziet van een vleugje olijfolie en een flinke scheut pittige azijn?

Halverwege de middag is het prachtige assortiment zo goed als verdwenen. Alleen de met karren uitgeruste vishandelaren die buiten de markthal staan, gaan door met de verkoop van hun op ijs bewaarde mullen, *pompanos* (gaffelmakrelen), *sierras* en andere kleine vissen aan mensen die op weg naar huis nog snel even inkopen doen. Terwijl het buiten langzaam donker wordt, lopen de restaurants weer vol; het is er al gauw even druk als tijdens het lunchuur. De tafels zijn beladen met dure gerechten die niemand zou bestellen als hij niet met vakantie was: schalen met gekookte garnalen die je zelf moet pellen, *pompano* bereid met boter en kruiden *en papillote* en in hun geheel in de oven gegaarde snappers gevuld met garnalen en bedolven onder mayonaise...

De stranden van Veracruz zijn niet bijzonder aantrekkelijk en de plek waar Cortés ooit voet aan land moet hebben gezet is ook weinig bezienswaardig, maar niettemin zou ik vele weken in het gebied kunnen doorbrengen, van eethuis naar eethuis trekkend, zonder ooit genoeg te krijgen van het simpele dieet van verse vis en andere zeedieren die in en om Veracruz op het menu staan.

Toen Deann en ik aan onze meest recente Mexico-expeditie begonnen – een culinaire rondreis waarbij we in zes maanden tijds zo'n 24.000 kilometer zouden afleggen – gingen we bij Tijuana de Mexicaanse grens over, waarna we de veel bereden snelweg naar Ensenada namen. Het was mijn eerste echte kennismaking met het noordwesten en de vruchtbare kustwateren. We kochten warm gerookte *bonito* en geel- en blauwvintonijn en we aten de taco's van de streek, gevuld met in een beslagje gefrituurde vissticks. We trokken verder zuidwaarts door het kale schiereiland dat Baja California heet, onderweg genietend van sappig malse *abalone* (zeeoor) met een korstje van gebakken broodkruim. We bleven een paar dagen hangen in La Paz, waar we kennismaakten met de lokale stoofpotten, braadschotels en biefstukken van zeeschildpad. In alle eetkraampjes kon je *machaca* van uitgeplozen rogvleugel eten, als ook *seafood cocktails*, vissalades en *seviche*. Op straat zag je karren boordevol *pata de mula*-schelpen (met hun roodvlezige schelpdieren) en in alle restaurants werden licht gepocheerde of gebakken *catarinas* geserveerd (schelpdieren, die met hun zoetige witte visvlees en kleine oranje kuit nog het meeste weg hebben van kammos-selen). De eetgelegenheden zaten vol met mensen die naar de zee waren gekomen om in haar ondiepe poelen te poedelen, aan haar oever te liggen en haar levende have te eten. Ze deden zich tegoed aan salades van de grote, wulk-achtige *caracol burro* of de iets kleine *caracol chino*, alsook aan de bruine, in de oven bereide schelpdieren die de toepasselijke naam *chocolatas* dragen.

Ik begon in te zien dat het dagelijks menu van de Mexicanen die in het kustgebied wonen - en de Mexicaanse kust is in totaal zo'n kleine tienduizend kilometer lang - aanzienlijk gevarieerder is dan dat van de mensen uit het binnenland. Maar het is niet zo dat het beschikbare voedsel op opvallend veel verschillende manieren wordt bereid. En dat is maar goed ook, want ingewikkelde sauzen en bereidingstechnieken zouden alleen maar afbreuk doen aan de verse smaak van de produkten zelf. De vissen en schaal- en schelpdieren worden gegrilld, in limoensap gegaard (*seviche*), met knoflook gebakken (*al mojo de ajo*), in een grove tomaten-olijvensaus gaar gesudderd (*a la veracruzana*) of besprenkeld met een hete saus - en méér hebben verse produkten uit de zee niet nodig.

We namen de veerboot naar de stad Topolobampo op het vasteland van Mexico, waar de wateren rijk zijn aan grote garnalen. De schaaldieren werden verwerkt in met garnalen-*machaca* gevulde taco's, *chiles rellenos* en soep met garnalenballetjes. Terwijl we verder zuidwaarts reden, zagen we steeds vaker (zelfs tot in Tepic, de meer landinwaarts gelegen hoofdstad van de deelstaat Nayarit) borden met de aankondi-ging '*pescado zarandeado*' (ingekerfde, met knoflook bestreken vis die boven houts-kool wordt geroosterd). Nog zuidelijker, in Acapulco, proefden we de veelbezongen *seviche* van in limoensap gegaarde *sierra*, een makreelsoort. Vanaf het punt waar de kust een bocht naar het oosten maakt en een deel wordt van de deelstaat Oaxaca, tref je op de markten grote bergen gedroogde vissen aan, die - na te zijn geweekt - met tomaten worden gaar gestoofd. De opgestapelde vissen werden geflankeerd door manden met gedroogde garnalen, die onder meer worden verwerkt in een pittig gekruide bouillon met chilipepers, aardappelen en worteltjes (*caldo de camarón seco*) en, na tot poeder te zijn gemalen, in garnalenkoekjes (*tortitas de camarón*) die worden geserveerd met in een lichte chilisaus gestoofde cactus.

De doorsteek door de dichte, tropische begroeiing van het schiereiland Yucatán naar de Caribische kust, bracht weer ander zeevoedsel binnen ons bereik: langoest en heerlijk malse octopus, oesters en goed gekruide, met azijn bereide *escabeche* van vis. In de meeste restaurants prijkt het hele scala van typisch Mexicaanse visgerech-ten op de menukaart, aangevuld met Maya-gerechten als *tikin-xik* en *nac-cum* - resp. gegrilde en in de oven bereide, met *achiote* gekruide *postas* (vismoten). De kustlijn volgend in de richting van de Golf van Mexico, bereikten we Campeche, waar we op de markt voor het eerst verrukkelijke stukjes geroosterde hondshaai aten. Hetzelfde stevige visvlees, maar dan gestoofd, kwamen we tegen in een tomatensaus en in *pan de cazón*, een soort tortilla-'sandwich' met zwarte bonen en tomatensaus.

In de Grijalva en de Usumacinta, de twee rivieren die de dichte bossen van de deelstaat Tabasco doorsnijden, wemelt het van de *pejelagarto*, een vlezige, geep-ach-tige vis met een scherpe, spitse snuit. Gerookte exemplaren worden op de markt van Villahermosa verkocht om te worden verwerkt in salades en roereieren. De rivieren herbergen ook diverse soorten kleine schildpadden die onder andere figureren in een regionale groene stoofschotel met diverse exotische kruiden en in een gerecht waarin ook hun bloed wordt verwerkt. En dan zijn er nog de rivierkreeftjes die *piguas* worden genoemd en die vermoedelijk op hun smakelijkst zijn als ze met knoflook worden gebakken.

De invloed van de Spanjaarden is langs de hele Golfkust merkbaar, met name in gerechten als inktvis en octopus bereid in hun eigen inkt. Kleine, met vis gevulde gefrituurde pasteitjes behoren tot de favoriete snacks in dit deel van Mexico. De alomtegenwoordige blauwkrabben worden gevuld of in soepen verwerkt en in de welvarende stad Tampico met zijn oliehaven worden verse grote garnalen geserveerd in een verrukkelijke subtiele rode chilisaus.

Zelfs de Mexicanen die in het binnenland wonen hebben een zwak voor vis en schaal- en schelpdieren. Geen markt van enige omvang kan het stellen zonder een *fonda* of eetstalletje waar gebakken vis wordt verkocht of een kraampje dat gespecialiseerd is in *seafood cocktails*. Een van de specialiteiten van Michoacán – een deelstaat die maar voor een klein deel aan de zee grenst, maar waarvan de naam 'land van vissen' betekent – is een ongelooflijk delicate witte vis uit het Pátzcuaromeer. Als deze vis niet verkrijgbaar of te duur is, wordt hij vervangen door kikkerbilletjes of *charales* (kleine witte, sprot-achtige visjes), twee produkten die eveneens overvloedig in de deelstaat voorkomen. In bijna elke streek beschikt men over zoetwatervissen als forel, karper, baars en meerval. In Midden-Mexico worden deze, op dezelfde manier als *tamales*, verpakt in maïsbladeren en vervolgens op een grillplaat geroosterd. Een bereidingstechniek die vele eeuwen oud is.

Net als de rest van de Derde Wereld maakt men in Mexico optimaal gebruik van het voedsel dat voorhanden is, met name van het voedsel uit de wateren. In dit hoofdstuk heb ik een aantal van de smakelijkste recepten met vis en schaal- en schelpdieren op papier gezet. Andere recepten in deze categorie vindt u in het register.

Gouden regels voor perfecte visgerechten

» *Het fileren van rondvissen*: Deze methode kan worden toegepast op alle rondvissen, maar niet op platvissen als tong en heilbot. Leg de leeggehaalde vis overdwars op een plank, met de rugvin van u af. Maak met een scherp, soepel (fileer)mes een snee langs de kop, vlak achter de kieuwen en de borstvin. Steek de punt van het mes – vlak onder de eerste snee – aan de rugzijde in het visvlees. Duw het mes door tot aan het midden van de wervelkolom, en maak een diepe snee over de volle lengte van de rug; houd het mes daarbij evenwijdig aan het werkvlak (tekening 1). Ga met het mes naar de plek waar de buikholte eindigt, duw de punt over de middengraat naar de buikzijde van de vis (tekening 2) en snijd het visvlees tot aan de staart los van de graat; houd het mes daarbij iets schuin, zodat er zo min mogelijk vlees aan de graat blijft zitten. Snijd de filet los bij de staart, vouw hem schuin naar boven en snijd hem ter hoogte van de ribben (die de buikholte omsluiten) volledig los (tekening 3). Draai de vis om en fileer de andere kant op dezelfde manier. Als u het lemmet bij het lossnijden van de beide filets goed schuin hebt gehouden, zal de graat nagenoeg 'schoon' zijn.

» *Het stropen van de filets*: Leg de filets met het vel naar onderen op de plank. Houd een van de filets vast bij het smalle uiteinde (waar de staart heeft gezeten) en snijd het visvlees een klein stukje los van het vel. Druk het losse stukje vel stevig tegen de plank, duw het mes tussen het vel en het visvlees en snijd het vlees los; houd het mes daarbij iets schuin zodat u zo dicht mogelijk langs het vel kunt schrapen (tekening 4).

» *De vis 'wassen' met limoensap*: Volgens de *Encyclopedia of Fish Cookery* van A.J. McClane kunnen zuren als azijn, limoen en citroen worden gebruikt om de ammoniaksmaak van sommige vissoorten – met name van de in Mexico zo geliefde hondshaai – te neutraliseren. Veel Mexicanen leggen èlke vis even in een limoenmarinade; het marineren mag echter niet te lang duren, anders wordt de vis 'gaar', zoals het geval is bij *seviche*.

» *Het controleren van de gaarheid*: Kooktijden zijn veranderlijk: tegenwoordig vindt men dat vis sappig moet blijven en niet te gaar mag worden. In plaats van de vis zo lang te pocheren of te bakken dat het visvlees vanzelf in vlokken uiteenvalt en/of loslaat van de graat (op dat moment heeft het al veel van zijn sappen verloren), kunt u het beter iets minder gaar laten worden. Het visvlees is goed als u het met lichte druk in vlokken kunt verdelen.

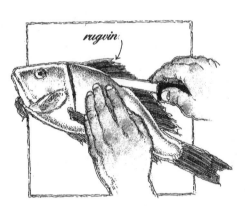

Het visvlees lossnijden langs de rugvin

Het visvlees vanaf de staart lossnijden van de middengraat

De filet lossnijden ter hoogte van de buikholte

Het 'stropen' van de vis (het visvlees lossnijden van het vel)

VISFILETS MET TOMATEN, KAPPERTJES EN OLIJVEN

Pescado a la Veracruzana

Als het over Mexicaanse visgerechten gaat denken de meeste visliefhebbers direct aan vis geserveerd in een rustieke, soepachtige tomatensaus bereid met olijven, kruiden en chilipepers: *pescado al la veracruzana*. Het is een klassiek gerecht dat in het hele land op menukaarten prijkt, wat betekent dat alle koks/kokkinnen denken dat ze het kunnen maken, of ze ooit in Veracruz zijn geweest of niet. Persoonljk heb ik echter alleen in de stad waar het gerecht vandaan komt geproefd hoe de *veracruzana*-saus hoort te smaken: heerlijk licht en fris, met een speelse toon van kruiden en specerijen.

Onderstaand recept is gebaseerd op de versie die wordt geserveerd in restaurant Pescador in Veracruz. U kunt er het beste een rijsttimbaaltje (pag. 304) bij serveren. Met een pittige krabsoep (pag. 109) als voorafje en in boter gebakken bakbanaan (pag. 346) als dessert, krijgt u een menu dat geheel in de stijl van de streek is. Schenk er een fruitige droge witte wijn (bijvoorbeeld een chenin blanc) bij of - op z'n Mexicaans - een sprankelende *limonada* (pag. 364).

Voor 4 personen:

voor de vis:
> 4 stukken visfilet van elk ca. 150 gram, bij voorkeur van een vis met stevig visvlees, zoals rode snapper, heilbot of zeeduivel
> vers geperst limoensap en een beetje zout

voor de saus:
> 3 eetlepels plantaardige olie (waarvan een deel olijfolie)
> 1 ui, gepeld en in dunne ringen gesneden
> 1 kilo rijpe tomaten, geroosterd of gekookt (pag. 404), ontveld en van de harde kern ontdaan of 3 kleine blikken (à 4 dl) gepelde tomaten, licht uitgelekt
> 2 knoflookteentjes, gepeld en fijngehakt
> 20 vlezige groene olijven, ontpit en grof gehakt
> 2 eetlepels grote kappertjes
> 2 in azijn ingelegde *chiles jalapeños* (pag. 390), ontdaan van steeltjes en zaadjes en in smalle reepjes gesneden
> 1 eetlepel van het vocht van de *jalapeño*-pepers
> 1 1/2 theelepel gemengde gedroogde kruiden (w.o. marjolein en tijm)
> 2 eetlepels fijngehakte platte peterselie (plus een paar takjes voor de garnering)
> 3 laurierblaadjes
> 1 stukje pijpkaneel van ca. 2 1/2 cm
> 2 kruidnagels
> 1/4 theelepel zwarte peperkorrels, gekneusd
> 1/4 liter lichte visbouillon (pag. 67) of water
> zout (indien nodig)

1. *De vis*: Spoel de visfilets, dep ze droog en leg ze in een schaal. Besprenkel de filets met limoensap en bestrooi ze met zout, dek de schaal af met folie en zet
hem 1 uur in de koelkast.
2. *De saus*: Verhit de olie in een grote koekepan op een matig hoog vuur en bak
de uiringen onder regelmatig roeren mooi goudbruin. Snijd intussen de tomaten overdwars doormidden en knijp de helften zachtjes uit boven een zeef die u
op een kom hebt gelegd. Snijd het vruchtvlees in stukjes en doe ze in een kom.
Voeg het in de kom opgevangen sap (nadat u de in de zeef achtergebleven zaadjes met een lepel lichtjes hebt uitgeperst) toe. Tomaten uit blik hoeft u alleen
maar licht te laten uitlekken en vervolgens in stukjes te snijden.

Roer de knoflooksnippers door de gebakken uiringen, laat ze ca. 1 minuut
meefruiten en voeg dan de tomaten met het sap toe. Laat het geheel ca. 5 minuten zachtjes pruttelen, zodat een deel van het vocht kan verdampen.

Verdeel intussen de olijven en de kappertjes over twee kommetjes; zet één
kommetje opzij (de inhoud wordt gebruikt als garnering). Voeg aan het andere
kommetje toe: de in reepjes gesneden *jalapeños*, het *jalapeño*-vocht, de gedroogde kruiden en de fijngehakte peterselie. Als u geen losse kruiden en specerijen
in de saus wilt, verpak de laurierblaadjes, de kaneel, de kruidnagels en de gekneusde peperkorrels dan in een stukje kaasdoek en bind het buideltje dicht
met keukentouw. Doe het buideltje (of de losse specerijen) in het kommetje
met de overige kruiderij.

Voeg, zodra de tomatenmassa enigszins is ingekookt, de inhoud van het kommetje toe, giet de visbouillon of het water erbij en breng het geheel aan de
kook. Draai het vuur iets lager, leg een deksel op de pan en laat de saus 10 minuten zachtjes koken. Breng de saus daarna op smaak met zout en verwijder
het kruidenbuiltje.
3. *De bereiding en presentatie*: Neem de schaal met de visfilets ca. 15 minuten voor
het serveren uit de koelkast en spoel de filets onder de koude kraan. U kunt de
vis naar keuze op het vuur gaar maken of in de oven:

Op het vuur: Leg de filets in de saus, zodanig dat ze volledig met saus bedekt
zijn. Leg het deksel op de pan en zet de pan op een matig hoog vuur. Draai de
filets na 4 minuten om en laat ze, nog steeds met het deksel op de pan, nog 2-
3 minuten stoven, tot het visvlees, als u er met een vork zachtjes op drukt, in
vlokken uiteenvalt.

In de oven: Verwarm de oven voor op 180° C. Leg de filets naast elkaar in een
licht ingevette ovenschaal, schep de saus erover en dek de schaal af met aluminiumfolie. Zet de schaal in de oven en stoof de vis gaar in 8 à 10 minuten.

Verdeel de vis en de saus over voorverwarmde borden, bestrooi de bovenkant
met de apart gehouden olijven en kappertjes en garneer het geheel met een
toefje peterselie. Serveer direct.

KEUKENNOTITIES

Technieken

» *Het 'wassen' met limoensap en het controleren van de gaarheid*: zie pag. 241.

» *Op het vuur of in de oven*: Sommige mensen geven de voorkeur aan stoven in de oven omdat de hitte niet rechtstreeks is en de bereiding iets langzamer gaat. Als u dit gerecht voor meer dan 4 personen maakt, is het beter om de ovenmethode te kiezen.

Ingrediënten

» *De vis*: *Róbalo* (een soort zeesnoek) wordt in Mexico meer gegeten dan rode snapper (hij is dan ook aanzienlijk goedkoper); het visvlees is stevig en lijkt qua smaak wel iets op dat van zeebaars of kabeljauw. In dit recept kan bijna elke stevige, niet vette vissoort worden gebruikt: zeebaars, heilbot, zeeduivel en zeewolf. Vissoorten met zacht visvlees of een losse structuur zijn minder geschikt; in het eerste geval omdat de smaak van de saus die van de vis overheerst en in het tweede omdat de filets snel uit elkaar vallen.

Voetnoot van de vertaalster

» *De hoeveelheden*: Met 'theelepel' wordt de internationale standaardtheelepel met een inhoud van 5 gram bedoeld en niet het Nederlandse theelepeltje van 3 gram.

(Voor)bereiding

» Als u de visbouillon hebt klaarstaan, vergt de bereiding van dit gerecht iets minder dan een uur (plus een uur voor het marineren van de visfilets). De saus kan desgewenst 1-3 dagen van tevoren worden gemaakt en – afgedekt – in de koelkast worden bewaard tot u hem nodig hebt. Breng de saus op kamertemperatuur alvorens over te gaan tot de in stap 3 beschreven bereiding.

TRADITIONELE VARIATIES

» *Hele vis a la veracruzana*: Gebruik twee panklare vissen van elk ca. 750 gram of vier kleine vissen van elk ca. 350 gram. In aanmerking komen onder andere forel, meerval, mul en rode poon. Maak aan weerskanten van elke vis twee diagonale inkepingen en marineer de vissen zoals beschreven in stap 1. Stoof de vissen gaar in de oven (stap 3), maar reken op een iets langere gaartijd.

» *Kalfstong a la veracruzana*: Leg een kalfstong van ca. 1 1/4 kilo een paar uur in een bak met lichtgezouten water en kook hem daarna (met een uitje, een of meer knoflookteentjes, een handvol groenten en kruiden en wat zout) in ca. 2 1/2 uur gaar. Zeef de bouillon en ontvet hem. Verwijder het ruwe vel van de tong en de botjes uit het keelstuk. Verwijder eventuele restjes vet en kraakbeen en snijd het uiteinde van het keelstuk af. Snijd de tong daarna in plakken van ca. 6 mm dikte en leg de plakken dakpansgewijs in een ovenschaal. Bereid de saus volgens de aanwijzingen in stap 2, maar vervang de visbouillon door het kookvocht van de tong. Giet de saus in de schaal en zet de schaal – afgedekt – 20 minuten in de op 180° C voorverwarmde oven. Garneer de schotel zoals beschreven in het recept.

EIGENTIJDSE VARIATIES

» *Boven houtskool geroosterde kalfskoteletten a la veracruzana*: Maak de saus zoals beschreven in stap 2, maar vervang de visbouillon door kalfs- of runderbouillon en het *jalapeño*-vocht door balsamico-azijn. Voeg, tegelijk met de tomaten, 1 grote *chile poblano* of rode paprika (geroosterd, ontveld, van de zaadjes ontdaan en in reepjes gesneden) toe. Wrijf vier dikke kalfskoteletten in met een mengsel van olijfolie, zwarte peper, tot poeder gemalen laurierblaadjes en gemengde gedroogde kruiden en rooster ze op de barbecue. Serveer de koteletten op voorverwarmde borden en schep de saus erover.

» *Zalm-'seviche' a la veracruzana*: Snijd 400-500 gram gefileerde zalm in dunne plakjes. Leg de plakjes in een schaal, besprenkel ze rijkelijk met limoensap (zorg dat alle plakjes met het sap in aanraking komen) en zet de schaal, afgedekt, een paar uur of een hele nacht in de koelkast, tot het visvlees niet meer doorschijnend is. Maak de saus zoals beschreven in stap 2 en laat haar afkoelen. Laat de zalmplakjes uitlekken en meng ze met de saus. Schep het mengsel in een schaal, strooi er gehakte olijven, kappertjes en fijngehakte peterselie over en serveer het gerecht koud.

Regionale accenten

» De emigratie van de Spanjaarden naar Mexico heeft zich vanaf de 16e eeuw in golfbewegingen voltrokken. De meest recente grootschalige verhuizing vond plaats, zo heb ik me laten vertellen, in de jaren dertig, toen Spanje verwikkeld was in een burgeroorlog. Veel Spanjaarden begonnen een boerenbedrijf in de omgeving van Veracruz en ik denk dat deze vis *a la veracruzana* mede onder hun invloed tot stand is gekomen. Het is in wezen een typisch mediterraan gerecht waarin produkten van de Nieuwe Wereld (tomaten) worden gecombineerd met die uit de Oude Wereld (kappertjes en olijven). De kappertjes, die in alle recepten voor gerechten *a la veracruzana* in de ingrediëntenlijst worden genoemd, worden overigens zelden daadwerkelijk gebruikt (ze zijn in Veracruz zelfs nauwelijks te vinden...).

GEBAKKEN VIS MET GEBRUINDE KNOFLOOK

Pescado al Mojo de Ajo

Néé!', kan ik ze horen roepen, 'zo verpest je het gerecht; je kunt knoflook niet bruin laten worden!' Ik heb het vaak gehoord en misschien heb ik het zelf vroeger ook wel gezegd, maar dat was voordat ik had ontdekt dat langzaam gebruinde knoflooksnippers, als ze tijdig uit de pan worden gehaald (dus voordat ze een bittere smaak krijgen), een verrukkelijke lichtzoete notensmaak hebben.

Vis *al mojo de ajo* behoort, samen met gepaneerde gebakken vis en vis *a la veracruzana*, tot de gerechten die overal in Mexico worden bereid waar ze iets met vis doen. Het is een heerlijk gerecht dat gelukkig met weinig moeite in de huiselijke keuken kan worden klaargemaakt. Onderstaande versie, die gebaseerd is op een recept uit Mariano Dueñas' *Cocina básica: Pescados*, bevalt me goed omdat de vis snel gebakken wordt in een met knoflook geparfumeerd mengsel van olie en boter, waarna de bakboter wordt opgepept met een klein scheutje limoensap.

Bij deze vis kunt u snijbiet met tomaten en aardappelen (pag. 323) serveren. Ter completering van het menu kunt u beginnen met een lichte soep of *tamales* van verse maïs (pag. 209) en eindigen met een *flan* (pag. 331) of gekruide gepocheerde guaves (pag. 348). Bier of sprankelende *limonada* (pag. 364) passen goed bij dit menu.

Voor 4 personen:

> 4 panklare hele vissen van elk 250-300 gram, bijv. forel, mul, meerval.
> vers geperst limoensap en zout
> 3 eetlepels boter
> 3 eetlepels plantaardige olie
> 10 grote knoflookteentjes, gepeld en in dunne plakjes gesneden
> ca. 70 gram bloem
> ca. 1 theelepel zout
> 1 eetlepel vers geperst limoensap
> 2 eetlepels fijngehakte platte peterselie (plus een paar takjes voor de garnering)

1. *Het marineren van de vissen*: Spoel de vissen onder de koude kraan. Maak, met een scherp mes, twee diagonale inkepingen aan weerskanten van elke vis. Besprenkel de vissen vanbuiten en vanbinnen met limoensap, wrijf ze in met een beetje zout en leg ze in een schaal. Dek de schaal af met folie en zet hem 1 uur in de koelkast.
2. *De knoflook*: Verhit de boter en de olie in een grote koekepan op een vrij laag vuur, voeg de knoflookplakjes toe en bak ze, onder regelmatig roeren, tot ze (na 3-4 minuten) goudbruin beginnen te kleuren. Giet de inhoud van de pan ogenblikkelijk in een zeef die u op een kom hebt gelegd en laat de knoflook goed uitlekken. Giet het opgevangen vet terug in de pan.
3. *Het bakken van de vissen*: Meng de bloem in een diep bord met 1 theelepel zout. Spoel de vissen onder de koude kraan en dep ze droog met keukenpapier. Zet de koekepan met het boter-oliemengsel op een matig hoog vuur. Wentel de vissen door de bloem, schud de overtollige bloem eraf en leg de vissen in het hete vet. Bak de vissen 4-5 minuten per kant, tot het visvlees gaar is en de buitenkant mooi bruin begint te kleuren. Controleer de gaarheid door de punt van een mes diep in het visvlees van een van de vissen te steken; het visvlees moet gemakkelijk loslaten van de middengraat. Neem de pan van het vuur, leg de vissen op een schaal en houd ze warm in de op de laagste stand voorverwarmde oven.
4. *De afwerking en presentatie*: Roer het limoensap, de fijngehakte peterselie en de gebakken knoflook door de in de pan achtergebleven boter en zet de pan weer op het vuur. Verwarm het mengsel op een matig hoog vuur tot het limoensap vrijwel volledig is verdampt en de peterselie slap is. Breng het botermengsel, indien nodig, op smaak met zout en schep het over de vissen. Garneer het geheel met toefjes peterselie en serveer direct.

KEUKENNOTITIES

Technieken

» Het 'wassen' met limoensap en het controleren van de gaarheid: zie pag. 241.

» Het insnijden van de vissen: Dit wordt gedaan bij die vissen die in hun geheel worden gebakken of geroosterd, om een gelijkmatige garing te bevorderen.

» Het bakken van de knoflook: Hoe groter de hoeveelheid boter en olie in de koekepan en hoe trager het bakproces, hoe zoeter de knoflook zal worden. Schep de knoflook-snippers uit de pan zodra ze licht goudbruin zijn; als u ze te donker laat worden, krijgen ze een bittere smaak.

Ingrediënten

» De vissen: Alle kleinere vissoorten zijn geschikt: forel of meerval, mul, rode poon, wijting, pieterman, verse haring, enzovoort.

(Voor)bereidingstijd

» Voor de bereiding zelf hoeft u maar een half uur uit te trekken; reken echter wel op 1 uur extra voor het marineren van de vissen.

TRADITIONELE VARIATIE

» Gebakken visfilets met gebruinde knoflook: Vervang de hele vissen door vier visfilets van elk ca. 150 gram. Ga te werk volgens de aanwijzingen in het recept (maar het insnijden kunt u achterwege laten) en bak de filets (afhankelijk van de dikte) 3-4 minuten per kant.

EINGENTIJDSE VARIATIES

» Grote garnalen met gebruinde knoflook: Vervang de vissen door 500-600 gram grote garnalen (gepeld en van het darmkanaal ontdaan) en de boter door olijfolie. Bak de garnalen zonder ze door bloem te halen en serveer ze warm of op kamertemperatuur als voorgerecht (de opgegeven hoeveelheid is voldoende voor 8 personen), met een kom grove guacamole (pag. 46).

» Of marineer 500-600 gram grote garnalen (gepeld en van het darmkanaal ontdaan) een paar uur of een hele nacht in het knoflook-oliemengsel van stap 2. Rooster de garnalen op de barbecue en serveer ze met deze avocado-peterseliemayonaise: pureer het vruchtvlees van 1 avocado met 3/4 dl limoensap, 1 ei, 3-4 eetlepels fijngehakte peterselie, 1 1/4 dl bier en 1/2 fijngehakte kleine ui. Voeg, zodra het mengsel glad is (en terwijl de machine draait) in een dun straaltje 3 1/2 dl olijfolie toe. Breng de mayonaise op smaak met zout.

Hele vis a la veracruzana

GEBAKKEN VISFILETS MET GEROOSTERDE PEPERS EN ROOM

Pescado con Rajas y Crema

Het is verbazend hoe goed de smaak van milde geroosterde chilipepers en licht aangezuurde room past bij die van verse vis. Dit is overigens geen Mexicaanse streekspecialiteit, maar een familierecept. Ik heb dit elegante en veelzijdige gerecht 'ontworpen' naar aanleiding van gelijksoortige recepten die ik in Mexicaanse kookboeken ben tegengekomen en ik heb ook wel eens iets dergelijks in een van de betere restaurants in Mexico gegeten.

Als bijgerecht kunt u bij deze vis een salade van waterkers en *jícama* (pag. 97) geven. Een compleet menu zou kunnen bestaan uit krokante *masa*-schuitjes met een pittige vulling (pag. 190) of kikkererwten-groentesoep (pag. 105) als voorgerecht en na de vis een vruchtensorbet (pag. 351) als dessert. Schenk er een mooie volle witte wijn, bijvoorbeeld een chardonnay, bij.

Voor 4 personen:

> 4 visfilets met stevig visvlees van elk ca. 150 gram, bijv. heilbot of zeebaars
> vers geperst limoensap en zout
> 2 eetlepels plantaardige olie
> 1/2 ui, gepeld en in plakken van ca. 3 mm gesneden
> 2 knoflookteentjes, gepeld en fijngehakt
> 1 grote verse *chile poblano*, geroosterd en ontveld (pag. 390), van de zaadjes ontdaan
> en in smalle reepjes gesneden (zie Keukennotities)
> 1/4 liter dikke room (pag. 53) of crème fraîche
> zout
> ca. 45 gram bloem
> 1 eetlepel ongezouten boter
> het groen van 1-2 lente-uitjes, in smalle ringetjes gesneden

1. *Het marineren van de vis*: Spoel de visfilets onder de koude kraan, leg ze in een schaal, besprenkel ze met limoensap en bestrooi ze met een beetje zout. Dek de schaal af met folie en laat de vis 1 uur marineren in de koelkast.
2. *De chilipeper-roomsaus*: Verhit 1 eetlepel olie in een steelpan op een matig hoog vuur en bak de uiringen onder regelmatig roeren tot ze lichtbruin beginnen te kleuren. Voeg de knoflook en de in reepjes gesneden chilipeper toe en laat ze ca. 2 minuten meebakken. Voeg dan de room toe en laat het mengsel zachtjes inkoken tot sausdikte. Breng de roomsaus op smaak met zout.
3. *Het bakken van de vis*: Meng de bloem in een diep bord met 1/2 theelepel zout. Dep de visfilets ca. 10 minuten voordat u het gerecht wilt serveren droog met keukenpapier. Verhit de boter en 1 eetlepel olie in een koekepan. Wentel de filets snel door het bloemmengsel, schud de overtollige bloem eraf en leg de filets in het hete vet. Bak de filets ca. 1 1/2 minuut per kant, tot ze een mooi lichtbruin korstje hebben. Voeg dan de saus toe, draai het vuur iets lager en laat de vis nog 2-3 minuten zachtjes sudderen, tot het visvlees gaar is en in vlokken uiteenvalt als u er met een vork op drukt. Leg de filets op een voorverwarmde schaal, schep de saus erover en bestrooi het geheel met het fijngesneden groen van de lente-uitjes. Serveer direct.

KEUKENNOTITIES

Technieken

» Het 'wassen' met limoensap en het controleren van de gaarheid: zie pag. 241.

Ingrediënten

» De vis: Zelfs de smaak van fijne vissoorten als heilbot, zeebaars, zalm en rode snapper houdt stand bij deze romige saus. Ook hondshaai is uitermate geschikt voor dit gerecht.

» Chile poblano: De verse poblano kan in dit geval het beste worden vervangen door 1 rode paprika (geroosterd, ontveld, van de zaadjes ontdaan en in reepjes gesneden) plus 1 verse groene lombok (ontdaan van de zaadjes en fijngesneden).

Voetnoot van de vertaalster

» De hoeveelheden: Met 'theelepel' wordt de internationale standaardtheelepel met een inhoud van 5 gram bedoeld en niet het Nederlandse theelepeltje van 3 gram.

(Voor)bereidingstijd

» Na het marineren van de vis, waarvoor u 1 uur moet uittrekken, vergt de bereiding niet meer dan 30 minuten. Desgewenst kunt u de peper van tevoren roosteren, ontvellen en in reepjes snijden. Ook de saus kan desgewenst een paar uur van tevoren worden gemaakt.

ANDERE EIGENTIJDSE VARIATIES

» Kip met geroosterde pepers en room: Maak de saus volgens de aanwijzingen in stap 2. Snijd 2 dubbele kipfilets in reepjes van ca. 1 cm, wentel de reepjes door een mengsel van bloem en zout en bak ze goudbruin en gaar in een mengsel van olie en boter. Voeg de saus toe en ga verder te werk zoals beschreven in het recept.

» Visfilets met geroosterde pepers, room en epazote: Marineer de visfilets en maak de saus volgens de aanwijzingen in stap 2 van het recept, maar voeg tegelijk met de room 2 eetlepels fijngehakte epazote toe. Bestrooi de vis vlak voor het serveren met het fijngesneden groen van 1 of 2 lente-uitjes en 2-3 eetlepels verkruimelde Mexicaanse queso fresco (pag. 396) of een andere verse witte kaas, bijvoorbeeld feta of verse geitekaas.

IN ADOBO GEMARINEERDE VISREEPJES BEREID IN MAÏSBLADEREN

Pescado Adobado en Hojas de Maíz

Elke keer dat ik de bomvolle vrijdagse markt in Toluca heb bezocht kwam ik ze tegen: de meervallen, karpers en kleine charales die, na te zijn gefileerd, in een pittige rode chili-marinade werden gelegd, vervolgens in een driedubbele laag maïsbladeren werden verpakt en ten slotte op een vlakke grillplaat werden geroosterd tot de 'verpakking' geblakerd was. Het resultaat – pikant gekruide vis doortrokken met het rokerige aroma van geschroeide maïsbladeren – was overheerlijk.

In onderstaand recept heb ik deze nederige snack, die voornamelijk in Midden-Mexico en Michoacán wordt gegeten, veranderd in een volwaardig, aantrekkelijk ogend hoofdgerecht. De vis wordt vlak voor het opdienen bestrooid met fijngehakte ui en verse koriander en geserveerd met warme maïstortilla's. Het is de bedoeling dat de aanwezigen aan tafel hun eigen zachte taco's maken door de kruidige visreepjes in de tortilla's te rollen. Desgewenst kunt er ook nog Pueblaanse rijst (pag. 308) bij geven. Met een gemengde groentesalade (pag. 96) als voorgerecht en een pecannotentaart (pag. 334) als dessert, kunt u er een compleet driegangenmenu van maken. Als begeleidende drank adviseer ik bier, Mexicaanse sangria (pag. 377) of sprankelende *limonada* (pag. 364).

Voor 6 personen, als licht hoofdgerecht in een voedzaam menu:

125 gram gedroogde maïsbladeren
750 gram visfilet, bijv. van kabeljauw, schelvis of meerval
2/3 hoeveelheid rode chilimarinade (*adobo*, pag. 69)
zout
100 gram fijngehakte ui
3 eetlepels grof gehakte verse koriander (plus 6 takjes voor de garnering)
2 grote limoenen, in partjes gesneden

1. *Het weken van de maïsbladeren en het marineren van de vis*: Week de maïsbladeren zoals beschreven op pag. 201. Snijd de visfilets in reepjes (7-8 cm lang en 1-1 1/2 cm breed). Doe de visreepjes in een kom, voeg 6 eetlepels chili-marinade toe en meng alles zorgvuldig. Dek de kom af met folie en zet hem minstens 2 uur in de koelkast.
2. *Het maken van de pakketjes*: Zoek de 18 grootste maïsbladeren uit; ze moeten op het breedste deel minstens 15 cm meten (als ze kleiner zijn kunt u twee bladeren half over elkaar leggen). Scheur uit de overgebleven bladeren 24 reepjes (5-6 mm breed) en knoop de reepjes twee aan twee aan elkaar, zodat u 12 lange 'linten' krijgt. Verdeel de visreepjes in zes porties van gelijke grootte.
   Maak de pakketjes aldus: Schep 1 theelepel marinadepasta op het breedste (onderste) deel van een van de maïsbladeren en strijk het uit tot een rechthoek van ca. 5 x 7 1/2 cm. Leg de helft van één portie visreepjes naast elkaar op de marinade. Bestrooi de vis met een beetje zout en bedek ze met de resterende visreepjes. Bestrooi deze tweede laag eveneens met zout en bestrijk de reepjes met 1 theelepel marinade. Vouw eerst de ene en dan de andere zijkant van het maïsblad over de vis naar het midden. Vouw dan het smalle, niet met vis bedekte deel van het blad naar boven. Draai het pakketje om en leg het (met het 'open' uiteinde naar het midden) op het breedste deel van een tweede maïsblad. Vouw eerst de zijkanten van het blad over het pakketje en dan de smalle onderkant. Draai het pakketje weer om, leg het op het breedste deel van een derde maïsblad en vouw dit op dezelfde manier dicht als de twee eerste bladeren. Bind het aldus verkregen pakketje dicht met twee maïslinten. Maak de overige pakketjes op dezelfde manier.

Gemarineerde visreepjes op het brede deel van een maïsblad

Het gevulde, dichtgevouwen maïsblad

verpakken in een tweede blad

Het pakketje dichtbinden

met maïslinten

3. *Het roosteren van de pakketjes*: Met deze stap kunt u wachten tot ca. 20 minuten voordat u het gerecht wilt serveren. Zet een vlakke grillplaat op het vuur of verwarm de grill voor en schuif het rooster ca. 10 cm onder de grill-elementen.

   Bij het gebruik van een grillplaat: Leg de pakketjes naast elkaar op de hete plaat en rooster ze 6-7 minuten per kant plus ca. 1 minuut op elke lange zijkant (houd ze daarbij vast met een grote tang).

   Bij het gebruik van de grill: Leg de pakketjes naast elkaar op een kleine bakplaat en schuif de bakplaat onder de grill. Draai de pakketjes na ca. 7 minuten om (het maïsblad moet dan zwartgeblakerd zijn) en rooster ze nog 5-6 minuten.

   Open een van de pakketjes om de gaarheid te controleren, maar pas op dat er geen sappen ontsnappen.

4. *De presentatie*: Verwijder de linten en de twee buitenste maïsbladeren (ga behoedzaam te werk, zodat het geurige vocht niet verloren gaat). Leg de pakketjes op voorverwarmde borden en vouw ze voorzichtig open. Schuif de visvulling naar het midden van het blad en strooi er wat fijngehakte ui en koriander over. Garneer het geheel met limoenpartjes en een takje verse koriander en serveer direct.

KEUKENNOTITIES

Technieken

» *Het marineren van vis en het controleren van de gaarheid*: zie pag. 241.

» *Het verpakken van de visreepjes*: In dit recept wordt de vis niet alleen in reepjes gesneden om de gelijkenis met de sprot-achtige *charales* te vergroten maar ook omdat de marinade dan beter in het visvlees kan doordringen. Het verpakken in een driedubbele laag maïsbladeren hebt u zo onder de knie; zorg wel dat u de bladeren zo strak mogelijk om de vulling vouwt, zodat er geen openingen ontstaan waar de sappen uit kunnen wegvloeien.

Ingrediënten

» *Maïsbladeren*: zie pag. 400.

» *De vis*: Bijne elke niet-vette vissoort is geschikt voor dit gerecht. Persoonlijk geef ik de voorkeur aan vissen met stevig, tamelijk neutraal smakend visvlees en een vrij grove structuur, zoals zeebaars, kabeljauw, zeeduivel, schelvis en dergelijke. De karper en de andere vissoorten die in Mexico worden gebruikt, hebben vaak een te uitgesproken smaak voor niet-Mexicaanse tongen.

(Voor)bereidingstijd

» De bereidingstijd bedraagt (als u de chilimarinade hebt klaarstaan) ongeveer 1 uur, plus 2 uur voor het weken van de maïsbladeren en het marineren van de vis. Desgewenst kunt u de vis langer marineren (maximaal 24 uur) of de pakketjes een dag van tevoren maken. De bereiding zelf moet vlak voor het serveren gebeuren, maar als u de pakketjes van de grillplaat (of uit de grill) haalt voordat het visvlees door en door gaar is, kunt u de pakketjes 15-20 minuten warm houden in de op de laagste stand voorverwarmde oven.

TRADITIONELE VARIATIE

» *Garnalen-adobados*: Pel 500 gram grote garnalen, maar laat de staartjes en het laatste segment van de schaal er aan zitten; verwijder het donkere darmkanaal. Meng de garnalen met de helft van de chilimarinade en laat ze – afgedekt – enkele uren marineren in de koelkast. Meng de gemarineerde garnalen vlak voor het serveren met 1/2 theelepel zout en 3 eetlepels plantaardige olie en leg ze naast elkaar op een ingevette bakplaat. Schuif de bakplaat onder de voorverwarmde grill en rooster de garnalen 4-6 minuten; draai ze na 2-3 minuten om.

ESCABECHE VAN OESTERS

Ostiones en Escabeche

In de deelstaat Tabasco worden verse oesters vaak gekruid met een speciaal grof gemalen specerijenmengsel (waaronder piment, dat in de streek groeit), waarna ze in een zoete banane-azijn gepocheerd worden. Ondanks de voor de hand liggende problemen met de verkrijgbaarheid van bepaalde ingrediënten, kan dit gerecht ook buiten Mexico worden gemaakt.

Onderstaand recept is gebaseerd op de oester-*escabeche* van restaurant Mariposa in Villahermosa. In mijn versie wordt echter iets minder azijn gebruikt (Mexicaanse azijn is namelijk milder van smaak) en is het water vervangen door een lichte visbouillon. Voor een extra smaakaccent heb ik bovendien wat fijngehakte verse koriander toegevoegd.

U zou de oesters als een koud voorgerecht kunnen serveren, met lekker knapperig brood, maar in Tabasco zelf wordt deze *escabeche* uitsluitend warm gegeten, als hoofdgerecht. Een evenwichtig Mexicaans menu zou er als volgt uit kunnen zien: eerst gefrituurde *quesadillas* (pag. 159), dan de oesters en als nagerecht een romige Mexicaanse rijstpudding (pag. 306).

Voor 4 personen als licht hoofdgerecht of voor 4-6 personen als voorgerecht:

> 1/3 theelepel komijnzaadjes
> 6 kruidnagels
> 1/4 theelepel pimentzaden
> 1/4 theelepel zwarte peperkorrels
> 3 laurierblaadjes
> 1 krappe theelepel gedroogde oregano
> 1 stukje pijpkaneel van ca. 2 cm
> 3/4 dl plantaardige olie (of een mengsel van olijfolie en een andere plantaardige olie)
> 1 grote ui, gepeld en in dunne ringen gesneden
> 3 worteltjes, schoongeschrapt en in blokjes gesneden
> 6 knoflookteentjes, gepeld en fijngehakt
> 6 verse *chiles güeros*, geroosterd en ontveld (pag. 390), van de zaadjes ontdaan en in blokjes gesneden (zie Keukennotities)
> 3 eetlepels ciderazijn (indien nodig iets meer)
> 1/4 liter lichte visbouillon (pag. 67) of water
> 36 middelgrote oesters, vers opengestoken en het vocht bewaard
> zout
> 3 eetlepels fijngehakte verse koriander

1. *De kruiderij*: Doe de komijnzaadjes, kruidnagels, pimentbessen en peperkorrels in een vijzel en kneus ze (of maal ze grof in een specerijenmolentje). Doe de specerijen in een kommetje en voeg de laurierblaadjes, de oregano en het stukje kaneel toe.
2. *De escabeche-marinade*: Verhit de olie in een grote koekepan op een matig hoog vuur, voeg de uiringen en de worteltjes toe en bak de groenten ca. 5 minuten, tot de ui zacht is; roer af en toe. Voeg de knoflook en de chilipepers toe en laat ze 2 minuten meefruiten. Giet de azijn en de visbouillon (of het water) in de pan, voeg de kruiderij toe en breng het geheel aan de kook. Draai het vuur lager, leg een deksel op de pan en laat de marinade 10 minuten zachtjes koken. Giet het mengsel, als er voldoende tijd is, in een kom en laat het een paar uur staan; dit zal de smaak sterk ten goede komen.
3. *Het pocheren van de oesters*: Giet de marinade vlak voor het opdienen in de pan terug, voeg de oesters en het oestervocht toe en verhit het geheel op een vrij laag vuur tot het vocht nauwelijks waarneembaar begint te borrelen; pocheer de oesters 2-3 minuten, tot het visvlees nèt stevig is. Neem de pan van het vuur en breng het vocht op smaak met zout en - eventueel - nog een drupje azijn. Verwijder de laurierblaadjes en het stukje kaneel en verdeel de oesters en het vocht over voorverwarmde diepe borden. Bestrooi de oesters met fijngehakte koriander en serveer direct.

KEUKENNOTITIES

Technieken

» Hoewel oesters op hun best zijn als ze rauw worden gegeten, laten niet-liefhebbers hun bezwaren doorgaans varen als de schelpdieren heel even, op een zacht vuurtje, gepocheerd worden. De oesters zijn goed als de randen beginnen om te krullen en het visvlees roomachtig wit kleurt.

Ingrediënten

» *Oesters:* Het is van essentieel belang dat de oesterschelpen zo kort mogelijk voor de bereiding worden opengestoken.

Voetnotenvan de vertaalster

» *De hoeveelheden:* Met 'theelepel' wordt de internationale standaardtheelepel met een inhoud van 5 gram bedoeld en niet het Nederlandse theelepeltje van 3 gram.

» *Chiles güeros:* Deze gele chilipepers, die in Tabasco *chiles picosos* worden genoemd, zijn vrij mild van smaak. U zou ze kunnen vervangen door 3-4 lichtgele of bleekgroene Turkse of Marokkaanse pepers of door 1 gele paprika plus 1 groene lombok.

(Voor)bereidingstijd

» De bereiding van de bouillon en het opensteken van de oesters niet meegerekend, vergt de bereiding van dit gerecht maar 30-40 minuten. Het is raadzaam om de stappen 1 en 2 enkele uren (of 1 à 2 dagen) van tevoren te doen; bewaar de marinade in dat geval afgedekt in de koelkast. Of maak het hele gerecht van tevoren en serveer het op kamertemperatuur.

TRADITIONONELE VARIATIE

» *Escabeche van visfilets:* In Mexico wordt deze variant vaak gemaakt van makreel, maar ik prefereer magere vissoorten als heilbot, zeebaars, rode snapper en dergelijke. Maak de marinade zoals beschreven in de stappen 1 en 2, maar gebruik maar 2 eetlepels olie in plaats van 3/4 dl. Wentel 4 visfilets van elk ca. 150 gram door een mengsel van bloem en een beetje zout en bak ze aan beide kanten mooi bruin in een bodempje olijfolie. Voeg, als de vis bijna gaar is, de marinade toe en laat het geheel nog een paar minuten zachtjes sudderen. Leg de filets op voorverwarmde diepe borden en schep de marinade en de groenten erover of laat ze afkoelen in de marinade en bewaar ze – afgedekt – in de koelkast tot de volgende dag. Serveer de *escabeche* in dat geval op kamertemperatuur.

Regionale accenten

» In Tabasco voelt de lucht aan als een klamme warme deken. De deelstaat, die aan de Golf van Mexico ligt, bestaat voornamelijk uit vochtig laagland begroeid met tropische struikgewassen, cacaobomen en bananepalmen. Het is het thuisland van een van de oudste Mexicaanse beschavingen, die van de Olmeken. De deelstaat gaat prat op een aantal ongebruikelijke regionale specialiteiten: hertebiefstukken, gerookte *pejelagartos* (een geep-achtige vis), schildpad in een kruidige, met *masa* gebonden saus, in *adobo* gemarineerd gordeldier, gestoofde *tepescuintle* (een soort stekelhaai) en in een kruidige marinade gepocheerde oesters. Oesters in *escabeche* zijn overigens ook een specialiteit van Guyamas, in de deelstaat Sonora in Noordwest-Mexico, zo'n 3000 km verwijderd van Tabasco. In Yucatán worden soortgelijke *escabeches* gemaakt van octopus, inktvis en wulken.

GEVOGELTE
Aves

Fonda op de markt van Guadalajara

Gevogelte is zonder meer de meest gegeten vleessoort in Mexico. Meestal gebruikt men een uit de kluiten gewassen kip waarvan het vlees zo stevig is dat je zeker weet dat het dier op een erf heeft rondgescharreld en voldoende smaak heeft om tegenspel te kunnen bieden aan een *mole* of *tomatillo*-saus. Van oorsprong is de kip echter geen Mexicaanse vogel. Voordat ze ooit een kip hadden gezien, waren de Azteken er al in geslaagd de inheemse kalkoen en de muskuseend te domesticeren. Ook jaagden ze op een grote verscheidenheid aan vederwild. Naar verluidt verschenen tijdens de legendarische banketten van de keizer diverse soorten gevogelte op de feestdis en werden op de markt buiten het centrum van de Azteekse hoofdstad in vijf dagen tijds soms zo'n achtduizend vogels verhandeld.

Er was blijkbaar zo'n overvloed aan kalkoenen dat sommige dieren in de keizerlijke dierentuin werden gevoederd met kalkoenvlees. Kalkoenen waren in die dagen nog niet de vetgemeste rondborstige exemplaren die we nu kennen. Nee, het was een kleiner ras, nauw verwant aan de wilde kalkoen, en dat is ook het type dat vandaag de dag in Mexico het meest wordt gefokt. In Yucatán werd jacht gemaakt op een ander kalkoentype, de kleurrijke *pavo del monte*, die nog steeds niet gedomesticeerd is, maar wèl een enkele keer in restaurants op het schiereiland op het menu staat.

De kip werd geïntroduceerd door de Spanjaarden en alles wijst erop dat ze ogenblikkelijk werd geaccepteerd. Tot op de dag van vandaag zijn kippen veruit de populairste vogels van de markt. Ze hangen en liggen schaamteloos wijdbeens in de slagerskramen, pas geslacht en keurig geplukt en – ten gerieve van de kritische klant – nog steeds in het bezit van kop en poten (die later in de soep gaan). Vrijwel alle kippen (behalve wellicht die, die in de grote steden worden aangeboden) zijn nog echte scharrelkippen en ze smaken fantastisch.

In Mexico worden de kippen meestal gestoofd of zachtjes gaar gesmoord in een saus, gewoon omdat de vogels vaak te pezig en te taai zijn om te kunnen worden gebraden of gegrilld. In de markt-*fondas* liggen ze doorgaans, gaar en wel, in hun geheel te pronk, soms verleidelijk versierd met radijsroosjes en slabladeren en soms quasi achteloos opgestapeld. Met het verstrijken van de uren worden ze ontmanteld: de bouten verdwijnen in *moles* of *pipianes* of worden opgediend met een tomaten- of *tomatillo*-saus en het borstvlees wordt in reepjes gescheurd of uitgeplozen voor een eenvoudige snack.

De kalkoen is de vogel die per traditie thuishoort in de feestelijke *mole poblano* (die in restaurants echter vaak met kip wordt geserveerd). In Yucatán speelt kalkoen de hoofdrol in barokke gerechten als *pavo en relleno blanco* (met varkensvlees gevulde kalkoen met twee sauzen: een witte saus doorspekt met kappertjes en olijven en een grove tomatensaus) en *pavo en relleno negro*, ook wel *chirmole* genoemd (een soort zwartgeblakerde versie van hetzelfde gerecht). De Yucatánse *escabeche* kan in principe worden gemaakt met kalkoen, maar in de meeste restaurants zult u in de geurige, met ingemaakte rode uien gekruide marinade stukken kip aantreffen. Yucatán is ook de streek waar u de niet ten onrechte vermaarde *pollo pibil* kunt eten: met *achiote* gekruide kip, verpakt in bananebladeren en vervolgens gaar gemaakt boven stoom of in een vuurkuil.

In restaurants, *cafetarías* en markt-*fondas*, wordt gepocheerde of gestoofde kip geserveerd in sauzen die representatief zijn voor de streek. In het westen van Midden-Mexico, met name in Morelia, wordt de gare kip in een rode chilisaus gedompeld alvorens in hete olie te worden gefrituurd; het eindresultaat – *pollo a la plaza* – is meer dan verrukkelijk. Het enige kipgerecht dat ik ken waarin niet een kip wordt verwerkt die van tevoren is gaar gemaakt, is *pollo a las brasas*, een specialiteit uit de deelstaat Sinaloa. Dit gerecht, waarbij de kip langzaam wordt gebraden boven gloeiende houtskool, smaakt het beste in de met houtskoolgrills uitgeruste eetkraampjes die langs de binnenwegen zijn te vinden.

Wild gevogelte is geen gangbaar produkt in openbare eetgelegenheden. Eend, meestal tamme, staat in de betere restaurants in de grote steden echter vrij regelmatig op het menu, evenals kwartel. De eethuisjes langs de wegen in Guerrero en rond Taxco, Iguala en Chilpancingo, zijn echter vermaard om hun jonge wilde duiven (*pichóns*), leguanen en konijnen die ofwel met een knoflookmarinade (*al mojo de ajo*) worden geserveerd, ofwel met een lichte chilisaus die de naam *chileajo* draagt.

In de recepten in dit hoofdstuk komen vrijwel alle manieren aan bod waarop men in Mexico gevogelte bereidt. Als u de met kip bereide *moles* daarbij optelt, zult u het met me eens zijn dat gevogelte inderdaad zeer veel mogelijkheden biedt. Bij het doorlezen van de recepten zult u ontdekken dat ik traditionele sauzen niet alleen heb gecombineerd met verschillende soorten gevogelte, maar ook met verschillende gevogeltedelen. Dit alles om een gerecht zo aantrekkelijk mogelijk te kunnen presenteren en uw tafelgenoten zo weinig mogelijk te confronteren met 'onhandelbare' stukken. Andere gerechten met gevogelte vindt u in het register.

Gouden regels voor het panklaar maken van kip

» *Het in stukken verdelen van een hele kip:* Buig een van de bouten opzij en naar achteren tot u voelt dat het gewricht breekt. Snijd de bout dan met een dun, vlijmscherp mes los van het karkas (vergeet niet het kleine malse stukje onder aan de wervelkolom – de *sot-l'y-laisse* – mee los te snijden). Snijd de tweede bout eveneens los. Maak dan, met een groot, zwaar koksmes, een diepe snee aan weerskanten van de wervelkolom, dwars door de ribben en het sleutelbeen, tot de wervelkolom zo los zit dat u hem kunt verwijderen (u kunt hem ook losknippen met een wildschaar); bewaar de wervelkolom voor de bereiding van kippebouillon. Leg het restant van de kip met het vel naar boven op een plank en druk krachtig op het midden, tot de kip volledig plat is en het borstbeen loszit (u kunt het borstbeen ook voorzichtig losslaan met de botte kant van het mes). Draai de kip om en verwijder het borstbeen en het witte kraakbeen dat er aan vastzit. Snijd de kip daarna, op de plek waar het borstbeen heeft gezeten, in twee stukken. Verwijder de resten van het V-vormige wensbeentje en snijd de borststukken een beetje bij.

» *Het ontbenen van kipkarbonades:* Leg een kipkarbonade met de velkant naar onderen op een plank en maak een diepe snee, tot op het bot, van het ene uiteinde naar het andere. Snijd het vlees ter hoogte van het heupgewricht met een puntig mesje los van het bot. Pak het bot vast en snijd het vlees voorzichtig los tot aan het kniegewricht. Snijd het vlees rondom het gewricht voorzichtig los en verwijder het botje (de botjes bewijzen goede diensten bij de bereiding van kippebouillon).

TAMME EEND IN RODE POMPOENZAADSAUS

Pato en Pipián Rojo

In dit gerecht wordt eend gaar gestoofd in een heerlijke rode saus met een lichte notensmaak en het kruidige aroma van zoete chilipepers. De eend wordt op deze manier geserveerd in de kleine Fonda el Pato, gevestigd in een zijstraat van de Paseo de la Reforma in Mexico-Stad. Er wordt in deze fonda min of meer in Europese stijl gekookt, vandaar wellicht dat de saus een minder uitgesproken karakter heeft dan de versie die op de markt van Puebla verkrijgbaar is. In onderstaand recept heb ik de chique eend uit Mexico-Stad daarom gecombineerd met de smakelijke saus van een eenvoudige Pueblaanse markt-*fonda*. De eend is bij uitstek geschikt voor een menu in Pueblaanse stijl. Serveer als voorgerecht een tortillasoep (pag. 104) en als nagerecht een romige kokoscrème (pag. 334). Bij de eend zelf past uiteraard Pueblaanse rijst (pag. 308) het beste. Mijn dranksuggesties: Mexicaanse sangria (pag. 377), *agua de jamaica* (pag. 360) of een frisse, fruitige rode wijn (bijv. beaujolais).

Voor 4 grote eters, met ca. 3/4 liter saus:

voor de eend en de bouillon:
   2 tamme eenden
   1/2 ui, gepeld en fijngehakt
   ruim 1/2 theelepel zout
   1 theelepel gedroogde kruiden (w.o. marjolein en tijm)
   3 laurierblaadjes
   2 eetlepels plantaardige olie

voor de saus:
   25-30 gram gedroogde *chiles anchos*, ontdaan van steeltjes, zaadjes en zaadlijsten
   3 eetlepels reuzel of plantaardige olie
   1/2 ui, gepeld en in ringen gesneden
   2 knoflookteentjes, gepeld
   50 gram gepelde ongeroosterde pompoenzaadjes (*pepitas*)
   1/4 theelepel zwarte peperkorrels (of 1/3 theelepel gemalen peper)
   1/3 theelepel pimentkorrels (of ca. 1/2 theelepel gemalen piment)
   1 stukje pijpkaneel van 1 1/2 cm (of 1/2 theelepel kaneelpoeder)
   1/4 theelepel gedroogde tijm
   1 snee stevig wittebrood, ontdaan van de korst en in blokjes gesneden
   40-50 gram niet-gezouten pinda's (zonder vlies)
   1 *chile chipotle* uit blik, van de zaadjes ontdaan en grof gesneden
   ca. 1/4 theelepel zout
   ca. 1 theelepel suiker

voor de garnering:
   1 plak ui, in ringen verdeeld

1. *De eenden voorbereiden*: Snijd een van de eenden als volgt doormidden: maak, met een groot, zwaar koksmes, een diepe snee aan weerskanten van de wervelkolom, dwars door de ribben en het sleutelbeen, tot de wervelkolom zo los zit dat u hem kunt verwijderen (u kunt hem ook losknippen met een wildschaar); bewaar de wervelkolom voor de bereiding van de bouillon. Leg de eend met het vel naar boven op een plank en druk krachtig op het midden tot het borstbeen loszit en snijd of knip de eend langs het borstbeen in tweeën. Verdeel de andere eend op dezelfde manier in twee helften. Prik het vel van de eenden, op onderlinge afstanden van 2-3 cm, in met een vork.

2. *De bouillon*: Doe de afsnijdsels van de eenden en de eventueel aanwezige ingewanden (maar *niet* de levertjes) in een pan. Voeg de fijngehakte ui, het zout en 1 1/4 liter water toe en breng het geheel aan de kook. Schep het schuim af dat komt bovendrijven en voeg, zodra er geen nieuw schuim meer wordt gevormd, de kruiden en laurierblaadjes toe. Leg een deksel schuin op de pan en laat de bouillon minstens 1 (maar liever 2 of 3) uur zachtjes trekken. Giet de bouillon door een fijne zeef, laat hem afkoelen en schep het vet eraf.

3. *Het aanbraden van de eenden*: Dep twee halve eenden droog met keukenpapier. Verhit 2 eetlepels olie in een grote koekepan, leg de eenden met het vel naar onderen in de pan en braad ze ca. 15 minuten, tot het vel mooi bruin is (draai de eenden tijdens het aanbraden niet om!). Laat de eenden uitlekken op keukenpapier. Giet op 2 eetlepels na al het vet uit de pan en braad de twee overgebleven helften op dezelfde manier.

4. *Het voorbereiden van de saus*: Scheur de chilipepers in zo groot mogelijke platte stukken. Verhit 2 eetlepel reuzel of olie in een koekepan en bak de pepers een paar seconden aan elke kant. Schep de pepers met een schuimspaan uit de pan (laat ze daarbij goed uitlekken boven de pan), doe ze in een kom en overgiet ze met kokend water. Leg een schoteltje op de pepers, zodat ze ondergedompeld blijven en laat ze ca. 30 minuten weken.

   Fruit de uiringen en de knoflook in ca. 10 minuten mooi goudbruin in de achtergebleven olie, schep ze uit de pan (laat ze goed uitlekken) en doe ze in een kom.

   Was de pan af en gebruik hem opnieuw of neem een tweede koekepan. Zet de pan een paar minuten op een vrij laag vuur, voeg de pompoenzaden toe en rooster ze, onder regelmatig roeren 4-5 minuten, tot ze licht beginnen te kleuren. Houd 1 eetlepel zaadjes apart voor de garnering en doe de rest in de kom met de ui en de knoflook.

   Maak de specerijen fijn in een vijzel of specerijenmolentje en doe ze in de kom. Voeg ook de tijm, het brood, de pinda's, de *chipotle* en 3 1/2 dl eendebouillon toe.

5. *Het bereiden van de saus*: Schep de helft van de in de kom verzamelde ingrediënten in de blender en laat de machine draaien tot u een gladde puree hebt verkregen; voeg als de massa te compact is (waardoor de mesjes vastlopen) nog een klein scheutje bouillon toe. Wrijf de puree door een middelfijne zeef en pureer de rest van de ingrediënten op dezelfde manier.

Verhit 1 eetlepel reuzel of olie in een grote steelpan, op een matig hoog vuur. Voeg de puree toe en laat de puree al roerende ca. 5 minuten pruttelen, tot ze donkerder wordt en begint in te dikken. Voeg dan al roerende 1/2 liter eendebouillon toe, breng het geheel aan de kook en laat de saus, met het deksel op de pan, ca. 45 minuten zachtjes koken; roer af en toe. Verdun de saus, indien nodig, met een beetje bouillon en breng haar op smaak met zout en suiker.

6. *Het gaar stoven van de eenden*: Verhit de oven ca. 45 minuten voordat u de eenden wilt serveren op 180° C. Leg de halve eenden naast elkaar, met de velkant naar boven, in een braadslee. Giet de hete saus erover, dek de braadslee af met aluminiumfolie en zet hem 25-30 minuten in de oven, tot de eenden gaar zijn (het vlees moet zacht aanvoelen als u er met een vork in prikt).

7. *De presentatie*: Leg de eenden op een voorverwarmde schaal of op warme borden. Houd de braadslee schuin en schep de vetlaag van de saus. Schep de saus over de eenden, bestrooi het geheel met uiringen en grof gehakte pompoenzaadjes en serveer direct.

Verse chiles poblanos

KEUKENNOTITIES

Technieken

» *Het gedeeltelijk ontbenen van de eenden*: Het verwijderen van een deel van het karkas maakt de eenden aan tafel gemakkelijker te hanteren. Ga als volgt te werk: Snijd de ribben aan de onderkant van de halve eenden los met een puntig mesje en verwijder ze. Verwijder ook het borstbeen en het V-vormige wensbeentje. Ontbeen de boutjes zoals beschreven op pag. 258. Het is de bedoeling dat u alle botjes verwijdert op die in de vleugel na.

» *Het inprikken van het eendevel*: Door het vel in te prikken met een vork en de halve eenden uitsluitend op de velkant aan te braden, zal een groot deel van het onderhuidse vet uitsmelten. Vindt u het vel na het aanbraden toch nog te vet, verwijder het dan voordat u de eenden in de braadslee legt.

» *Het pureren van met noten en zaden gebonden sauzen*: zie pag. 221.

Ingrediënten

» *Chile chipotle*: Deze gerookte en gedroogde chilipeper kan desgewenst worden weggelaten.

Voetnoot van de vertaalster

» *De hoeveelheden*: Met 'theelepel' wordt de internationale standaardtheelepel met een inhoud van 5 gram bedoeld en niet het Nederlandse theelepeltje van 3 gram.

(Voor)bereidingstijd

» De totale bereidingstijd bedraagt zo'n vier uur, maar ongeveer de helft daarvan is nodig voor het sudderen van de saus en het gaar stoven van de eenden. De voorbereidingen in de stappen 1 t/m 5 kunnen desgewenst een dag van tevoren worden gedaan; bewaar de eend en de saus in dat geval afzonderlijk (afgedekt) in de koelkast. Breng de eend tijdig op kamertemperatuur, warm de saus op en ga verder te werk zoals beschreven in de stappen 6 en 7.

EIGENTIJDSE VARIATIE

» *Boven houtskool geroosterde eend met pipián van cashewnoten en krokant gebakken spek:* Laat 8-12 plakjes ontbijtspek zachtjes uitbakken tot het spek krokant is. Bewaar het spekvet en verkruimel het spek. Ga wat de eenden en de bouillon betreft te werk zoals beschreven in stap 1 t/m 3. Maak de saus (stappen 4 en 5), maar vervang de pinda's door cashewnoten en gebruik in plaats van olie of reuzel het spekvet. Rooster de halve eenden 20-25 minuten op de barbecue en draai ze daarbij regelmatig om (houd een plantespuit met water bij de hand om eventuele vlammen direct te kunnen doven). Leg de eenden op borden, schep de saus erover en bestrooi het geheel met een paar cashewnoten en het verkruimelde spek.

Regionale accenten

» *Pepián,* zoals dit gerecht in de deelstaat Jalisco wordt genoemd, is een populaire streekspecialiteit uit het westen van Midden-Mexico. Het staat elke dag op het menu van de *fondas* op de *mercado Libertad* in Guadalajara. Ik heb in boeken recepten gevonden van een Noordmexicaanse *pipián* bereid met geroosterde maïskorrels, zaden en chilipepers, maar in openbare eetgelegenheden ben ik deze rustieke versie nooit tegengekomen. In Tamiahua, in de deelstaat Veracruz, en in Tampico bestaat een grove groene pipián die vrijwel uitsluitend van pompoenzaden wordt gemaakt; de saus wordt puur geserveerd bij *enchiladas,* maar bij vis mengt men haar vaak met room. Puebla kan bogen op twee *pipiáns:* een rode bereid met gedroogde chilipepers en een groene bereid met *tomatillos,* verse groene chilipepers en kruiden. Laatstgenoemde versie is in feite het Pueblaanse equivalent van de *mole verde* die elders in Mexico opgang maakt. Aangezien pompoenzaden een veelgebruikt ingrediënt zijn in de regionale keuken van Yucatán, ligt het voor de hand dat ook daar een *pipián* bestaat. De Yucatánse variant, die tomaten, *epazote* en allerhande specerijen bevat, wordt echter gebonden met *masa.*

Keukentaal en -historie

» *Pipián* is een van de oudste gerechten van Mexico. De monnik Sahagún schreef in het midden van de 16e eeuw: '...Wat de nobelen aten: ...kalkoen met rode chilipepers; ... sauzen van gewone tomaten en kleine tomaten en gele chilipepers of van tomaten en groene chilipepers; ...grijze vis met rode chilipepers, tomaten en gemalen pompoenzaden...' In Midden-Mexico vormen de opgesomde ingrediënten nog steeds het fundament van de regionale keuken en *pipián* is een van de meest verfijnde gerechten uit die keuken. Net als de *mole verde* dankt *pipián* zijn consistentie, textuur en nootachtige smaak aan het gebruik van fijngemalen zaden (pompoen- of sesamzaad en/of pinda's) en dat is vermoedelijk de reden waarom de Spanjaarden dit aloude Indiaanse gerecht een naam hebben gegeven die qua klank verwant is aan '*pepita*', het Spaanse woord voor 'zaad'.

BOVEN HOUTSKOOL GEROOSTERDE KIP ZOALS IN SINALOA

Pollo a las Brasas, Estilo Sinaloense

De grilltentjes zijn te vinden op belangrijke kruispunten en langs de wegen aan de rand van de steden en stadjes in Sinaloa. De houtskool gloeit in een ommuurde bak en zo'n halve meter daarboven bevindt zich het rooster waarop half ontbeende kippen worden dichtgeschroeid en gaar geroosterd. Als er al zitgelegenheid is, dan bestaat die uit klapstoeltjes en campingtafeltjes, maar meer heb je niet nodig voor een gedenkwaardige picknick bestaande uit *pollo a las brasas* ('kip op de gloeiende kooltjes'), geroosterde jonge uitjes (pag. 325), *salsa mexicana* (pag. 35) en warme tortilla's.

Thuis zou u er *frijoles charros* (pag. 316), geroosterde maïskolven (pag. 318) of courgettes met geroosterde pepers, maïs en room (pag. 320) bij kunnen geven. Als voorafje zou u krokante, met vlees gevulde *empanadas* (pag. 167) kunnen serveren en als nagerecht Mexicaans chocolade-ijs (pag. 352). Bij zo'n maaltijd kunt u het best bier of Mexicaanse sangría (pag. 377) drinken. In onderstaand recept, dat een variant is van een recept uit het blad 'Gastrotur', wordt de kip gemarineerd in een kruidige knoflookmarinade.

Voor 6-8 personen:

>   2 flinke kippen van elk ca. 1500 gram

voor de marinade:
>   1 kleine ui, gepeld en grof gesneden
>   8 knoflookteentjes, gepeld en grof gesneden
>   3 1/2 dl vers geperst sinaasappelsap
>   gedroogde tijm, marjolein en oregano, van elk 1/2 theelepel
>   4 laurierblaadjes, grof verkruimeld
>   1 royale theelepel zout
>   1/2 theelepel vers gemalen zwarte peper

1. *De voorbereidingen*: Maak, met een groot, zwaar koksmes, een diepe snee aan weerskanten van de wervelkolom, dwars door het heupgewricht en de ribben (of knip de wervelkolom los met een wildschaar). Verwijder de wervelkolom (bewaar hem voor de bereiding van kippebouillon). Leg het restant van de kip met het vel naar boven op een plank en druk krachtig op het midden tot de kip volledig plat is en het borstbeen loszit. Voor een optimale presentatie kunt u een klein sneetje maken aan de binnenkant van elk 'dijbeen', zoveel mogelijk naar onderen, en daar het uiteinde van de drumstick in duwen (dit voorkomt dat de bouten tijdens het roosteren omhoogkomen). Behandel de tweede kip op dezelfde manier en leg beide kippen in een grote schaal.
2. *De marinade*: Pureer de ingrediënten voor de marinade in een blender of foodprocessor, giet het mengsel over de kippen en wrijf de marinade goed in het vel. Dek de schaal af met folie en laat de kippen minstens 4 uur (maar liever een hele nacht) marineren in de koelkast. Draai de kippen zo nu en dan om.

3. *Het roosteren van de kippen:* Steek de barbecue zo'n 5 kwartier voordat u de kippen wilt serveren aan. Leg, zodra de houtskool niet meer brandt maar gloeit, een rooster op de barbecue – ca. 20 cm boven de houtskool – en bestrijk het rooster met een waasje olie. Leg de kippen op het rooster, met de velkant naar boven en rooster ze 35-45 minuten; draai de kippen zo om de 10 minuten om en bestrijk ze regelmatig met de marinade. Controleer de gaarheid door met de punt van een mes in het dikste deel van een van de bouten te prikken; als het vocht dat naar buiten parelt helder is (niet roze!), is het vlees gaar. Leg eventueel tijdens de laatste 10 minuten de jonge uitjes (zie pag. 325) op het rooster. Verdeel elke kip in vier stukken, leg de stukken op een voorverwarmde schaal en serveer direct.

KEUKENNOTITIES
Voetnoot van de vertaalster
» *De hoeveelheden:* Met 'theelepel' wordt de internationale standaardtheelepel met een inhoud van 5 gram bedoeld en niet het Nederlandse theelepeltje van 3 gram.

(Voor)bereidingstijd
» Begin ca. 5 uur van tevoren met het panklaar maken en marineren van de kippen. De bereiding zelf vergt, inclusief het wachten tot de houtskool op temperatuur is, ca. 5 kwartier. Desgewenst kunt u de kippen 1 of 2 dagen van tevoren in de marinade leggen, maar rooster ze op het laatste moment, want dan zijn ze het lekkerst.

TRADITIONELE VARIATIE
» *Geroosterde kip met een andere marinade:* Maak de kippen panklaar zoals beschreven in het recept (stap 1). Maak de marinade als volgt: Stamp 1/4 theelepel korianderzaadjes, 1/4 theelepel zwarte peperkorrels, 1 stukje pijpkaneel van 1 1/2 cm, 1 à 2 kruidnagels en 1 laurierblaadje fijn in een vijzel (of maal ze tot poeder in een specerijenmolentje). Meng het poeder met 1 theelepel zout, 1 theelepel gemengde gedroogde kruiden, 2 theelepels paprikapoeder, 1 1/4 dl azijn en 4 geroosterde, ontvelde en fijngemaakte knoflookteentjes. Ga verder te werk volgens de aanwijzingen in het recept.

EIGENTIJDSE VARIATIE
» *Boven houtskool geroosterde piepkuikens:* Vervang de kippen door 6-8 piepkuikens ('*poussins*'). Maak de kuikens panklaar zoals beschreven in het recept (stap 1). Maak de marinade en marineer de piepkuikens volgens de aanwijzingen in stap 2 en rooster ze 25-30 minuten.

GEKRUIDE KIPKARBONADES IN *ESCABECHE*
Pollo en Escabeche

Dit is een van de populairste specialiteiten van Yucatán. De kip (of kalkoen) wordt eerst gepocheerd, vervolgens ingesmeerd met een knoflook-specerijenpasta, daarna krokant gebakken en ten slotte, bedekt met gesmoorde uien en chilipepers, geserveerd in haar eigen kruidige bouillon.

Aangezien dit kipgerecht historische banden heeft met de stad Vallodolid (het wordt ook wel *escabeche de Valladolid* of *escabeche oriental* genoemd), heb ik mijn recept gebaseerd op de smakelijkste versie die ik in die stad heb gegeten. Maar in plaats van een hele kip gebruik ik kipkarbonades omdat die goed bestand zijn tegen de vrij gecompliceerde bereiding.

Serveer dit simpele gerecht met knapperig (stok)brood en een gemengde groentesalade (pag. 96). Als u het gerecht als onderdeel van een menu wilt serveren, geef dan krokante *masa*-schuitjes (pag. 190) als voorgerecht en zelfgemaakt ijs (pag. 352) als dessert. Dranken: bier of een koele drank van tamarinde (pag. 361).

Voor 4 personen:

> 8 kipkarbonades, eventueel ontbeend (zie pag. 258)
> 1/4 theelepel grof gemalen zwarte peper
> 1/2 theelepel komijnzaadjes
> 1/2 theelepel gedroogde oregano
> 2 laurierblaadjes
> 6 knoflookteentjes, gepeld en doormidden gesneden
> 1 theelepel zout

voor de afwerking:
> 1 1/2 eetlepel knoflook-specerijenpasta (pag. 73)
> 1 eetlepel bloem
> 1 ui, gepeld in ringen van ca. 3 mm dikte gesneden
> 4 lange (10 cm) verse *chiles xcatiques*, geroosterd en ontveld (pag. 390), van zaadjes en zaadlijsten ontdaan en in lange, smalle reepjes gesneden (zie Keukennotities)
> 4 eetlepels reuzel of plantaardige (olijf)olie
> 4 eetlepels ciderazijn
> zout, eventueel

1. *Het pocheren van de kipkarbonades*: Breng 1 3/4 liter water aan de kook in een grote pan en voeg de kipkarbonades toe (voeg eventueel, als de kip niet volledig onderstaat, wat extra water toe). Schep het schuim af dat komt bovendrijven en voeg, zodra er geen nieuw schuim meer wordt gevormd, de peper, komijnzaadjes, oregano, laurierblaadjes, knoflook en het zout toe. Leg een deksel schuin op de pan en pocheer de kipkarbonades 23 minuten (als ze ontbeend zijn is 20 minuten voldoende). Neem de pan van het vuur en laat de kip afkoelen in de bouillon. Leg de kipkarbonades daarna met het vel naar boven op een plank. Zeef de bouillon, ontvet hem en meet 6 dl af (de rest kan worden ingevroren voor toekomstig gebruik).

2. *Het aanbrengen van de knoflook-specerijenpasta*: Wacht tot het vel van de karbonades droog is. Verdeel dan 1 eetlepel knoflook-specerijenpasta over de bovenkant en strijk de pasta uit met een kwastje (of met uw vingers). Laat het geheel zo 1 uur staan.

3. *De afwerking*: Bestuif de bovenkant van de karbonades ca. 25 minuten voordat u het gerecht wilt serveren met bloem. Klop de bloem lichtjes in het vel. Spoel de uiringen onder de koude kraan en laat ze goed uitlekken.

Verhit een grote koekepan op een matig hoog vuur en voeg de reuzel of olie toe. Leg de kipkarbonades, zodra het vet heet is, met het vel naar onderen in de pan en bak ze ca. 4 minuten per kant, tot het vel krokant is. Laat de stukken kip uitlekken op keukenpapier en houd ze warm in de op de laagste stand voorverwarmde oven.

Zet de pan weer op het vuur en roerbak de uiringen en de reepjes chilipeper, tot de uiringen (na 4 à 5 minuten) zacht zijn. Voeg de azijn, de overgebleven 1/2 eetlepel knoflook-specerijenpasta en 6 dl bouillon toe en roer tot de pasta is opgelost. Laat het mengsel een paar minuten zachtjes pruttelen, zodat de smaken zich vermengen. Breng de dunne saus – indien nodig – op smaak met zout.

Verdeel de kipkarbonades over vier voorverwarmde diepe borden en schep de saus met de ui en chilireepjes erover. Serveer direct.

KEUKENNOTITIES

Technieken

» *Het insmeren en bakken van de kipkarbondes:* Als de pasta te stevig is om hem te kunnen uitsmeren, 'kneed' hem dan even met de bolle kant van een theelepel en voeg eventueel een paar druppels water toe. De pasta smeert nogal onregelmatig uit, maar als u de ingesmeerde stukken kip een tijdje laat drogen, hecht het laagje beter. Door de kipkarbonades met bloem te bestuiven voorkomt u dat ze aan de bodem van de pan vastplakken (gebruik bij voorkeur een goed ingebrande gietijzeren koekepan of een anti-aanbakpan). Bak de kip op een niet al te hoog vuur, anders verbrandt de kruidenpasta.

Ingrediënten

» *Chiles xcatiques:* Deze vrij milde, gele chilipeper is iets groter en langer dan de *chiles güeros* die elders in Mexico worden gebruikt. U kunt deze pepers met succes vervangen door 2 à 3 lichtgele of geelgroene Turkse of Marokkaanse pepers.

Voetnoot van de vertaalster

» *De hoeveelheden:* Met 'theelepel' wordt de internationale standaardtheelepel met een inhoud van 5 gram bedoeld en niet het Nederlandse theelepeltje van 3 gram.

(Voor)bereidingstijd

» Begin, in verband met het intrekken van de knoflook-specerijenpasta, een kleine 2 uur van tevoren met de voorbereidingen. Desgewenst kunt u de kipkarbonades 's ochtends pocheren en alvast met de kruidenpasta insmeren; bewaar ze in dat geval afgedekt in de koelkast. Breng de stukken kip (onafgedekt) in ca. 45 minuten op kamertemperatuur alvorens met stap 3 te beginnen.

TRADITIONELE VARIATIE

» *Escabeche van in reepjes gescheurde kip:* Ga te werk zoals beschreven in stap 1 en 2 van het recept. Bak de kip niet, maar bereid de saus volgens de aanwijzingen in stap 3. Laat de saus tot de helft inkoken, breng haar op smaak met zout. Leg de kipkarbonades met het vel naar onderen in de saus en laat het geheel afkoelen tot kamertemperatuur. Neem de karbonades uit de marinade, verwijder het vel en de botjes en scheur het vlees in smalle reepjes. Leg de reepjes in de saus terug. Warm het geheel weer op of serveer de *escabeche* op kamertemperatuur.

EIGENTIJDSE VARIATIE

» *Escabeche van boven houtskool geroosterde tonijn:* Bestrijk verse tonijnmoten met 2/3 van de knoflook-specerijenpasta, dek ze af met folie en leg ze 8 uur in de koelkast. Maak 6 dl visbouillon (pag. 67). Bak 1 in ringen gesneden rode ui en de chilipepers in 4 eetlepels olijfolie, zoals beschreven in stap 3. Voeg de azijn, de visbouillon en de rest van de kruidenpasta toe en laat het mengsel al roerende tot de helft inkoken. Bestrijk de tonijnmoten met olijfolie en rooster ze op de barbecue. Giet vlak voor het opdienen een paar lepels saus (plus de ui en de pepers) over de vis en serveer direct.

Keukengeschiedenis

» Geschiedschrijvers hebben vastgelegd dat de Spaanse veroveraars zich in 1538, precies 17 jaar nadat het Azteekse keizerrijk had opgehouden te bestaan, aan een feestelijk opgedekte tafel tegoed deden aan kleine vogeltjes geserveerd in een marinade-achtige saus. Deze *escabeche*, die nu een streekspecialiteit is van Yucatán, was een gerecht uit hun moederland. In de 450 jaar die sindsdien zijn verstreken heeft de bereidingswijze – ondanks omwentelingen op velerlei gebied en ondanks de opkomst van de mestiezen – nauwelijks enige verandering ondergaan.

KOKEN IN EEN VUURKUIL

De ogen van Eduardo Azcorra begonnen te glinsteren toen hij ontdekte dat ik het voedsel in Yucatán lekker vond. Het was de eerste keer dat ik op een kruk had plaatsgenomen in zijn overdekte kraam op een van de markten van Mérida om toe te kijken hoe hij *tamales colados* serveerde en grollen en grappen uitwisselde met zijn collega's, wier doen en laten hij scherp in de gaten hield, zoals mannen doen die hun hele leven met weinig tevreden moeten zijn. Hij had dun, grijzend haar, maar zijn enthousiasme verried een levendige geest. En als het gesprek over voedsel of politiek ging, stond hij – of de voertaal nu Spaans, Engels of de taal van de Maya's was – zelden met een mond vol tanden.

Hij kon me vertellen hoe je een kuil moet graven, de binnenkant ervan met stenen moet bekleden en hoe je op de bodem een vuur moet aanleggen. Hij legde me uit hoe je speenvarkens of kippen met *achiote* moet insmeren en wat de juiste geurige kruiden – vijge- en guavebladeren en wilde basilicum – zijn om op de houtskool te leggen. En hij deed uit de doeken hoe je het vlees in bananebladeren moet verpakken en hoe je de vuurkuil, nadat de pakketjes op het rooster in de kuil zijn gelegd, moet afdekken met sisal zakken en aarde, zodat het vlees als het ware ondergronds wordt gaar gestoomd.

Er is weinig verschil tussen de bereidingsmethode die hij beschreef en die van de beroemde lams-*barbacoa* uit Midden-Mexico. Het belangrijkste verschil is dat in Yucatán andere kruiden en specerijen worden gebruikt en dat het vlees in soepele, gemakkelijk te hanteren bananebladeren wordt verpakt in plaats van in stugge magueybladeren. Tegenwoordig worden de pakketjes echter nog maar zelden in een vuurkuil bereid. Stoompannen en ovens hebben de aloude vuurkuil vervangen. Het voedsel smaakt daardoor niet meer naar vuur en rook, maar de moderne bereidings-methode is voor de meeste mensen wèl zo makkelijk (en zeker voor hen, die net als ik, niet eens een tuin hebben om een gat in te kunnen graven).

Ik ben recepten tegengekomen waarin de lezer wordt aangeraden de gestoomde pakketjes op te warmen boven gloeiende houtskool, zodat het vlees alsnog een rooksmaak krijgt. Hoewel ikzelf nog nooit *pollo* of *cochinita pibil* heb gegeten die daadwerkelijk in een vuurkuil was bereid, lijkt dit advies me enigszins overbodig, want het vlees smaakt ook zonder dat al prima. In *pollo* en *cochinita pibil* worden de exotische smaken van *achiote* en specerijen in balans gehouden door het frisse zuur van bitter sinaasappelsap en het kruidige aroma van bananebladeren. Ook in nevenstaand recept, dat gebaseerd is op de versie van Señor Azcorra, vindt u deze traditionele combinatie van geuren en smaken terug.

Keukentaal

» Het Maya-woord *pib* heeft, volgens de gezaghebbende *Diccionario de mejicanismos*, zowel betrekking op de bereidingsmethode – ondergronds of in een moderne oven – als op de vuurkuil zelf. Het wordt soms zelfs gebruikt als generieke term voor geroosterd voedsel. Maar bij de meeste inwoners van Yucatán roept het woord nog steeds associaties op met primitieve vuurkuilen, met *achiote*-pasta ingesmeerd vlees en geurige bananebladeren.

MET ACHIOTE GEKRUIDE KIP GESTOOMD IN BANANEBLAD

Pollo Pibil

Dit gerecht behoort tot de glories van de Mexicaanse keuken. *Pollo pibil* dankt zijn faam niet alleen aan de rustieke marinade en de verpakking van geurig bananeblad, maar ook aan de manier waarop het kippevlees wordt gecombineerd met geroosterde chilipepers, verse tomaat en gemarineerde uien. Het gerecht heeft geen andere begeleiding nodig dan dampend hete maïstortilla's. Als voorgerecht zou u een romige maïssoep (pag. 107) kunnen serveren en als nagerecht kruidige gepocheerde guaves (pag. 348) of verse vruchten.

Voor 4 personen:

4 enkele kipfilets of het borstgedeelte van 2 kippen, panklaar gemaakt volgens de aanwijzingen op pag. 258 en ter hoogte van het borstbeen in tweeën gesneden.
4 kipkarbonades, ontdaan van het vel en eventueel ontbeend (zie pag. 258)
4 eetlepels (ca. 3/4 dl) *achiote*-kruidenpasta (pag. 72)
6 eetlepels (1 dl) bitter sinaasappelsap (pag. 393)
1/2 theelepel zout
4 rechthoekige stukken bananeblad van 30 x 45 cm
3 eetlepels reuzel of plantaardige olie
1 ui, gepeld en in ringen van ca. 3 mm dikte gesneden
4 lange verse *chiles xcatiques*, geroosterd en ontveld (pag. 390), van zaadjes en zaadlijsten ontdaan en in de lengte in smalle reepjes gesneden (zie Keukennotities)
ca. 2 eetlepels plantaardige olie voor het invetten van de bananebladeren
1 grote tomaat, in 8 plakjes gesneden
1/2 hoeveelheid gemarineerde uiringen (pag. 52)

1. *Het marineren van de kip*: Leg de kipfilets of de halve kippeborsten samen met de kipkarbonades in een kom. Meng de *achiote*-pasta met 4 eetlepels bitter sinaasappelsap en 1/2 theelepel zout (als de pasta erg korrelig is uitgevallen, kunt u hem na het mengen nogmaals pureren in de blender). Schep het mengsel over de kip en meng alles goed. Dek de schaal af met folie en marineer de kip minstens 4 uur (maar liever langer) in de koelkast. Bewaar de rest van het sinaasappelsap in de koelkast tot u de pakketjes gaat maken.

2. *De overige voorbereidingen*: Knip de bladeren zoals beschreven op pag. 200 en maak de stukken soepel in een stoompan of boven de gasvlam. Knip uit de restanten 8 linten van ca. 45 cm (of gebruik stukjes keukentouw van die lengte).

   Verhit de reuzel of olie in een middelgrote koekepan en fruit de uiringen mooi goudbruin op een matig hoog vuur. Doe de ui met bakvet en al in een kommetje, voeg de reepjes chilipeper toe en meng alles goed.

3. *De pakketjes*: Leg de stukken bananeblad met de glanzende kant naar boven op het werkvlak en bestrijk ze met een beetje olie. Leg op het midden van elk blad een halve kipfilet en een kipkarbonade, schep hierop 1/4 van het ui/chilipeper-mengsel en leg daarop 2 plakjes tomaat. Besprenkel het geheel met het overgebleven sinaasappelsap, de marinade en het in de kom achtergebleven bakvet van de uien.

   Maak de pakketjes als volgt: Vouw de smalle uiteinden van het bananeblad over de vulling naar het midden en tegen elkaar aan en vouw ze samen tweemaal om, zodat vlak boven de vulling een dubbele vouw wordt verkregen. Vouw nu de zijkanten over de vulling en bind elk pakketje dicht met 2 bananebladlinten of stukjes keukentouw.

Kip en toebehoren op het midden van bananeblad

Het dichtmaken met een dubbele vouw

Het samenvouwen van de twee korte zijden

4. *Het stomen van de pakketjes*: Breng, ca. 40 minuten voordat u de kip wilt serveren, een laagje water aan de kook in het onderste deel van een grote stoompan (zie pag. 200). Leg de pakketjes in het bovenste deel van de pan, zet de beide delen op elkaar en leg het deksel erop. Stoom de pakketjes 30-35 minuten op een matig hoog vuur. Maak een van de pakketjes open om te controleren of de kipkarbonade gaar genoeg is.

5. *De presentatie*: Leg de pakketjes op voorverwarmde borden. Knip de linten of touwtjes door, vouw het bananeblad voorzichtig open (zorg dat de sappen niet uit de verpakking ontsnappen) en vouw de uiteinden naar onderen. Bedek de vulling met gemarineerde uiringen en serveer direct.

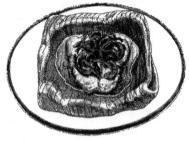

De presentatie van pollo pibil

Het dichtgevouwen en ongebonden pakketje

KEUKENNOTITIES

Technieken

» *Het bereiden van voedsel in bananeblad*: Het blad geeft extra smaak aan de sappen die in de verpakking opgesloten zitten. Mocht een van de pakketjes blijken te lekken, leg het dan in een van aluminiumfolie gevouwen 'lekbakje'.

» *Pollo pibil in 'grootverpakking'*: Als u geen tijd hebt om kleine pakketjes te maken, kunt u de kip bereiden in een metalen taartvorm die iets kleiner is dan het stoomgedeelte van uw stoompan, zodat de stoom rondom de vorm vrij spel heeft. Bekleed de vorm met een op maat geknipt stuk bananeblad (met de glanzende kant naar boven) en leg hierop twee grotere stukken die elkaar in het midden een klein stukje overlappen en waarvan de uiteinden royaal over de rand hangen. Bestrijk de bladeren met olie, leg de stukken kip en de overige ingrediënten erop en vouw de uiteinden van de bananebladeren over het geheel. Dek het geheel af met een tweede op maat geknipt stuk bananeblad en een 'deksel' van dubbelgevouwen aluminiumfolie. Stoom de kip zoals beschreven in het recept.

Ingrediënten

» *Bananebladeren*: Als bananebladeren werkelijk niet te krijgen zijn, kunt u de stukken kip met toebehoren verpakken in aluminiumfolie of bakpapier, het eindresultaat zal beslist goed smaken, maar niet hetzelfde aroma hebben als de authentieke *pollo pibil*.

» *Chiles xcatiques*: Deze vrij milde, gele chilipeper is iets groter en langer dan de *chiles güeros* die elders in Mexico worden gebruikt. U kunt deze pepers met succes vervangen door 2 à 3 lichtgele of geelgroene Turkse of Marokkaanse pepers.

(Voor)bereidingstijd

» Maak de gemarineerde uien een dag van tevoren. Als de kip eenmaal gemarineerd is, vergt de rest van de bereiding ongeveer 1 1/2 uur: 1 uur voor het maken van de pakketjes en 1/2 uur voor het stomen. U kunt de stukken kip desgewenst een paar dagen in de marinade laten liggen en de pakketjes enkele uren van tevoren maken, maar het stomen zelf moet op het laatste moment gebeuren.

TRADITIONELE VARIATIES

» *Cochinita pibil:* Deze variant met varkensvlees is maar een fractie minder populair dan de versie met kip. Ga te werk zoals beschreven in de stappen 1 en 2 van het recept, maar vervang de kip door ca. 600 gram ontbeende, in plakken of grote dobbelstenen gesneden varkensschouder. Bekleed een grote braadpan met twee stukken banane-blad (met de glanzende kant naar boven) en bestrijk ze met olie. Leg hierop het vlees en de overige ingrediënten (zie stap 3). Bestrijk de glanzende kant van de twee overgebleven stukken bananeblad met olie en leg ze met de met olie bestreken kant naar onderen op het vlees; vouw de uiteinden naar binnen, zodat het vlees en de andere bestanddelen goed ingepakt zijn. Leg het deksel op de pan en stoof het vlees ca. 2 1/2 uur in de op 180° C voorverwarmde oven, tot het vlees door en door zacht is.

» *Vis in bananeblad (nac cum):* Vervang de kip door 600-750 gram visfilets (heilbot, zeebaars, kabeljauw of een andere niet-vette vissoort met wit visvlees). Ga verder te werk volgens de aanwijzingen in het recept, maar bestrooi de vis met een beetje fijngehakte platte peterselie alvorens de pakketjes dicht te vouwen. Stoom de vis gaar in ca. 20 minuten.

BARBACOA VAN KIP

Barbacoa de Pollo, Estilo Guerrerense

In het zuiden van Mexico verstaat men onder *barbacoa* meestal niet de in maguey-bladeren verpakte en in een vuurkuil bereide hompen lamsvlees die een specialiteit zijn van Midden-Mexico, maar met chilipasta gemarineerd geitevlees dat gaar gestoomd wordt op een bedje van avocadobladeren (die een licht anijsaroma hebben). Dit vlees wordt op de markten verkocht als vulling voor speciale taco's. In de deelstaat Guerrero wordt, met name in het weekeinde, ook wel eens kip gebruikt in plaats van geitevlees.

In het oorspronkelijke recept, dat ik kreeg van een marktvrouw in Tixtla, Guerrero, wordt een hele kip gebruikt, maar ik vind het handiger om kipfilets en (uitgebeende) kipkarbonades te verwerken, omdat de kip dan probleemloos in vier porties kan worden verdeeld. Onderstaand gerecht is bij uitstek geschikt voor een etentje in de tuin. Geef er Mexicaanse rijst (pag. 306), warme maïstortilla's, verse groene *tomatillo*-saus (pag. 37), fijngehakte rode uien en een gemengde-groentesa-lade (pag. 96) bij en als drank bier of een gekoelde *agua de jamaica* (pag. 360). Als nagerecht adviseer ik de pecannotentaart van pag. 339.

Voor 4 personen:

50-60 gram gedroogde *chiles guajillos* (zie Keukennotities)
2 1/2 eetlepel sesamzaadjes
1 stukje pijpkaneel van ca. 1 1/2 cm (of 1/2 theelepel kaneelpoeder)
3 kruidnagels (of een flinke mespunt gemalen kruidnagel)
1/2 theelepel zwarte peperkorrels (of een krappe 1/2 theelepel gemalen peper)
1/2 ui, gepeld en grof gehakt
4 knoflookteentjes, gepeld en grof gehakt
2 eetlepels ciderazijn
1 1/2 eetlepel reuzel of plantaardige olie
zout
4 enkele kipfilets of het borstgedeelte van 2 kippen, panklaar gemaakt volgens de aanwijzingen op pag. 258 en ter hoogte van het borstbeen in tweeën gesneden
4 kipkarbonades, eventueel uitgebeend (pag. 258)
15 avocadobladeren (zie Keukennotities)

1. *De chilipasta:* Verwijder de steeltjes, breek de chilipepers open en schud de
zaadjes eruit. Verwijder de zaadlijsten en houd ze even apart. Scheur de pepers
in platte stukken. Verhit een vlakke grillplaat of zware koekepan op een matig
hoog vuur en rooster de stukken chilipeper met een paar stuks tegelijk. Druk
ze met een metalen spatel een paar seconden tegen de hete plaat of panbodem
tot ze knisperen en verkleuren, draai ze om en rooster de andere kant op dezelfde manier. Doe de pepers in een kom, overgiet ze met kokend water, leg er
een schoteltje op zodat ze ondergedompeld blijven en laat ze zo 30 minuten
weken.
   Rooster de sesamzaadjes al roerende mooi goudbruin op de grillplaat of in
de koekepan en doe ze in de kom van een blender. Rooster de zaadlijsten van
de chilipepers een paar tellen en doe ze eveneens in de blender. Maak de specerijen fijn in een vijzel of specerijenmolentje en doe ze in de blender. Voeg ook
de ui, de knoflook, de azijn en 1 1/4 dl water toe. Laat de chilipepers uitlekken en doe ze in de blender. Maal de massa tot een gladde pasta; schakel de
machine regelmatig uit, schraap de bestanddelen die aan de wand kleven naar
onderen en laat de machine weer draaien. Voeg alleen extra water toe als het
echt niet anders kan (bijv. als de mesjes voortdurend vastlopen). Wrijf de inhoud van de blender door een middelfijne zeef en vang de pasta op in een kom.
   Verhit de reuzel of olie in een steelpannetje, voeg als het vet heet is de chilipasta toe en bak de pasta al roerende tot hij – na 4-5 minuten – donker en dik
is. Breng de pasta op smaak met 1/2 theelepel zout en laat hem afkoelen.
2. *Het marineren van de kip:* Doe de kipfilets en de kipkarbonades in een grote
kom, voeg de chilipasta toe en meng alles grondig. Zet de kom afgedekt in de
koelkast en laat de stukken kip een paar uur (of een hele nacht) marineren.
3. *Het stomen van de kip:* Breng in het onderste deel van een grote stoompan (zie
pag. 200) 3/4 liter water aan de kook. Bekleed het stoomgedeelte met de helft
van de avocadobladeren. Leg hierop de stukken kip en besprenkel ze met de in
de kom achtergebleven marinade. Bedek de kip met de rest van de avocadobladeren. Zet de beide delen van de pan op elkaar, leg een deksel op de pan en
stoom de kip 25 minuten op een matig hoog vuur.

4. *De afwerking en presentatie*: Verwijder de bovenste laag bladeren, neem de stukken kip uit het stoomgedeelte en leg ze even op een bord. Verwijder het stoomgedeelte en doe de avocadobladeren in het water in het onderste deel van de pan. Laat het vocht op een hoog vuur inkoken tot er ca. 1/2 liter over is. Neem de pan van het vuur en breng het vocht op smaak met een beetje zout.

Leg de stukken kip in het vocht en laat ze 3 à 4 minuten doorgaren op een laag vuur. Draai de stukken dan om en laat ze nog een minuut of twee meewarmen, tot het grootste deel van de marinade in het vocht is opgelost. Serveer de stukken kip in diepe borden, overgoten met een deel van het geurige vocht.

Avocadobladeren (hojas de aguacate)

KEUKENNOTITIES

Technieken

» *Het verwerken van de zaadlijsten van chilipepers*: Een groot deel van de capsaïcine (de stof die verantwoordelijk is voor de 'hitte' van chilipepers) zit opgeslagen in de zaadlijsten, reden waarom die, samen met de zaadjes, meestal uit de pepers moeten worden verwijderd. Maar soms worden de zaadlijsten, in kleine hoeveelheden, gebruikt om een gerecht iets pittiger te maken.

» *Het stomen van met chilipasta ingewreven kip*: De chilipasta verandert tijdens het stomen in een dof, weinig appetijtelijk ogend laagje. Door de stukken kip na het stomen even in het vocht te leggen dat zich in onderste deel van de stoompan bevindt, lost een deel van de marinade op in het vocht. De stukken kip ogen daardoor aantrekkelijker en het vocht krijgt meer smaak.

» *Het stomen van de kipfilets*: Als u, net als ik, wilt dat de filets mals en sappig blijven, leg ze dan 10 minuten later in de pan dan de kipkarbonades.

Ingrediënten

» *De kip*: In dit recept heb ik kipkarbonades en kipfilets (of gedeeltelijk ontbeende kippeborsten) gebruikt omdat kant-en-klare kipdelen zowel gemakkelijker te bereiden als te eten zijn. Maar u kunt natuurlijk ook een in vier stukken verdeelde hele kip gebruiken.

» *Avocadobladeren*: Deze zijn uiteraard uitsluitend verkrijgbaar in streken waar avocado's groeien. Ik heb echter een bruikbaar alternatief bedacht: bekleed het stoomgedeelte met slabladeren en verdeel hierover 20 laurierblaadjes; leg hierop de stukken kip. Voeg aan het water in het onderste deel van de stoompan 1/2 theelepel gekneusde anijszaadjes toe en stoom de kip zoals beschreven in stap 3. Zeef het vocht (om de anijszaadjes te verwijderen) alvorens de stukken kip erin te leggen.

Voetnoot van de vertaalster

» *De hoeveelheden*: Met 'theelepel' wordt de internationale standaardtheelepel met een inhoud van 5 gram bedoeld en niet het Nederlandse theelepeltje van 3 gram.

(Voor)bereidingstijd

» Het maken van de chilipasta en het marineren van de kip vergt minstens 4 uur. De bereiding zelf neemt zo'n drie kwartier in beslag. U kunt de kipdelen desgewenst 1 à 2 dagen in de marinade laten liggen, maar het stomen moet op het laatste moment gebeuren.

TRADITIONELE VARIATIES

» *In reepjes gescheurde barbacoa van kip voor taco's*: Bereid de kip zoals beschreven in het recept. Laat het vocht in het onderste gedeelte van de stoompan inkoken tot 1/4 liter. Verwijder het vel en eventueel nog aanwezige botjes en scheur het kippevlees in smalle reepjes. Doe de reepjes in het ingekookte vocht en gebruik het als vulling voor taco's. Geef er verse groene *tomatillo*-saus (pag. 37) bij en fijngehakte rode ui.

» *Barbacoa van lams- of geitevlees*: Vervang de kip door een geitebout van ca. 2 kilo of een lamsschouder van ca. 1 1/2 kilo. Stoom het vlees gaar in ca. 3 uur (vul het water in het onderste deel van de stoompan regelmatig bij). Verwijder de botten en verdeel het vlees in vrij grote stukken; verwarm de stukken in het vocht volgens de aanwijzingen in stap 4.

Aardewerken kan en mokken bestemd voor café de olla

VLEES
Carnes

Boven houtskool geroosterde jonge geitjes (cabritos) in Monterrey

Via een gele metalen deur betraden we de *adobe* van María Lara de García, wier roze geschilderde huiskamer tweemaal per week dienst deed als *pozole*-lokaal. We bevonden ons in Almolonga, in de deelstaat Guerrero. Hoewel het pas kwart voor zeven in de ochtend was, leek het wel lunchtijd. Iedereen was op, aangekleed en klaar met de huishoudelijke karweitjes. Ook de *pozole*, die in een reusachtige ketel op een smeulend vuurtje had staan pruttelen, was klaar en terwijl de grote eettafel op z'n plaats werd geschoven, arriveerden de eerste gegadigden voor een portie van deze rijke, voedzame soep van voorgekookte maïs en varkensvlees.

Deann en ik waren de zondag daarvoor aangekomen. We waren vanuit Chilpancingo, waar het warm was, over de eerste bergkam gereden, waarna we al kronkelend verder waren geklommen tot aan de onverharde weg die naar het dorp voerde. Het dorp lag enigszins verscholen in de kromming van een groene vallei; de huizen stonden verspreid langs een sterk glooiende helling en waren van elkaar gescheiden door een paar geplaveide straatjes en wat zandpaden. We waren doorgereden naar het iets hoger gelegen terrein achter de kerk waar het huis van onze vrienden Cliff en Sue Small zich bevond. Dankzij hen raakten we al snel ingevoerd in de culinaire gebruiken van de dorpsgemeenschap.

Een paar weken later stond ik om vier uur op en begaf ik mij in het schijnsel van een zaklantaarn op weg naar de García's. Te oordelen naar de wastobbe met bijna kokend water die op een mooi vlammend vuur op het erf stond, was Beto, de man van María, al een tijdje op. Weldra verschenen nog drie andere mannen op het erf, dat voornamelijk bestond uit paardeboxen, waterreservoirs en een groot slachtblok. Ze bonden een varken vast en nog geen half uur later was het dier geslacht, leeggebloed en schoongemaakt. Snel en routineus werd het populairste Mexicaanse slachtdier in onderdelen verdeeld: de kop was bestemd voor de *pozole* van de volgende dag, de poten voor de avondmaaltijd; de darmen en de pens werden in een van de ondiepe waterbakken gelegd en het hart, de lever en de nieren werden apart gehouden om zo snel mogelijk te worden verkocht.

Het was inmiddels half zeven en via de luidsprekers in het dorp werd het eerste bericht van de dag omgeroepen: 'Bij Señora María Lara zijn vers varkensvlees en varkensingewanden te koop en later op de dag ook *chicharrones* en bloedworst.' Vrijwel ogenblikkelijk verscheen een stoet vrouwen, gehuld in grote sjaals die ze hoog hadden opgetrokken om hun gezicht te beschermen tegen de ochtendkou. Ze zetten hun schalen, met daarin een afgepaste hoeveelheid pesos, op de tafel en zeiden dat ze terug zouden komen zodra de ingewanden in porties zouden zijn verdeeld. Het was María's taak het orgaanvlees in dobbelstenen te snijden en in de schalen te doen, zodat de vrouwen het vlees nog diezelfde dag in hun *almuerzo* konden verwerken. Buiten, op het erf, werd het zachte vet uit te buikholte verzameld om te worden uitgesmolten voor reuzel. De huid van het varken werd losgesneden en aan lijnen te drogen gehangen alvorens te worden gebakken voor de *chicharrones*. De voor- en achterbouten werden aan vleeshaken opgehangen boven een tafel. De rest van de ochtend werd doorgebracht met de bereiding van *morcillas* (heerlijke kleine, met munt en verse koriander gekruide bloedworstjes), *pozole* en *chicharrones*. María en haar hulpjes kookten in de openlucht. Haar fornuis bestond uit een soort massieve toonbank van klei met U-vormige dragers waarin de houtvuren werden aangelegd. Het was de volmaakte hittebron voor haar enorme potten (met een inhoud van zo'n 100 tot 150 liter), want, zoals María verklaarde, een *pozole* die niet in een grote hoeveelheid is gemaakt en niet de hele nacht op een smeulend vuurtje heeft staan sudderen, ontbeert dat kenmerkende, speciale smaakje.

Mexicaans varkensvlees staat bekend om z'n smaak en sappigheid. Het is de basis van de rijk gekruide *chorizo*, van gehaktballetjes en van de gehaktvullingen van *chiles rellenos* en pasteitjes. In heel Mexico wordt varkensvlees, zachtjes gebruind in z'n eigen vet, verwerkt tot verrukkelijke *carnitas*. Chiapas heeft zijn *cochito*, bestaande uit langzaam gebraden varkensvlees gemarineerd in een kruidige chilimarinade en Yucatán zijn *cochinita pibil*, waarbij het met *achiote* gekruide vlees in bananebladeren wordt gaar gestoomd. In bijna alle deelstaten wordt varkensvlees bereid in of geserveerd met een rode chili-*adobo*. In de Pueblaanse *tinga* wordt het vlees gaar gestoofd met tomaten en *chipotle*-pepers en in Noord-Mexico verwerkt men het vlees in een stoofschotel die *carne con chili colorado* wordt genoemd en soms ook in een met chilipepers gekruide stoof/braadschotel die *asado* heet.

In 1521 maakte het rund zijn entree in Mexico. De Spanjaarden hadden een aantal fokdieren meegebracht waarvan de eerste exemplaren werden uitgezet in Veracruz en op de centrale hoogvlakte. Het vee gedijde goed en de groeiende kuddes verspreidden zich gaandeweg meer naar het noorden. In de loop der tijden kreeg Noord-Mexico zelfs bekendheid vanwege de uitstekende kwaliteit van het rundvlees – vlees dat tegenwoordig overigens op de Amerikaanse manier in panklare stukken wordt verdeeld. In de rest van het land moet men zich doorgaans tevreden stellen met rundvlees van mindere kwaliteit. Sommige delen van het rund worden met de draad mee in dunne smalle repen gesneden die vervolgens worden gezouten (*cecina*) of gedroogd (*carne seca*). Andere delen worden langdurig gestoofd tot ze zacht en mals zijn. Buiten het noorden kom je maar een enkele keer een werkelijk goede biefstuk tegen; meestal betreft het een dunne, in de lengte gesneden plak ossehaas die op een hete grillplaat wordt dichtgeschroeid. Hoewel de kwaliteit van het rundvlees in Noord-Mexico doorgaans goed genoeg is om het vlees vers te kunnen eten, zijn (wellicht doordat in het gebied meer rundvlees wordt geproduceerd dan er wordt gegeten) gedroogd vlees alsook de gerechten die ervan worden gemaakt, zoals *machaca* en *machacado*, noordelijke specialiteiten geworden.

In het precolumbiaanse tijdperk, dat wil zeggen vóór de introductie van varkens en runderen, waren de Mexicanen voor hun eiwitvoorziening afhankelijk van bonen, maïs en amarantzaden en van het volop aanwezige wild. Tot op de dag van vandaag wordt op het schiereiland Yucatán en in de deelstaat Sonora veel hert gegeten. In Yucatán wordt het smaakrijke vlees veelal in een vuurkuil bereid; elders worden de malse stukken als biefstuk gebakken, terwijl de minder malse delen worden gedroogd. Tabasco is een waar eldorado voor liefhebbers van onalledaags wild; tot de lokale specialiteiten behoren *tepescuintle* (een soort waterzwijn) en gordeldier; beide dieren worden verwerkt in allerlei stoofschotels en rode chilisauzen. Een ander ongebruikelijk dier, de leguaan, is een streekspecialiteit uit Guerrero.

Boven houtskool geroosterde geit (*cabrito al pastor*) is een geliefd gerecht in het noordoosten van Mexico. In diezelfde streek, maar ook in het gebied ten zuiden ervan, wordt geitevlees ook wel gebraden dan wel zachtjes gaar gestoofd in *adobo* of geitebloed (*frittada*). Geitevlees speelt eveneens een rol in *barbacoa*, waarbij het in geurige bladeren verpakte vlees in een ondergrondse vuurkuil wordt gaar gestoomd. In Midden-Mexico bevinden zich grote openluchtrestaurants waar in magueybladeren verpakt lamsvlees in stenen putten wordt bereid; het vlees wordt geserveerd met een *salsa borracha* gemaakt van *chiles pasillas* en *pulque* (het gefermenteerde sap van de magueycactus). In de meeste gebieden is de vuurkuilmethode echter geëvolueerd tot een bovengrondse bereidingsmethode. In het westen van Midden-Mexico wordt gemarineerd lams- of geitevlees langzaam gegaard op een rooster in een hermetisch gesloten bak (het resultaat wordt *birria* genoemd); in de zuidelijke deelstaten wordt gemarineerde stukken geitevlees of hele kippen gestoomd in een verpakking van avocadobladeren en in Yucatán zijn het de in bananebladeren verpakte *pollo* en *cochinita pibil* waarvan de bereiding zich heeft verplaatst van een vuurkuil naar de oven of een stoompan.

Net als de Chinezen gebruiken de Mexicanen alle onderdelen van het dier, dus ook de ingewanden. Pens wordt in Midden-Mexico verwerkt in een populair gerecht dat *pancita* heet en in de rest van het land, maar vooral in het noorden, in de soep die de naam *menudo* draagt. Een mengsel van diverse organen vormt de basis van de bouillonachtige *chocolomo*, een streekgerecht uit Campeche en Yucatán, en van de sausachtige *chanfaina* die in diverse andere gebieden op het menu staat. Persoonlijk zal ik niet snel boven houtskool geroosterde *cabrito* eten zonder er *machitos* bij te bestellen; de zachte stukjes lever verpakt in de dunne darm behoren tot de gedenkwaardigste culinaire ervaringen die ik in Mexico heb opgedaan.

Zoals u kunt opmaken uit dit overzicht van specialiteiten, zijn de Mexicanen echte vleeseters. Vis en gevogelte worden naar waarde geschat (en op velerlei manieren bereid), maar vleesspecialiteiten maken pas werkelijk de dienst uit. Ik besef dat veel mensen tegenwoordig liever vis of kip eten, maar voor degenen die af en toe ook eens een mooi stuk vlees op het menu willen zetten, heb ik in dit hoofdstuk een aantal traditionele Mexicaanse vleesrecepten verzameld. Vleesrecepten die in andere hoofdstukken zijn ondergebracht vindt u onder het kopje 'Vlees' in het register.

GEBAKKEN STUKJES OSSEHAAS MET TOMATEN EN *CHILES POBLANOS*
Puntas de Filete a la Mexicana

Als in de naam van een gerecht de woorden 'a la Mexicana' voorkomen, betekent dat dat er typisch Mexicaanse produkten in verwerkt zijn, zoals de heilige drieëenheid van tomaten, uien en chilipepers. Dit eenvoudige gerecht van malse stukjes rundvlees gecombineerd met smakelijke, rijpe tomaten en geroosterde *poblano*-pepers is er een sprekend voorbeeld van.

De letterlijke vertaling van '*puntas de filete*' is 'puntjes van de ossehaas', dat wil zeggen de dunne uiteinden van de runderfilet. De Mexicanen nemen het echter niet zo nauw. Kwaliteitsbewuste restaurantkoks zullen inderdaad puntjes of in blokjes gesneden ossehaas gebruiken, maar overal waar het kostenaspect een rol speelt, gebruikt men doorgaans goedkoper vlees. *Bistec* ('biefstuk') verschijnt namelijk in vele gedaanten op de markt.

Hoewel *puntas de filete a la Mexicana* (en varianten daarvan) in heel Mexico deel uitmaken van het menurepertoire van restaurants en *cafetarías*, zijn ze het populairst in het noorden. Hieronder een gemakkelijk te maken recept, gebaseerd op de verfijnde versie die in het sjieke restaurant Fonda el Refugio in Mexico-Stad wordt geserveerd. Serveer de *puntas de filete* met een salade. In een drie-gangenmenu kunt u als voorgerecht gesmolten kaas met geroosterde pepers en *chorizo* (pag. 89) met warme tarwetortilla's geven en als nagerecht roomijs met karamel van geitemelk (pag. 342).

Voor 4 personen:

> 500 gram mals mager rundvlees, bijv. ossehaas, entrecôte, rosbief, staartstuk
> 2 verse *chiles poblanos* (zie Keukennotities), geroosterd, ontveld en van de zaadjes ontdaan (zie pag. 390)
> ca. 750 gram rijpe tomaten, geroosterd of gekookt (pag. 404), ontveld en van de kern ontdaan of 1 groot blik (à 8 dl) gepelde tomaten
> 2 à 3 eetlepels reuzel of plantaardige olie
> 1 ui, gepeld en fijngehakt
> 1 knoflookteentje, gepeld en fijngehakt
> 1/2 theelepel gemengde gedroogde kruiden (w.o. marjolein en tijm)
> 2 laurierblaadjes
> 1 1/2 dl runderbouillon
> zout

1. *Voorbereidingen*: Verwijder eventueel aanwezige vetrandjes en vliezen, snijd het vlees in dobbelstenen van ca. 2 cm en dep de blokjes droog met keukenpapier. Snijd de chilipepers in stukjes van ca. 1 cm. Snijd de tomaten overdwars doormidden en druk de helften zachtjes uit om het vocht en de zaadjes te verwijderen; snijd het vruchtvlees in kleine blokjes.
2. *Het aanbraden van het vlees*: Verhit de reuzel of de olie in een grote koekepan op een matig hoog vuur. Voeg, zodra het vet gloeiend heet is, de blokjes vlees toe en laat ze onder regelmatig omdraaien in ca. 4 minuten rondom dichtschroeien en bruin kleuren. Schep het vlees met een schuimspaan uit de pan en doe het in een kom; draai het vuur iets lager.
3. *De saus*: Fruit de uisnippers ca. 7 minuten in het achtergebleven bakvet, tot ze zacht zijn en lichtbruin beginnen te kleuren. Laat de knoflook ca. 1 minuut meefruiten en voeg dan de chilipepers, de tomaten, de gedroogde kruiden en de laurierblaadjes toe. Laat het mengsel onder regelmatig roeren zachtjes pruttelen tot de tomaten (na ca. 4 minuten) zacht zijn en het mengsel de consistentie heeft van een dikke vla. Giet de bouillon erbij en laat de saus nog 5 minuten zachtjes inkoken. Voeg dan het vlees en de opgevangen vleessappen toe en laat het geheel nog heel even doorwarmen. Verwijder de laurierblaadjes en breng de saus op smaak met zout. Serveer direct.

KEUKENNOTITIES

Technieken

» *Inkoop en bereiding van kwaliteitsprodukten*: Ik heb van dit gerecht volmaakte versies gegeten en versies die hoogst onappetijtelijk waren, met vlees dat in een half-hete pan was verhit en vervolgens nog een tijdje had mogen sudderen in het gezelschap van scherpe uien, smakeloze tomaten en een stuk of tien hete *serrano*-pepers... Twee punten zijn namelijk van essentieel belang: dat het vlees goed heet wordt aangebraden en dat u kwalitatief hoogwaardige ingrediënten gebruikt.

Ingrediënten

» *Het vlees:* Elk stuk rundvlees dat kan worden gebakken, gebraden of gegrilld is geschikt voor dit gerecht. Als u een minder malse vleessoort gebruikt, doe de aangebraden vleesblokjes dan tegelijk met de tomaten in de pan terug, leg na het toevoegen van de bouillon een deksel op de pan en laat het vlees in de saus sudderen tot het gaar is (15-20 minuten).

» *Chiles poblanos:* De verse *poblanos* kunnen worden vervangen door 2-3 lichtgroene Turkse of Mexicaanse pepers (geroosterd en ontveld) en zelfs door 3-4 scherpe groene pepers (*chiles serranos* of lomboks), van steeltjes en zaadjes ontdaan en in dunne ringetjes gesneden.

» *Tomaten:* Gebruik de beste tomaten die u kunt vinden, bijvoorbeeld ovale pruimtomaten (*pomodori*) of goed rijpe trostomaten. Als u geen goede tomaten kunt vinden, gebruik dan ontvelde tomaten uit blik; die zijn altijd beter van smaak dan waterige of onrijpe verse tomaten.

Voetnoot van de vertaalster

» *De hoeveelheden:* Met 'theelepel' wordt de internationale standaardtheelepel met een inhoud van 5 gram bedoeld en niet het Nederlandse theelepeltje van 3 gram.

(Voor)bereidingstijd

» De totale bereidingstijd bedraagt ca. 45 minuten. De voorbereiding en het aanbraden (stappen 1 en 2) kunnen desgewenst enkele uren van tevoren worden gedaan; begin in dat geval ca. 20 minuten voor het serveren met de bereiding van de saus.

TRADITIONELE VARIATIES

» *Stukjes ossehaas a la ranchera:* Maak ca. 1/2 liter gekookte tomaten-chilisaus (pag. 35). Snijd het vlees in dobbelstenen en braad ze aan volgens de aanwijzingen in de stappen 1 en 2. Fruit 1/2 in ringen gesneden ui en voeg, zodra de uiringen bruin zijn, 2 of 3 lichtgroene Turkse of Marokkaanse pepers (geroosterd, ontveld, van zaadjes ontdaan en in smalle reepjes gesneden), de tomaten-chilisaus en de bouillon toe en laat het geheel 10 minuten zachtjes pruttelen. Warm het vlees snel op in de saus en serveer direct.

» *Varkensvlees a la ranchera:* Vervang de ossehaas door 500 gram ontbeende varkensschouder (in dobbelstenen gesneden). Ga te werk zoals hierboven beschreven, maar voeg, tegelijk met de chili-tomatensaus, ook het aangebraden vlees toe. Leg een deksel op de pan en laat het vlees zachtjes sudderen tot het gaar is.

EIGENTIJDSE VARIATIE

» *Lamsvlees a la mexicana:* Snijd 500 gram lamsfilet in dobbelstenen. Braad het vlees aan zoals beschreven in stap 2 van het recept of laat het dichtschroeien boven gloeiende houtskool. Maak de saus volgens de aanwijzingen in stap 3, maar voeg – 1 à 2 minuten na het toevoegen van de knoflook – 2 eetlepels tequila toe; voeg, zodra het vocht grotendeels verdampt is, de tomaten, de chilipepers en 2 eetlepels fijngehakte verse koriander toe (ter vervanging van de gedroogde kruiden en de laurierblaadjes) en ga verder te werk zoals beschreven in het recept.

MEXICAANSE BIEFSTUK MET GARNITUUR

Carne asada a la Tampiqueña

Geen enkel restaurantgerecht is zo algemeen verkrijgbaar en 'typisch Mexicaans' als deze combinatie van dungesneden malse biefstuk, kruidige bonen, *guacamole*, *enchiladas* en licht gebruinde reepjes *poblano*-pepers of uiringen.

De schotel heeft in feite geen enkele binding met de havenstad Tampico maar dankt zijn naam aan een inwoner uit die stad: José Luis Loredo. Deze *tampiqueño*, die in de welvarende oliestad als ober had gewerkt, verhuisde in 1939 naar Mexico-Stad, waar hij de Tampico Club opende. Loredo's *carne asada a la tampiqueña* werd de belangrijkste specialiteit van dit etablissement. Hoewel er talloze varianten van bestaan, heb ik me gehouden aan de traditionele versie die in alle Loredorestaurants, waaronder de Colonial Loredo en Caballo Bayo, wordt geserveerd. Alleen de gegrillde stukjes kaas heb ik weggelaten, om de eenvoudige reden dat de gebruikte niet-smeltende kaas buiten Mexico niet verkrijgbaar is.

Maïs- of tarwetortilla's en een pittige saus – bijvoorbeeld rode chilisaus (pag. 38), *chipotle*-chilisaus (pag. 40) of *salsa mexicana* (pag. 35) – zijn alles wat u nodig hebt om van dit gerecht een complete maaltijd te maken. Drink er bier, *agua de jamaica* (pag. 360) of Mexicaanse sangría (pag. 377) bij. Als nagerecht zou u een taart van verse roomkaas (pag. 337) kunnen serveren.

Voor 4 personen:

> 4 zeer dunne haas- of kogelbiefstukken van elk ca. 150 gram of 4 dunne plakken gesne-
> den uit de muis of de lende (zie Keukennotities)
> ca. 2 eetlepels vers geperst limoensap
> 1/2 hoeveelheid gekookte bonen (pag. 312)
> ca. 1/2 liter gekookte *tomatillo*-saus (pag. 44)
> 1/2 hoeveelheid geroosterde *poblano*-reepjes (pag. 390), bereid met room of bouillon
> ca. 3 1/2 dl grove *guacamole* (pag. 47)
> 4 slabladeren (bij voorkeur bindsla)
> 4 radijsjes, in plakjes of roosjes gesneden
> 8 maïstortilla's
> 4-5 eetlepels plantaardige olie
> 50-60 gram verkruimelde Mexicaanse *queso fresco* (pag. 396) of een andere verse witte
> kaas, bijv. feta of verse geitekaas
> 2-3 eetlepels fijngehakte ui
> zout en vers gemalen zwarte peper

1. *De mise-en-place*: Leg de biefstukken in een zuurbestendige schaal en besprenkel ze aan beide kanten met limoensap. Dek de schaal af met folie en zet hem
   1-4 uur in de koelkast. Doe de gekookte bonen in een kleine pan en de
   tomatillo-saus in een andere pan. Dek beide pannen af en zet ze opzij. Doe
   de *poblano*reepjes in een kleine ovenschaal, dek de schaal af met folie en zet
   hem opzij.
2. *De overige voorbereidingen*: Maak de *guacamole* ca. 1 uur voor het serveren. Leg
   de slabladeren op een platte schaal, bedek elk blad met een bergje *guacamole*
   en garneer het geheel met plakjes radijs of een radijsroosje. Dek de schaal losjes af met plasticfolie en zet hem in de koelkast.

Leg de tortilla's als ze nog enigszins vochtig zijn naast elkaar op het werkvlak om ze te laten drogen (ze moeten leer-achtig aanvoelen). Verhit 4 eetlepels olie in een grote, zware koekepan op een matig hoog vuur. Wacht tot de olie zo heet is dat hij begint te sissen zodra de rand van een van de tortilla's ermee in aanraking komt. Bak de tortilla's een voor een ca. 3 seconden per kant om ze soepel te maken. Laat de tortilla's uitlekken op keukenpapier en leg ze op elkaar. Verpak het stapeltje in aluminiumfolie, leg het pakketje in de oven en draai de thermostaat op 200° C. Laat de koekepan nog even staan om er straks het vlees in de bakken. Zet de verse kaas en de gehakte ui klaar in kommetjes. Zet 4 hittebestendige borden en de schaal met de *poblano*-reepjes in de oven. Verwarm de bonen en de *tomatillo*-saus op een laag vuurtje.

3. *Het bakken van de biefstukken*: Dep de biefstukken droog met keukenpapier en bestrooi ze met zout en peper. Zet de koekepan op een matig hoog vuur, voeg eventueel nog 1 eetlepel olie toe. Wacht tot de pan goed heet is, leg dan de biefstukken erin en bak ze 1 1/2 à 2 minuten per kant, afhankelijk van de gewenste graad van gaarheid. Leg de biefstukken op een rooster (met een bord eronder om de sappen op te vangen) en houd ze warm in de oven (tijdens het 'rusten' ontspannen de spiervezels zich, waardoor de sappen zich gelijkmatig door het vlees verspreiden en niet weglopen als het vlees wordt aangesneden).

4. *De presentatie*: Haal de borden uit de oven en zet ze naast elkaar op het werkvlak. Leg op elk bord twee *enchiladas*: Neem een van de tortilla's uit de folie en leg haar op de zijkant van een van de borden, schep een beetje *tomatillo*-saus op het midden, vouw de tortilla dubbel en schep er nog een beetje saus over. Herhaal dit met een tweede tortilla (zorg dat de beide *enchiladas* elkaar gedeeltelijk overlappen) en bestrooi de bovenkant met verkruimelde verse kaas en gesnipperde ui. Leg de biefstukken naast de *enchiladas* en bedek ze met *poblano*-reepjes. Leg ten slotte de slabladeren met de *guacamole* op de borden. Serveer direct en zet bij elk bord een kom met gekookte bonen.

Carne asada a la tampiqueña

KEUKENNOTITIES

Technieken

» *Vlees bakken*: Goed dichtgeschroeide en mooi bruine biefstukken krijgt u door het vlees van tevoren zorgvuldig droog te deppen. Gebruik een grote koekepan (in een te kleine pan ligt het vlees te dicht op elkaar, waardoor het meer smoort dan bakt) en zorg dat de pan goed heet is op het moment dat u het vlees erin legt.

Ingrediënten

» *De biefstuk voor carne asada*: Het verschil tussen gewone biefstuk en de Mexicaanse biefstuk die voor *carne asada* wordt gebruikt, is dat de Mexicaanse versie evenwijdig aan de draad in dunne (6-8 mm) plakken wordt gesneden (zie 'harmonika-snijmethode' pag. 61). Het malse vlees van de ossehaas en de vinkenlap (zie pag. 153) is het meest geschikt voor deze snijmethode. Voor andere malse delen van het rund, zoals muis of lende, zou u de 'rol-snijmethode' kunnen gebruiken, waarbij een compact stuk vlees wordt getransformeerd tot een lange dunne strook. Hiervoor hebt u een stuk vlees nodig van ca. 8 cm hoog en breed. Houd het mes evenwijdig aan het werkvlak (en haaks op de 'draad') en snijd ca. 7 mm onder de bovenkant voorzichtig van rechts naar links door het vlees. Trek het mes los zodra u op ca. 7 mm van de rand bent en rol het stuk vlees een stukje om z'n as, zodat het deel dat u gesneden hebt aan de rechterkant naar beneden hangt. Breng het mes naar de plek waar u bent opgehouden en snijd opnieuw – ca. 7 mm onder de bovenkant – van rechts naar links door het vlees. Trek het mes weer los, rol het vlees weer een stukje om z'n as en ga daarna weer verder met snijden; ga zo door tot u een lange strook vlees van 7 mm dikte hebt verkregen. De strook hoeft nu alleen nog maar in vier stukken te worden gesneden.

» *Tortilla's*: zie pag. 406.

(Voor)bereidingstijd

» Doordat dit gerecht in wezen een combinatie is van verschillende gerechten, vergt de bereiding vrij veel tijd; een goede planning is dan ook een eerste vereiste. De *poblano*-reepjes en de *tomatillo*-saus kunnen 2 of 3 dagen van tevoren worden gemaakt en afgedekt in de koelkast worden bewaard. Ook de bonen kunnen 1 of 2 dagen van tevoren worden bereid. De handelingen die worden beschreven in de stappen 2 t/m 4 moeten echter zo kort mogelijk voor het serveren worden verricht.

TRADITIONELE VARIATIES

» *Boven houtskool geroosterde Mexicaanse biefstuk*: Rooster het vlees op de barbecue in plaats van het te bakken; ga verder te werk volgens de aanwijzingen in het recept.

» *Mexicaanse biefstuk met een ander garnituur*: Vervang de gekookte bonen door bonenpuree (*frijoles refritos*, pag. 314) en de *tomatillo*-saus door rode *mole* (pag. 228).

EIGENTIJDSE VARIATIE

» *Gemarineerde Mexicaanse biefstuk*: Verhit 4 eetlepels olijfolie of een andere plantaardige olie met 1/4 theelepel gemalen piment, 1/4 theelepel gemalen zwarte peper en 2 verkruimelde laurierblaadjes. Laat de olie afkoelen en meng hem met 1 eetlepel limoensap. Giet de marinade over de biefstukken en laat het vlees een nacht marineren in de koelkast. Ga verder te werk zoals beschreven in het recept (maar stap 1 kunt u uiteraard overslaan).

Regionale accenten

» De inwoners van Guadalajara zijn gek op gebarbecuede Mexicaanse biefstuk, die in hun stad doorgaans wordt geserveerd op grote aardewerken borden waarop verder kunnen worden aangetroffen: op de grillplaat gebakken kaas-*quesadillas* (pag. 159), boven houtskool geroosterde jonge uitjes (pag. 325), gekookte bonen (pag. 312), *salsa picante* (pag. 41), salade van cactusbladeren (pag. 49) en *guacamole* met *tomatillos* (pag. 48). Elders in de westelijke deelstaten worden gelijksoortige combinaties geserveerd die slechts in onderdelen van elkaar verschillen.

GEVULDE CHILIPEPERS IN TOMATENSAUS
Chiles Rellenos de Picadillo

In Mexicaanse restaurants en markt-*fondas* worden dagelijks gigantische hoeveelheden *chiles rellenos* geserveerd, in vele tientallen verschillende verschijningsvormen. Het kunnen de lange groene pepers uit het noorden zijn, gevuld met Chihuahua kaas of de uit Veracruz afkomstige, met vlees gevulde *jalapeños* die op de markten, bij wijze van tacovulling, in een tortilla worden gerold. Soms worden de pepers gevuld met uitgeplozen krabvlees of garnalen, zoals in de kustgebieden in het noordoosten en noordwesten van het land. Meestal worden verse pepers gebruikt, maar soms ook geweekte gedroogde *chiles anchos*. Er zijn eenvoudige versies die zonder saus worden geserveerd en met bonenpuree gevulde versies die niet in een beslagje gefrituurd worden.

Ik heb ontdekt dat veel mensen een zwak hebben voor onderstaande versie, wat niet onverdeeld gunstig is omdat de bereiding nogal wat tijd vergt. Maar om de planning overzichtelijk te houden, heb ik een soort werkschema opgenomen in de Keukennotities. Bij *chiles rellenos* die met een saus worden geserveerd hebt u als bijgerecht weinig méér nodig dan wat Mexicaanse rijst (pag. 306) en eventueel een groene salade. Als nagerecht zou u een *flan* (pag. 331) kunnen geven.

Voor 8 stuks, voldoende als hoofdgerecht voor 4 personen:

>8 grote verse *chiles poblanos* (zie Keukennotities)
>ca. 1/2 liter gekookte tomaten-chilisaus (pag. 42)
>3 1/2 dl runder- of varkensbouillon
>olie voor het frituren
>35 gram bloem + 1 eetlepel bloem voor de eieren
>1 hoeveelheid *picadillo* van grof gemalen varkensvlees (pag. 145) of
>   Noordmexicaanse *picadillo* (pag. 144), op kamertemperatuur
>4 grote eieren, op kamertemperatuur
>1/2 theelepel zout
>4 takjes platte peterselie

1. *Het voorbereiden van de chilipepers*: Rooster de chilipepers en ontvel ze volgens de aanwijzingen op pag. 390; laat de pepers niet te zacht worden en zorg dat de steeltjes intact blijven. Verwijder de zaadjes als volgt: Maak een snee in de zijkant, van het dikste deel tot vlak bij de punt. Duw met uw wijsvinger de dikke zaaddoos (vlak onder het steeltje) los. Houd de peper daarna onder de koude kraan en spoel alle losse zaadjes eruit. Laat de pepers goed uitlekken. Eventueel kunt u ook de zaadlijsten voorzichtig lossnijden (de pepers worden dan milder van smaak). Dep de pepers, zowel vanbuiten als vanbinnen, zorgvuldig droog met keukenpapier.
2. *De overige voorbereidingen*: Meng de tomaten-chilisaus in een kleine pan met de bouillon (als de pepers worden gevuld met een picadillo van grof gemalen varkensvlees, kunt u aan het mengsel 1/4 theelepel kaneelpoeder en 1/4 theelepel zwarte peper toevoegen). Leg een deksel op de pan en verwarm het mengsel op een heel laag pitje. Giet een laagje olie van ca. 2 cm in een hoge koekepan en verhit dit op een vrij laag vuur.

3. *Het vullen van de chilipepers*: Vul de pepers met het vleesmengsel, maar maak ze niet te vol. 'Repareer' eventuele scheuren met cocktailprikkers en maak eventueel ook de opening dicht met een prikker (dit laatste is niet nodig als u de pepers aan het steeltje kunnen optillen zonder dat de vulling eruit valt).

4. *Het maken van het beslag en het frituren van de pepers*: Doe 35 gram bloem in een diep bord, rol de gevulde pepers een voor een door de bloem en schud de overtollige bloem eraf. Splits de eieren: doe de witten in een hoge, vetvrije kom en de dooiers in een schaaltje. Voeg het zout toe aan de eiwitten en klop de witten met een garde of elektrische handmixer tot het schuim in pieken blijft staan. Voeg, terwijl u blijft kloppen, met kleine hoeveelheden tegelijk de dooiers toe. Klop als laatste 1 eetlepel bloem door het eimengsel en houd op met kloppen zodra de bloem in het mengsel is opgenomen.

Verhit de olie tot 190° C. Houd een van de chilipepers vast bij het steeltje, dompel hem volledig onder in het eierbeslagje, trek hem snel omhoog en leg hem direct in de hete olie. Herhaal dit met 2 of 3 andere pepers (als een van de pepers geen steeltje meer heeft, kunt u hem met een vork uit het beslagje vissen en in de olie laten glijden; op eventuele 'blote' plekken kunt u met een theelepel wat beslag aanbrengen).

Wacht tot de onderkant van de pepers mooi goudbruin is, rol de pepers dan om hun as en laat de andere kant eveneens bruin kleuren. Laat de pepers even uitlekken op keukenpapier en houd ze warm in de op de laagste stand voorverwarmde oven. Frituur de rest van de pepers op dezelfde manier.

5. *Afwerking en presentatie*: Verdeel de opgewarmde tomaten-chilisaus over vier voorverwarmde diepe borden. Leg de gefrituurde pepers in de saus en giet – voor een decoratief effect – een straaltje saus over het midden van de pepers. Garneer het geheel met een takje peterselie en serveer direct.

KEUKENNOTITIES

Technieken

» *Het in beslag dopen en frituren van de pepers*: Het volledig onderdompelen in het beslag voorkomt dat de olie doordringt tot in de vulling van de pepers en het met een snelle beweging uit het beslag tillen zorgt ervoor dat het laagje beslag overal even dik is. Als het beslag iets te dik is uitgevallen, kunt u het verdunnen door er 1 of 2 theelepels water door te kloppen. Het beslagje is licht en poreus, zorg er dus voor dat de olie heet genoeg is, anders zal het beslag meer olie opnemen dan wenselijk is.

Ingrediënten

» *Chiles poblanos*: Hoewel de meeste mensen als ze chilipepers willen vullen de voorkeur geven aan *poblanos* (niet alleen omdat ze groot en vlezig zijn, maar ook vanwege de smaak), worden in Mexico ook allerlei lokale pepersoorten gebruikt. U kunt de *poblanos* vervangen door 8 of 12 (afhankelijk van de grootte) lichtgroene Turkse of Marokkaanse pepers; *poblanos* uit blik zijn minder geschikt omdat ze erg zacht zijn en zich moeilijk laten vullen.

(Voor)bereidingstijd

» Als u de vleesvulling en de saus van tevoren hebt gemaakt, vergt de bereiding niet meer dan ca. 45 minuten. Als u een vulling gebruikt die in de koelkast is bewaard, moet u hem op kamertemperatuur brengen alvorens de chilipepers te vullen. Desgewenst kunt u de pepers een dag van tevoren vullen en tot ca. 1 uur vóór het frituren afgedekt in de koelkast bewaren. Voor een optimaal resultaat moet het in beslag dopen en frituren op het laatste moment gebeuren, maar als dat om de een of andere reden niet mogelijk is, kunt u het eventueel eerder doen (maar niet langer dan 2 uur van tevoren). Laat de pepers na het frituren goed uitlekken op keukenpapier (waarbij u ze ook even moet omdraaien) en warm ze vlak voor het serveren een paar minuten op onder de hete grill.

TRADITIONELE VARIATIES

» *Met kaas gevulde pepers:* Vervang de vleesvulling door 400-500 gram geraspte goed smeltende kaas (zie pag. 395), *queso fresco* (pag. 396) of een andere verse witte kaas, zoals feta of verse geitekaas (of een mengsel van smeltkaas en witte kaas). Vorm van de kaas 8 ovale balletjes en duw die in de opengesneden pepers.

» *Gebakken gevulde pepers, met en zonder saus:* Deze methode is vooral geschikt voor lange, smalle pepers. Ga te werk volgens de beschrijving in de stappen 1 en 2 (maar sla de aanwijzingen voor het verhitten van de olie over). Maak het beslag van 6 eieren en 1 1/2 eetlepel bloem (stap 3). Verhit een scheutje olie in een grote koekepan op een matig hoog vuur en schep, op ruime afstand van elkaar, een paar lepels beslag in de pan (op dezelfde manier als bij de bereiding van drie-in-de-pan). Leg op elk van de nog vloeibare 'pannekoekjes' een gevulde peper en schep ook wat beslag over de peper, zodanig dat hij rondom met een laagje beslag is bedekt. Draai de pepers, zodra de onderkant mooi bruin is, voorzichtig om en laat de andere kant eveneens bruin kleuren en gaar worden. Serveer de pepers met tomaten-chilisaus (*niet* aangelengd met bouillon) of laat de saus helemaal weg.

» *Met zwarte bonen gevulde pepers* (te serveren als bijgerecht of als vegetarisch hoofdgerecht): Maak de pepers schoon zoals beschreven in stap 1 en vul ze met *frijoles refritos* gemaakt van zwarte bonen (pag. 314). Leg de gevulde pepers in een oven-schaal en bedek ze met 3-4 dl dikke room (pag. 53) of crème fraîche. Bestrooi de room met een beetje zout en zet de schaal in de op 180° C voorverwarmde oven tot de room langs de rand lichtbruin begint te kleuren. Serveer direct.

VARKENSVLEES MET AARDAPPELEN, TOMATEN EN *CHORIZO*

Tinga Poblana

Dit eenpansgerecht met varkensvlees, geroosterde tomaten en gerookte chilipepers, een van mijn favorieten, scoort ook hoog bij mijn Amerikaanse vrienden. In de restaurants van Puebla, aan de andere kant van de zuidoostelijk van Mexico-Stad gelegen vulkanen, wordt *tinga* als een hoofdgerecht geserveerd. In *cafetarías* en *fondas* fungeert hij echter als vulling van *tortas* en in de eetkraampjes op straat wordt hij gebruikt als vulling voor *masa*-pasteitjes.

Onderstaand recept is gebaseerd op de versie die wordt geserveerd in restaurant Fonda Santa Clara in Puebla. Het is een smakelijke, hartverwarmende stoofpot met een kruidige saus waar u, behalve knapperig brood en een frisse salade, niets anders bij nodig hebt. U kunt er een volle, robuuste rode wijn (bijvoorbeeld een Côtes du Rhône of een Italiaanse Chianti) bij schenken, maar bier of een gekoelde tamarindedrank (pag. 361) passen er ook goed bij. Als dessert adviseer ik de amandel-*flan* van pag. 331.

Voor 4 personen:

500 gram ontbeende varkensschouder, in dobbelstenen van 3 à 4 cm gesneden
1/2 theelepel gemengde gedroogde kruiden (w.o. marjolein en tijm)
3 laurierblaadjes
250-300 gram aardappelen (vastkokers), geschild en in vieren gesneden
ca. 700 gram rijpe tomaten, geroosterd of gekookt (pag. 404), ontveld en van de harde kern ontdaan of 1 groot blik (à 8 dl) gepelde tomaten, uitgelekt
1 eetlepel plantaardige olie
120 gram *chorizo* (pag. 57), zonder worstvel
1 ui, gepeld en fijngehakt
1 knoflookteentje, gepeld en fijngehakt
1/2 theelepel gedroogde oregano
2 *chiles chipotles* uit blik (bij voorkeur in *adobo*), van de zaadjes ontdaan en in smalle reepjes gesneden
4 theelepels *adobo*-saus uit het blik (eventueel)
zout en suiker (van elk ca. 1/2 theelepel)

voor de garnering:
1 rijpe avocado, geschild, ontpit en in plakjes gesneden
100-120 gram Mexicaanse *queso fresco* (pag. 396) of een andere verse witte kaas, bijv. feta, verse geitekaas of witte meikaas, in 8 reepjes gesneden
1 dikke plak ui, in ringen verdeeld

1. *Het vlees*: Breng 1 liter water met wat zout aan de kook in een middelgrote pan. Voeg het vlees toe en schep het schuim af dat komt bovendrijven. Voeg, zodra er geen nieuw schuim meer wordt gevormd, de gedroogde kruiden en de laurierblaadjes toe. Leg een deksel schuin op de pan en laat het vlees in ca. 50 minuten zachtjes gaar koken. Laat het vlees – als het even kan – afkoelen in de bouillon. Schep het vlees uit de pan en laat het uitlekken op keukenpapier. Zeef de bouillon, ontvet hem en meet 1/4 liter af (de rest kunt u bewaren voor iets anders of invriezen). Breek het uitgelekte vlees in kleinere stukjes.
2. *De aardappelen, tomaten en chorizo*: Kook de aardappelen in 12-15 minuten bijna gaar in lichtgezouten kokend water, giet ze af en snijd ze in blokjes van 1 cm. Verwijder de zaadjes uit de tomaten door de vruchten overdwars doormidden te snijden en de helften zachtjes uit te drukken. Snijd het vruchtvlees eveneens in kleine blokjes. Verhit de olie in een grote koekepan op een vrij laag vuur en bak de *chorizo* ca. 10 minuten, al prakkend met een vork, tot het worstvlees gaar en kruimelig is. Schep het worstvlees met een schuimspaan uit de pan en laat zoveel mogelijk vet in de pan terugdruipen.

3. *Het bruin bakken van het vlees en de ui*: Draai het vuur onder de koekepan iets hoger, doe de stukjes vlees en de gehakte ui in de pan en bak het geheel, onder regelmatig roeren, ca. 10 minuten, tot zowel het vlees als de uisnippers mooi bruin zijn. Laat de fijngehakte knoflook ca. 2 minuten meebakken.

4. *De afwerking*: Voeg de tomaatblokjes, de oregano en de *chorizo* toe, meng alles goed en laat het geheel 5 minuten zachtjes pruttelen. Voeg dan de aardappel-blokjes, de bouillon, de *chipotles* en – eventueel – de *adobo*-saus toe. Laat het ge-heel nog ca. 10 minuten zachtjes sudderen, zodat de smaken zich kunnen ver-mengen, en breng de *tinga* daarna op smaak met zout en suiker.

5. *De presentatie*: Schep de *tinga* in een voorverwarmde schaal en garneer hem met de in plakjes gesneden avocado en de reepjes witte kaas. Bestrooi het ge-heel met rauwe uiringen en serveer direct.

KEUKENNOTITIES

Technieken

» *Het bruin bakken van de ingrediënten*: De donkere, rijk geschakeerde smaak van dit gerecht is voor een groot deel te danken aan het feit dat het vlees en de ui in stap 3 worden gebakken tot ze diep bruin zijn. Het gebruik van geroosterde tomaten (in plaats van gekookte tomaten of gepelde tomaten uit blik) versterkt het gekarameli-seerde aroma van de gebakken ingrediënten.

Ingrediënten

» *Chiles chipotles*: Zonder deze pepers is het gerecht geen *tinga*. In plaats van *chipotles* in *adobo* kunt u ook gewone *chipotles* uit blik gebruiken (maar in dat geval moet aan de saus *geen* scheutje vocht uit het blik worden toegevoegd!). Als u alleen gedroogde exemplaren kunt vinden, ga dan als volgt te werk: Rooster ze even op een grillplaat of in een koekepan, week ze in kokend water tot ze zacht zijn, verwijder daarna het steeltje en de zaadjes en snijd het vruchtvlees in smalle reepjes.

Voetnoot van de vertaalster

» *De hoeveelheden*: Met 'theelepel' wordt de internationale standaardtheelepel met een inhoud van 5 gram bedoeld en niet het Nederlandse theelepeltje van 3 gram.

(Voor)bereidingstijd

» De bereiding van deze *tinga* vergt ca. 1 1/2 uur. Aangezien de smaak bij het opwarmen alleen maar beter wordt, kunt u het gerecht 1-3 dagen van tevoren bereiden. Laat de *tinga* afkoelen en bewaar hem – afgedekt – in de koelkast. Warm de *tinga* vlak voor het serveren op en garneer hem volgens de aanwijzingen in stap 4.

TRADITIONELE VARIATIE

» *Tinga van uitgeplozen varkensvlees* (te gebruiken als vulling van taco's, *tamales* e.d.): Kook 700 gram ontbeende varkensschouder (in grote dobbelstenen gesneden) gaar volgens de aanwijzingen in stap 1. Breek het vlees niet in stukjes, maar pluis het in draadjes. Bak de vleesdraadjes en de uisnippers mooi bruin in 2 eetlepels olie en laat de gehakte knoflook 2 minuten meebakken (stap 3). Voeg de in blokjes gesneden tomaten en de oregano toe (de aardappels vervallen) en laat het geheel 5 minuten sudderen. Voeg dan de bouillon en de reepjes *chipotle* (plus, eventueel, 4 theelepels *adobo*-saus uit het blik van de *chipotles*) toe en laat de saus zachtjes inkoken tot de gewenste dikte. Breng de *tinga* op smaak met zout en suiker.

EIGENTIJDSE VARIATIE

» *Tinga van gebarbecuede kip*: Vervang het varkensvlees door 8 ontbeende (pag. 258) kipkarbonades en de varkensbouillon door 1/4 liter kippebouillon. Maak de saus volgens de aanwijzingen in de stappen 2 t/m 4 (maar zonder het vlees). Rooster de kipkarbonades 20-25 minuten boven gloeiende houtskool, bestrijk ze regelmatig met olijfolie en draai ze af en toe om. Leg de stukken kip op voorverwarmde borden en schep de saus erover. Bestrooi de *tinga* met avocadoblokjes, in dobbelsteentjes gesneden verse witte kaas en een paar rauwe uiringen. Serveer direct.

VLEES IN RODE CHILISAUS

Carne con Chile Colorado

> **Chili con carne: Een walgelijk gerecht dat onder een valse Mexicaanse naam overal in de Verenigde Staten (van Amerika) wordt gegeten, van Texas tot New York City.**
>
> Uit: *Diccionario de Mejicanismos*

Zodra het gerecht op Mexicaanse bodem wordt bereid en de onderdelen van de naam *chile con carne* in een andere volgorde worden gezet, denk ik niet dat de auteurs van het gezaghebbende Mexicaanse woordenboek bij hun beschrijving van het gerecht nog het woord 'walgelijk' zullen gebruiken. De Noordmexicaanse *carne con chile colorado* is namelijk een simpel, smakelijk gerecht waarin milde gedroogde pepers samengaan met knoflook en een vleugje komijn. Het wordt in het noorden zo vaak als hoofdgerecht geserveerd en als vulling voor taco's en *burritos* gebruikt, dat men zich in de rest van Mexico vaak afvraagt of die noorderlingen nog wel iets anders kunnen klaarmaken. Een uit Yucatán afkomstige vrouw die in Los Angeles met een aantal Noordmexicanen in een tortillafabriek werkte, antwoordde op mijn vraag waarmee de in die fabriek gemaakte *tamales* waren gevuld: 'Door die lui uit het noorden is het ofwel *carne con chili* ofwel *chili con carne*, kies maar uit.'

Iedere keer als ik een Texaan hoor beweren dat de *chili* in Texas is 'uitgevonden', moet ik heimelijk glimlachen. Ik zal niet ontkennen dat het een Texaanse specialiteit is, maar op het moment dat de Spanjaarden voor het eerst in aanraking kwamen met Amerikaanse Indianen, was de combinatie van gedroogde chilipepers en vlees in Mexico al lang en breed bekend. De Noordmexicaanse versie met *chiles de la tierra* is wellicht wat al te simpel in de ogen van de Texanen, die zelf *chiles anchos* gebruiken, soms aangevuld met tomaten en/of bonen, een hele bubs kruiden en een flinke scheut bier.

Onderstaand recept heb ik gekregen van een restaurantkok in Chihuahua. U kunt de 'chili', samen met warme tarwetortilla's en *frijoles refritos* (pag. 314) of een salade, serveren als hoofdgerecht van een informeel etentje. Drink er bier bij of gekoelde *agua jamaica* (pag. 360). De maaltijd kan worden afgerond met een portie vanille-roomijs (pag. 351).

Voor 4-5 personen:

> ca. 70 gram gedroogde *chiles de la tierra* of andere *milde* gedroogde rode chilipepers,
> ontdaan van steeltjes, zaadjes en zaadlijsten (zie Keukennotities)
> 3 knoflookteentjes, gepeld en grof gehakt
> 1/2 ui, grof gehakt
> 1 theelepel gedroogde oregano
> 1/2 theelepel komijnzaadjes (of ruim 1/2 theelepel gemalen komijn)
> 1 1/2 eetlepel reuzel of plantaardige olie
> 700 gram ontbeende varkensschouder, in dobbelstenen van ca. 2 1/2 cm gesneden
> zout

1. *De chilipepers*: Verhit een vlakke grillplaat of een zware koekepan op een matig
   hoog vuur. Scheur de chilipepers in platte stukken en leg ze, steeds met een
   paar stuks tegelijk, op de grillplaat (of in de pan). Druk ze met een metalen
   spatel een paar seconden tegen het hete metaal, tot ze knisperen en verkleuren,
   draai ze dan om en rooster de andere kant op dezelfde manier. Doe de pepers
   in een kom, overgiet ze met kokend water (leg er een schoteltje op, zodat ze ondergedompeld blijven) en laat ze 30 minuten weken. Laat de pepers daarna uitlekken in een zeef en bewaar 1/4 liter van het weekvocht.
2. *De basis van de saus*: Doe de geroosterde pepers en het weekvocht in de kom
   van een blender. Voeg de knoflook, de uisnippers en de oregano toe. Stamp de
   komijnzaadjes fijn in een vijzel (of maal ze in een specerijenmolentje), doe het
   poeder bij de overige ingrediënten in de blender en laat de machine draaien tot
   u een vrij gladde puree hebt verkregen. Wrijf de puree door een middelfijne
   zeef.
3. *Het vlees*: Verhit de reuzel of de olie in een grote koekepan op een matig hoog
   vuur. Dep de vleesblokjes droog met keukenpapier, doe ze in de pan en laat ze
   in ca. 10 minuten rondom dichtschroeien en bruin kleuren; schep ze regelmatig om.
4. *Het gaarstoven*: Roer de chilipuree door het vlees en laat het geheel nog 4 of 5
   minuten pruttelen, tot de puree dik en compact is geworden en zichtbaar donkerder van kleur is. Schep de inhoud van de koekepan over in een steel- of
   braadpan, voeg 1/2 theelepel zout toe en giet er al roerende 1/2 liter water bij.
   Breng de saus aan de kook, draai het vuur iets lager, leg het deksel op de pan
   en laat het geheel 45 minuten à 1 uur zachtjes stoven, tot het vlees door en
   door gaar is; roer af en toe. Als de saus tijdens het stoven te dik dreigt te worden, kunt u nog een scheutje water toevoegen. Breng de saus, indien nodig, op
   smaak met zout en serveer de *carne con chili* in een voorverwarmde aardewerken schaal.

KEUKENNOTITIES
Technieken

» *Het gebruik van het weekvocht van de chilipepers*: Het weekvocht van gedroogde
chilipepers wordt, om te voorkomen dat een gerecht overmatig scherp wordt, meestal
weggegooid.Maar in dit geval is het weekvocht niet al te scherp, waardoor een deel
ervan kan worden gebruikt om de smaak van de chilipepers en de overige smaakmiddelen reliëf te geven.

Ingrediënten

» *Chiles de la tierra*: Hoewel de eveneens milde *chile colorín* de meest gebruikte chilipeper schijnt te zijn in de deelstaat Chihuahua, wordt in de meeste recepten die ik heb verzameld de meer aromatische *chile de la tierra* voorgeschreven (zie Voetnoten van de vertaalster).

Voetnoten van de vertaalster

» *De hoeveelheden*: Met 'theelepel' wordt de internationale standaardtheelepel met een inhoud van 5 gram bedoeld en niet het Nederlandse theelepeltje van 3 gram.

» *Chiles de la tierra*: Deze milde pepersoort is in Nederland niet verkrijgbaar. Helaas kan hij niet worden vervangen door de gedroogde pepers die in toko's worden verkocht, want die zijn over het algemeen aanzienlijk heter. Maar wellicht hebt u plannen om naar de V.S. te gaan (of hebt u vrienden of kennissen die daar naar toe gaan en bereid zijn een voorraadje gedroogde pepers voor u mee te nemen); ga in dat geval op zoek naar de variant die in Nieuw-Mexico en Californië wordt geteeld en die, onder de namen *new mexico* en *california*, in elke goed gesorteerde supermarkt te koop is.

(Voor)bereidingstijd

» De bereiding van dit gerecht vergt in totaal ca. 2 uur, maar de helft daarvan is nodig voor het stoven van het vlees. Desgewenst kunt u het gerecht een of meer dagen van tevoren maken en afgedekt in de koelkast bewaren. Warm het gerecht vlak voor het serveren op, met het deksel op de pan en op een laag vuur.

TRADITIONELE VARIATIES

» *Noordmexicaanse rode chilisaus* (zonder vlees): Ga te werk volgens de aanwijzingen in stap 1 en 2. Bak de chilipuree daarna in 1 1/2 eetlepel reuzel of olie tot ze dik en donker is, voeg dan 1/2 liter runderbouillon toe en laat de saus, met het deksel schuin op de pan, 30-45 minuten zachtjes koken. Breng de saus op smaak met zout. Desgewenst kunt u de saus binden door, tegelijk met de bouillon, 2 eetlepels *masa harina* toe te voegen.

» *Carne con chili voor vullingen*: Ga te werk zoals beschreven in het recept, maar snijd het vlees in piepkleine blokjes. Stoof het gerecht zonder deksel, zodat een deel van het vocht kan verdampen. Bind de saus door er 2 eetlepels *masa harina* door te kloppen.

» *Carne con chili uit Sonora*: Rooster 6 milde gedroogde rode chilipepers (zie Voetnoten van de vertaalster), laat ze afkoelen en maal ze tot poeder (of gebruik 4-5 eetlepels paprikapoeder vermengd met een klein beetje cayennepeper). Bak het vlees zoals beschreven in stap 3, draai het vuur iets lager en voeg 1 eetlepel bloem en 3 fijngehakte knoflookteentjes toe. Laat het mengsel 2-3 minuten meebakken en giet dan al roerende 3/4 liter heet water in de pan. Blijf roeren tot de saus gebonden is en begint te koken. Voeg de tot poeder gemalen chilipepers (of het mengsel van paprikapoeder en cayenne), 1 theelepel oregano, 1 1/2 eetlepel azijn en 1/2 theelepel zout toe. Leg een deksel op de pan en laat het vlees 45 minuten zachtjes stoven.

EEN BIJNA TRADITIONELE VARIATIE

» *Chili con carne met een knipoog naar Texas:* Ga te werk volgens de aanwijzingen in stap 1 en 2, maar vervang de voorgeschreven pepers door 5 *chiles anchos,* laat de ui weg en gebruik 1 1/2 theelepel komijn in plaats van 1/2 theelepel. Draai 800 gram mager rundvlees éénmaal door een vleesmolen of hak het grof in een foodprocessor. Braad het vlees in 2 of 3 porties mooi bruin in rundvet of olie. Doe al het vlees in de pan terug, voeg de chilipuree toe en laat het mengsel al roerende een paar minuten pruttelen. Schep alles over in een braadpan, voeg het zout toe en 1/2 liter water (of 4 dl runderbouillon plus 1 dl bier). Leg een deksel schuin op de pan en laat de inhoud zachtjes stoven tot het vlees door en door gaar is. Verdun de saus vlak voor het serveren met een scheutje water of bouillon, voeg 2 eetlepels *masa harina* toe en laat de saus zachtjes sudderen tot de saus mooi gebonden is.

KROKANT GEBAKKEN SCHOUDERKARBONADES MET *GUACAMOLE*

Carnitas con Guacamole

Carnitas: Krokant gebakken vlees dat als vulling wordt gebruikt van taco's en andere snacks die op straat bij eetkraampjes worden verkocht en een bedreiging voor de gezondheid vormen; helaas, want ze zijn absoluut verrukkelijk.

Diccionario de mejicanismos

Langs de Avenida Insurgentes in Tlalpan, een buitenwijk van Mexico-Stad, staat een hele rij eetkraampjes waar je goed kunt zien hoe ze van varkensvlees *carnitas* maken. Alle onderdelen van het varken komen, half gekookt en half gebakken, uit de koperen ketels te voorschijn met een gouden gloed. Het vlees is zacht en mals en het smakelijke bruine korstje is aangenaam krokant. Op een warme zondagmiddag bieden die *carnita*-kraampjes precies de juiste sfeer die je bij het nuttigen van een rustieke openluchtsnack mag verwachten.

In de eetstalletjes worden *carnitas* gemaakt van enorme stukken vlees die in plakken kunnen worden gesneden. In de huiselijke keuken, waar de pannen minder groot zijn, kunnen echter beter kleine stukken worden gebruikt. Maar die kleine stukken kunnen naar mijn idee weer minder goed als hoofdgerecht fungeren. Vandaar dat ik een recept heb ontwikkeld waarin schouder- of halskarbonades worden gebruikt. Voor mensen die niet in de gelegenheid zijn een bezoek te brengen aan de *carnita*-kraampjes in Mexico-Stad, voldoet het resultaat heel aardig. Serveer de *carnitas* met *frijoles refritos* (pag. 314), een gemengde salade en een flinke hoeveelheid *salsa mexicana* (pag. 35), warme tortilla's, bier, thee of frisdrank. Het ideale toetje bij deze maaltijd is roomijs met een warme saus, bijvoorbeeld de karamel van geitemelk op pag. 342.

Voor 4 personen:

> 4 dikke schouder- of halskarbonades van elk 250 à 300 gram
> ca. 1/2 liter (= 2/3 van het recept) *grove guacamole*, inclusief garnering (pag. 47)

voor de konfijt-methode:
> ca. 1 kilo reuzel (of voldoende om het vlees volledig te bedekken)
> 4 eetlepels water
> de met een dunschiller verkregen schilletjes (ca. 1 cm breed) van 1 limoen
> grof zeezout

voor de eerst-koken-dan-bakken-methode:
> water
> 1/2 theelepel zout plus wat grof zeezout

1. *Het vlees*: Verwijder het vetrandje van de karbonades, maar laat een dun laagje vet zitten.
2a. *De konfijt-methode*: Smelt de reuzel in een grote pan met een dikke bodem (inhoud 4 liter) op een vrij laag vuur. Wacht tot de reuzel gesmolten is (maar nog niet erg heet), leg dan de karbonades in de pan en voeg eveneens het water en de limoenschilletjes toe. Regel het vuur zodanig dat het vet zachtjes borrelt en konfijt de karbonades ca. 40 minuten, tot het vlees nèt gaar is; draai de karbonades af en toe om. Draai het vuur na 40 minuten iets hoger. Als het water in de pan nog niet volledig is verdampt, zal het vet-watermengsel heftig beginnen te borrelen, maar dat wordt, naarmate het vochtgehalte van de reuzel afneemt, geleidelijk minder. Vanaf het moment dat al het water is verdampt, duurt het nog ca. 10 minuten tot de karbonades bruin en krokant zijn. Houd de inhoud van de pan zorgvuldig in de gaten en neem de karbonades uit de pan zodra het korstje licht goudbruin is. Laat het vlees uitlekken op keukenpapier en bestrooi het met grof zeezout.
2b. *De eerst-koken-dan-bakken-methode*: Leg de karbonades naast elkaar in een zware, wijde pan en giet er zoveel water op dat het vlees ca. 1 1/2 cm onderstaat. Voeg het zout toe en breng het water op een matig hoog vuur aan de kook. Leg een deksel schuin op de pan en laat de karbonades ca. 40 minuten zachtjes koken, tot het vlees nèt gaar is; draai de karbonades af en toe om. Verwijder het deksel, draai het vuur hoog en wacht tot al het vocht is verdampt. Op dat moment zal het vlees in z'n eigen uitgesmolten vet beginnen te bakken. Draai het vuur iets lager (ergens tussen laag en vrij laag) en bak de karbonades in ca. 30 minuten mooi goudbruin; draai ze regelmatig om. Laat de karbonades uitlekken op keukenpapier en bestrooi ze met grof zeezout.
3. *De presentatie*: Maak de *guacamole* terwijl het vlees op het vuur staat. Doe het mengsel in een kom en garneer het volgens de aanwijzingen op pag. 47. Leg de karbonades op een voorverwarmde schaal of op warme borden en serveer direct. Laat de *guacamole* aan tafel rondgaan. Of verwijder de botjes uit de karbonades, snijd het vlees in reepjes en gebruik ze, samen met de *guacamole*, als vulling voor taco's.

KEUKENNOTITIES

Technieken

» *De konfijt-methode:* Wees niet bang om water aan de gesmolten reuzel toe te voegen; het water zorgt ervoor dat de temperatuur van het vet lang genoeg laag blijft om het vlees gaar te maken. Pas als het water volledig is verdampt, stijgt de temperatuur van het vet, waardoor het vlees bruin kan kleuren. *Carnitas* die volgens deze methode zijn bereid, hebben een fantastische textuur en zijn heerlijk van smaak.

» *De eerst-koken-dan-bakken-methode:* Deze methode is iets eenvoudiger en het resultaat is iets minder spectaculair van smaak en textuur. Als de pan te weinig vet bevat om de karbonades in hun eigen uitgesmolten vet te kunnen bakken, kunt u een beetje reuzel toevoegen.

» *De juiste graad van gaarheid:* Bij beide methodes moet het vlees in het eerste stadium worden gekonfijt of gekookt tot het nèt gaar is, waarna het snel in het stadium van bakken moet belanden. Als het tussenstadium te lang duurt, bestaat de kans dat het vlees droog en taai wordt.

Ingrediënten

» *Reuzel:* Gebruik reuzel van goede kwaliteit. Het vet heeft veel te lijden bij deze bereidingstechniek, maar na gebruik kunt u het zeven en nog een aantal keren gebruiken voor de bereiding van *carnitas* (maar na de vierde keer kunt u het beter weggooien). Bewaar de afgekoelde, gezeefde en gestolde reuzel, goed afgedekt, in de koelkast.

(Voor)bereidingstijd

» De bereiding vergt ca. 1 1/2 uur (iets langer als u te werk gaat volgens de eerst-koken-dan-bakken-methode), maar u hoeft er niet de hele tijd bij te blijven. Desgewenst kunt u de *carnitas* een paar dagen van tevoren maken; warm ze in dat geval op in de op 180° C voorverwarmde oven, tot het vlees door en door heet en krokant is.

Regionale accenten

» Hoewel ze worden beschouwd als een specialiteit van de westelijke deelstaten en met name van Michoacán, ben ik in tortilla's verpakte *carnitas* overal in Mexico tegengekomen en vrijwel altijd bij eetkraampjes langs de weg, in markt-*fondas* en openluchteetgelegenheden waar het goudbruine vlees en de krokante *chicharrones* (gefrituurd varkenszwoerd) zo aantrekkelijk mogelijk waren uitgestald.

Ontvelde, van zaadjes ontdane en gevulde chilipepers

BOVEN HOUTSKOOL GEROOSTERDE VARKENSLENDE MET RODE CHILISAUS
Lomo de Puerco en Adobo

In de periode dat ik chef-kok was van een restaurant in Cleveland werkte ik een tijdje met een vrouw uit Mexico-Stad wier recept voor gebraden varkenslende in een met sinaasappel gekruide *adobado* al gauw werd aangepast aan onze houtskoolgrill; het eindresultaat is een van onze meest gevraagde specialiteiten geworden.

In tegenstelling tot de huiselijke, gestoofde variant (zie Traditionele variaties) en de met een kleine hoeveelheid saus geserveerde gebraden versie van mijn Mexicaanse collega, wordt het vlees in onderstaand recept gemarineerd in een kruidige rode chili-*adobado*. De overgebleven, met sinaasappelsap verdunde marinade wordt vervolgens, bij wijze van saus over het geroosterde vlees gegoten.

Een compleet driegangenmenu zou kunnen bestaan uit: soep met garnalenballetjes en geroosterde pepers (pag. 112), gevolgd door de geroosterde varkenslende geserveerd met warme tortilla's en waterkers-*jícama*-salade (pag. 97) en afgerond met een amandel-flan (pag. 331). Persoonlijk zou ik hierbij een volle, fluwelige Californische rode wijn schenken, maar de sprankelende, niet-alcoholische *limonada* van pag. 364 smaakt er ook prima bij.

Voor 6 personen, met ca. 7 dl saus:

> 1 stuk varkenslende van ca. 1 kilo

voor de saus:
> ca. 120 gram gedroogde *chiles anchos*, ontdaan van steeltjes, zaadjes en zaadlijsten
> 3 eetlepels reuzel of plantaardige olie
> 1/2 ui, gepeld en fijngehakt
> 3 knoflookteentjes, gepeld
> 1 krappe theelepel komijnzaadjes (of 1/2 theelepel gemalen komijn)
> 1 laurierblaadje
> 1/2 theelepel gedroogde oregano
> 1/4 theelepel gedroogde tijm
> 4 à 5 dl bouillon (bij voorkeur varkensbouillon)
> 6 eetlepels ciderazijn
> 1/4 liter vers geperst sinaasappelsap
> ca.1/2 theelepel zout
> ca. 1 eetlepel suiker

voor de garnering:
> 50 gram vlezige groene olijven, ontpit
> een paar in azijn ingemaakte *chiles jalapeños* (pag. 390)
> 1 plak ui, in ringen verdeeld
> 1/2 à 1 in schijven gesneden sinaasappel

1. *De chilipepers*: Scheur de chilipepers in platte stukken. Verhit 2 eetlepels reuzel of olie in een middelgrote koekepan op een matig hoog vuur en bak de pepers – met een paar stuks tegelijk – een paar seconden aan elke kant. Laat de pepers goed uitlekken boven de koekepan. Doe de gebakken pepers in een kom, overgiet ze met kokend water (leg er een schoteltje op, zodat ze ondergedompeld blijven) en laat ze een paar uur (of een hele nacht) weken, zodat ze een deel van hun bittere scherpte kwijtraken.

2. *De ui en de knoflook*: Bak de uisnippers en de knoflookteentjes onder regelmatig roeren mooi goudbruin in het in de pan achtergebleven vet. Laat ze goed uitlekken boven de koekepan en doe ze in de kom van een blender.

3. *De saus*: Laat de chilipepers uitlekken, knijp ze zachtjes uit om zoveel mogelijk van het weekvocht te verwijderen en doe ze in de blender. Maak de komijnzaadjes en het verkuimelde laurierblaadje fijn in een vijzel of specerijenmolentje en doe ze, samen met de gedroogde kruiden, in de blender. Voeg ook 1 1/2 dl bouillon en 2 eetlepels ciderazijn toe en laat de machine draaien tot u een gladde puree hebt verkregen. Wrijf de puree door een middelfijne zeef.

   Verhit 1 eetlepel reuzel of olie in een middelgrote pan op een matig hoog vuur. Voeg, zodra het vet heet is, de chilipuree toe en bak de puree al roerende tot de massa dik en donkerrood is. Giet het sinaasappelsap en 1/4 liter bouillon in de pan, breng het mengsel al roerende aan de kook en laat de saus, met het deksel op de pan, ca. 45 minuten zachtjes pruttelen. Breng de saus op smaak met zout en suiker en laat haar afkoelen.

4. *Het marineren van de varkenslende*: Leg de varkenslende in een schaal. Meng 4 eetlepels van de afgekoelde *adobo*-saus met 4 eetlepels ciderazijn, giet het mengsel in de schaal en wrijf het vlees ermee in. Dek de schaal af met folie en zet hem minstens 12 uur in de koelkast; draai het vlees af en toe om.

5. *Het roosteren van de varkenslende*: Zorg dat het vlees op kamertemperatuur is door de schaal ca. 2 uur voor het serveren uit de koelkast te halen. Steek een redelijk grote hoeveelheid houtskool aan in de barbecue en leg het rooster, zodra de houtskool mooi gelijkmatig gloeit, ca. 15 cm boven de vuurgloed. Bestrijk het rooster met olie. Leg de varkenslende op de barbecue en rooster het vlees 50-60 minuten; draai het vlees af en toe om. De lende is gaar als een in het dikste gedeelte gestoken vleesthermometer een kerntemperatuur aanwijst van 70° C. Leg de lende op een rooster (met een braadslee eronder om de sappen op te vangen) en laat het vlees minstens 10 minuten rusten in de lauwwarme oven.

6. *Afwerking en presentatie*: Warm de *adobo*-saus op in een kleine pan; verdun de saus – indien nodig – met een scheutje bouillon. Proef de saus en voeg eventueel nog wat zout en/of suiker toe. Snijd het vlees in vrij dunne plakken. Leg de plakken dakpansgewijs op een voorverwarmde schaal en schep er een paar lepels saus over (serveer de rest van de saus apart). Garneer de schaal met olijven, gemarineerde *jalapeños*, rauwe uiringen en sinaasappelschijven en serveer direct.

KEUKENNOTITIES

Technieken

» *Het langdurig weken van gedroogde chilipepers*: Dit wordt voornamelijk gedaan bij chilisauzen waarin geen tomaten zijn verwerkt; de lange weektijd voorkomt dat de saus scherp en bitter wordt.

» *Het roosteren van groot vlees*: De exacte bereidingstijd is afhankelijk van de intensiteit van de vuurgloed en de afstand van het vlees tot de hittebron; om te voorkomen dat het vlees vanbuiten verbrandt en vanbinnen nog half rauw is, mag de houtskool niet te heet zijn en mag het vlees niet te dicht bij de vuurgloed liggen. Hoe langzamer het garingsproces verloopt, hoe sappiger en malser het vlees zal worden. Om te bepalen of het vlees gaar genoeg is, kunt u het beste een vleesthermometer gebruiken. Hebt u die niet, druk dan met uw wijsvinger op het vlees: als u een lichte weerstand voelt, is het vlees gaar. Het vlees moet na de bereiding enige tijd rusten zodat de spiervezels zich kunnen ontspannen en de sappen zich door het hele stuk kunnen verspreiden; dit voorkomt dat de kostbare sappen bij het aansnijden verloren gaan.

» *Het binden van de saus*: In tegenstelling tot bloem en de in Mexico veelvuldig gebruikte gemalen noten en zaden, hebben chilipepers geen bindkracht. Als u een chilisaus te lang laat inkoken, scheiden de vaste stoffen zich van de vloeibare. Om dit tegen te gaan, kunt u bij het pureren van de ingrediënten een stukje brood toevoegen, waardoor de saus iets meer 'body' krijgt.

Ingrediënten

» *Chiles anchos*: Adobo-sauzen worden in Mexico ook wel gemaakt van *chiles guajillos* en verwante pepersoorten, maar die leveren een minder rijke en volle saus op dan *chiles anchos*.

Voetnoot van de vertaalster

» *De hoeveelheden*: Met 'theelepel' wordt de internationale standaardtheelepel met een inhoud van 5 gram bedoeld en niet het Nederlandse theelepeltje van 3 gram.

(Voor)bereidingstijd

» Alles bijeen vergt de bereiding van dit gerecht ongeveer 2 uur, maar met een aantal voorbereidingen moet u op z'n minst 1 dag van tevoren beginnen. U kunt het vlees echter ook 2-3 dagen in de marinade laten liggen in plaats van de voorgeschreven 12 uur. De saus kan eveneens enkele dagen van tevoren worden gemaakt en – afgedekt – in de koelkast worden bewaard.

TRADITIONELE VARIATIE

» *Adobo als stoofschotel*: Dit gerecht kun je overal in Mexico tegenkomen (behalve in Yucatán); het hoofdingrediënt kan uit van alles bestaan: kip, konijn, geite- of rundvlees en zelfs gordeldier. Voor een stoofschotel met konijn: Vraag de poelier om een konijn in stukken te verdelen. Laat de stukken rondom dichtschroeien en bruin kleuren in olie en kook ze daarna in lichtgezouten water met gedroogde kruiden en een laurierblaadje in 30-45 minuten gaar. Maak de *adobo*-saus zoals beschreven in stappen 1 t/m 3 (maar vervang de bouillon door het kookvocht van het konijn en voeg aan de ingrediënten in de blender eventueel 1 *chile chipotle* uit blik toe). Doe de stukken konijn in de saus en laat het geheel 15 minuten zachtjes stoven. Garneer het gerecht met rauwe uiringen, in blokjes gesneden avocado en een paar radijsroosjes.

EIGENTIJDSE VARIATIE

» *Boven houtskool geroosterde piepkuikens met rode chilisaus:* Vervang de varkenslende door 6 piepkuikens; maak de vogels klaar voor de barbecue zoals beschreven in stap 1 op pag. 263. Vervang de varkensbouillon door kippebouillon en ga verder te werk volgens de aanwijzingen in het recept. Rooster de piepkuikens 20-25 minuten op de barbecue; bestrijk ze regelmatig met olijfolie en draai ze af en toe om. Snijd ze vlak voor het opdienen doormidden (of laat ze heel), schep er een beetje saus over en garneer het geheel met olijven, uiringen, sinaasappelschijfjes en een ingemaakte *jalapeño*-peper.

Een spectaculair buffet

» Omdat dit geroosterde varkensvlees zowel indrukwekkend lekker als gemakkelijk te serveren is, heb ik er een hele buffetmaaltijd omheen gecomponeerd. Ga vóór de maaltijd rond met een schaal met *masa*-schuitjes (pag. 190) als hapje bij de sangría van hibiscus (pag. 360) of de margarita's (pag. 375). Geef uw gasten dan een kopje romige maïssoep (pag. 107). Zet op de buffettafel: de geroosterde varkenslende, garnalen met gebruinde knoflook (pag. 246), met kaas gevulde chilipepers (pag. 284) en gemengde groentesalade (pag. 96). Zorg dat er voldoende stokbrood op de buffettafel staat en/of warme tortilla's en schenk bij dit alles een fruitige rode of witte wijn (maar bier mag ook). Mijn dessertsuggesties: ananas-*flan* (pag. 331), kokoscrème met geroosterde amandelen (pag. 334) en/of een salade van verse vruchten.

GEMARINEERDE LAMS- OF GEITEBOUT UIT DE OVEN
Birria de Chivo o de Carnero

Birria is het Westmexicaanse broertje van de Middenmexicaanse *barbacoa*, het in magueybladeren verpakte, in een vuurkuil bereide lamsvlees. Een smakelijke *birria* wordt gemaakt door lams- of geitevlees in te smeren met een chilipasta en vervolgens in een hermetisch gesloten pan in de oven gaar te stomen. De professionele *birria*-bereiders van de eetstalletjes en markt-*fondas* hebben speciale potten en ovens ontwikkeld die de ondergrondse vuurkuilen van hun voorouders vervangen en velen van hen (met name in de deelstaat Guadalajara) hebben ook de magueybladeren afgedankt, waardoor de chilimarinade als enig smaakgevend bestanddeel is overgebleven.

In onderstaand recept, afkomstig van een *birria*-bereider uit Guadalajara, worden de in de stoompan opgevangen vleessappen gebruikt als basis van een bouillonachtige, met oregano en verse tomatenpuree gekruide saus. Het professionele kookgerei van de *birria*-bereider heb ik vervangen door een grote braadpan waarvan het deksel met *masa* wordt 'dichtgemetseld', een methode die door Velázquez de Léon wordt aanbevolen in zijn boek *Viajando pos las cocinas de las provincias de la República Mexicana.* Deze huiselijke versie van *birria* is bij uitstek geschikt als middelpunt van een feestelijk informeel etentje. Geef er warme tortilla's bij en grove *guacamole* (pag. 47). IJs met een warme karamel van geitemelk (pag. 342) lijkt me een passend nagerecht. Mijn drankadvies: een niet te zware rode wijn, bier of de gekoelde tamarindedrank van pag. 361.

Voor ca. 6 personen:

> 1 lams- of geitebout van ca. 2 1/2 kilo
> ca. 100 gram gedroogde *chiles guajillos*, ontdaan van steeltjes, zaadjes en zaadlijsten
> 6 knoflookteentjes, ongepeld
> 1/4 theelepel komijnzaadjes (of ruim 1/4 theelepel gemalen komijn)
> 1/2 theelepel zwarte peperkorrels (of ca. 3/4 theelepel gemalen peper)
> 1 theelepel zout
> 3 eetlepels ciderazijn
> 2 theelepels suiker
> 500 gram verse *masa* of 250 gram *masa harina* gemengd met 1/4 liter water
> 250 gram rijpe tomaten, geroosterd of gekookt (pag. 404), ontveld en van de kern ont-
>   daan of 3/4 van een klein blik (à 4 dl) gepelde tomaten, uitgelekt
> 1 theelepel oregano
> 1 middelgrote ui, fijngehakt
> 2 à 3 eetlepels grof gehakte verse koriander
> 2 limoenen, in partjes gesneden

1. *Het vlees*: Verwijder, als de slager dat nog niet heeft gedaan, zoveel mogelijk het vet uit de lams- of geitebout. Leg de bout in een grote zuurbestendige schaal.
2. *De marinade*: Verhit een vlakke grillplaat of een zware koekepan op een matig hoog vuur. Scheur de chilipepers in platte stukken en leg ze, steeds met een paar stuks tegelijk, op de grillplaat (of in de pan). Druk ze met een metalen spatel een paar seconden tegen het hete metaal, tot ze knisperen en verkleuren, draai ze dan om en rooster de andere kant op dezelfde manier. Doe de pepers in een kom, overgiet ze met kokend water (leg er een schoteltje op, zodat ze on-dergedompeld blijven) en laat ze 30 minuten weken. Rooster de ongepelde knoflookteentjes op een grillplaat of in een kleine koekepan met dikke bodem onder regelmatig omdraaien tot, na ca. 15 minuten, de schil rondom geblakerd is en de inhoud zacht is. Laat de teentjes afkoelen alvorens de schil te verwijde-ren.
   Laat de chilipepers uitlekken en doe ze in de kom van een blender. Maak de komijnzaadjes en de peperkorrels fijn in een vijzel of specerijenmolentje; doe het mengsel in de blender en voeg ook het zout, de gepelde knoflookteentjes, de ciderazijn en 1 3/4 dl water toe. Laat de machine draaien tot u een gladde puree hebt verkregen en wrijf de puree door een middelfijne zeef. Giet 1 1/4 dl van de puree in een kommetje, roer de suiker erdoor en zet het kommetje afge-dekt opzij tot u het mengsel nodig hebt. Bestrijk het vlees rondom met de rest van de chilipuree, dek de schaal af met folie en zet hem minstens 4 uur (maar liever een hele nacht) in de koelkast.
3. *Het 'stoombraden'*: Verwarm de oven voor op 160° C. Leg een treeftje in een gro-te braad- of wildpan (als de afstand tussen het treeftje en de panbodem kleiner is dan 3 cm, laat het treeftje dan rusten op een paar ondersteboven geplaatste theekopjes of kleine souffléschaaltjes of iets dergelijks). Giet 3/4 liter water in de pan, bestrijk de lams- of geitebout met de in de schaal gedropen marinade en leg hem op het treeftje,

Kneed de verse *masa* (of het mengsel van *masa harina* en water) met een beet-je water tot een soepel deeg. Vorm van het deeg ballen ter grootte van tennisbal-len en rol hiervan 'worstjes' met een diameter van 2 cm. Leg de deegworstjes op de rand van de pan en duw ze licht aan, zodat het deeg stevig op de pan ver-ankerd is. Leg nu het deksel op de pan, duw hem in de deegrand en verzegel de inhoud door het deeg rondom goed aan te drukken. Zet de pan in de oven en laat het vlees 3 uur 'stoombraden'.

4. *De saus*: Neem de pan na 3 uur uit de oven, breek de inmiddels keihard gewor-den deegrand door er met de achterkant van een zwaar mes een paar stevige tikken op te geven en verwijder het deksel. Neem het vlees uit de pan en leg het op een schaal. Verwijder het treeftje en giet het in de pan achtergebleven vocht door een zeef in een maatbeker. Schep het vetlaagje er af en vul het vocht – indien nodig – met water aan tot 1 liter. Giet het vocht in een steelpan.

Pureer de tomaten in een blender of foodprocessor en giet de aldus verkre-gen puree bij het vocht in de pan. Voeg de oregano toe, breng het geheel aan de kook en laat de saus 20 minuten zachtjes koken, met het deksel op de pan. Breng de saus daarna op smaak met zout.

5. *Afwerking en presentatie*: Snijd het vlees 15 minuten voor het serveren in zo groot mogelijke stukken los van de botten en verwijder eventueel achtergeble-ven stukjes kraakbeen. Leg de stukken op een bakplaat en bestrijk ze rondom met de apart gehouden, met suiker vermengde marinade. Schuif de bakplaat 10 minuten in de hete oven, tot het vlees door en door heet is en 'geglaceerd' met de gezoete marinade. Meng intussen de uisnippers met de gehakte koriander en doe het mengsel in een schaaltje. Doe de limoenpartjes in een tweede schaal-tje. Serveer het vlees op een voorverwarmde schaal en geef de dunne saus er apart bij of snijd de stukken dwars op de draad in plakken, verdeel ze over voorverwarmde borden en giet de saus erover. Laat de schaaltjes met het ui-ko-riandermengsel en de limoenpartjes aan tafel rondgaan.

KEUKENNOTITIES

Technieken

» *'Stoombraden' in een hermetisch gesloten pan*: Het effect van deze methode, waarbij het vlees wordt gegaard boven een laagje kokend water in een goed afgesloten pan, is min of meer identiek aan de bereiding in een ondergrondse vuurkuil. Dankzij de vochtige omgeving droogt het vlees niet uit. Het 'dichtmetselen' van de pan door tussen de rand van de pan en het deksel een deeglaag aan te brengen is misschien niet echt nodig, maar ik houd van de geurexplosie die ontstaat als je het deksel, na hem te hebben losgebikt, van de pan licht.

Ingrediënten

» *Het vlees*: *Birria* wordt vrijwel uitsluitend gemaakt van vleessoorten met een krach-tige smaak. Geitevlees is verkrijgbaar bij sommige islamitische slagers; lamsvlees is tegenwoordig bij vrijwel alle slagers te koop; ook minder malse delen van het dier komen in aanmerking.

» *De chilipepers*: In plaats van *chiles guajillos* worden in Guadalajara ook wel de eveneens vrij milde *chiles chilacates* gebruikt.

Voetnoot van de vertaalster

» *De hoeveelheden:* Met 'theelepel' wordt de internationale standaardtheelepel met een inhoud van 5 gram bedoeld en niet het Nederlandse theelepeltje van 3 gram.

» *De chilipepers: Chiles guajillos* worden in Nederland geïmporteerd, maar ze kunnen in dit recept eventueel worden vervangen door 6 *chiles anchos.*

(Voor)bereidingstijd

» U kunt het beste minstens 8 uur van tevoren met het marineren van het vlees beginnen. De bereiding zelf vergt 3 uur (maar u hebt er geen omkijken naar) en de afwerking duurt zo'n drie kwartier. Desgewenst kunt u het gerecht 2-3 dagen van tevoren bereiden (t/m stap 4) en het vlees en de saus afzonderlijk in de koelkast bewaren. Verpak het vlees ca. 30 minuten voor het serveren in aluminiumfolie en warm het op in de oven en ga daarna te werk volgens de aanwijzingen in stap 5. Warm de saus op in een steelpan.

EIGENTIJDSE VARIATIE

» *Birria van lamsvlees met chipotle-pepers en tomatillo's:* Gebruik in plaats van een groot stuk lamsbout 6 dikke lamsboutschijven. Voeg, tegelijk met de geweekte *guajillo*-pepers 2 *chiles chipotles* uit blik toe en vervang de tomaten door 250 gram *tomatillos* uit blik. Ga verder te werk volgens de aanwijzingen in het recept, maar laat het braadvocht van stap 4 inkoken tot sausdikte. Bedek de in de oven geglaceerde lamsschijven (stap 5) met een paar lepels saus en bestrooi ze met een mengsel van fijngehakte ui en koriander en een beetje verkruimelde geroosterde *guajillos.*

Carnitas

RIJST, BONEN EN GROENTEN
Arroz, Frijoles y Verduras

Het bereiden van rijst op een open vuur, Juchitán

Ongeveer zevenduizend jaar geleden kwamen de vroegste bewoners van Mexico op het idee een deel van hun pas geoogste bonen op te slaan in een grot in Tamaulipas. Om een of andere reden kwamen ze echter nooit terug om de bonen op te halen, waardoor hun nazaten aan die eerste gecultiveerde peulvruchten een tastbare herinnering hebben overgehouden. Tegen de tijd dat de Spanjaarden in Mexico arriveerden, leefde de bevolking grotendeels op een dieet van bonen - gewone gekookte bonen, in grootte variërend van de uit de kluiten gewassen *ayocotes* tot de allerkleinste zwarte boontjes. Gecombineerd met het uitgesmolten spek van de varkens die de Spanjaarden hadden meegebracht kregen de peulvruchten hun definitieve bestemming in de vorm van *frijoles refritos* - een smakelijke dikke bonenpuree bestrooid met lichtgezouten verse kaas. Tot op de dag van vandaag zijn bonen een essentieel bestanddeel van het Mexicaanse menu. Gebakken bonenpuree is de vaste metgezel van (of een veel gebruikt ingrediënt in) vrijwel alle *antojitos* op basis van *masa*, simpele soep-achtige bonengerechten hebben een vaste plaats in de *comida* en er zijn tal van speciale bereidingen die een naam hebben verworven als regionale specialiteit.

Veel niet-Mexicanen denken dat rijst een niet weg te denken onderdeel is van de Mexicaanse avondmaaltijd. In werkelijkheid is rijst echter geen produkt dat bij elke Mexicaan dagelijks op tafel verschijnt. Rijst is dan ook geen inheems gewas. De Moren brachten het graan mee naar Spanje en de Spanjaarden introduceerden het op hun beurt in de Nieuwe Wereld, maar pas nadat ze eerst allerlei andere eetbare zaken - waaronder tarwe, olijven en druiven en vee - hadden verscheept. Maar toen rijst eenmaal in Mexico was aanbeland, vond hij een warm onthaal: rijstgerechten behoren vandaag de dag tot de meest gewaardeerde onderdelen van een eigentijdse Mexicaanse maaltijd. Rijst wordt vaak geserveerd als tweede gang van de middagmaaltijd (*comida*). Verder kun je rijst tegenkomen - vaak in de vorm van rijsttimbaaltjes - als bijgerecht bij vis, als voedzame hap in een markt-*fonda* en zelfs - in sommige Noordmexicaanse *cafetarías* - als metgezel van bonen. Maar dat laatste gebeurt zelden, want de elders zo geliefde combinatie van rijst en bonen is in Mexico aanzienlijk minder populair.

Bladgroenten, pompoenen, tomaten, paddestoelen en andere groenten vormden een belangrijk onderdeel van het precolumbiaanse dieet. Ze werden echter niet als bijgerecht gegeten, als metgezel van vlees of iets anders, maar speelden de hoofdrol in zelfstandige gerechten. En dat doen ze nog steeds. Gerechten als postelein met varkensvlees, paddestoelen en rundvlees met een saus van *chiles pasillas*, cactusbladeren of *romeritos* met garnalenkoekjes, courgettes met kaas en room - het zijn allemaal traditionele combinaties die dienst doen als hoofdgerecht. De enige 'los' bij iets anders geserveerde groenten die je in Mexico tegenkomt zijn - naast het bergje sla dat de meeste snacks flankeert - de in reepjes gesneden geroosterde groene pepers (*rajas*) die vlees of kip vergezellen, de boven houtskool geroosterde lente-uitjes die in Noordmexicaanse eetgelegenheden populair zijn en de gebruikelijke berg gebakken of gefrituurde aardappelen die in vrijwel alle restaurants bij het hoofdgerecht worden geserveerd.

Ondanks hun ogenschijnlijk ondergeschikte status prijken tientallen soorten verse groenten in fraai opgetaste stapels op de Mexicaanse markten. Sommige groenten - waaronder tomaten, *tomatillos*, uien, knoflook en een aantal pepersoorten - zijn voornamelijk bestemd voor sauzen. Weer andere, zoals sla, komkommer, *jícama*, kool, radijs en avocado, worden meestal rauw gegeten of in salades verwerkt.

Maar in dit hoofdstuk worden uitsluitend groenten voor het voetlicht gebracht die in warme gerechten worden verwerkt, zoals courgettes, verse groene bonen en doperwten, bloemkool, cactusbladeren, postelein, snijbiet, courgettebloemen, aardappelen en bataten.

Het assortiment groenten is in heel Mexico min of meer hetzelfde, maar de manier waarop een groente wordt gebruikt, kan van streek tot streek verschillen. En natuurlijk zijn er ook groenten die alleen in een bepaald gebied worden gegeten. In Yucatán vind je, behalve een pompoensoort die eruitziet als een grote donkergroene patisson, bittere meloen voor op de barbecue, kleine verse zwarte boontjes die *espelones* worden genoemd en witte bonen die *ibes* heten. Op de kleurrijke Indiaanse markt van de hooggelegen stad San Christóbal de las Casas, in de deelstaat Chiapas, omvat het groenteassortiment exotische gewassen als palmharten, wilde paddestoelen, watermeloenachtige pompoenen en uitlopers van de pompoenplant. En San Luis Potosí is de plek waar je *papitas del monte* kunt vinden, kleine wilde aardappeltjes met een heerlijke aardse smaak.

Indachtig het feit dat al deze gezonde gewassen in Mexico worden verwerkt in voedzame stoofpotten en soortgelijke hoofdgerechten, is het op z'n minst merkwaardig om in een aan de Mexicaanse keuken gewijd kookboek een hoofdstuk aan te treffen met recepten voor groenten die als bijgerecht geserveerd worden. Wat dat betreft wijkt dit boek dan ook sterk af van de gebruikelijke indeling. In traditionele receptenbundels worden bonen doorgaans ondergebracht in het hoofdstuk *antojitos* ofwel in een hoofdstuk *verduras*, waarin ook recepten voor stoofschotels met vlees en groenten, *chiles rellenos*, gevulde kalebas en stevige groentepuddingen te vinden zijn. In die boeken zijn rijstgerechten veelal samengevoegd met de soepen. In dit boek heb ik rijst, bonen en groenten echter gezamenlijk ondergebracht in een afzonderlijk hoofdstuk omdat die indeling beter tegemoet komt aan de manier waarop men in de V.S. en Europa een menu samenstelt. Ik heb zelfs een aantal groentegerechten die gewoonlijk als hoofdgerecht fungeren dusdanig aangepast dat u ze als bijgerecht kunt serveren. Groentegerechten uit andere hoofdstukken kunt u in het register terugvinden onder het trefwoord 'Groenten'.

Gouden regels voor perfect gekookte rijst

Technieken

» *De juiste pan*: Een zware roestvrij stalen pan met een diameter van 18-20 cm, een inhoud van 1 1/2 à 2 liter en voorzien van een goed sluitend deksel is het meest geschikt.

» *Weken of niet weken*: Als ik in Mexico ben, waar ik op de markt meestal losse rijst koop, spoel ik de rijst onder de koude kraan om het stof en ander vuil te verwijderen, waarna ik de rijst een tijdje laat weken om het overtollige zetmeel kwijt te raken. In de V.S., waar de rijst schoner is en bovendien verrijkt is met in water oplosbare vitamines, laat ik het spoelen en weken achterwege, ook al omdat ik niet de induk heb dat deze handelingen veel bijdragen aan de smaak en de textuur van de rijst.

» *Het bakken van de rijst*: In Mexico wordt rijst klaargemaakt volgens de risottomethode, dat wil zeggen dat de rauwe rijst eerst wordt gebakken en daarna in bouillon wordt gaar gekookt. Het bakken voorziet de rijstkorrels van een dun vetlaagje, waardoor ze niet aan elkaar plakken. Het speciale smaakje dat kenmerkend is voor een authentieke *arroz a la Mexicana* wordt verkregen door de rijst te bakken tot de korrels bruin zijn.

» *Het gaar koken en droogstomen*: Als de rijst na 15 minuten koken en een paar minuten nagaren (in de gesloten pan en van het vuur af) nog niet gaar is, zet de pan dan terug op een vrij laag vuur en laat de rijst, met het deksel op de pan, nog even doorwarmen. Als al het vocht door de rijst is opgenomen, sprenkel dan een eetlepel water over de rijst. Als de rijst juist erg vochtig is, kook hem dan een paar tellen met het deksel op de pan, verwijder daarna het deksel en laat het vocht verdampen. Als u de rijst liever in de oven bereidt (vanwege de gelijkmatige hitte) zet de pan dan direct nadat u het water hebt toegevoegd in de op 160° C voorverwarmde oven. Neem de pan na 15 minuten uit de oven en laat de rijst nog 5 minuten in de pan staan om na te garen. Het eindresultaat is afhankelijk van de kwaliteit en de leeftijd van de gebruikte rijstsoort. Rijst die te lang wordt gekookt krijgt rafelige korrels en een melige smaak.

» *Het opwarmen van gekookte rijst*: Als ik de rijst niet direct kan serveren, laat ik hem liever volledig afkoelen dan dat ik hem warm houd (waardoor hij overgaar zou kunnen worden). U kunt de rijst snel laten afkoelen door hem in een ondiepe schaal te scheppen. Koude of lauwwarme rijst kan au bain-marie worden opgewarmd, maar u kunt de rijst ook uitspreiden in een ovenschaal of kleine braadslee en het geheel – afgedekt met aluminiumfolie – 15 minuten in de op 160° C voorverwarmde oven zetten.

» *Rijsttimbaaltjes*: Langs de Mexicaanse Golf en in Yucatán wordt rijst meestal opgediend in de vorm van een rijsttimbaaltje. Rijsttimbaaltjes zijn gemakkelijk te maken: vul een koffiekopje of een ander vormpje met warme rijst, druk de rijst goed aan, keer het geheel snel om en licht het vormpje voorzichtig van de rijst. Op dezelfde manier kunt u een ringvorm met rijst vullen. Leg een ronde schaal ondersteboven op de vorm. keer het geheel met een snelle beweging om en til de vorm omhoog. Desgewenst kunt u de rijstrand garneren met peterselie.

Ingrediënten

» *De rijst*: Hoewel in bijna alle Mexicaanse kookboeken langgraanrijst wordt voorgeschreven, heb ik ontdekt dat de rijstsoort die in Mexico het meest wordt gebruikt niet een lange, maar een middellange korrel heeft. In plaats van witte langgraanrijst zou u dus ook Italiaanse risottorijst ('arborio') kunnen gebruiken.

Een aantal cazuelas van verschillend model

Gouden regels voor perfect gekookte bonen

Technieken

» *Het weken:* In Mexico worden gedroogde bonen zelden in water geweekt, hoewel dat de kooktijd aanzienlijk zou verkorten. De weektijd is, evenals de kooktijd, afhankelijk van meerdere factoren, waaronder de soort en de leeftijd van de bonen, de herkomst en zelfs de manier van oogsten en drogen. Overjarige bonen, dat wil zeggen bonen die langer dan een jaar geleden werden geoogst en gedroogd, hebben meer tijd nodig dan bonen die binnen een jaar na het oogsten en drogen worden gegeten.

» *Het verwijderen van 'drijvers':* Verwijder alle bonen die tijdens het weken naar de oppervlakte drijven; ze blijven drijven omdat ze gedeeltelijk hol zijn en in die holtes kunnen zich schimmels of andere ongerechtigheden hebben genesteld.

» *Toevoegingen aan het kookvocht:* Voeg aan het kookwater van bonen *in geen geval* zout toe; zout maakt het velletje stugger en vergroot de kans dat de bonen tijdens het koken stuk koken. Dat geldt ook voor produkten met een hoge zuurgraad, zoals tomaten, chilipepers, azijn, enzovoort. Dit soort ingrediënten moeten, net als zout, pas worden toegevoegd als de bonen gaar zijn. Desgewenst kunt u wèl een snufje bakpoeder of dubbelkoolzure soda aan het kookwater toevoegen, dit maakt de bonen sneller gaar. Maar voeg vooral niet te veel toe: een te royale dosis geeft de bonen een nare bijsmaak en heeft bovendien een nadelig effect op de voedingswaarde.

» *De bereidingstijd en de hittebron:* Breng de bonen op een vrij laag vuur langzaam aan de kook en laat ze *zachtjes* koken – op die manier blijven ze heel en worden ze gelijkmatig gaar. De bereidingstijd van geweekte bonen is vele malen korter dan die van niet-geweekte exemplaren.

» *Snel-klaar bonen:* In noodgevallen kunnen gedroogde bonen in ruim 1 1/2 uur serveerklaar worden gemaakt door ze te weken volgens de versnelde weekmethode beschreven op pag. 312 (stap 1) en ze vervolgens in 30-45 minuten (afhankelijk van het type bonen; zwarte bonen hebben iets meer tijd nodig dan bruine bonen en pinto- of kievitsbonen) gaar te koken in een hogedrukpan. Controleer of de bonen inderdaad gaar zijn; zijn ze dat niet, laat ze dan – met of zonder druk – nog iets langer koken.

Ingrediënten

» *De bonen:* Rood, zwart, wit, gespikkeld of effen, elke boon heeft z'n eigen smaak en karakter. In Mexico worden verschillende soorten bonen gebruikt, waarvan de meeste ook in Nederland verkrijgbaar zijn, al zult u naar de veelgebruikte zwarte boontjes misschien goed moeten zoeken. Verpakte bonen bevatten doorgaans minder ongerechtigheden dan bonen die los worden verkocht. Gedroogde bonen zijn ca. 1 jaar houdbaar; bewaar ze bij kamertemperatuur in een goed afgesloten plastic doos.

MEXICAANSE RODE RIJST (MET GROENTEN)

Arroz a la Mexicana (con Verduras)

De smaak van dit klassieke rijstgerecht wordt verkregen door het gebruik van gebruinde rijst, tomaten en een geurige bouillon – gewone, alledaagse Mexicaanse ingrediënten. Het is dan ook een gerecht dat in heel Mexico wordt gegeten en, aangevuld met vis of vlees, in sommige gebieden zelfs dienst doet als een regionaal getint eenpansgerecht.

Onderstaand recept is afkomstig van Señora Villalobos uit Juchitán, in de deelstaat Oaxaca. Ik heb haar bereidingsmethode – in een open *cazuela* en op een houtvuur – echter aangepast aan de gangbare keukenuitrusting in ons deel van de wereld. In Mexico wordt *arroz a la mexicana* doorgaans als tweede gang van een *comida corrida* geserveerd, dat wil zeggen nà de soep en vóór het hoofdgerecht. Maar u kunt de rijst , die bij vrijwel alle in dit boek beschreven hoofdgerechten past, gewoon als bijgerecht geven, of de maaltijd nu aan tafel of in buffetvorm wordt geserveerd.

Voor 4 personen:

    1 1/2 eetlepel plantaardige olie
    200 gram langgraan- of arboriorijst
    1 kleine ui, fijngehakt
    1 groot knoflookteentje, gepeld en fijngehakt
    200 tomaten, geroosterd of gekookt (pag. 405), ontveld en van de kern ontdaan of 1/2
        klein blik (à 4 dl) gepelde tomaten, uitgelekt
    3 1/2 dl kippebouillon (pag. 66) of water
    1/2 à 1 theelepel zout
    100 gram doperwtjes, vers of diepvries (eventueel)
    100 gram wortel, geschrapt en in piepkleine blokjes gesneden (eventueel)
    een paar takjes verse koriander of platte peterselie

1. *Het bakken van de rijst:* Verhit de olie in een pan (zie Gouden regels voor perfect gekookte rijst, pag. 304) op een matig hoog vuur. Voeg de rijst en de ui toe en bak ze al roerende tot de rijstkorrels en de uisnippers licht goudbruin zijn (7 à 10 minuten). Roer de knoflook erdoor en bak het geheel nog 1 minuut.
2. *De tomaten en de bouillon:* Verwijder intussen – eventueel – de zaadjes uit de tomaten door de vruchten overdwars doormidden te snijden en de helften zachtjes uit te knijpen. Pureer het vruchtvlees in een blender of foodprocessor. Breng de bouillon of het water op een laag vuur aan de kook; voeg aan het water 1 theelepel zout toe (het toevoegen van extra zout aan de bouillon is afhankelijk van het zoutgehalte van de bouillon).
3. *Het koken van de rijst:* Roer de tomatenpuree door de gebakken rijst en laat het mengsel ca. 1 minuut pruttelen; roer af en toe. Voeg al roerende de kokendhete bouillon toe, draai het vuur iets lager, leg het deksel op de pan en kook de rijst 15 minuten. Draai het vuur dan uit en laat de rijst 5-10 minuten nagaren in de gesloten pan, tot de korrels zacht zijn (maar niet zo zacht dat ze splijten...).
4. *Het koken van de groenten (eventueel):* Kook de verse doperwtjes en de worteltjes afzonderlijk beetgaar in lichtgezouten water; diepvrieserwtjes hoeft u alleen maar te laten ontdooien. Laat de groenten uitlekken en doe ze in een kom.
5. *De afwerking:* Woel de rijst los met een vork en schep – eventueel – de groenten erdoor. Schep de rijst in een voorverwarmde schaal en leg hier en daar een plukje verse koriander of peterselie. Serveer direct.

KEUKENNOTITIES

Technieken

» Rijst koken: Zie pag. 304.

Ingrediënten

» Rijst: Zie pag. 305.

Voetnoot van de vertaalster

» *De hoeveelheden*: Met 'theelepel' wordt de internationale standaardtheelepel met een inhoud van 5 gram bedoeld en niet het Nederlandse theelepeltje van 3 gram.

(Voor)bereidingstijd

» De bereidingstijd bedraagt ca. 40 minuten (iets langer als u de rijst mengt met groenten), waarvan 25 minuten nodig zijn voor het koken en laten nagaren van de rijst. Desgewenst kunt u de rijst een dag van tevoren gaar maken, snel laten afkoelen en afgedekt in de koelkast bewaren. Voor het opwarmen van gekookte rijst: zie pag. 305.

TRADITIONELE VARIATIES

» *Mexicaanse rode rijst met chilipepers of verse koriander*: Roer, tegelijk met de verse tomatenpuree, 1 *chile poblano* of 1 à 2 lichtgroene Turkse of Marokkaanse pepers (in beide gevallen geroosterd, ontveld en fijngesneden) door de gebakken rijst. Of voeg, op het moment dat u het vuur onder de pan uitdraait, 1 grote ontvelde, van zaadjes ontdane en in blokjes gesneden tomaat en 2 à 3 eetlepels fijngehakte verse koriander toe.

» *Mexicaanse rijst met varkensvlees en groene chilipepers*: Kook 300 gram in kleine blokjes gesneden varkensvlees gaar in lichtgezouten water. Ontvet de varkensbouillon en houd hem apart. Verwijder de zaadjes uit 2 of 3 verse *chiles jalapeños* (of uit 1 1/2 groene lombok) en snijd de pepers overdwars in smalle reepjes. Kook de rijst zoals aangegeven in het recept, maar voeg tegelijk met de knoflook de fijngesneden chilipepers toe en vervang de kippebouillon door de varkensbouillon plus het gekookte varkensvlees. Serveer de rijst als simpele maaltijdschotel.

WITTE RIJST MET GEROOSTERDE CHILIPEPERS EN VERSE KAAS

Arroz a la Poblana

Verse maïs, geroosterde *chiles poblanos* en een pittige verse kaas die *queso ranchero* (letterlijk 'boerderijkaas') wordt genoemd, vormen in Puebla een historisch gegroeide drieëenheid. In een aantal restaurants wordt het smakelijke trio verwerkt in een rijstgerecht dat niet alleen interessant van smaak is, maar - in de vorm van rijsttimbaaltjes of een rijstrand - ook aantrekkelijk oogt. Serveer deze rijst bij een hoofdgerecht met veel saus, bijvoorbeeld bij tamme eend in rode pompoenzaadsaus (pag. 259).

Voor 4-6 personen:

> 1 1/2 eetlepel plantaardige olie
> 200 gram langgraan- of arboriorijst
> 1 kleine ui, fijngehakt
> 4 dl kippebouillon (pag. 66)
> 1/2 theelepel zout (eventueel)
> 3 verse *chiles poblanos*, geroosterd en ontveld (pag. 386), ontdaan van de zaadjes en in
>   smalle, korte reepjes gesneden
> 1 grote verse maïskolf, de korrels losgesneden of 200 gram maïskorrels uit de diepvries
> 50-75 gram verkruimelde Mexicaanse *queso fresco* (pag. 396) of een andere verse witte
>   gaas, bijv. feta, witte meikaas of verse geitekaas
> een paar takjes waterkers of peterselie

1. *De rijst:* Verhit de olie in een pan (zie Gouden regels voor perfect gekookte rijst, pag. 304), op een matig hoog vuur. Voeg de rijst en de ui toe en bak ze al roerende tot de rijstkorrels en de uisnippers – na ca. 7 minuten – glazig zijn . Breng intussen de bouillon aan de kook; voeg, als de bouillon niet of slechts licht gezouten is, 1/2 theelepel zout toe. Giet de hete bouillon bij de rijst, voeg ook de reepjes chilipeper en de maïskorrels toe en roer alles goed door elkaar. Leg het deksel op de pan, draai het vuur iets lager en kook de rijst 15 minuten.
2. *De afwerking en presentatie:* Neem de pan van het vuur en laat de rijst 5-10 minuten nagaren, tot de korrels zacht zijn (maar niet zo zacht dat ze splijten...). Woel de rijst los met een vork en schep de verkruimelde kaas erdoor. Schep de rijst in een voorverwarmde schaal, leg hier en daar een takje waterkers of peterselie en serveer direct.

KEUKENNOTITIES

Technieken

» *Rijst koken:* Zie pag. 304.

Ingrediënten

» *Rijst:* Zie pag. 305.

» *Chiles poblanos:* Dit is het enige type chilipepers dat in Puebla wordt gebruikt, maar als het echt niet anders kan, kunnen de verse *poblanos* worden vervangen door 2 of 3 lichtgroene Turkse of Marokkaanse pepers (geroosterd, ontveld, van de zaadjes ontdaan en in reepjes gesneden).

Voetnoot van de vertaalster

» *De hoeveelheden:* Met 'theelepel' wordt de internationale standaardtheelepel met een inhoud van 5 gram bedoeld en niet het Nederlandse theelepeltje van 3 gram.

(Voor)bereidingstijd

» De bereidingstijd bedraagt ca. 40 minuten, waarvan 25 minuten nodig zijn voor het koken en laten nagaren van de rijst. Desgewenst kunt u de rijst een dag van tevoren gaar maken, snel laten afkoelen en afgedekt in de koelkast bewaren. Voor het opwarmen van gekookte rijst: zie pag. 305.

TRADITIONELE VARIATIES

» *Witte rijst met geroosterde chilipepers, verse kaas en bakbanaan:* Kook de rijst volgens de aanwijzingen in stap 1 en laat hem van het vuur af nagaren. Pel intussen 2 goed rijpe bakbananen, snijd het vruchtvlees in kleine blokjes en bak de blokjes mooi goudbruin in een beetje olie. Schep de banaanblokjes vlak voor het serveren door de rijst.

GROENE RIJST MET CHILIPEPERS EN DOPERWTEN
Arroz Verde

Een paar jaar geleden, tijdens een bezoek aan de kookschool van Don Ricardo en María Merril in León, in de deelstaat Guanajuato, werd ik ingewijd in de Mexicaanse rijst-etiquette. Witte rijst, zo werd mij verteld, staat bij doopfeesten en huwelijken op het menu, rode rijst is voor dagelijks gebruik en groene rijst wordt gegeten op belangrijke feestdagen. Die grondregels heb ik daarna nog vele malen te horen gekregen en de enige uitzondering die mij bekend is, kan worden waargenomen in de aan de Mexicaanse Golf gelegen deelstaten, waar witte rijst bij vrijwel elke maaltijd wordt geserveerd.

Hoewel alle koks en kokkinnen zeggen dat ze hem kunnen bereiden, wordt groene rijst zelden in openbare eetgelegenheden geserveerd. Onderstaand recept is gebaseerd op de versie van María Merril. De met de smaak van tuinkruiden en *chiles poblanos* doortrokken rijst past vooral goed bij gebakken vis met gebruinde knoflook (pag. 246) en bij boven houtskool geroosterde kip (pag. 263).

Voor 4-6 personen:

- 1/2 middelgrote ui, fijngehakt
- 1 stengel bleekselderij, fijngehakt
- 6 takjes verse koriander + een paar extra takjes voor de garnering
- 6 takjes platte peterselie + een paar extra takjes voor de garnering
- 2 verse *chiles poblanos*, geroosterd en ontveld (pag. 386), ontdaan van de zaadjes en in stukjes gesneden
- 1 groot knoflookteentje, gepeld en in plakjes gesneden
- 1 1/2 dl kippebouillon (pag. 66) of water
- 1/2 à 1 theelepel zout
- 100 gram doperwtjes, vers of uit de diepvries
- 1 1/2 eetlepel plantaardige olie
- 200 gram langgraan- of arboriorijst

1. *De voorbereidingen:* Doe de ui, de bleekselderij, de koriander en peterselie, de knoflook en de *chiles poblanos* in een kleine steelpan, giet er 3 dl water bij, leg een deksel op de pan en breng het water op een matig hoog vuur aan de kook. Laat het geheel ca. 10 minuten zachtjes koken, tot de ui- en selderijsnippers zacht zijn. Haal de pan van het vuur en laat de inhoud afkoelen tot lauw. Pureer de inhoud van de pan (inclusief het vocht) in een blender of foodprocessor, giet de puree in de pan terug en voeg de bouillon of het water toe. Voeg 1 theelepel zout toe als u water of niet-gezouten bouillon gebruikt of 1/2 theelepel als de bouillon wèl zout bevat.

Kook de doperwten beetgaar in lichtgezouten water; spoel ze onder de koude kraan en laat ze uitlekken (diepvrieserwtjes hoeft u alleen maar te laten ontdooien).

2. *Het bakken van de rijst:* Doe de olie en de rijst ca. 40 minuten voor het serveren in een pan (zie pag. 305) en verhit het mengsel al roerende op een matig hoog vuur tot de rijstkorrels – na ca. 7 minuten – transparant worden. Breng intussen het bouillonmengsel aan de kook.

3. *Het koken en nagaren van de rijst:* Giet het bouillonmengsel bij de rijst, roer alles goed door en laat de rijst, met het deksel op de pan, 15 minuten zachtjes koken, op een vrij laag vuur. Neem de pan daarna van het vuur en laat de rijst 5-10 minuten nagaren in de gesloten pan. Woel de rijstkorrels los met een vork en meng de doperwten erdoor. Schep de rijst in een voorverwarmde schaal en leg hier en daar een plukje verse koriander en/of peterselie. Serveer direct.

KEUKENNOTITIES

Technieken

» *Rijst koken:* Zie pag. 304.

Ingrediënten

» *Rijst:* Zie pag. 305.

» *Chiles poblanos:* Desgewenst kunnen de *poblanos* worden vervangen door 3 lichtgroene Turkse of Marokkaanse pepers (geroosterd, ontveld, van de zaadjes ontdaan en in reepjes gesneden); de rijst wordt in dat geval wel iets minder groen.

Voetnoot van de vertaalster

» *De hoeveelheden:* Met 'theelepel' wordt de internationale standaardtheelepel met een inhoud van 5 gram bedoeld en niet het Nederlandse theelepeltje van 3 gram.

(Voor)bereidingstijd

» De bereidingstijd bedraagt 1 uur, waarvan ongeveer de helft nodig is voor het koken en laten nagaren van de rijst. Desgewenst kunt u de rijst een dag van tevoren gaar maken, snel laten afkoelen en afgedekt in de koelkast bewaren. Voor het opwarmen van gekookte rijst: zie pag. 305.

EIGENTIJDSE VARIATIE

» *Groene rijst met extra kruiden:* Ga te werk volgens de aanwijzingen in het recept, maar roer tegelijk met het bouillon-kruidenmengsel 1 extra *chile poblano* (geroosterd, ontveld, van zaadjes ontdaan en in piepkleine stukjes gesneden) door de rijst en voeg bij het loswoelen van de rijst 2 eetlepels fijngehakte verse koriander en 1 eetlepel fijngehakte munt toe.

Mexicaanse stoompan

GEKOOKTE BONEN

Frijoles de la Olla

O*lla* betekent 'pot'. De pot in kwestie is gemaakt van vrij grof, ongeglazuurd of slechts gedeeltelijk geglazuurd aardewerk en heeft ongeveer hetzelfde model als een Franse *marmite*. Tussen de pot en het voedsel dat erin wordt bereid ontstaat een uitwisseling van smaken, zoals iedereen weet die wel eens echte *frijoles de la olla* heeft geproefd. Vandaag de dag is het jammer genoeg geen gewoonte meer om *ollas* tussen gloeiende kooltjes te plaatsen, waardoor de aardse smaak van de in gebakken klei bereide bonen niet vaak meer wordt verlevendigd door het rokerige aroma van een houtskoolvuurtje. Het houtskoolvuur is trouwens in de meeste gevallen vervangen door een gasbrander en in plaats van in een aardewerken *olla* worden de bonen tegenwoordig gekookt in een gewone pan.

De Mexicanen eten deze gekookte bonen vrijwel dagelijks. In de markt-*fondas* worden ze geserveerd met een stapel warme tortilla's, een beetje grof zout en wat hete groene pepers. Ook in de huiselijke keuken staat altijd wel een pot met bonen klaar waaruit à la minute kan worden opgeschept als een van de huisgenoten na het hoofdgerecht nog niet verzadigd blijkt te zijn. In sommige traditionele eetgelegenheden worden bonen nog wel eens in de hoedanigheid van 'gatenvuller' in een *comida corrida* opgenomen – als een aparte gang tussen het hoofdgerecht en het toetje. Maar aangezien de porties van de overige gangen tegenwoordig groter zijn dan vroeger, toen er schaarste was en de mensen minder welvarend waren, hebben bonen hun functie als maagvuller grotendeels verloren.

Voor 4 personen als hoofdgerecht of voor 6 personen als bijgerecht:

> 400 gram gedroogde bonen naar keuze: rode, zwarte, witte, pinto of een andere soort
> 2 eetlepels reuzel, spekvet of uitgesmolten vet van *chorizo*
> 1 kleine ui, fijngehakt
> als u zwarte bonen gebruikt: 1 groot takje *epazote* (eventueel)
> ca. 1 theelepel zout

1. *Het wassen en weken van de bonen*: Doe de bonen in een vergiet en kijk ze goed na, verwijder eventueel aanwezige steentjes en andere ongerechtigheden. Spoel de bonen onder de koude kraan en doe ze daarna in een grote pan. Voeg 1 1/2 liter koud water toe, verwijder bonen die aan de oppervlakte blijven drijven en laat de rest van de bonen 4-8 uur weken (u kunt controleren of ze lang genoeg geweekt zijn door een boon doormidden te breken; als de kern niet meer droog is, zijn de bonen goed).

   Of week de bonen volgens de *versnelde weekmethode*: Breng het water aan de kook en kook de bonen 1 à 2 minuten, neem de pan daarna van het vuur en laat de bonen 1 uur staan.

Een Mexicaanse bonenstamper

2. *Het koken van de bonen*: Giet het weekwater weg en giet 1 1/2 liter schoon water in de pan. Voeg de reuzel of een van de beide andere vetsoorten, de uisnippers en – eventueel – de *epazote* toe en breng het geheel langzaam aan de kook. Leg een deksel schuin op de pan en kook de bonen 1 à 2 uur op een vrij laag vuur tot ze door en door gaar zijn; roer ze af en toe om. Als u ziet dat de bonen niet meer onderstaan, voeg dan een flinke scheut kokend water toe (ze moeten continu ca. 1 cm onder water staan); als de pan onvoldoende vocht bevat, bestaat de kans dat de bonen niet gelijkmatig gaar worden en/of aan de bodem van de pan vastplakken.Verwijder het takje *epazote* en breng de bonen op smaak met zout.

KEUKENNOTITIES

Technieken

» *Bonen koken*: Zie pag. 306.

Voetnoot van de vertaalster

» *De hoeveelheden*: Met 'theelepel' wordt de internationale standaardtheelepel met een inhoud van 5 gram bedoeld en niet het Nederlandse theelepeltje van 3 gram.

(Voor)bereidingstijd

» Begin minstens 6 uur van tevoren met het weken van de bonen (3 uur van tevoren als u de versnelde weekmethode gebruikt). De bonen worden lekkerder van smaak en beter van textuur als u ze laat afkoelen in het kookvocht en de volgende dag opwarmt. Gekookte bonen kunnen – goed afgedekt – een dag of vier in de koelkast worden bewaard. Warm ze langzaam op en roer regelmatig, om te voorkomen dat ze aanbranden.

TRADITIONELE VARIATIES

» *'Gezeefde' bonen uit Yucatán*: Kook 200 gram zwarte bonen gaar volgens de aanwijzingen in het recept. Pureer de bonen met een deel van het kookvocht of wat water in een blender en wrijf de puree door een middelfijne zeef. Bak 1/2 fijngehakte ui en 1 hele *chile habanero* of madame jeanettepeper (aan de zijkant ingesneden) in 1 eetlepel reuzel of spekvet tot de uisnippers zacht zijn. Voeg de bonenpuree en – eventueel – een takje *epazote* toe, breng het geheel aan de kook en voeg zoveel van het bonenkookvocht toe dat het geheel de consistentie krijgt van dikke erwtensoep. Breng de bonen, indien nodig, op smaak met zout en laat ze een paar minuten zachtjes koken, zodat de smaken zich kunnen vermengen. Deze variant wordt in Yucatán geserveerd als bijgerecht bij vlees of gevogelte.

» *Zwarte-bonensoep*: Hoewel zwarte-bonensoep in Mexico niet vaak wordt geserveerd, kunt u bovenstaande variant, eventueel aangelengd met bouillon, heel goed als soep serveren. Desgewenst kunt u de soep verrijken met wat fijngesneden lente-uitjes of gesnipperde bieslook, krokant gebakken tortillareepjes, uitgebakken spekjes en/of een gulle dot zure room of crème fraîche.

GEBAKKEN BONENPUREE

Frijoles Refritos

Vergeleken bij vakkundig bereide *frijoles refritos* zijn gekookte bonen maar heel gewoontjes. Maar gebakken bonenpuree wordt gemaakt van gekookte bonen en beide gerechten maken deel uit van de door de tijd gelouterde Mexicaanse eetgewoonten. Vrijwel alle Mexicaanse snacks delen het bord met een portie *frijoles refritos*, ongeacht of ze in een marktkraampje geserveerd worden, in de eetzaal van een respectabel restaurant of in de huiselijke kring. En niet alleen omdat het een ingewortelde gewoonte is, maar vooral omdat ze zo lekker zijn – althans als het vet waarin de bonen worden gebakken mooi vol van smaak is, als de puree de juiste grove textuur heeft en ze wordt opgediend met zilt smakende *queso añejo* en krokante tortillachips.

In mijn recept voor *frijoles refritos* wordt minder vet gebruikt dan in de meeste Mexicaanse recepten. Dat heeft echter twee nadelen: ten eerste is de hoeveelheid vet te klein om de bonenpuree gedurende langere tijd sappig en glanzend te houden en ten tweede moet het vet van absolute topkwaliteit zijn willen de bonen smaken zoals ze horen te smaken. Lees daarom mijn kanttekening in de Keukennotities over het warm houden van *frijoles refritos* en gebruik de allerbeste reuzel of het smakelijkste spekvet dat u kunt vinden.

Voor 4-6 personen:

> 2 eetlepels reuzel, spekvet of uitgesmolten vet van *chorizo*
> 1/2 à 1 kleine ui, fijngehakt (eventueel)
> 1 groot knoflookteentje, gepeld en fijngehakt (eventueel)
> 1/2 hoeveelheid gekookte bonen (pag. 306), niet uitgelekt
> zout, indien nodig
> 3 à 4 eetlepels verkruimelde Mexicaanse *queso añejo* of *queso fresco* (pag. 396), of een andere kaas, bijv. feta of meikaas
> een paar tortillachips (pag. 85) voor de garnering

1. *De ui en de knoflook*: Verhit het vet in een middelgrote koekepan op een matig hoog vuur en bak de uisnippers – als u ui wilt gebruiken – in ca. 8 minuten mooi goudbruin. Voeg – eventueel – de knoflook toe en laat de snippers 2 minuten meebakken.
2. *Het fijnprakken en bakken van de bonen*: Draai het vuur een fractie hoger (als u geen ui en/of knoflook hebt gebruikt: verhit het vet op een vrij hoog vuur). Voeg ca. 1/3 van de gekookte bonen en een deel van het bonenkookvocht toe en prak de bonen fijn met een platte aardappelstamper voorzien van gaten (die in Mexico een bonenstamper wordt genoemd) of met de achterkant van een houten lepel. Voeg, zodra de bonen veranderd zijn in een grove puree, opnieuw 1/3 van de gekookte bonen plus een deel van het vocht toe, prak ze op dezelfde manier en prak dan de rest van de bonen en het vocht.
   Laat de puree zachtjes sudderen en roer bijna voortdurend, tot de massa dik is, maar nog niet zo dik als hij moet zijn op het moment dat u de puree wilt serveren (nadat u de pan van het vuur hebt gehaald, zal de puree namelijk nog iets indikken). Het fijnprakken en laten indikken duurt in totaal zo'n 8 minuten. Breng de puree op smaak met zout.

3. *De afwerking en presentatie:* Verhit de bonenpuree vlak voor het serveren op een vrij hoog vuur en voeg, als de puree meer is ingedikt dan u lief is, een scheutje bouillon of water toe. Schep de puree in een voorverwarmde schaal, bestrooi haar met de verkruimelde kaas en garneer het geheel met een paar tortillachips.

KEUKENNOTITIES

Ingrediënten

» *Reuzel of ander vet:* Als u om een of andere reden geen reuzel of ander dierlijk vet kunt gebruiken, bak de bonen dan in plantaardige olie en voeg – voor extra smaak – de volledige hoeveelheid ui en knoflook toe.

(Voor)bereidingstijd

» Als u gekookte bonen bij de hand hebt, vergt de bereiding niet meer dan ca. 20 minuten. Desgewenst kunt u de puree een paar dagen (maximaal 4) van tevoren maken en afgedekt in de koelkast bewaren. Warm de *frijoles refritos* in dat geval *langzaam* op, met het deksel op de pan; voeg, indien nodig, een klein scheutje bonenkookvocht, lichte bouillon of water toe, maar niet méér dan nodig is om de bonenpuree de consistentie van een dik vloeibare pap te geven.

HET WARM HOUDEN VAN FRIJOLES REFRITOS:

» Schep de nog dik vloeibare puree direct na de bereiding in een hittebestendige kom, zet de kom op een pan met heet water en plaats het geheel op een zeer laag pitje. Op die manier blijft de gebakken bonenpuree een uur of langer warm en smakelijk; als de massa te dik dreigt te worden, kunt u de puree vlak voor het serveren verdunnen met een scheutje water of bouillon.

SNELLE VARIATIE

» *Frijoles refritos van ingeblikte bonen:* Als het u aan tijd ontbreekt om zelf bonen te koken, kunt u met behulp van bonen uit blik een alleszins redelijke versie van *frijoles refritos* maken. Neem voor 2-3 personen een klein blik (inhoud 4 dl) bruine of rode bonen en spoel de bonen zorgvuldig onder de koude kraan. Bak – eventueel – 1/2 fijngehakte kleine ui en 1 fijngesneden knoflookteentje in 1 1/2 eetlepel reuzel of spekvet. Ga verder te werk volgens de aanwijzingen in het recept, maar gebruik in plaats van het voorgeschreven bonenkookvocht een beetje bouillon of water.

Regionale accenten

» Ook van een eenvoudig gerecht als bonenpuree bestaan in Mexico tal van regionale variaties. De 'gezeefde' bonenpuree uit Yucatán (pag. 313) bijvoorbeeld, wordt doorgaans om z'n as gerold als een omelet en in dat model geserveerd. In Veracruz worden *frijoles refritos* vaak gecombineerd met gebakken bakbanaan en in Chihuahua en omgeving worden lichtgekleurde bonen verwerkt tot een soep-achtige versie die vlak voor het serveren met een beetje grof geraspte kaas wordt bestrooid. De met avocadoblad en gedroogde chilipeper gekruide variant uit Oaxaca heeft een gladdere textuur dan gebruikelijk en in Toluca en Monterrey wordt soms wat *chorizo* met de bonen meegebakken (een combinatie die het goed doet als vulling van *burritos*).

Keukentaal

»   De term 'refritos' houdt niet in dat de bonen voor een tweede keer worden gebakken of steeds opnieuw worden gebakken, zoals veel mensen denken. Het voorvoegsel *re* heeft een versterkende functie en betekent in dit geval dat het bakken goed of vaak wordt gedaan. De letterlijke vertaling van het woord luidt 'opgebakken'.

BONEN MET SPEK, GEROOSTERDE CHILIPEPERS EN VERSE KORIANDER

Frijoles Charros

Na in Monterrey dagenlang te hebben rondgetrokken langs eetgelegenheden die gespecialiseerd waren in boven houtskool geroosterde *arrachera* ('vinkenlap') en *cabrito* (geitevlees), kwamen we bij een openluchtrestaurantje voorzien van een verticaal draaispit waaraan het voor *tacos al pastor* (in dit deel van Mexico *tacos de trompo* genoemd) bestemde varkensvlees was geregen. In een hoek stonden met rookspek, groene chilipepers en verse koriander gekruide bonen op een vuurtje te prutelen in een aardewerken *olla*. In dat eettentje realiseerde ik me voor het eerst hoe smakelijk de plaatselijke bonenspecialiteit, *frijoles charros* (letterlijk 'cowboybonen'), kon zijn.

Hieronder het recept voor deze kruidige, in hun eigen vocht geserveerde bonen. Ze passen uitstekend bij boven houtskool geroosterde kip (pag. 263) of vinkenlap (pag. 153).

Voor 6 personen als hoofdgerecht of voor 8-10 personen als bijgerecht:

     500 gram kievitsbonen of andere lichtgekleurde bonen
     120 gram niet te mager varkensvlees, in dobbelstenen van ca. 1 cm gesneden
     8 dikke plakken bacon of ontbijtspek, in reepjes gesneden
     1 middelgrote ui, fijngehakt
     2 grote verse *chiles poblanos*, geroosterd en ontveld (pag. 386), ontdaan van de zaadjes
       en fijngesneden
     400 gram rijpe tomaten, geroosterd of gekookt (pag. 405), ontveld, van de kern ontdaan
       en in stukjes gesneden of 1 klein blik (à 4 dl) gepelde tomaten, uitgelekt en fijngesne-
       den
     ca. 1 theelepel zout
     3-4 eetlepels fijngehakte verse koriander

1. *Het wassen en weken van de bonen*: Doe de bonen in een vergiet en kijk ze goed na, verwijder eventueel aanwezige steentjes en andere ongerechtigheden. Spoel de bonen onder de koude kraan en doe ze daarna in een grote pan. Voeg 2 liter koud water toe, verwijder bonen die aan de oppervlakte blijven drijven en laat de rest van de bonen 4-8 uur weken (u kunt controleren of ze lang genoeg geweekt zijn door een boon doormidden te breken; als de kern niet meer droog is, zijn de bonen goed). Of week de bonen volgens de *versnelde weekme-thode*: breng het water aan de kook en kook de bonen 1 à 2 minuten, neem de pan daarna van het vuur en laat de bonen 1 uur staan.

2. *Het koken van de bonen*: Gooi het weekwater weg en giet 2 liter schoon water in de pan. Voeg het varkensvlees toe en breng het geheel langzaam aan de kook. Leg een deksel schuin op de pan en kook de bonen op een vrij laag vuur in 1 à 2 uur gaar; roer af en toe.

3. *De overige ingrediënten*: Verhit een middelgrote koekepan op een vrij laag vuur en laat de bacon-of spekreepjes zachtjes uitbakken tot ze krokant zijn. Schep de reepjes met een schuimspaan uit de pan en houd ze even apart. Giet op 2 eetlepels na al het vet uit de pan. Draai het vuur iets hoger en bak de ui en de fijngesneden *poblanos* onder af en toe roeren tot de uisnippers mooi goudbruin zijn. Voeg de tomaten toe en laat het geheel zachtjes pruttelen tot al het vocht is verdampt.

4. *De afwerking*: Roer het tomatenmengsel en de uitgebakken spekjes door de gekookte bonen en breng het geheel op smaak met zout. Laat de bonen nog 20-30 minuten zachtjes koken, zodat de smaken zich kunnen vermengen. Als de pan na die tijd nog erg veel vocht bevat, draai het vuur dan iets hoger en laat de saus een paar minuten inkoken. Als u de voorkeur geeft aan een iets dikkere consistentie, kunt u een kwart van de bonen met een paar lepels van het vocht pureren. Roer de puree door de rest van de bonen. Meng de bonen vlak voor het serveren met de fijngehakte koriander en serveer direct.

KEUKENNOTITIES

Technieken

» *Bonen koken*: Zie pag. 313.

Ingrediënten

» *Chiles poblanos*: In plaats van verse *poblanos* kunt u ook 2 à 3 lichtgroene Turkse of Marokkaanse pepers (geroosterd, ontveld, van de zaadjes ontdaan en fijngesneden) gebruiken.

(Voor)bereidingstijd

» Als de bonen eenmaal geweekt zijn, bedraagt de kooktijd ca. 2 uur. In die tijd kunt u de handelingen van stap 3 verrichten. U kunt het gerecht desgewenst 2-3 dagen van tevoren maken, tot aan het punt waar de verse koriander moet worden toegevoegd. Bewaar de bonen afgedekt in de koelkast en warm ze vlak voor het serveren langzaam op. Roer, zodra ze door en door heet zijn, de verse koriander erdoor.

TRADITIONELE VARIATIES

» *Frijoles borrachos*: De *borracho* ('dronken') versie van *frijoles charros* wordt verkregen door 1/4 liter van het in stap 2 benodigde water te vervangen door 1/4 liter bier.

» *Frijoles fronterizos*: Bereid de bonen volgens de aanwijzingen in het recept, maar vervang het varkensvlees door 2 eetlepels reuzel of spekvet en de bacon of het ontbijtspek door 250 gram *chorizo* (pag. 57).

BOVEN HOUTSKOOL GEROOSTERDE MAÏSKOLVEN MET ROOM EN KAAS

Elote Asado

Als je een ommetje maakt in een willekeurige Mexicaanse stad is het bijna onmogelijk om de stalletjes voorbij te lopen waar verse maïskolven op een houtskoolvuurtje liggen te roosteren tot hun schutbladeren geblakerd zijn. Maïs, witte veldmaïs, is alomtegenwoordig. In Yucatán kun je zien hoe rokerig smakende, in een vuurkuil bereide maïskolven (*pibinales*) uit een juten zak worden gestort alvorens aan de klanten te worden overhandigd. In Toluca worden de van de kolf geschraapte maïskorrels gebakken met *epazote* en chilipepers (in een gerecht dat *esquites* heet). In het Alameda Park in Mexico-Stad staat maïs te pruttelen in grote aardewerken *cazuelas* en in de noordoostelijke deelstaten wordt het gouden graan geserveerd met room, kaas en tot poeder gemalen gedroogde chilipepers.

Dit soort gerechten is totaal anders dan de gekookte maïskolven die, voorzien van een likje boter, in Europa en de V.S. als zomergroente worden geserveerd. Gekookte maïskolven hebben geen pit. Vandaar dat ik, als ik maïskolven wil eten, zorg dat ze worden opgepept met de rokerige smaak van gloeiende houtskool, het friszure aroma van een paar druppels limoensap en de weldadige hitte van tot poeder gemalen chilipepers... of, zoals in onderstaand recept, met de rijke smaak van boter, room en kaas. Als u een maaltijd hebt gepland waarin de barbecue een rol speelt, leg dan ook wat verse maïskolven op het rooster – u doet er bijna iedereen een plezier mee.

Voor 6 personen:

> 6 verse maïskolven met schutbladeren
> 3 eetlepels gesmolten ongezouten boter
> 1/8 liter dikke room (pag. 53) of crème fraîche
> 3 eetlepels verkruimelde Mexicaanse *queso añejo* of *queso fresco* (pag. 396) of een andere kaas, bijv. feta of witte meikaas
> ca. 1 eetlepel tot poeder gemalen gedroogde rode chilipepers (zie Keukennotities)

1. *Voorbereidingen*: Leg de maïskolven (met schutbladeren en al) ca. 1 uur voordat u ze wilt serveren in een bak met koud water (met een bord erop om ze ondergedompeld te houden). Steek de barbecue aan en leg het rooster, als de houtskool mooi begint te gloeien, ca. 10 cm boven de vuurgloed.

2. *Het roosteren van de maïskolven*: Leg de maïskolven op de barbecue en rooster ze 15-20 minuten, tot de buitenste schutbladeren geblakerd zijn. Draai de kolven tijdens het roosteren regelmatig om. Laat de maïskolven iets afkoelen en verwijder de schutbladeren en de zijdeachtige draden.

3. *De afwerking*: Bestrijk de maïskolven ca. 10 minuten voor het serveren met gesmolten boter, leg ze op de barbecue en rooster ze, onder regelmatig omdraaien, tot de korrels mooi goudbruin beginnen te kleuren. Serveer direct. Geef de room, de kaas en de gemalen chilipeper er apart bij, zodat iedereen zichzelf kan bedienen.

KEUKENNOTITIES

Technieken

» *Het weken van de maïskolven:* Het weken van de kolven dient een tweeledig doel: ten eerste voorkomt het dat de schutbladeren verbranden en ten tweede zorgt het voor extra vocht, waardoor de maïskorrels in hun natuurlijke verpakking gaar stomen.

» *Het roosteren in de schutbladeren:* De geblakerde schutbladeren geven de maïs extra smaak. Als u geen maïskolven met schutbladeren kunt krijgen, gebruik dan 'blote' kolven en verpak ze in een stuk beboterde aluminiumfolie alvorens ze op de barbecue te leggen.

Ingrediënten

» *Chilipeper:* De Mexicaanse variant van cayennepeper wordt verkregen door hete *chiles de árbol* tot poeder te malen. Persoonlijk geef ik echter de voorkeur aan tot poeder gemalen *chiles guajillos*, die minder heet zijn (waardoor je er meer van kunt gebruiken...).

(Voor)bereidingstijd

» Met de voorbereidingen – het weken van de maïskolven en het aansteken van de barbecue – kunt u het beste 1 uur van tevoren beginnen. Verder kunt u weinig van tevoren doen, maar als de barbecue in verband met de hoeveelheid te bereiden voedsel lang moet blijven branden, kunt u de kolven van tevoren roosteren (stap 2) en ze op het laatste moment, ontdaan van schutbladeren en draden, bruin laten kleuren.

TRADITIONALE VARIATIE

» *Gebakken maïskorrels (esquites):* In Toluca en Mexico-Stad wordt verse maïs een enkele keer als volgt klaargemaakt: snijd de korrels van 6 maïskolven los. Verhit 3 eetlepels reuzel, olie of boter in een koekepan en bak de maïskorrels gaar, onder toevoeging van 1 of 2 (of meer...) hete groene chilipepers (ontdaan van de zaadjes en fijngesneden) en 2 of 3 eetlepels fijngehakte *epazote.* Breng de maïs op smaak met zout.

Verse bosuitjes (cebollitas)

COURGETTES MET GEROOSTERDE PEPERS, MAÏS EN ROOM
Calabacitas con Crema

De meeste mensen die wel eens in Mexico zijn geweest zijn tot de ontdekking gekomen dat groenten zelden als bijgerecht geserveerd worden. De Mexicaanse bevolking lijkt voornamelijk te bestaan uit zich buitenshuis aan snacks te buiten gaande vleesliefhebbers. Het ontgaat de meeste bezoekers dat de Mexicanen thuis heel anders eten. Hun eenpansgerechten bestaan hoofdzakelijk uit grote hoeveelheden met tomaten, chilipepers en andere groenten bereide sauzen met maar een klein beetje vlees erin. In Mexicaanse kookboeken vind je die huiselijke gerechten soms terug, maar dan met een - naar mijn idee - overdreven hoeveelheid vlees.

Onderstaand recept is afkomstig uit de *cafetaría* in Mexico-Stad waar we een tijdje boven hebben gewoond. De groenten werden er - zonder ook maar een enkel stukje vlees - geserveerd als hoofdgerecht. Zelf serveer ik het, met tortilla's en een salade, als een lichte maaltijd. Maar ik gebruik hetzelfde groentemengsel ook wel eens als bijgerecht bij rode rijst met varkensvlees (pag. 306) of bij geroosterd of gebakken vlees (pag. 150, 153 en 263).

Voor 4 personen:

> 500 gram courgettes, in blokjes van ca. 1 cm gesneden (na de uiteinden te hebben afgesneden)
> zout
> 1 eetlepel boter
> 1 eetlepel plantaardige olie
> 1 grote verse maïskolf, de korrels losgesneden of 200 gram maïskorrels uit de diepvries (ontdooid)
> 1 verse *chile poblano*, geroosterd en ontveld (pag. 390), ontdaan van de zaadjes en in smalle reepjes gesneden
> 1/2 middelgrote ui, in smalle reepjes gesneden
> 1 1/2 dl dikke room (pag. 53) of crème fraîche

1. *Het laten uitlekken van de courgettes*: Doe de courgetteblokjes in een vergiet, bestrooi ze met 3/4 à 1 theelepel zout en schud ze even om, om het zout te verspreiden. Laat de courgettes een half uur zo staan. Spoel de blokjes daarna onder de koude kraan en dep ze zorgvuldig droog met keukenpapier.
2. *De bereiding van de groenten*: Verhit de boter en de olie in een koekepan die groot genoeg is om de courgetteblokjes te bevatten zonder dat ze op elkaar liggen. Bak de courgetteblokjes op een matig hoog vuur, onder regelmatig omscheppen, tot ze zacht zijn en lichtbruin beginnen te kleuren. Schep de groente met een schuimspaan uit de pan en laat het vet daarbij zoveel mogelijk in de pan terugdruipen. Draai het vuur iets lager, voeg de maïs, de chilipeper en de ui toe en bak de groenten 8-10 minuten, tot de ui mooi goudbruin is; schep de groenten af en toe om.
3. *De afwerking*: Voeg vlak voor het serveren de courgetteblokjes en de room toe, meng alles goed en laat het mengsel een paar minuten zachtjes prutteleen, tot de room is ingedikt. Breng de groenten, indien nodig, op smaak met zout, schep ze in een voorverwarmde schaal en serveer direct.

KEUKENNOTITIES

Technieken

» *Het laten uitlekken van de courgettes:* Aangezien onze courgettes doorgaans wateriger zijn dan de lichtgroene ronde exemplaren die in Mexico worden gebruikt, bestrooi ik de in stukjes gesneden courgettes meestal met een beetje zout (om een deel van het vocht te onttrekken) en laat ik ze een half uurtje uitlekken alvorens de groente te bakken.

Ingrediënten

» *Chiles poblanos:* In plaats van een verse *poblano* kunt u ook een lichtgroene Turkse of Marokkaanse peper (geroosterd, ontveld, van de zaadjes ontdaan en in smalle reepjes gesneden) gebruiken.

Voetnoot van de vertaalster

» *De hoeveelheden:* Met 'theelepel' wordt de internationale standaardtheelepel met een inhoud van 5 gram bedoeld en niet het Nederlandse theelepeltje van 3 gram.

(Voor)bereidingstijd

» De bereiding van dit gerecht vergt 25-30 minuten (de tijd benodigd voor het laten uitlekken van de courgettes niet meegerekend). De stappen 1 en 2 kunnen een paar uur van tevoren worden gedaan.
Doe de groenten, zodra ze voldoende zijn afgekoeld, samen in een kom en bewaar ze afgedekt in de koelkast tot ca. 1 uur voor het serveren. Warm ze op volgens de aanwijzingen in stap 3.

EIGENTIJDSE VARIATIE

» *Courgettes met room en kip of kaas:* Haal twee hele kipfilets door bloem en bak ze gaar in een beetje olie; snijd het vlees in dobbelstenen van ca. 2 cm. Of snijd ca. 200 gram kaas (bijv. feta, witte meikaas, jong belegen Goudse of een mengsel van twee van deze kazen) in blokjes. Bereid de courgettes en de maïs volgens de aanwijzingen in het recept en laat de kip- of kaasblokjes vlak voor het opdienen een paar minuten meewarmen. Serveer het mengsel als hoofdgerecht (het is voldoende voor 4 personen), met *arroz a la poblana* (pag. 308) of groene rijst (pag. 310).

Gerijpte en verse Mexicaanse kaas (queso añejo en queso fresco)

ROERGEBAKKEN COURGETTES MET GEBRUINDE KNOF‑ LOOK EN LIMOEN

Calabacitas al Mojo de Ajo

Dit is geen traditioneel Mexicaans gerecht, maar een eigen vinding waarin ik gebruinde knoflook heb gecombineerd met gebakken courgetteblokjes. Ik heb het speciaal 'ontworpen' voor groenteliefhebbers die in een Mexicaans menu ook wel eens een sausloze groente willen serveren. Dit bijgerecht past uitstekend bij een hoofdgerecht dat wèl vergezeld wordt door een saus, bijvoorbeeld de *tinga* van varkensvlees (pag. 286) of de groene pompoenzaad-*mole* met kip (pag. 228).

Voor 4 personen:

> 500 gram courgettes, in blokjes van 1 cm gesneden (na de uiteinden te hebben afgesne‑ den)
> 1 krappe theelepel zout
> 1 eetlepel boter
> 1 eetlepel plantaardige olie
> 5 knoflookteentjes, gepeld en in flinterdunne plakjes gesneden
> 1 eetlepels vers geperst limoensap
> 1/4 theelepel versgemalen zwarte peper
> 1/2 theelepel gedroogde oregano
> 2 eetlepels fijngehakte platte peterselie

1. *Het laten uitlekken van de courgettes*: Doe de courgetteblokjes in een vergiet, be‑ strooi ze met 3/4 à 1 theelepel zout en schud ze even om, om het zout te ver‑ spreiden. Laat de courgettes een half uur zo staan. Spoel de blokjes daarna on‑ der de koude kraan en dep ze zorgvuldig droog met keukenpapier.
2. *Het bakken van de knoflook en de courgettes*: Verhit de boter en de olie ca. 15 mi‑ nuten voor het serveren in een koekepan die groot genoeg is om de courgette‑ blokjes te bevatten zonder dat ze op elkaar liggen. Voeg de knoflooksnippers toe en bak ze op een vrij laag vuur, onder regelmatig roeren, in ca. 3 minuten mooi lichtbruin (pas op dat ze niet verbranden!). Leg een fijnmazige zeef op een kom, giet de inhoud van de koekepan in de zeef en laat de knoflook even uitlekken. Doe het in de kom opgevangen vet terug in de pan, draai het vuur iets hoger en roerbak de courgetteblokjes op een matig hoog vuur tot ze licht‑ bruin beginnen te kleuren; zorg dat de blokjes nog een klein beetje 'beet' heb‑ ben.
3. *De afwerking*: Draai het vuur onder de pan uit, voeg de gebruinde knoflook toe en besprenkel het geheel met limoenschap. Schep alles snel door elkaar. Be‑ strooi de courgettes met peper, gedroogde oregano en gehakte peterselie en schep alles nogmaals zorgvuldig door elkaar. Breng het mengsel – indien nodig – op smaak met zout en serveer de groente in een voorverwarmde schaal.

KEUKENNOTITIES
Technieken
» Het laten uitlekken van de courgettes: Zie pag. 322.

» Het bakken van de knoflook: Zie pag. 322.

Voetnoot van de vertaalster
» De hoeveelheden: Met 'theelepel' wordt de internationale standaardtheelepel met een inhoud van 5 gram bedoeld en niet het Nederlandse theelepeltje van 3 gram.

(Voor)bereidingstijd
» De bereiding van dit gerecht vergt ca. 20 minuten (de tijd benodigd voor het laten uitlekken van de courgettes niet meegerekend). Stap 1 kan een paar uur van tevoren worden gedaan, maar de rest van de bereiding moet vlak voor het serveren plaatsvinden.

EIGENTIJDSE VARIATIE
» Andere groenten al mojo de ajo: Gebruinde knoflook smaakt niet alleen goed bij gebakken courgettes, maar ook bij andere groenten, bijvoorbeeld broccoli, sperziebonen, worteltjes en zelfs asperges. Kook de groenten op de gebruikelijke manier gaar en laat ze uitlekken. Bak de knoflook zoals beschreven in stap 2, voeg de uitgelekte groenten, de peper, oregano en gehakte peterselie toe en schep alles op een matig hoog vuur zorgvuldig door elkaar. In Mexico zelf worden de courgettes vaak vervangen door in blokjes gesneden chayotes, een inheemse pompoensoort die al in de tijd van de Azteken in Mexico werd verbouwd.

SNIJBIET MET TOMATEN EN AARDAPPELEN
Acelgas Guisadas

Deze smakelijke, huiselijke schotel is weer zo'n typisch Mexicaans groentegerecht waarin de Mexicanen zelf meestal een kleine hoeveelheid varkensvlees of kip verwerken. Het recept is gebaseerd op een van de recepten uit *La comida en el México antiguo y moderno* van Virginia Rodríguez Rivera. U kunt de groenten serveren als vegetarisch hoofdgerecht (schep er in dat geval vlak voor het serveren wat in dobbelsteentjes gesneden verse meikaas of feta door) of als vleesloze tacovulling, maar ook als bijgerecht bij gegrillde of boven houtskool geroosterde vis, kip of stukken vlees. Snijbiet, een groente die in Mexico veel wordt gegeten, is wat voller van smaak en steviger van textuur dan spinazie en daardoor bij uitstek geschikt voor deze bereiding. Hoewel deze groente vaak langdurig wordt gestoofd, vind ik haar het lekkerst als het bladgroen, zoals in onderstaand recept, slechts enkele minuten wordt meeverwarmd.

Voor 4 personen:

>1 eetlepel reuzel, plantaardige olie of boter
>1 kleine ui, in dunne ringen gesneden
>1/2 à 1 verse hete groene chilipeper (lombok), ontdaan van het steeltje, de zaadjes en
>de zaadlijsten en in smalle ringetjes gesneden (zie Keukennotities)
>200 gram rijpe tomaten, geroosterd of gekookt (pag. 405), ontveld, ontdaan van de kern
>en in stukjes gesneden of 1/2 klein blik (à 4 dl) gepelde tomaten, uitgelekt en in stuk-
>jes gesneden
>200 à 250 gram aardappelen (vastkokers), geschild en in blokjes van ca. 1 1/2 cm
>gesneden
>1 1/4 à 1 1/2 dl kippe- of vleesbouillon of water
>4 blaadjes *epazote* (eventueel)
>ca. 1/2 theelepel zout
>500 gram snijbiet, de stengels verwijderd (u kunt ze bewaren voor een ander gerecht)
>en het bladgroen in reepjes gesneden

1. *De ui, chilipeper en tomaten*: Verhit de reuzel, olie of boter in een middelgrote pan en bak de ui en de chilipeper op een matig hoog vuur, onder regelmatig roeren, tot de uiringen licht goudbruin zijn. Voeg de tomaten toe en laat het geheel 3 à 4 minuten zachtjes pruttelen.

2. *De aardappelen*: Voeg de aardappelen, 1 1/4 bouillon of water, de *epazote* (eventueel) en het zout toe, leg het deksel op de pan en kook de aardappelen in 10-15 minuten nèt gaar. Controleer de hoeveelheid vloeistof: als het kookvocht grotendeels is geabsorbeerd, voeg dan nog een scheutje bouillon of water toe; als de pan erg veel vocht bevat, draai het vuur dan hoger en laat het kookvocht inkoken tot u ongeveer 4 eetlepels overhebt.

3. *De snijbiet*: Voeg de snijbiet toe, schep alles door elkaar en laat het groentemengsel, met het deksel op de pan, nog ca. 3 minuten koken. Breng de groenten, indien nodig, op smaak met zout en serveer direct.

KEUKENNOTITIES

Voetnoten van de vertaalster

» *De hoeveelheden*: Met 'theelepel' wordt de internationale standaardtheelepel met een inhoud van 5 gram bedoeld en niet het Nederlandse theelepeltje van 3 gram.

» *De chilipepers*: In het oorspronkelijke recept schrijft Rick Bayless 1 *chile serrano* of 1/2 *chile jalapeño* voor.

(Voor)bereidingstijd

» De bereidingstijd bedraagt ca. 30 minuten. Desegewenst kunt u het groentemengsel t/m stap 2 een dag van tevoren maken en en – na afkoeling – afgedekt in de koelkast bewaren. Warm het mengsel vlak voor het serveren op en voeg de snijbiet toe (zie stap 3).

TRADITIONELE VARIATIE

» *Snijbiet met tomaten, aardappelen en varkensvlees*: Kook 200-250 gram in kleine dobbelstenen gesneden varkensvlees gaar in lichtgezouten water of bouillon. Bereid het groentemengsel volgens de aanwijzingen in het recept, met gebruikmaking van het kookvocht van het vlees. Voeg het vlees zelf op het laatste moment toe, tegelijk met de snijbiet.

BOVEN HOUTSKOOL GEROOSTERDE JONGE UIEN
Cebollitas Asadas

Ik kan me niet voorstellen dat iemand een taco gevuld met in reepjes gesneden geroosterd vlees en besprenkeld met een pittige saus (*tacos al carbón*, pag. 251) kan eten zonder te verlangen naar een portie boven houtskool geroosterde bosuitjes. Die zoetige uitjes met hun rokerige barbecue-geur zijn zo gemakkelijk te maken dat ik niet begrijp waarom ze, toen ik nog een jongetje was, ontbraken als we in de tuin zaten te barbecuen. Maar nu ontbreken ze nooit meer!

Voor 6-8 porties:

    3 bossen jonge uien (zie Keukennotities)
    2 eetlepels plantaardige olie
    2 limoenen, in partjes gesneden
    zout naar smaak

1. *Voorbereidingen*: Steek de barbecue minstens 45 minuten van tevoren aan en wacht tot de houtskool niet meer brandt, maar gloeit. Snijd de worteluiteinden van de uitjes af en verwijder de eventueel aanwezige droge vliesjes. Snijd ook van het groen een klein stukje af.
2. *Het roosteren van de uitjes*: Plaats het rooster 10-15 cm boven de vuurgloed. Vouw een stuk aluminiumfolie dubbel en leg het aan één kant op het rooster. Bestrijk de uitjes met olie en leg ze op het rooster – met het witte deel boven de vuurgloed en het groene deel op de folie. Rooster de uitjes – afhankelijk van hun grootte – 7-12 minuten (draai ze in die tijd regelmatig om), tot het witte deel rondom bruin begint te kleuren en het groene deel zacht is. Leg de uitjes op een voorverwarmde schaal, knijp een of twee limoenpartjes erboven uit en bestrooi ze met een beetje zout. Leg de rest van de limoenpartjes op de schaal en serveer direct.

GEROOSTERDE *POBLANOREEPJES* MET UI EN KRUIDEN
Rajas de Chile Poblano

Er is geen Mexicaan die niet houdt van de traditionele combinatie van in reepjes gesneden, boven houtskool of op een grillplaat geroosterde *chiles poblanos* en gebruinde uien die, samen met knoflook en gemengde kruiden, zachtjes worden gaar gestoofd in room of bouillon. Ik heb dit gerecht – *rajas* – in dit boek al ettelijke keren genoemd, onder andere als bijgerecht bij biefstuk *a la tampiqueña* (pag. 281), als toevoeging aan het voor *tacos al carbón* (pag. 251) bestemde geroosterde vlees, als vulling voor *tamales* met *tomatillo*-saus (pag. 204) en in tal van andere recepten. De letterlijke vertaling van het woord 'rajas' luidt overigens 'reepjes', maar in Mexico lijkt men er uitsluitend reepjes *chile poblano* mee te bedoelen – want waar zou je reepjes anders van moeten maken?

Voor 3-4 personen als bijgerecht:

4 verse *chiles poblanos*, geroosterd en ontveld (pag. 386)
1 1/2 eetlepel plantaardige olie
1 middelgrote ui, in reepjes van 1/2 cm dikte gesneden
2 knoflookteentjes, gepeld en fijngehakt
1 1/2 dl dikke room (pag. 53), crème fraîche, slagroom of bouillon
1/2 theelepel gemengde gedroogde kruiden (bijv. tijm, marjolein en oregano)
2 laurierblaadjes
zout naar smaak

1. *Het panklaar maken van de chilipepers*: Verwijder de steeltjes en de zaadjes van de *poblanos*; desgewenst kunt u ook de zaadlijsten verwijderen (dit maakt de pepers milder van smaak). Snijd de pepers overdwars in reepjes van 1/2 cm breedte.
2. *Het bakken van de ingrediënten*: Verhit de olie in een middelgrote koekepan op een matig hoog vuur en bak de uireepjes onder regelmatig roeren tot ze – na 7-8 minuten – licht goudbruin beginnen te kleuren. Voeg de fijngehakte knoflook en de in reepjes gesneden chilipepers toe en laat ze 2 minuten meebakken.
3. *De afwerking*: Voeg de room of de bouillon, de gemengde kruiden en de laurierblaadjes toe en laat het geheel – zonder deksel – nog een paar minuten sudderen, tot een deel van het vocht is verdampt (om te voorkomen dat de *rajas* te zacht worden, mag het inkoken van de room of de bouillon niet te lang duren). Verwijder de laurierblaadjes, breng de *rajas* op smaak met zout en serveer direct.

KEUKENNOTITIES

Voetnoten van de vertaalster

» *De hoeveelheden*: Met 'theelepel' wordt de internationale standaardtheelepel met een inhoud van 5 gram bedoeld en niet het Nederlandse theelepeltje van 3 gram.

» *Chiles poblanos*: Vrijwel alle milde groene pepersoorten kunnen tot *rajas* worden verwerkt. De lange, smalle lichtgroene pepers die in de meeste Turkse en Marokkaanse winkels worden verkocht zijn de beste vervangers voor de donkergroene *poblanos*. Als u zelfs die niet kunt krijgen, kunt u – hoewel het eindresultaat totaal anders zal smaken dan het Mexicaanse origineel – rode of groene paprika's gebruiken. De paprika's moeten op dezelfde manier worden geroosterd en ontveld als *chiles poblanos* (zie pag. 386).

Verse chiles poblanos

(Voor)bereidingstijd

» De bereidingstijd van dit gerecht bedraagt 20-25 minuten. De afgekoelde *rajas* kunnen, goed afgedekt, een paar dagen in de koelkast worden bewaard. Warm ze vlak voor het serveren op, met het deksel op de pan en op een laag vuur.

TRADITIONELE VARIATIES

» *Rajas met maïs of sperziebonen*: Bereid de rajas volgens de aanwijzingen in het recept en voeg, tegelijk met de room of de bouillon, 200 gram verse maïs (of ontdooide maïskorrels uit de diepvries) of 200 à 250 beetgaar gekookte sperziebonen toe.

» *Rajas met tomaat (als vulling voor tamales)*: Bereid de *rajas* volgens de aanwijzingen in het recept, maar laat de kruiden weg en vervang de room of de bouillon door een klein blik (à 4 dl) gepelde tomaten (uitgelekt en gepureerd) of 1/2 blik of pak gezeefde tomaten. Laat de tomatensaus inkoken tot de gewenste dikte en breng het groente-mengsel op smaak met zout. Laat de *rajas* volledig afkoelen alvorens ze in *tamales* te verwerken.

EIGENTIJDSE VARIATIE

» *Rajas van poblanos en paprika's met knoflook*: Snijd 2 *chiles poblanos* (geroosterd, ontveld en van de zaadjes ontdaan) en 2 kleine rode paprika's (geroosterd, ontveld en van de zaadjes ontdaan) in smalle reepjes. Bak de ui (stap 2) mooi goudbruin in olijfolie. Voeg de peper- en paprikareepjes, 4 fijngemaakte, ontvelde geroosterde knoflook-teentjes, 2 laurierblaadjes, 1/2 dl room, 1/2 dl runderbouillon en 1/2 dl droge witte wijn toe en laat het geheel zachtjes sudderen tot het vocht vrijwel volledig is verdampt. Breng het mengsel op smaak met zout, vers gemalen peper en een klein beetje verse tijm.

Aardewerken ollas voor de bereiding van bonen

NAGERECHTEN
Postres

IJskraam op de markt van Oaxaca

Over de omvang en de variëteit van het assortiment Mexicaanse toetjes zal ik me waarschijnlijk m'n hele leven blijven verbazen. Zoals ik vaak ook verbaasd ben over de reactie van toeristen. 'Laten we maar een *flan* bestellen', hoor ik ze na de maaltijd tegen elkaar fluisteren, 'dan weet je tenminste wat je krijgt.' Ja, stel je voor dat je iets diks en kleverigs krijgt voorgezet dat *cajeta* wordt genoemd of zoiets griezeligs als in een kruidig suikerstroopje gestoofde pompoen...

Persoonlijk kan ik me nog steeds verheugen op de zoetigheden die in de betere traditionele restaurants op me wachten: de dikke, bijna kokosmakroonachtige *cocado*, de zalvigzachte *natillas* (vla), de stroperige *chongos* (wrongelballetjes) of de dikke, gegeleerde guavepasta (*ate*) met verse kaas. Voor een niet-Mexicaan heeft het uitzoeken van een nagerecht veel weg van een ontdekkingsreis, want Mexicaanse desserts zijn moeilijk in een categorie te plaatsen. Het meest vertrouwde toetje is ongetwijfeld de in een lichte karamelsaus badende *flan*, die in Frankrijk bekendheid geniet onder de namen *crème caramel* of *crème renversée*. Een andere oude bekende, die in de betere restaurants echter door vrijwel geen enkele buitenlander wordt besteld, is de rijstpudding – *arroz con leche*. Ook de overige Mexicaanse nagerechten worden door niet-Mexicanen zelden besteld, heb ik me laten vertellen. Na het hoofdgerecht gaat de doorsneetoerist direct aan de koffie, al of niet met een digestief erbij in de vorm van brandy, Kahlúa of anisette.

De toeristen die het toetje overslaan, beseffen niet wat ze missen. Mexicaanse nagerechten zijn namelijk zeer de moeite waard. Het merendeel van de puddingen, vla's en gebak-achtige versnaperingen stamt oorspronkelijk uit Spanje. In feite is het hele begrip 'toetje' – iets dat je eet als besluit van de maaltijd – uit Europa overgewaaid, want over een precolumbiaans equivalent is niets bekend. In de tijd van de Azteken werden zoete en hartige dingen willekeurig door elkaar gegeten, net als in het Europa van de middeleeuwen. En zoals de Europese eetgewoonten in de eeuwen daarna veranderingen hebben ondergaan, zo zijn ook de Mexicaanse eetgewoonten geëvolueerd.

Degenen die het meeste hebben bijgedragen aan de 'verzoeting' van Mexico, waren de Spaanse nonnen die hun zelfgemaakte lekkernijen plachten te verkopen om geld in te zamelen voor hun kloosterorde. Zij brachten naar Mexico niet alleen melk, eieren, suiker en amandelen mee, maar ook de know-how om die produkten te transformeren tot puddingen, vla's en allerlei andere versnaperingen die tot op de dag van heden deel uitmaken van de Mexicaanse keuken. Hun toch al niet geringe repertoire werd nog aanzienlijk groter nadat ze hadden ontdekt hoe ze de vruchten en noten uit de Nieuwe Wereld in zoetigheden konden verwerken.

In elke streek van Mexico kun je hetzelfde handjevol bekende toetjes krijgen dat per traditie aan tafel geserveerd wordt: de vla (die onder de namen *flan*, *jericalla* of *queso napolitano* op menukaarten prijkt), de rijstpudding, de in een suikerstroopje gepocheerde vruchten en soms ook de kwarktaart-achtige *pay de queso*. Ook vruchtensorbet en roomijs staan in het hele land op het menu, maar alleen in Oaxaca en langs de Golf van Mexico weten ze er iets speciaals van te maken. Toch gelden de bevroren zoetigheden ook daar meer als een verkoelend tussendoortje dan als een officieel nagerecht. Datzelfde geldt voor gebakken bakbanaan, een populaire lekkernij die, net als de meeste taarten, voornamelijk als zoete snack wordt gegeten.

Mexico is beroemd om zijn snoepgoed en vrijwel alle toeristen nemen wel een van de vele traditionele versnaperingen mee naar huis. Snoepgoed maakt in Mexico deel uit van het dagelijkse leven. Het verschijnt 's middags op tafel na een overvloedige *comida* en 's avonds bij een kop *café con leche*. Elke streek heeft wel een eigen regionale versie van een van de vele nationale lekkernijen: zachte karamels, kokossnoepjes, krokante notenkaramels en blokjes gekonfijte bataat, pompoen of cactus.

Hoewel Puebla – dankzij zoete genoegens als *camotes de Santa Clara* (een gezoete pasta van fijngemaakte bataat), roomkaramels en *polvorones sevillanos* (dikke, brosse notenkoekjes) – bekendstaat als dé snoepstad van Mexico, zijn er nog vier andere steden waar zoetekauwen royaal aan hun trekken komen. Morelia, in de deelstaat Michoacán, is de stad voor liefhebbers van zachte, gelatineuze vruchtenkoekjes (*ates*) en aangenaam taaie karamels (*morelianas*). De snoepwinkels van San Cristóbal de las Casas, in Chiapas, herbergen een schier eindeloze verscheidenheid aan snoepgoed: kokossnoepjes en -koekjes, piepkleine zoete pasteitjes, vruchtenkoekjes, lekkernijen gemaakt van eierdooiers en vruchten op alcohol. Oaxaca, de hoofdstad van de gelijknamige deelstaat, dankt zijn reputatie als snoepstad aan cake-achtige zoetigheden, schuimgebak, met banketbakkersroom gevulde pasteitjes van soezenbeslag (*empanadas de lechecilla*) en dikke staven gemaakt van ruwe suiker en kokos (*jamoncillos de coco*). En Mérida, de hoofdstad van de deelstaat Yucatán, is vermaard om zijn van pompoenzaden gemaakte marsepein.

Dan zijn er natuurlijk ook nog de lekkernijen die uitsluitend op bepaalde feestdagen worden gegeten. Waar Spanjaarden wonen, zul je rond de kerstdagen *turrones* kunnen vinden, meestal geïmporteerd uit Spanje. En op het centrale plein van Oaxaca kun je in die periode dagelijks genieten van papierdunne gefrituurde *buñuelos* (een soort beignets). Kerstmis wordt in Oaxaca overigens op een meeslepende wijze gevierd. Tot de feestelijkheden behoren een wedstrijd in het kunstig uitsnijden van rammenassen en een grote optocht op kerstavond. Het meest fantasievolle snoepgoed valt te bewonderen in de periode voorafgaand aan Allerzielen, als in heel Mexico de snoepwinkels en marktkraampjes vol liggen met kunstig gemaakte doodskoppen en -kisten van suikergoed en miniatuurschaaltjes gevuld met van suiker vervaardigde vruchten, groenten en populaire gerechten als *enchiladas*, die op huisaltaartjes worden gezet als eerbetoon aan de overledene en zijn culinaire voorkeuren. Voor die 'dag van de doden' worden ook speciale broden gebakken: grote ronde versierd met gekruiste beenderen van deeg of puntige, ovale exemplaren die de geest van de overledenen symboliseren.

Tegen Driekoningen, een dag waarop de kinderen cadeautjes krijgen, verkopen de bakkerswinkels enorme aantallen ringvormige, met gekonfijte vruchtjes versierde eierbroden die ergens in hun binnenste een klein poppetje verbergen. De traditie wil dat degene in wiens portie het poppetje opduikt, een feestje moet geven op 2 februari. En zo heeft elke feestdag en elke stad zijn eigen zoete specialiteiten.

Bij het selecteren van de recepten voor dit hoofdstuk heb ik één oog gericht gehouden op de zoetigheden waar de Mexicanen voor warmlopen en het andere op de praktische uitvoerbaarheid en het verwachtingspatroon van niet-Mexicanen. Het resultaat is een mengeling van traditionele nagerechten, plaatselijke specialiteiten en persoonlijke interpretaties van een aantal authentieke lekkernijen die ik ergens in Mexico ben tegengekomen. Het zijn allemaal gerechten waarmee een Mexicaanse maaltijd in stijl kan worden afgerond.

VANILLEVLA MET KARAMEL

Flan

Het traditionele recept hieronder is gebaseerd op de versie die te vinden is Josefina Vélazquez de Leóns *Mexican Cook Book Devoted to American Homes*. Het recept levert een romigzachte vla op met een duidelijk herkenbare vanillesmaak en een gulle hoeveelheid vloeibare karamel. In Mexico worden *flans* tegenwoordig vaak gemaakt met gezoete gecondenseerde melk, maar die smaken toch anders dan deze traditionele, van ingekookte melk gemaakte versie. Als ik een werkelijk licht en luchtig nagerecht wil maken, neem ik de in de Keukennotities opgenomen variant waarin de melk niet wordt ingekookt. En voor wie wel eens een *flan* met een ander smaakje wil serveren, heb ik variaties opgenomen met ananas, amandelen en een combinatie van rum en Kahlúa. Voor welke uitvoering u ook kiest, een *flan* scoort altijd goed.

Voor 10 personen, in 10 kleine vormpjes of in 1 grote vorm:

> 2 liter melk
> 200 gram suiker
> 6 grote eieren
> 6 grote eierdooiers
> 1 theelepel vanille-extract of het merg van 1 vanillestokje

voor de karamel:
> 175 gram suiker (120 gram als u een grote vorm gebruikt)
> 8 cl water (6 cl als u een grote vorm gebruikt)

1. *Het inkoken van de melk*: Breng de melk met de suiker en de leeggeschraapte vanillestokjes in een grote pan aan de kook en regel het vuur zodanig dat de melk zachtjes blijft borrelen zonder over te koken of aan te branden. Laat de melk, onder regelmatig roeren, in ca. 45 minuten tot de helft inkoken.
2. *De vorm(en) en het heet-waterbad*: Zet 10 kleine vormpjes of 1 grote vorm (zie Keukennotities) in een braadslee die diep genoeg is om een laag water van 5 cm te bevatten. Breng in een ketel water aan de kook, verwarm de oven voor op 180° C en plaats het rooster in het midden van de oven.
3. *De karamel*: Doe de benodigde suiker in een kleine steelpan met een dikke bodem, giet er in een dun straaltje de corresponderende hoeveelheid water bij (giet het water eerst langs de rand van de pan en dan over de suiker) en roer de suiker even door. Breng de inhoud van de pan aan de kook, bestrijk de wand van de pan met een natgemaakt kwastje en laat het suikermengsel zachtjes sudderen op een vrij laag vuur – zonder te roeren – tot het mengsel vloeibaar wordt en begint te kleuren. Til de pan dan op en draai hem iets boven de gasvlam in het rond, tot het suikermengsel is veranderd in een mooie amberkleurige karamel. Giet de vloeibare karamel direct in de vormpjes of de grote vorm. Draai de vorm(pjes) met twee handen in het rond om de karamel gelijkmatig over de bodem en wanden te verdelen.

Het ronddraaien van de vloeibare karamel in een flan-vorm

4. *Het vlamengsel*: Klop de hele eieren, de eierdooiers en het vanille-extract of
-merg in een grote kom met een handmixer tot alles goed vermengd is en giet
er, terwijl u blijft kloppen, in een dun straaltje de hete ingekookte melk bij.
Giet het mengsel door een fijnmazige zeef (om de vanillestokjes en eventuele
vellen te verwijderen) rechtstreeks in de grote vorm of – als u kleine vormpjes
gebruikt – in een pan of kan met een schenktuit om het gemakkelijker over de
kleine vormpjes te kunnen verdelen.

5. *Het bakken van de flan(s)*: Giet een laag kokend water van 5 cm in de braadslee
(3 à 4 cm als u kleine vormpjes gebruikt; de vormpjes moeten tot ca. 1 cm onder de rand in het water staan). Dek het geheel losjes af met aluminiumfolie en
zet de braadslee in de oven tot de eiervla na 40-50 minuten (of na ca. 30 minuten als u kleine vormpjes gebruikt) nèt gestold is. Controleer de gaarheid door
een mes tot in het midden van (een van) de *flan(s)* te steken: het lemmet moet
schoon zijn als u het mes er weer uittrekt. Neem de braadslee uit de oven, laat
de *flan(s)* afkoelen in het waterbad (het eimengsel zal daardoor volledig opstijven) en laat ze daarna door en door koud worden in de koelkast (dit vergemak-
kelijkt het storten).

6. *Het storten van de flan(s)*: Snijd de *flan(s)* rondom los met een mes en schud de
vorm(pjes) even heen en weer om te controleren of de inhoud volledig loszit.
Leg, als u een grote *flan* hebt gemaakt een schaal op de vorm en draai vorm en
schaal met een snelle beweging om (stort kleine *flans* op dezelfde manier op
dessertborden). Schraap eventueel in de vorm(pjes) achtergebleven karamel
met een pannelikker over de *flan(s)* of houd de vorm(pjes) een paar tellen in
heet water tot de karamel iets dunner is en zich gemakkelijk laat schenken.

Een traditionele flan

KEUKENNOTITIES

Technieken

» *Het bakken*: De meest voorkomende fout die bij de bereiding van een *flan* wordt
gemaakt, is dat men de puddinkjes te lang laat bakken, waardoor de textuur korrelig
wordt; houd de tijd dus goed in de gaten.

» *Het storten*: Dit zal nauwelijks problemen opleveren omdat de vorm als het ware
'gevoerd' is met vloeibare karamel, waardoor de inhoud gemakkelijk uit de vorm glijdt.

Keukengerei

» *De vorm(pjes)*: Voor een grote *flan* kunt u het beste een soufflévorm nemen met een
diameter van 20 cm en een inhoud van 1 1/2 liter. In Mexico worden echter meestal
kleine vormpjes gebruikt met een inhoud van 2 dl.

Voetnoot van de vertaalster

» *Vanille:* In het oorspronkelijke recept schrijft Rick Bayless uitsluitend vanille-extract voor. Vanille-extract, een amberkleurige vloeistof gemaakt van vanillestokjes, alcohol en water (en dus iets totaal anders dan vanille-essence), is een produkt dat in Nederlandse supermarkten niet of nauwelijks verkrijgbaar is. Vanillemerg (de zwarte zaadjes in het binnenste van vanillestokjes, te verkrijgen door de stokjes in de lengte open te snijden en de donkere, korrelige massa in de kern met een lepeltje eruit te schrapen) levert echter een nóg beter resultaat op. Zie ook pag. 407.

(Voor)bereidingstijd

» Een grote *flan* kan het beste een dag van tevoren worden gemaakt (maar 2-3 dagen kan ook); met kleine *flans* moet u minstens 6 uur van tevoren beginnen. De bereidingstijd bedraagt ca. 1 uur plus 30-50 minuten voor het bakken.

TRADITIONELE VARIATIES

» *Amandelflan:* Meng de ingekookte melk (stap 1) met 165 gram tot poeder gemalen blanke amandelen en laat het mengsel 2-3 minuten zachtjes koken. Als u de voorkeur geeft aan een *flan* met een zeer gladde textuur, giet het mengsel dan in de blender en laat de machine een paar minuten draaien. Ga verder te werk volgens de aanwijzingen in het recept. Giet het mengsel in kleine vormpjes en bak de *flans* ca. 40 minuten (dek de vormpjes pas na 20 minuten af met folie). Desgewenst kunt u aan het *flan*-mengsel een theelepel amandelextract of -esprit toevoegen.

» *Ananasflan:* Vervang de melk door 1 liter ongezoet ananassap (of gezeefde ananaspuree); verwarm het sap met de suiker tot de suiker is opgelost (maar laat het sap niet inkoken). Ga verder te werk volgens de aanwijzingen in het recept, maar voeg aan het mengsel 1/2 theelepel kaneelpoeder en een mespuntje gemalen kruidnagel toe alvorens het in de vorm(pjes) te gieten.

» *Extra lichte flan:* Breng 1 liter melk met de suiker aan de kook en roer tot de suiker volledig is opgelost (laat de melk *niet* inkoken). Ga verder te werk volgens de aanwijzingen in het recept, maar met gebruikmaking van 8 hele eieren in plaats van 4 eieren en 4 dooiers.

» *Flan van gecondenseerde melk:* Leng 1 blik (à 4 dl) gezoete gecondenseerde melk aan met 5 1/2 dl melk en gebruik dit mengsel, na het te hebben verhit, in plaats van de met suiker ingekookte melk (houd er rekening mee dat gecondenseerde melk uit blik anders smaakt dan verse ingekookte melk).

EIGENTIJDSE VARIATIE

» *Mijn favoriete flan:* Voeg, tijdens het inkoken van de melk, een klein stukje pijpkaneel toe en voeg, samen met de vanille, aan het eimengsel 2 theelepels Kahlúa en 2 theelepels bruine rum toe. Ga verder te werk zoals beschreven in het recept. Besprenkel de *flan(s)* na het storten met een paar druppels rum of Kahlúa.

Regionale accenten

» Veel gebieden hebben hun eigen *flan*-specialiteiten. In Guadalajara wordt de zachte, donkergele vla gebakken tot de bovenkant bruin van kleur is (*jericalla*). Langs de Mexicaanse Golf worden, behalve met vanille en kaneel, ook versies gemaakt met sinaasappel, kokos en amandel. In Yucatán en omgeving bestaat een compacte, bijna kwarkachtige variant die *queso napolitano* wordt genoemd. En hier en daar wordt aan het ei-melkmengsel verse witte roomkaas toegevoegd om de *flan* meer body te geven.

KOKOSCRÈME MET GEROOSTERDE AMANDELEN

Postre de Cocada

Op de met kleurrijke papieren bloemen versierde desserttafel van het fameuze restaurant Fonda el Refugio in Mexico-Stad bevindt zich altijd wel een groen geglazuurde schaal in de vorm van een boomblad gevuld met een goudkleurige *cocada*. Onder het licht goudbruine korstje bevindt zich een dikke crème van vers geraspte, met eierdooiers gebonden kokos. Je kunt dit nagerecht eigenlijk niet samenvatten met het woord 'pudding'; maar met 'kokosmakroon in puddingvorm' kom je al een eind in de goede richting.

Aangezien kokosnoten overal in Mexico verkrijgbaar zijn, zijn er veel restaurants die een soortgelijk kokosdessert serveren, vooral in Midden-Mexico. Onderstaand recept is gebaseerd op een recept uit *México en la cocina de Marichu* van María A. de Carbia, dat ik een beetje romiger heb gemaakt om het eindresultaat iets meer te laten lijken op de versie van de Fonda el Refugio. Het is een smakelijk toetje, elegant genoeg als afsluiting van een uitgebreide maaltijd, maar ook geschikt om mee te nemen op een picknick.

Voor 6-8 personen:

> 1 verse kokosnoot met veel vocht erin
> 200 gram suiker
> 1 1/2 eetlepel zoete of medium sherry
> 6 grote eierdooiers
> 3 eetlepels melk of slagroom
> 30 gram geschaafde amandelen
> 1 1/2 eetlepel ongezouten boter, goed gekoeld

1. *De kokosnoot*: Open de kokosnoot zoals beschreven op pag. 397, vang het vocht op in een kommetje en zeef het. Rasp het vruchtvlees op een middelfijne rasp.
2. *De bereiding van de kokoscrème*: Giet het kokosvocht in een maatbeker en vul het vocht aan met water tot 1/4 liter. Doe de geraspte kokos, de suiker en het kokosvocht-watermengsel in een pan met een dikke bodem en breng het geheel al roerende op een matig hoog vuur aan de kook. Draai het vuur lager en blijf roeren tot de kokos doorschijnend is en het vocht goeddeels is verdampt (20-30 minuten). Voeg de sherry toe en laat het geheel nog 3-4 minuten zachtjes pruttelen. Neem de pan daarna van het vuur.
3. *Het binden van de kokoscrème*: Klop de eierdooiers los met de melk of de slagroom, voeg al roerende een paar lepels van de hete kokoscrème toe en giet het geheel dan bij de rest van de kokoscrème in de pan. Zet de pan op een laag vuur en verwarm de inhoud al roerende tot de crème, na ca. 5 minuten, gebonden is. Schep de *cocada* in een ondiepe ovenschaal.
4. *Het gratineren van de cocada*: Spreid de geschaafde amandelen uit op een bakplaat en rooster ze in ca. 10 minuten mooi goudbruin in de op 170° C voorverwarmde oven. Verhit de grill vlak voor het serveren. Bedek de bovenkant van de *cocada* met kleine vlokjes boter en zet de schaal 1-2 minuten onder de hete grill tot de bovenkant lichtbruin begint te kleuren (blijf er wel bij staan: dankzij de suiker zal de *cocada* zeer snel karameliseren). Bestrooi de *cocada* met de geroosterde amandelen en serveer direct.

KEUKENNOTITIES

Technieken

» *Het binden met eierdooiers:* Zorg dat het vuur onder de pan met het dooier-kokos-mengsel niet te hoog is en dat de temperatuur van het mengsel ver onder het kookpunt blijft, anders zullen de dooiers schiften.

Ingrediënten

» *Kokosnoot:* Zie pag. 397 voor informatie voor het kopen en behandelen van verse kokosnoten. Dit gerecht kan *niet* worden gemaakt met kant en klaar gekochte gedroogde kokos.

(Voor)bereidingstijd

» Als u snel werkt, vergt de voorbereiding niet meer dan ca. 45 minuten (inclusief het openbreken en het loshalen van het vruchtvlees van de kokosnoot). De bereiding zelf duurt eveneens ca. 45 minuten. Desgewenst kunt u de *cocada* t/m stap 3 twee tot drie dagen van tevoren bereiden; bewaar de kokoscrème in dat geval afgedekt in de koelkast. Breng de crème op kamertemperatuur alvorens hem te gratineren.

MEXICAANSE RIJSTPUDDING

Arroz con Leche

Deze huiselijke, met kaneel gekruide rijstpudding is zo romig en toch licht en lekker dat je er moeiteloos verzot op kunt raken. In Mexico wordt hij minstens even vaak geserveerd als de *flan*. Onderstaand recept, gebaseerd op de versie die Bertha Zelayarán Ramírez heeft beschreven in *Las 500 mejores recetas de la cocina mexicana*, is niet alleen bijzonder lekker, maar ook aantrekkelijk om te zien. U zou hem kunnen serveren na een stevige soep als *menudo* (pag. 119) of soep met garnalenballetjes (pag. 112). Eventuele restjes kunnen, opgewarmd en verdund met een scheut melk, bij wijze van ontbijt worden gegeten.

Voor 8-10 personen:

1 stukje pijpkaneel van 5 cm
1 stukje limoenschil (zonder wit) van ca. 2 cm breedte en 5 cm lengte
200 gram rijst
1 liter melk
150 gram suiker
1/4 theelepel zout
4 grote eierdooiers
1/2 theelepel vanille-extract of het merg uit 1/2 vanillestokje
35 gram rozijnen
1 eetlepel boter, goed gekoeld
kaneelpoeder

1. *De rijst*: Breng 1/2 liter water aan de kook in een middelgrote pan, voeg het kaneelstokje en de limoenschil toe, leg een deksel op de pan en laat het geheel 5 minuten trekken. Voeg de rijst toe en wacht tot het water opnieuw begint te koken. Roer de rijst even om, leg het deksel op de pan en kook de rijst ca. 20 minuten op een vrij laag vuur, tot de korrels zacht zijn en al het vocht is geabsorbeerd.

2. *De pudding*: Voeg al roerende de melk, de suiker en het zout toe en laat de rijst zachtjes koken, onder regelmatig roeren, tot u ziet – na 20-25 minuten – dat de melk begint in te dikken. Haal de pan dan van het vuur en verwijder het kaneelstokje en het limoenschilletje.

   Klop de eierdooiers los in een kom, onder toevoeging van het vanillemerg en voeg een paar lepels hete rijst toe. Giet het mengsel dan al roerende bij de rest van de rijst in de pan. Voeg de helft van de rozijnen toe en schep het rijstmengsel in een vierkante ovenschaal (afmeting 20 x 20 cm).

3. *Het gratineren en garneren van de rijstpudding*: Verwarm de grill voor en bestrooi de rijst met kleine vlokjes boter. Zet de schaal onder de hete grill tot de rijst – na 3-4 minuten – lichtbruin begint te kleuren. Bestrooi de rijst met de overgebleven rozijnen en bestuif hem met kaneel. Serveer de *arroz con leche* warm of op kamertemperatuur.

Mexicaanse kaneelstokjes (canela)

KEUKENNOTITIES

Technieken

» *Het indikken van de rijst:* In stap 2 moet de pan met het rijstmengsel van het vuur worden genomen zodra de rijst een heel klein beetje is ingedikt (het mengsel moet eruitzien als een dikke rijstsoep). Als u de rijst in dat stadium te lang laat koken, wordt de pudding compact en stijf. Mocht dat laatste onverhoopt gebeuren, roer er dan vlak voor het serveren een scheutje melk door. Bestrooi de rijst opnieuw met vlokjes boter en gratineer hem nogmaals.

Voetnoten van de vertaalster

» *Vanille:* Zie voetnoot pag. 333.

» *De hoeveelheden:* Met 'theelepel' wordt de internationale standaardtheelepel met een inhoud van 5 gram bedoeld en niet het Nederlandse theelepeltje van 3 gram.

(Voor)bereidingstijd

» De bereidingstijd bedraagt ca. 1 uur, maar u hoeft er niet al die tijd bij te blijven. Desgewenst kunt u de rijstpudding 1 à 2 dagen van tevoren maken (t/m stap 2); het gratineren moet echter op de dag zelf gebeuren.

TRADITIONELE VARIATIE

» *Rijstpudding met kokos:* Kook de rijst gaar volgens de aanwijzingen in stap 1. Breek een verse kokosnoot open (pag. 397), vang het vocht op en rasp het vruchtvlees. Leng het kokosvocht aan met melk tot 1 liter. Ga te werk volgens de aanwijzingen in stap 2 en 3, maar vervang de melk door het aangelengde kokosvocht en voeg tegelijk met de losgeklopte eierdooiers de helft van de geraspte kokos toe. Bestrooi de rijst met de rest van de geraspte kokos alvorens de schaal onder de hete grill te zetten.

Regionale accenten

» Bij rijstpudding moet ik altijd denken aan de Plaza Garibaldi in Mexico-Stad – het drukke plein dat 's avonds wordt verlevendigd door de muziek van vele tientallen *mariachi*-orkestjes – omdat het een van de specialiteiten is van de op en rond het plein gelegen eetgelegenheden. Of aan de markt van Oaxaca, waar je de rijst – verpakt in papieren bekertjes – tegen zonsondergang kunt kopen als meeneemtoetje voor thuis. En zo zijn er nog veel meer typisch Mexicaanse plekken – variërend van primitieve eetkraampjes tot comfortabele restaurants – die onlosmakelijk verbonden zijn met het fenomeen *arroz con leche.*

TAART VAN VERSE ROOMKAAS
Pay de Queso

Pay de queso, de van verse roomkaas gemaakte taart die in vrijwel alle *cafetarías* van Mexico wordt geserveerd, is geschikt voor alle gelegenheden waarbij u anders een gewone kwarktaart zou willen eten. Het is een heerlijk lichte, romige taart waarvan de vulling soms wordt verrijkt met een handjevol frisse rozijnen. Onderstaande versie is gebaseerd op een recept dat ik heb gekregen van iemand in Tabasco, waar deze verrukkelijke taart geldt als een streekspecialiteit.

Voor een taartvorm met een diameter van 22 cm, voldoende voor 6-8 personen:

voor de taartbodem:
  5 sneetjes (ca. 120 gram) stevig wittebrood
  2 eetlepels suiker
  2 eetlepels ongezouten boter
  2 eetlepels plantaardige margarine

voor de vulling:
  500 gram verse roomkaas, op kamertemperatuur
  150 gram suiker
  1/4 theelepel + 1 mespuntje zout
  1/4 theelepel kaneelpoeder
  1 eetlepel bloem
  1/2 theelepel vanille-extract of het merg uit 1/2 vanillestokje
  3 grote eierdooiers, op kamertemperatuur
  2 grote eiwitten, op kamertemperatuur

1. *De taartbodem*: Maal het brood (met korst en al) fijn in een foodprocessor. Meng het kruim in een kom met de suiker. Smelt de boter en de margarine, giet het mengsel in de kom met het broodkruim en meng alles tot een samenhangend geheel. Bedek de bodem van een ondiepe taartvorm (diameter 22 cm) met het kruimmengsel, druk het mengsel goed aan en zet de vorm 20-30 minuten in de koelkast.

2. *De vulling*: Verwarm de oven voor op 190° C en plaats het rooster iets boven het midden in de oven. Doe de roomkaas in de kom van een foodprocessor of mengmachine. Voeg de helft van de suiker, 1/4 theelepel zout, de kaneel, de bloem, de vanille en de eierdooiers toe en laat de machine draaien tot alles goed vermengd is. Doe het mengsel, als u een foodprocessor hebt gebruikt, in een grote mengkom.

   Klop de eiwitten met een mespuntje zout in een tweede kom – met een garde of een handmixer – tot een stevig schuim en voeg, terwijl u blijft kloppen, met kleine beetjes tegelijk de rest van de suiker toe; houd pas op met kloppen als het eiwit glanst en zo stevig is dat u de kom ondersteboven kunt houden zonder dat het schuim eruit valt. Roer 1/3 van het eiwitschuim door het roomkaasmengsel, voeg dan de rest van het eiwit toe en spatel alles snel en luchtig door elkaar. Schep de massa in de vorm.

3. *Het bakken*: Zet de vorm direct in de voorverwarmde oven. Verlaag de oventemperatuur na 5 minuten tot 170° C en bak de taart nog 25 minuten. Draai de oven daarna uit en laat de taart nog 15 minuten in de oven staan (zonder de klep te openen). Neem de taart dan uit de oven en laat hem volledig afkoelen (de taart, die tijdens het bakken enigszins gerezen is, zal bij afkoeling weer zijn ingezakt).

KEUKENNOTITIES

Ingrediënten

» *Verse roomkaas*: De verse roomkaas kan eventueel worden vervangen door roomkwark.

Voetnoten van de vertaalster

» *De hoeveelheden*: Met 'theelepel' wordt de internationale standaardtheelepel met een inhoud van 5 gram bedoeld en niet het Nederlandse theelepeltje van 3 gram.

» *Vanille*: Zie voetnoot pag. 333.

(Voor)bereidingstijd

» De voorbereiding vergt ca. 40 minuten en de baktijd bedraagt eveneens 40 minuten; het afkoelen duurt ongeveer een uur. U kunt de taart desgewenst een dag van tevoren maken en hem – losjes afgedekt met folie – in de koelkast bewaren. Zorg dat de taart op kamertemperatuur is als u hem wilt serveren, dan is hij gemakkelijker te snijden.

EIGENTIJDSE VARIATIE

» *Taart van verse roomkaas met pijnboompitten en rozijnen*: Rooster 2 eetlepels pijnboompitten onder regelmatig omschudden in een droge koekepan en laat ze afkoelen. Meng de geroosterde pitten in een kommetje met 3 eetlepels rozijnen en 1 eetlepel bloem. Schep het mengsel tegelijk met de laatste hoeveelheid eiwitschuim door het roomkaasmengsel en bak de taart volgens de aanwijzingen in het recept.

Regionale accenten

» Op de Avenida Cinco de Mayo in Mexico-Stad, vlakbij de kathedraal, bevindt zich de 'Dulcería de Celaya'. In deze uit 1874 daterende banketbakkerswinkel is vrijwel alles nog zoals het vroeger was: de gegraveerde winkelruiten, de oude eikehouten vitrine-kast met zijn gebogen glas en het adembenemende assortiment gekonfijte vruchten en ambachtelijk gemaakte lekkernijen – elk exemplaar is een juweeltje. Een deel van de vitrine is gewijd aan zoetigheden die wij 'toetjes' zouden noemen omdat ze niet uit de hand, maar van een bord worden gegeten. Zo hebben ze er heerlijke *chongos* (wrongelballetjes in gezoete wei), fluwelige *flans* en een luchtig, cake-achtig eiergebak dat in vierkanten wordt gesneden en *huevos reales* ('koninklijke eieren') wordt genoemd. En natuurlijk hebben ze ook de allerlekkerste *pay de queso fresco* van heel Mexico.

PECANNOTENTAART
Pay de Nuez

Hoewel ze tegenwoordig tot in de kleinste *cafetarías* worden geserveerd, zijn platte, vlaai-achtige taarten een recente aanwinst in het Mexicaanse toetjesassortiment. De taarten hebben bijna altijd dezelfde vullingen: citroen-meringue, appel, verse room-kaas of pecannoten. Hoewel (of wellicht juist omdat) de laatstgenoemde taart sterk lijkt op de Amerikaanse *pecan pie*, is het een van mijn favorieten.

Omdat pecannotentaart erg populair is in Mexico en omdat pecannoten inheems zijn in dit deel van de wereld, heb ik een recept ontwikkeld waarin ook een rol is weggelegd voor typisch Mexicaanse produkten als ongeraffineerde suiker en spece-rijen. Ik denk dat het eindresultaat u zal bevallen (al vermoed ik dat vooruitstrevende Mexicanen mijn poging om een Amerikaanse taart Mexicaans te maken op z'n zachtst gezegd merkwaardig zullen vinden...).

Voor een taartvorm met een diameter van 22 cm, voldoende voor 6-8 personen:

voor het deeg:
>125 gram bloem
>2 eetlepels reuzel, goed gekoeld en in dobbelsteentjes van 1 cm gesneden
>3 eetlepels boter, goed gekoeld en in dobbelsteentjes van 1 cm gesneden
>2 grote eierdooiers
>1 à 2 eetlepels ijswater
>1/8 theelepel zout
>1/2 theelepel suiker

voor de vulling:
>125 gram ongeraffineerde suiker (*piloncillo*, zie pag. 402), in stukjes gehakt of 100 gram donkerbruine basterdsuiker + 1 1/2 eetlepel rietsuikerstroop
>8 eetlepels (ca. 1 1/4 dl) blanke stroop ('glucosestroop')
>1 stukje pijpkaneel van 2-3 cm
>4 kruidnagels
>8 peperkorrels, grof gemalen of gekneusd

6 eetlepels ongezouten boter, in blokjes gesneden
3 eetlepels dikke room (pag. 53) of crème fraîche
150 gram pecannoten
1 groot ei
2 grote eierdooiers
1/4 theelepel zout
1/2 theelepel vanille-extract of het merg uit 1/2 vanillestokje
1 eetlepel bloem

1. *Het deeg*: Doe de bloem, de reuzel en de boter in een beslagkom en snijd het vet met twee messen of een speciale deegsnijder door de bloem tot het mengsel korrelig is. Meng 1 eierdooier in een kommetje met 1 eetlepel ijswater, het zout en de suiker. Giet het mengsel met kleine beetjes tegelijk in de beslagkom en werk het met een vork door het bloemmengsel. Het deeg moet er klonterig uitzien, maar voldoende vochtig zijn om alle bloem te kunnen opnemen. Voeg, indien nodig, nog 1/2 à 1 eetlepel ijswater toe en werk de losse bloem met de vork door de rest van het deeg. Gebruik dan pas uw handen om een bal van het deeg te vormen, verpak de deegbal in folie en laat het deeg minstens 1 uur rusten in de koelkast.

   Rol het deeg daarna op een met bloem bestoven ondergrond uit tot een ronde lap met een diameter van 30 cm. Bekleed een platte taartvorm (diameter 22 cm, hoogte 2 cm; bij voorkeur met een losse bodem) met het deeg, werk de rand netjes af en snijd het overtollige deeg af. Zet de taartvorm – afgedekt met folie – in de koelkast terwijl u de vulling maakt.

2. *De vulling*: Doe de *piloncillo* (of de bruine suiker en de stroop), de blanke stroop, het kaneelstokje, de kruidnagels en de peper in een kleine steelpan. Voeg 3/4 dl water toe, leg een deksel op de pan en zet de pan op een vrij laag vuur. Wacht tot het mengsel begint te borrelen, verwijder dan het deksel en roer tot de suiker is opgelost. Laat het stroopje zachtjes inkoken tot 1/4 liter (dit duurt ca. 10 minuten). Giet het stroopje door een fijne zeef in een kom, voeg de in blokjes gesneden boter en de room toe en roer tot de boter is gesmolten en alles goed vermengd is. Laat het mengsel afkoelen en roer af en toe.

   Verhit de oven voor op 170° C en plaats het rooster in het midden van de oven. Spreid de pecannoten uit op een bakplaat en rooster ze 10-15 minuten, tot ze door en door krokant zijn. Laat de noten afkoelen en verhoog de temperatuur van de oven tot 220° C.

   Klop het ei en de twee eierdooiers los in een kom, onder toevoeging van het zout, de vanille en de bloem. Roer het eimengsel door het afgekoelde suikerstroopje.

3. *Het voorbakken van de taartbodem*: Prik hier en daar gaatjes in het deeg en bak de taartbodem tot het deeg stevig is en lichtbruin begint te kleuren. Controleer de taartbodem om de 1 à 2 minuten: als het deeg langs de rand naar beneden glijdt, duw het dan terug met de bolle kant van een lepel; als de bodem bol gaat staan, prik hem dan in met een vork, zodat de stoom kan ontsnappen. Klop het overgebleven ei los in een kommetje en bestrijk de taartbodem ermee, zodat de gaatjes weer worden afgesloten. Neem de taartvorm uit de oven en laat de taartbodem afkoelen tot lauw. Temper de oven tot 170° C.

4. *De afwerking*: Verdeel de pecannoten over de taartbodem en giet de eivulling er-over. Bak de taart ca. 35 minuten, tot de vulling niet meer trilt en schommelt als u de vorm heen en weer beweegt. Laat de taart afkoelen (waarbij het ei-mengsel verder zal opstijven) en serveer de taart op kamertemperatuur.

KEUKENNOTITIES

Technieken

» *Het maken van korstdeeg*: De taartbodem wordt luchtig en krokant als u zich aan de volgende regels houdt: Zorg dat *alle* ingrediënten goed gekoeld zijn (zelfs de bloem, als de keuken erg warm is). Werk het vet snel door de bloem, maar houd op met snijden zodra het mengsel grofkorrelig is. Gebruik na het toevoegen van de vloeistof niet uw handen (die zijn te warm) om het geheel te mengen, maar een vork. Voeg vooral niet te veel water toe (want dan wordt het deeg taai) en laat het deeg lang genoeg rusten en koelen (waardoor het gemakkelijker kan worden uitgerold).

» *Het voorbakken van de taartbodem*: Het voorbakken voorkomt dat de taartbodem klef wordt. Als mijn methode u niet bevalt, kunt u de taartbodem ook 'blind bakken': bedek de bodem met een stuk beboterde aluminiumfolie (met de beboterde kant naar onderen) en vul de taart met gedroogde peulvruchten, rijst of speciale gewichtjes. Bak de taartbodem 10 minuten, verwijder de blinde vulling en de folie en zet de vorm een paar minuten in de oven terug, zodat het deeg kan drogen. Laat de taartbodem afkoelen (u hoeft hem niet met losgeklopt ei te bestrijken).

Ingrediënten

» *Reuzel en boter*: Reuzel maakt het deeg licht en luchtig; boter zorgt voor een rijke, volle smaak; om die reden heb ik in dit recept beide vetsoorten gebruikt. Als u het ene vet door het andere zou vervangen of als u in plaats van reuzel en boter margarine zou gebruiken, wordt het resultaat totaal anders.

Voetnoten van de vertaalster

» *De hoeveelheden*: Met 'theelepel' wordt de internationale standaardtheelepel met een inhoud van 5 gram bedoeld en niet het Nederlandse theelepeltje van 3 gram.

» *Vanille*: Zie voetnoot pag. 333.

» *Blanke stroop*: Blanke stroop of glucosestroop is een produkt dat voornamelijk wordt gebruikt in de suikerverwerkende industrie en door banketbakkers. De hoeveelheden die bij de groothandel worden verkocht, zijn te groot voor huishoudelijk gebruik, maar als u een goede verstandhouding hebt met een banketbakker, zal hij u waarschijnlijk wel een kleine hoeveelheid willen verkopen.

(Voor)bereidingstijd

» De bereiding van het deeg vergt ca. 20 minuten, waarna u het minstens 1 uur (of maximaal 3 dagen) moet laten rusten in de koelkast. De bereidingstijd van de vulling bedraagt ca. 45 minuten en de baktijd bedraagt ruim een half uur. Reken op ca. 1 uur voor het afkoelen. De taart smaakt het lekkerst op de dag dat hij is gebakken.

EIGENTIJDSE VARIATIE

» *Walnotentaart met honing*: Ga te werk volgens de aanwijzingen in het recept, maar vervang de pecannoten door walnoten en gebruik 7 eetlepels blanke stroop + 1 eetlepel honing in plaats van 8 eetlepels blanke stroop.

MEXICO'S GOUDKLEURIGE
MELKKARAMEL *CAJETA*

De stevig gebouwde zoon des huizes ging ons voor door een smalle gang naar een kolossale handgedreven koperen ketel (de traditionele *cazo*) die tot de rand gevuld was met verse geitemelk. Een paar meter verderop, voorbij de koperen ketel, bevond zich een kleine ruimte met aan één kant een lage stenen kookplaats. Daarop stonden, op krachtige gaspitten, nog vier enorme *cazos* te pruttelen. Een vat met suiker, waartegen een houten roerspaan geleund stond, bevond zich ernaast. Op een plank in de kleine bottelarij aan het einde van de gang stonden dubbelkoolzure soda, kaneel, vanille en flessen met sterke drank; verder was de ruimte gevuld met glazen potten in diverse formaten.

Het kleine familiebedrijf Cajeta Vencedora uit Celaya, in de deelstaat Guanajuato, hield zich bezig met de vervaardiging van *cajeta*, een specialiteit van de streek. Alle leden van het gezin werkten mee om romige verse geitemelk te transformeren tot een zoete, goudkleurige, fudge-achtige karamel. De dubbelkoolzure soda, zo vertelden ze mij, diende als hulpmiddel om de melkmassa mooi bruin te laten kleuren; de kaneel, de vanille en de diverse alcoholische dranken gaven de karamel het door hun afnemers gewenste smaakje. Hun ambachtelijk gemaakte *cajeta* was de lekkerste die ik ooit had geproefd: de consistentie was zacht en romig en minder kleverig dan sommige fabrieksmatig vervaardigde versies waarin blanke stroop wordt verwerkt; de smaak was die van pure geitemelk en ingedikte melksuikers zonder toevoeging van gekarameliseerde suiker. In hun kleine werkplaats en in hun winkel in Celaya werd de *cajeta* nog in fragiele spanen doosjes (*cajas*) gegoten, de traditionele verpakkingswijze waaraan de versnapering zijn naam heeft te danken.

De in potten verpakte *cajeta* die overal in Mexico (en zelfs in de V.S.) verkrijgbaar is, heeft weinig gemeen met de oorspronkelijke *cajetas* gemaakt van vruchten en noten die met suiker werden ingekookt tot een dikke, pasteuze massa. Alleen in de vele snoepwinkels van San Cristóbal de las Casas, in Chiapas, heb ik ze wel eens gezien: kleine ovale doosjes gevuld met een donkere, kleverige *cajeta* gemaakt van perzik of kweepeer of van suiker en eierdooiers.

KARAMEL VAN GEITEMELK MET EEN VLEUGJE DRANK
Cajeta de Leche Envinada

Ik ken een restaurant in Mexico-Stad waar *cajeta* in kommetjes wordt geserveerd, als een soort dikke, warme karamelpudding. De traditionele *cajeta* van het recept hieronder (gebaseerd op dat van de Cajeta Vencedora in Celaya) is daar echter veel te zoet voor. De meeste Mexicanen die ik heb ontmoet gebruiken de karamel om er droge biscuits mee te besmeren en de ijssalons verwerken hem in hun ijscreaties. Je kunt hem zelfs warm over een portie ijs scheppen, als een soort *hot fudge*. Maar de elegantste manier om *cajeta* te serveren is als metgezel van flensjes, zoals vaak wordt gedaan in de betere restaurants met een traditionele keuken. In combinatie met dunne, in boter gebakken flensjes en geroosterde noten komt de karamel optimaal tot zijn recht. Het flensjesrecept dat volgt op het recept voor *cajeta* is gebaseerd op de versie die wordt geserveerd in de fraai ingerichte San Ángel Inn in Mexico-Stad.

Voor ca. 3 1/2 dl:

1 liter geitemelk
200 gram suiker
1 eetlepel blanke stroop ('glucosestroop', zie voetnoot pag. 341)
1 stukje pijpkaneel van 1 1/2 cm
1/4 theelepel dubbelkoolzure soda
1 eetlepel graanalcohol of zoete sherry, rum of cognac

1. *Het basismengsel:* Giet de geitemelk in een grote (inhoud 4 liter) pan met een dikke bodem, voeg de suiker, de blanke stroop en de kaneel toe en breng de melk aan de kook; roer af en toe. Los de dubbelkoolzure soda in een kommetje op in 1 eetlepel water. Haal de pan van het vuur en giet de soda-oplossing bij de melk; de melk zal ogenblikkelijk beginnen te bruisen, houd dus een houten lepel bij de hand om de melk om te roeren en het bruisen te verminderen.
2. *Het inkoken en karameliseren van de melk:* Zet de pan weer op het vuur en regel het vuur zodanig dat de melk zachtjes borrelt zonder over te koken. Roer de melk tijdens het inkoken regelmatig om. Draai het vuur lager zodra de luchtbellen, na 25 tot 40 minuten, veranderen van snel uiteenspattende, kleine belletjes in tragere en grotere bellen. Blijf er voortdurend bij en roer de melk regelmatig (spoel de lepel tussendoor steeds af) tot de melk is ingedikt tot een dikvloeibare karamelkleurige substantie die iets dunner is dan blanke stroop.
3. *De afwerking van de cajeta:* Giet de *cajeta* door een fijnmazige zeef in een kleine kom of wijde glazen pot, laat de karamel een paar minuten afkoelen en roer er dan de gekozen drank door. Laat de *cajeta* volledig afkoelen alvorens de kom af te dekken of het deksel op de pot te doen.

KEUKENNOTITIES

Technieken

» *Het inkoken van de cajeta:* Bij het begin van het inkoken is het gevaar van aanbranden niet groot, maar in de laatste fase moet u er voortdurend bij blijven.

» *Het controleren van de consistentie:* Een gelukte *cajeta* is dikvloeibaar als hij nog heet is en dik en stroperig – bijna niet te schenken – als hij is afgekoeld. U kunt de consistentie controleren door de pan van het vuur te nemen zodra de massa zo dik is dat u bij het roeren de bodem van de pan kunt zien. Laat een paar druppels *cajeta* op een schoteltje vallen en laat ze even afkoelen: als de gestolde druppels zo compact en stevig zijn als een toffee, roer dan een scheutje water door de *cajeta* en warm hem weer op; als de druppels niet echt willen stollen, laat de *cajeta* dan nog een tijdje inkoken.

Keukengerei

» *De pan:* Hoe groter en zwaarder de pan, hoe beter de *cajeta* zal lukken; een geëmailleerde gietijzeren braadpan functioneert bijna net zo goed als een koperen *cazo*.

Ingrediënten

» *Geitemelk:* Als u niet aan geitemelk kunt komen, kunt u gewone koemelk gebruiken (de smaak van de *cajeta* zal daardoor – uiteraard – minder authentiek zijn).

(Voor)bereidingstijd

» De bereiding van *cajeta* vergt ca. 1 uur; de karamel kan maandenlang worden bewaard (in een goed afgesloten pot, in de koelkast).

FLENSJES MET GEITEMELKKARAMEL EN PECANNOTEN
Crepas con Cajeta

Voor 12 papierdunne flensjes, voldoende voor 4 personen:

voor het flensjesbeslag:
    1 stukje pijpkaneel van ca. 1 1/2 cm (of ca. 1/2 theelepel kaneelpoeder)
    3 kruidnagels (of een flinke mespunt kruidnagelpoeder)
    1/4 liter melk
    2 grote eieren
    1/4 theelepel zout
    1 theelepel suiker
    1/2 theelepel vanille-extract of het merg uit 1/2 vanillestokje
    85 gram bloem
    1 eetlepel gesmolten ongezouten boter

voor de afwerking:
    100-120 gram ongezouten boter
    100 gram pecannoten, grof gehakt
    ca. 3 1/2 dl karamel van geitemelk (*cajeta*, pag. 342), op kamertemperatuur

1. *Het flensjesbeslag:* Stamp de kaneel en de kruidnagels tot poeder in een vijzel (of maal ze in een specerijenmolentje) en doe ze in de kom van een blender of foodprocessor. Voeg alle overige ingrediënten (behalve de gesmolten boter) toe en laat de machine draaien tot alles goed vermengd is en u een glad beslag hebt verkregen (stop de machine tussentijds eenmaal om het beslag met een pannelikker van de wand te schrapen). Giet er, terwijl de machine draait, de gesmolten boter bij. Zet de kom opzij en laat het beslag 2 uur rusten.
2. *Het bakken van de flensjes:* Verdun het beslag, indien nodig, met een scheutje water. Verhit een flensjes- of koekepan (zie Keukennotities) op een matig hoog vuur en bestrijk de bodem met een waasje olie. Giet, zodra de pan heet genoeg is, ca. 4 eetlepels beslag in de pan, draai de pan in het rond om het beslag over de bodem te laten uitvloeien en giet het overtollige beslag (het gedeelte dat nog vloeibaar is) terug in de kom.
    Bak het flensje tot de randen – na 45-60 seconden – droog zijn. Maak het flensje rondom los met een mes en snijd het rafelige gedeelte (aan de kant waar u het overtollige beslag hebt uitgegoten) af. Draai het flensje, zodra de onderkant mooi goudbruin is, om met een spatel en bak de andere kant eveneens mooi bruin. Laat het flensje op een bord glijden. Bak de rest van de flensjes op dezelfde manier; vet de pan – indien nodig – tussentijds af en toe in met een waasje olie. Stapel de flensjes op elkaar en dek ze losjes af met aluminiumfolie.

3. *Het roosteren van de noten en het vullen van de flensjes:* Smelt de boter in een middelgrote koekepan op een vrij laag vuur. Voeg de pecannoten toe en bak ze onder regelmatig roeren tot ze – na ca. 10 minuten – krokant zijn en de boter mooi bruin is. Schep de noten met een schuimspaan uit de pan en doe ze in een kom. Bewaar de pan met de gebruinde boter.

Leg een van de flensjes op een plank (met de 'mooiste' kant naar onderen) en bestrijk hem met de gebruinde boter. Schep een afgestreken eetlepel *cajeta* op één helft van het flensje, vouw het flensje dubbel en druk de helften zachtjes op elkaar om de karamel goed te verspreiden. Bestrijk de bovenkant van het dubbelgevouwen flensje weer met gebruinde boter en vouw het flensje opnieuw dubbel, zodat een waaiervorm wordt verkregen. Bestrijk de bovenkant van de 'waaier' met gebruinde boter en leg het flensje in een ondiepe ovenschaal. Vul en vouw de overige flensjes op dezelfde manier. Leg de flensjes dakpansgewijs in twee of drie rijen in de ovenschaal en dek de schaal af met aluminiumfolie. Doe de overgebleven *cajeta* in een kleine steelpan.

4. *De afwerking:* Verwarm (20-30 minuten voor het serveren) de oven voor op 170° C. Zet de schaal in de warme oven tot de flensjes – na ca. 10 minuten – door en door heet zijn. Verwarm intussen de overgebleven *cajeta* op een laag vuur tot de karamel dikvloeibaar is. Schep de karamel in een dun straaltje over de flensjes en bestrooi het geheel met de gebakken noten. Serveer direct.

KEUKENNOTITIES

Technieken

» *Flensjes bakken:* Door het beslag te laten rusten worden de flensjes beter van textuur, maar als het beslag daarna te dik is, lukt het niet om er heel dunne flensjes van te bakken; in dat geval moet u het beslag dan ook verdunnen met een klein beetje water. De pan moet zo heet zijn dat een dun laagje beslag zich onmiddellijk vasthecht aan de bodem als u de pan in het rond draait (gebruik zo weinig mogelijk vet: het beslag kan zich anders niet vasthechten). Flensjes die onverhoopt iets te hard zijn gebakken en enigszins krokant zijn, worden vanzelf weer zacht en plooibaar als ze samen met de andere flensjes worden opgestapeld en met folie worden afgedekt.

Voetnoten van de vertaalster

» *De hoeveelheden:* Met 'theelepel' wordt de internationale standaardtheelepel met een inhoud van 5 gram bedoeld en niet het Nederlandse theelepeltje van 3 gram.

» *Vanille:* Zie voetnoot pag. 333.

Keukengerei

» *De flensjespan:* Vrijwel alle kleine koekepannen met een diameter van 18 cm zijn geschikt voor het bakken van flensjes, of ze nu van roestvrij staal zijn, van plaatstaal of van aluminium voorzien van een anti-aanbaklaag. Mijn persoonlijke favoriet is echter een kleine, goed ingebrande gietijzeren koekepan die wonderbaarlijk goed op temperatuur blijft en waarin je praktisch geen vet hoeft te gebruiken.

(Voor)bereidingstijd

» Maak het beslag minstens 2 uur van tevoren. Het bakken en vullen van de flensjes vergt ca. 1 uur. Desgewenst kunt u het gerecht t/m stap 3 een dag van tevoren maken en – afgedekt – in de koelkast bewaren. Neem de schaal de volgende dag tijdig uit de koelkast, zodat de flensjes op kamertemperatuur zijn als u ze gaat opwarmen. Als u nóg eerder wilt beginnen, bak de flensjes dan 2 of 3 dagen van tevoren en leg bij het op elkaar stapelen steeds een velletje boterhampapier tussen de flensjes. Verpak de hele stapel in plasticfolie en bewaar het pakket in de koelkast.

TRADITIONELE VARIATIE

» *Flensjes met cajeta en bakbanaan:* Snijd twee rijpe bakbananen in kleine blokjes en bak de blokjes mooi goudbruin in twee eetlepels boter. Strooi de blokjes tegelijk met de pecannoten over de flensjes. Desgewenst kunt u er nog wat chocolade over schaven, maar dat is niet traditioneel Mexicaans.

IN BOTER GEBAKKEN BAKBANAAN MET ROOM

Plátanos Machos Fritos con Crema

In vrijwel alle *cafetarías* in de dichtbegroeide, tropisch warme, bananen producerende deelstaat Tabasco staan *plátanos fritos* op het menu (voor een paar pesos méér worden ze in boter gebakken); ze worden geserveerd met dikke aangezuurde room. Maar ook elders kom je ze tegen. Op alle jaarmarkten is op z'n minst één kraampje te vinden waar *churros*, aardappelchips en bakbananen worden gefrituurd. En ik herinner me dat we vanuit ons appartement in In Oaxaca elke dag een jongen voorbij zagen komen die een met een houtskoolbrander uitgeruste kar voortduwde waarop rijpe bakbananen werden warm gehouden op een bedje van ananasschillen.

Bakbananen zijn in het hele land geliefd. In onrijpe staat zijn ze wrang, maar als ze rijp en zacht worden verwerkt – als de schil bijna zwart is – zijn ze heerlijk zoet. Ik serveer ze vaak als brunchgerecht of als zondagavondsnack: gewoon in boter gebakken en bedekt met een klodder room. Als ze, zoals in onderstaand recept, worden verrijkt met kaneel, rum en noten, zijn ze uitermate geschikt als nagerecht in een simpel Mexicaans menu.

Voor 4 personen:

3 1/2 dl dikke room (pag. 53) of crème fraîche
75 gram noten (pecan- of walnoten, geschaafde amandelen of pijnboompitten)
3 middelgrote rijpe bakbananen (zie Keukennotities)
4 eetlepels ongezouten boter
3/4 dl bruine rum
1/2 theelepel kaneelpoeder
3 eetlepels suiker

1. *De room en de noten*: Roer de room of crème fraîche glad in een kom en bewaar hem afgedekt in de koelkast. Rooster de noten mooi goudbruin in de op 170° C voorverwarmde oven of in een droge koekepan en laat ze afkoelen op keukenpapier.

2. *De bakbananen*: Pel de bananen en snijd ze schuin in plakken van ca. 6 mm dikte. Verhit de boter vlak voor het opdienen in een grote (diameter 30 cm) koekepan op een vrij laag vuur en leg de plakken bakbanaan naast elkaar in de pan. Bak de plakken 3-5 minuten per kant, tot ze rondom mooi goudbruin zijn (als de pan niet groot genoeg is, kunt u ze in twee ladingen bakken, waarbij u de eerste lading in de oven warm houdt terwijl u de tweede lading bakt). Leg de gebakken banaanplakken op een voorverwarmde schaal.

3. *De afwerking*: Zet de koekepan weer op het vuur, voeg de rum, de kaneel en de suiker toe en verhit het geheel tot de suiker is opgelost en het mengsel stroperig is (desgewenst kunt u de rum aansteken om de alcohol te laten verbranden). Giet het rumstroopje over de bakbananen, bestrooi het geheel met de geroosterde noten en serveer direct. Geef de room er apart bij.

KEUKENNOTITIES

Ingrediënten

» *Bakbananen*: De schil van de bananen moet bijna zwart zijn en de vrucht zelf moet zacht aanvoelen; als de bananen niet rijp genoeg zijn, hebben ze weinig smaak. Bakbananen worden doorgaans verkocht als ze nog groen zijn; koop ze dus ruim van tevoren en laat ze thuis bij kamertemperatuur rijpen.

Voetnoot van de vertaalster

» *De hoeveelheden*: Met 'theelepel' wordt de internationale standaardtheelepel met een inhoud van 5 gram bedoeld en niet het Nederlandse theelepeltje van 3 gram.

(Voor)bereidingstijd

» De bereiding van dit gerecht vergt niet meer dan 15-20 minuten. Het vruchtvlees van bakbanaan verkleurt niet (dit in tegenstelling tot het vruchtvlees van gewone bananen), zodat u de bananen desgewenst al een paar uur van tevoren kunt snijden. Maar méér valt er van tevoren niet te doen...

TRADITIONELE VARIATIES

» *Bakbananen met cajeta en room*: Bij eetstalletjes op straat worden bakbananen gebakken zoals in het recept is beschreven, waarna men er wat room over schept en het geheel begiet met een flinke scheut warme geitemelkkaramel (pag. 342).

» *Aardbeien (of andere vruchten) met room*: In de omgeving van Irapuato, in de deelstaat Guanajuato, zijn straatstalletjes te vinden waar porties prachtige rode aardbeien met dikke verse room worden verkocht. Op 1 kilo aardbeien (voldoende voor 4-6 personen) hebt u ca. 1/4 liter gezoete dikke room (pag. 53) of crème fraîche nodig. Ook in blokjes gesneden papaja's, mango's, perziken en nectarines kunnen met room worden geserveerd.

IN KRUIDIGE SIROOP GEPOCHEERDE GUAVES
Guayabas en Almíbar

Toen ik voor het eerst een kilo rijpe guaves mee naar huis had genomen en ze in een schaal op tafel had gezet, kostte het me moeite er langs te lopen zonder te stoppen om hun kruidige geur op te snuiven. Oorspronkelijk was het mijn bedoeling ze te laten inkoken tot de dikke, gelatineuze pasta die de Mexicanen *ate* noemen, maar uiteindelijk heb ik ze gepocheerd in een met kaneel en kruidnagels gearomatiseerde siroop, een bereidingsmethode die veel wordt toegepast in traditionele Mexicaanse restaurants. Door ze zachtjes te pocheren blijft de geur gevangen, kan de smaak zich ontplooien en blijft de delicate textuur intact; kortom, gepocheerd zijn deze vruchten op hun best. Als uw groenteman guaves heeft (wat doorgaans in de herfst en de winter het geval zal zijn), koop ze dan en bereid ze volgens onderstaand recept.

Voor 4-6 personen:

> 1 1/2 kilo rijpe guaves (zie pag. 394)
> 265 gram suiker
> 1 à 2 kaneelstokjes (totaal 10 cm)
> 6 kruidnagels
> 2 reepjes limoenschil (zonder wit), ca. 5 cm lang en 2 cm breed
> 2 theelepels limoensap
> 1/4 theelepel vanille-extract of het merg uit 1/4 vanillestokje

1. *Het panklaar maken van de guaves*: Schil de guaves, snijd ze doormidden en verwijder de zaadjes met een theelepel, zodat de uitgeholde helften overblijven. Doe de vruchten in een kom.
2. *Het pocheren van de guaves*: Giet 6 dl water in een kleine pan met een dikke bodem, voeg de suiker, de kaneel, de kruidnagels, de limoenschilletjes en het limoensap toe en breng het geheel aan de kook; roer tot de suiker volledig is opgelost. Leg een deksel op de pan, draai het vuur laag en laat het geheel 20 minuten zachtjes trekken.

   Giet de siroop door een zeef in een grote pan en zet deze op een matig hoog vuur. Wacht tot de vloeistof opnieuw begint te koken, voeg de guaves toe en regel het vuur zodanig dat de siroop héél zachtjes blijft borrelen. Leg het deksel schuin op de pan en pocheer de guaves 5-10 minuten (afhankelijk van hun rijpheid). Verwijder daarna het deksel en laat de vruchten afkoelen in de siroop.
3. *Het inkoken van de siroop*: Schep de guaves met een schuimspaan uit de pan en doe ze in een schaal. Laat de siroop op een vrij hoog vuur in ca. 15 minuten inkoken tot u 1/4 liter over hebt. Neem de pan van het vuur, roer de vanille door de siroop en giet de siroop over de vruchten. Laat de guaves volledig afkoelen. Serveer de guaves op kamertemperatuur.

KEUKENNOTITIES

Kooktechnieken

» *Het panklaar maken van guaves*: Bij het gebruik van een ijzerhoudend mes zal het vruchtvlees van guaves – net als dat van avocado's – verkleuren; gebruik daarom bij het schillen en snijden een roestbestendig mes.

Voetnoten van de vertaalster

» *De hoeveelheden*: Met 'theelepel' wordt de internationale standaardtheelepel met een inhoud van 5 gram bedoeld en niet het Nederlandse theelepeltje van 3 gram.

» *Vanille*: Zie voetnoot pag. 333.

(Voor)bereidingstijd

» Het panklaar maken van de guaves duurt ca. 30 minuten; het pocheren en laten afkoelen vergt alles bij elkaar zo'n 1 1/2 uur. Desgewenst kunt u de vruchten 2-3 dagen van tevoren pocheren en – in de ingekookte siroop – in de koelkast bewaren. Neem ze echter tijdig uit de koelkast, zodat ze op kamertemperatuur zijn als u ze wilt serveren.

TRADITIONELE VARIATIE

» *Andere vruchten in een kruidige siroop*: In plaats van guaves kunt u ook appels, peren of kweeperen gebruiken. Schil de vruchten, snijd ze in vieren en verwijder het klokhuis. Bewaar de schoongemaakte vruchten, terwijl u de rest panklaar maakt, in een kom met water waaraan u het sap van 1/2 limoen of citroen hebt toegevoegd (om verkleuren te voorkomen). Giet ze af en doe ze in de kokende siroop. Pocheer appels en peren 10-15 minuten en kweeperen ca. 25 minuten. Ga verder te werk zoals beschreven in het recept.

TROPISCHE VRUCHTENSORBETS EN EXOTISCH ROOMIJS

Over het algemeen geldt dat je in Mexicaanse deelstaten met een tropisch klimaat bij de ingang van winkels vaker een koelinstallatie gevuld met room- en waterijs, kleurige ijslollies en gekoelde dranken zult aantreffen dan in gebieden waar het kouder is. Er is echter één uitzondering op die regel: Oaxaca, een stad met een gematigd warm klimaat, heeft op het gebied van room- en waterijs een reputatie hoog te houden. De Oaxacaanse ijsverkopers, *neveros* genoemd, waren jarenlang te vinden op de schaduwrijke Alameda, tegenover de kathedraal, maar toen het stadsbestuur besloot de binnenstad te verfraaien, waren ze gedwongen te verhuizen. Een groot aantal *neveros* installeerde zich met hun parasols en ijsboxen in de buurt van de markt (tot genoegen van de marktgangers) en de rest zocht een plaatsje bij een van de kerken. Hun koopwaar werd en wordt nog ambachtelijk bereid: ze mengen gepureerde rijpe vruchten met suiker, gieten het mengsel in een ronde metalen bak, zetten deze in een met ijs en zout gevuld vat en draaien de metalen bak met de hand in het rond tot het vruchtenmengsel bevroren is.

Wat in Oaxaca het meeste opvalt, is de enorme populariteit van de ijsverkopers; niet alleen bij de plaatselijke bevolking, maar bij bezoekers uit het hele land. Zo is een van de stalletjes opgesierd met foto's van allerlei beroemdheden die zich bij de ijsverkoper in kwestie tegoed hebben gedaan aan zijn koude koopwaar. Een ander opvallend fenomeen is het palet aan smaken. Behalve van voorspelbare vruchten als mango, kokos en perzik wordt ook ijs gemaakt van minder voor de hand liggende ingrediënten als rozeblaadjes en en amandelen. En dan zijn er nog de in niet-Mexicaanse ogen minder aantrekkelijke ijssoorten waarvan de basis bestaat uit onwaarschijnlijke produkten als avocado, kaas, maïs, *aangebrande* melk en zelfs varkenszwoerd.

Het Oaxacaanse ijsassortiment omvat drie soorten ijs: vruchtenijs op waterbasis, vruchtenijs op melkbasis en (vruchten)roomijs (*nieve de sorbete*), gemaakt van melk en eierdooiers. In mijn recepten heb ik de know-how van de ijsmannen van Oaxaca, opgedaan door veelvuldig bij hun stalletjes rond te hangen, gecombineerd met de kanttekeningen van Ana María Guzmán in haar boek *Tradiciones gastronómicas oaxaqueñas*. Als u de voorkeur geeft aan de grove, splinterige textuur van granité-achtig waterijs, volg dan de aanwijzingen onder het kopje 'ijs maken zonder sorbetière'.

Keukentaal

» Er zijn in Mexico twee woorden voor ijs: *nieve* (letterlijk 'sneeuw') en *helado* (letterlijk 'bevroren'). De ijsfabrikanten duiden hun produkten over het algemeen aan aan met de generieke term *helados*, terwijl de ambachtelijke ijsmakers voor waterijs doorgaans de term *nieve* gebruiken en voor roomijs het woord *helados*. Maar die tweedeling bestaat lang niet overal. In Oaxaca heten alle ijssoorten *nieve*, ook als het ijs gemaakt is van eierdooiers en melk of room.

Gouden regels voor perfect water- en roomijs

Technieken

» *Het toevoegen van drank:* Een scheutje rum, sinaasappellikeur of een andere alcoholische drank draagt niet alleen bij aan de smaak van het ijs, maar zorgt er ook voor dat het ijs langzamer bevriest, een fijnere textuur krijgt en minder compact wordt.

» *Het op smaak brengen van het ijsmengsel:* Het mengsel moet behoorlijk zoet zijn (door de koude is de suiker minder goed te proeven). Een scheutje limoen- of citroensap zorgt bij vruchten met een minder uitgesproken smaak voor een friszuur accent en een scheutje sterke drank werkt smaakverhogend.

» *IJs maken zonder sorbetière:* Als u de voorkeur geeft aan de grove, splinterige (en meer authentieke) textuur van granité-achtig water- of roomijs, voeg aan het basismengsel dan een scheutje sterke drank toe, doe het mengsel in een metalen kom en zet de kom in de vriezer. Klop het mengsel om de 40-50 minuten goed door met een garde of een vork tot de massa de gewenste consistentie en textuur heeft. Neem de kom 30 minuten voor het serveren uit de vriezer en klop het ijs nogmaals goed door. Als het ijs zo stijf is dat u het niet met een vork of garde kunt kloppen, breek het dan in stukken, doe de brokken in een foodprocessor (eventueel in gedeeltes) en laat de machine een paar tellen draaien, tot de massa licht en luchtig is.

» *Het laten 'rijpen' en het bewaren van zelfgemaakt ijs:* IJs gemaakt in een sorbetière heeft een zachte, romige consistentie; na een kort verblijf in de vriezer – in een goed afgesloten plastic diepvriesdoos – wordt het iets steviger van textuur. Omdat het geen stabilisatoren en emulgatoren bevat, zal zelfgemaakt ijs bij een wat langer verblijf in de vriezer hard worden en kristalliseren. Maak het ijs dus op de dag dat u het wilt eten, het liefst zo kort mogelijk voor het moment dat u het wilt serveren.

Ingrediënten

» *Fruit:* Geurige, rijpe vruchten met een uitgesproken smaak zijn de beste basis voor zelfgemaakt ijs. Beschadigde en overrijpe (maar geen rotte!) vruchten – die wellicht voor een prikje van de hand gaan – hoeft u niet te mijden. Integendeel, dankzij hun rijpe smaak zijn ze bij uitstek geschikt voor de ijsbereiding; de bruine en beschadigde plekken kunnen gewoon worden weggesneden.

Keukengerei

» *IJsmachines:* Onderstaande recepten werden getest met een ouderwetse handgedreven ijsbereider, maar een elektrische sorbetière werkt net zo goed. Niet alle machines werken hetzelfde, vergeet dus niet de gebruiksaanwijzing te lezen.

VANILLEROOMIJS MET KANEEL

Nieve de Sorbete

Dit heerlijk romige en toch lichte ijs wordt gemaakt van volle melk. Het wordt nog romiger (maar uiteraard ook minder licht) als u de helft van de melk zou vervangen door slagroom. Hoewel het in Mexico niet gebruikelijk is om aan vanille-ijs sterke drank toe te voegen, is er weinig op tegen om het basismengsel, als u daar behoefte aan hebt, te verrijken met 2 eetlepels bruine rum of cognac.

Voor ca. 1 1/2 liter, voldoende voor 8 personen:

> 1 liter volle melk
> 300 gram suiker
> 1 stukje pijpkaneel van 5 cm
> 10 grote eierdooiers
> 1 theelepel vanille-extract of het merg uit 1 vanillestokje

1. *De kaneelmelk:* Breng de melk met de suiker en het kaneelstokje aan de kook in een grote pan met een dikke bodem (bij voorkeur een geëmailleerde gietijzeren pan) en roer tot de suiker is opgelost. Draai, zodra de melk begint te koken, het vuur laag, leg het deksel op de pan en laat de melk 10 minuten zachtjes trekken. Haal de pan daarna van het vuur.

2. *Het ijsmengsel*: Klop de eierdooiers los in een kom en giet er, terwijl u blijft kloppen, 1/4 liter hete kaneelmelk bij. Giet het mengsel al kloppende bij de rest van de kaneelmelk, zet de pan op een laag vuur en verwarm de inhoud al roerende tot het dooier-melkmengsel gebonden is. Laat het mengsel in geen geval te heet worden, want dan zullen de dooiers schiften. Giet de eiervla door een fijnmazige zeef in een kom, voeg de vanille toe en laat het mengsel afkoelen tot kamertemperatuur (roer het mengsel af en toe om, om te voorkomen dat er een vel op komt). Zet de kom (als er tijd voor is) in de koelkast, zodat het mengsel door en door koud is als u het in de sorbetière giet.
3. *Het ijs*: Doe het ijsmengsel in een sorbetière of ijsbereider en draai er ijs van. Laat het ijs – verpakt in een goed afgesloten diepvriesdoos – eventueel korte tijd opstijven in de vriezer.

KEUKENNOTITIES

Technieken
» Zie 'Gouden regels voor perfect water- en roomijs', pag. 350.

Voetnoot van de vertaalster
» *Vanille*: Zie voetnoot pag. 333.

(Voor)bereidingstijd
» De bereiding van het ijsmengsel vergt ca. 30 minuten en het afkoelen duurt ca. 40 minuten. Desgewenst kunt u het ijsmengsel een dag of twee van tevoren maken en afgedekt in de koelkast bewaren. Bewaar het ijs, als het eenmaal klaar is, niet langer dan 2-3 uur in de vriezer, anders wordt het te hard en moet u het weer laten 'bijkomen' in de koelkast.

TRADITIONELE VARIATIES
» *Mexicaans chocolade-ijs*: Maak het ijs volgens de aanwijzingen in het recept maar voeg, vlak voordat het ijsmengsel volledig bevroren is, 100 gram zeer fijn gemalen Mexicaanse chocolade toe.

» *Vruchtenroomijs*: Maak het ijs volgens de aanwijzingen in het recept maar voeg, vlak voordat het ijsmengsel volledig bevroren is, 2 1/2 à 3 dl grove vruchtenpuree toe, gemaakt van een van de volgende fruitsoorten (de drank die u als extra smaakaccent kunt toevoegen, heb ik tussen haakjes vermeld):
  * Perziken, nectarines of mango's, geschild, van de pit ontdaan en grof gehakt (+ 2 eetlepels lichtbruine rum of cognac)
  * Bramen, fijngeprakt met een vork of grof gepureerd (+ 2 eetlepels bramenlikeur, cognac of Cointreau
  * Aardbeien, fijngeprakt met een vork of grof gepureerd (+ 2 eetlepels aardbeien- of frambozenlikeur, Cointreau of Grand Marnier

CACTUSVIJGENSORBET

Nieve de Tuna

In het 'hoofdrecept' heb ik cactusvijgen verwerkt omdat het schoonmaken daarvan iets meer uitleg vergt dan dat van perziken of aardbeien, maar aangezien de bereiding van een vruchtensorbet altijd hetzelfde is, kunt u uiteraard ook een meer alledaagse vrucht gebruiken (zie Keukennotities). Een cactusvruchtensorbet wordt nog lekkerder – maar iets minder authentiek Mexicaans – als u aan het ijsmengsel 1 1/2 eetlepel Cointreau toevoegt.

Voor 1 1/4 à 1 1/2 liter, voldoende voor 6-8 personen:

> 1 1/2 kilo verse cactusvijgen
> 200 gram suiker (eventueel iets meer)
> ca. 3 eetlepels vers geperst limoensap

1. *Het schoonmaken van de cactusvijgen*: U kunt de vruchten op twee manieren schoonmaken. Methode 1: Snijd aan beide kanten van de vruchten een kapje af. Maak daarna, over de volle lengte van de vrucht, een snee in de schil en snijd de schil rondom los van het vruchtvlees (pas op voor de venijnige stekels!). Methode 2: Snijd de vruchten in de lengte doormidden en schep het zachte vruchtvlees met een lepeltje uit de schil. Snijd het vruchtvlees in stukjes.
2. *Het sorbetmengsel*: Doe het vruchtvlees in de kom van een blender of foodprocessor, voeg de suiker, het limoensap en 1/4 liter water toe en laat de machine een paar minuten draaien, tot de suiker volledig is opgelost in de vruchtenpuree. Zeef de puree en proef; voeg, indien nodig, nog wat suiker en/of limoensap toe. Laat de puree (als daar tijd voor is) door en door koud worden in de koelkast.
3. *De sorbet*: Doe het sorbetmengsel in een sorbetière of ijsbereider en draai er ijs van. Schep het ijs, dat doorgaans nog erg zacht is, in een goed afsluitbare diepvriesdoos en laat het 1 à 2 uur opstijven in de vriezer.

In staafvorm geperste ongeraffineerde suiker (piloncillo)

KEUKENNOTITIES

Technieken

» Zie 'Gouden regels voor perfect water- en roomijs', pag. 350.

(Voor)bereidingstijd

» Het schoonmaken van de cactusvijgen en het pureren van het vruchtvlees duurt ca. 30 minuten; desgewenst kunt u het sorbetmengsel een dag van tevoren maken en afgedekt in de koelkast bewaren tot u het nodig hebt. De bereiding van de sorbet vergt 20-30 minuten, waarna u de sorbet 1 à 2 uur kunt laten opstijven in de vriezer.

TRADITIONELE VARIATIES

» *Mango-, perzik-, nectarine- of meloensorbet:* Schil 1 kilo mango's, perziken of nectarines en verwijder de pitten (of schil een meloen van 1 1/2 à 2 kilo en verwijder de zaden). Snijd het vruchtvlees in stukjes en pureer het onder toevoeging van 3 1/2 dl water, 150 à 200 gram suiker en limoen- of citroensap naar smaak. Voeg aan het sorbetmengsel eventueel 1 of 2 eetlepels donkere rum toe en draai er in een sorbetière ijs van.

» *Aardbeien-, bramen-, frambozen- of kiwisorbet:* Maak de vruchten schoon en pureer ze. Meet 5 dl puree af en meng de puree in een blender of foodprocessor met 1/4 liter water, 150-200 gram suiker en ca. 2 1/2 eetlepel citroen- of limoensap. Voeg eventueel 1 à 2 eetlepels Cointreau of een bijpassende vruchtenlikeur toe, giet het mengsel in een sorbetière en draai er ijs van.

» *Limoensorbet:* Maak de gekoelde limoendrank van pag. 364, maar gebruik 3/4 liter water in plaats van een hele liter. Giet de drank in een sorbetière en draai er ijs van. Desgewenst kunt u het sorbetmengsel, als u van margarita's houdt (zie pag. 375), verrijken met 1 à 2 eetlepels Cointreau en 1 à 2 eetlepels tequila.

Grote koperen ketel (cazo) voor de bereiding van cajeta

DRANKEN
Bebidas

Casilda's aguas frescas-bar op de markt van Oaxaca

Er is maar één drank die niet-Mexicanen ogenblikkelijk met een Mexicaanse maaltijd associëren en dat is de margarita, de bleekgroene, zoetzure cocktail die Mexicaans wordt genoemd omdat hij tequila bevat. In feite is de scheut tequila het enige traditioneel Mexicaanse aan dit populaire drankje, want de cocktail zelf is een relatieve nieuwkomer in Mexico.

Hoewel de oorspronkelijke bevolking geen gedistilleerde dranken kende, kostte het de Spanjaarden weinig moeite om de Indianen aan het distilleren te krijgen. De eerste sterke dranken werden simpelweg *aguardiente* ('vuurwater') *de mezcal* genoemd, waarbij het woord 'mezcal' refereerde aan de precolumbinaanse naam van de magueycactus (een agavesoort) waarvan de drank werd gestookt. Tot op de dag van vandaag dragen alle 'vuurwaters' – behalve de beroemde variant gemaakt van de stekelige blauwgrijze agave die in de omgeving van Tequila, in de deelstaat Jalisco, groeit – de generieke naam 'mezcal'. Beroemd of niet, alle mezcalsoorten worden geschonken (met iets te grote regelmaat volgens sommigen) in kleine glaasjes en vervolgens, omringd door tal van rituelen, in één teug opgedronken.

De oudste alcoholische drank van Mexico is *pulque*, het gegiste sap van een grote grijsgroene magueycactus. Hoewel deze drank arm aan alcohol en rijk aan voedingsstoffen is, was het nuttigen ervan in precolumbiaanse tijden aan strikte regels gebonden, want dronkenschap werd niet getolereerd. Tegenwoordig speelt *pulque* een aanzienlijk minder grote rol in het drinkpatroon van de doorsnee-Mexicaan dan het Mexicaanse bier (dat inmiddels ook buiten Mexico een grote schare van liefhebbers kent).

De inheemse drank die ons grootste respect verdient, is ongetwijfeld de eveneens uit het precolumbiaanse tijdperk stammende warme chocoladedrank. Ten tijde van de Azteken gold *xocoatl* als een godendrank (de botanische naam van de cacaoboom, *Theobroma cacao*, betekent letterlijk 'godenvoedsel'). Oorspronkelijk een rituele drank van priesters en nobelen, maar allengs gedemocratiseerd tot een drank voor iedereen, heeft warme chocolade nog altijd een vaste plaats op het Mexicaanse menu, zowel bij het ontbijt als na afloop van een traditionele maaltijd.

In het centrum van Oaxaca, niet ver van de markt, zijn de straten gevuld met de krachtige geur van chocolade. In die buurt bevinden zich tal van ambachtelijke fabriekjes waar cacaobonen worden gebrand en gemalen, waarna het maalsel in tabletten wordt geperst. In de *fondas* op en rond de markt worden de cacaotabletten opgelost in heet water, waarna het mengsel met een speciale houten klopper (*molinillo*) schuimig wordt geklopt. De warme drank wordt vaak geserveerd met een cake-achtig eierbrood (*pan de yema*). De cacaotabletten worden eveneens verwerkt in *tejate*, een schuimige koude drank waarin ook sapodillazaden, cacaobloemen en *masa* worden verwerkt. In de deelstaat Tabasco, waar de meeste Mexicaanse cacao wordt verbouwd, wordt van het vruchtvlees van de cacaovrucht wijn gemaakt en op de markten wordt *pozol* verkocht, een koude drank gemaakt van een met water aangelengde puree van cacaobonen en *masa*. In Chiapas worden cacaobonen fijngemalen met geroosterde maïskorrels en *achiote*; het mengsel wordt gebruikt als basis van een koude drank die *tescalate* wordt genoemd.

Vrijwel alle Mexicaanse chocolade wordt verkocht in de vorm van korrelige tabletten bestemd voor de bereiding van chocoladedranken. Voor de chocoladeliefhebbers die heimelijk hoopten er gladde en glanzende chocoladerepen en -plakken aan te treffen, is dat vermoedelijk een teleurstelling. Maar de kennismaking met de warme, met kaneel en amandelen gekruide chocoladedrank maakt ongetwijfeld veel, zo niet alles, goed. Aanzienlijk populairder dan de zoete en vrij prijzige chocolade-drank is gewone koffie met melk, *café con leche*. In Mexico wordt uitstekende koffie verbouwd, maar het merendeel van de oogst wordt geëxporteerd. Het deel dat achterblijft verdwijnt in de espressomachines of wordt gebruikt als grondstof voor de traditionele, met specerijen en ongeraffineerde suiker op smaak gebrachte *café de olla*.

Iedereen die wel eens in Mexico is geweest, weet dat het menselijk lichaam in de meeste streken - door de grote hoogte of door het warme klimaat - een grote behoefte heeft aan vocht. Kortom, je drinkt er meer dan thuis. Maar zelfs als je thuis evenveel zou drinken, denk ik niet dat de sensatie van het dorstlessen vergelijkbaar is. Flessen frisdank ogen nu eenmaal minder fraai dan de grote glazen potten gevuld met Mexicaanse limonades. Hoewel de meeste van die gekoelde dranken worden ge-maakt van uiteenlopende vruchten, zijn er drie die van iets totaal anders worden gemaakt. Dit verkoelende trio, dat een vaste plaats heeft verworven in het assortiment van marktstalletjes en rijdende drankkraampjes, bestaat uit een zoete rozerode drank gemaakt van donkerrode gedroogde *jamaica*-'bloesems', een friszure dorstlesser op basis van tamarinde en een variant van de Spaanse *horchata* (amandelmelk), die in Mexico wordt verrijkt met gemalen rijst en kaneel. Deze drie lichtgezoete dranken, die zo goed passen bij de simpele, pittig gekruide snacks waarmee ze doorgaans worden gecombineerd, worden in heel Mexico gedronken, maar in Oaxaca zijn ze het opvallendst aanwezig.

Nog geen drie jaar na de verovering van Mexico door de Spanjaarden werden de eerste wijnstokken aangeplant, maar de opbrengst van die eerste wijngaarden was klein en nauwelijks van betekenis. Dat is zo gebleven tot het begin van deze eeuw. Tegenwoordig zijn de schappen van de supermarkten gevuld met wijnen van verschillende druiverassen en spelen de wijnen van eigen bodem een vrij grote rol in het drinkpatroon van de iets welvarender Mexicanen, vermoedelijk zelfs een grotere rol dan de van rode wijn, limoensap en koolzuurhoudend water gemaakte Mexicaanse sangría die in de grote steden lange tijd 'en vogue' was.

De op de hoogvlakte woonachtige Mexicanen zullen het me nooit vergeven als ik niet ook de winterse *ponche* noem die ze rond de kerstdagen plegen te serveren. Deze warme vruchtenpunch, gemaakt met een royale hoeveelheid brandewijn (*aguardiente de caña*), is een koppig drankje waarvan je beter niet te veel kunt drinken. In tegenstelling tot de feestelijke *ponche*, die uitsluitend bij speciale gelegenheden wordt gemaakt en geschonken, is *atole* (oorspronkelijk een dunne, warme, van *masa* gemaakte pap) een alledaagse dorstlesser die van ver voor de komst van de Span-jaarden dateert. Hoewel *atole* qua voedingswaarde een verantwoorde drank kan worden genoemd en de moderne versies worden gemaakt van melk, vruchten, noten en/of chocolade, vinden de meeste Mexicanen het een ouderwetse, beetje oubollige drank. Niettemin is er bij *tamales* geen betere drank denkbaar. In een land waar de eeuwenoude *pulque* zo goed als verdwenen is en het gros van de inwoners zijn dorst lest met frisdranken uit de fabriek, is *atole* de enige drank waarin de aloude tradities voortleven.

Mexicaans voedsel is onlosmakelijk verbonden met de dranken die er van oudsher bij worden gedronken. Die dranken zijn ongewoon, maar heerlijk en ze geven uw Mexicaanse gerechten of complete menu's net dat tikje extra dat van een etentje in Mexicaanse stijl een echt Mexicaans etentje maakt. Sla de recepten in dit hoofdstuk dus niet over.

MEER OVER MEXICAANSE DRANKEN

Pulque: Deze oudste van alle Mexicaanse dranken heeft door de jaren heen een zekere, hoewel steeds geringer wordende, populariteit weten te behouden, vooral in de koele, droge, hooggelegen gebieden in het noorden en noordwesten van het land, waar de grote magueycactus welig tiert. Als deze cactus zo'n tien tot twaalf jaar oud is, wordt -vlak voordat de plant begint te bloeien - het hart eruit gesneden, waardoor er een holte ontstaat waarin het plantesap, *aguamiel* (letterlijk 'honingwater') genoemd, zich verzamelt. Dit plantesap wordt 'geoogst' en met wat gistcellen in een vat gedaan, waarin men het 1 à 2 weken laat fermenteren. Dan is de *pulque* klaar voor de verkoop. *Pulque* is schuimige, melkachtige en enigszins kleverige drank met een interessante kruidige smaak. Soms wordt de drank verrijkt met vruchten, noten, suiker en soortgelijke smaakmiddelen. Helaas kom je *pulque* in Mexico de laatste jaren steeds minder tegen.

Bier: In tegenstelling tot die van *pulque* is de populariteit van bier niet tanende. In Mexico wordt uitstekend bier gemaakt, waarvan sommige merken naar de V.S. en Europa worden geëxporteerd. De bekendste merken zijn: Superior (goed van smaak, maar iets zurig in de afdronk, hetgeen echter door veel mensen op prijs wordt gesteld), Bohemia (een zoetige geur en een frisse smaak met een lange, hoppige afdronk), Dos Equis (een lichte geur van karamel en een rijke, moutige smaak die lang blijft hangen), Negra Modelo (een zoete, zware geur en een volle donkere smaak met tonen van drop en sassafras), Corona (een lichtzoete geur en een tintelende frisse smaak), Tecate (een biermerk dat populair is geworden doordat de makers adviseren hun bier met limoen en zout te drinken - twee toevoegingen die dit bier naar mijn idee wel nodig heeft...) en Carta Blanca (een biermerk dat vergelijkbaar is met het Amerikaanse Coors-bier). Er zijn natuurlijk nog veel meer biermerken (maar een aantal daarvan is uitsluitend verkrijgbaar in de streek waar ze worden gemaakt), maar dit zijn de merken die je ook buiten Mexico kunt tegenkomen.

Wijn: Hoewel de eerste wijnstokken niet lang na de komst van de Spanjaarden werden aangeplant, is de Mexicaanse wijnbouw door oorzaken van politieke en culturele aard pas omstreeks 1930 goed van de grond gekomen. Ofschoon de wijnbouw dus nog maar net de kinderschoenen is ontgroeid, worden er goede wijnen - doorgaans van één druiveras - gemaakt en bieden de Mexicaanse supermarkten een redelijk groot assortiment. De beste wijnen zijn afkomstig uit het noorden van Baja California en uit Querétaro, maar er wordt ook wijn verbouwd in de omgeving van Aguascalientes en in de streek rond Comarca Lagunera. Tot de wijnen die Deann en ik hebben geproefd en lekker vonden, behoren: Misión Santo Tomás Barbera (Baja California), Hidalgo Riesling-Traminer (Querétaro), Clos San José Merlot en Cabernet (Querétaro), Santo Tomás Cabernet (Baja California), L.A. Cetto Petit Syrah (Baja California), Don Ángel Cabernet (Aguascalientes) en Domecq Zinfandel. De wijnen van laatstgenoemd bedrijf, Domecq, dat ook wijnen produceert onder de labels Calafia, Los Reyes en Padre Kino, zijn in Mexico alomtegenwoordig (en veel van wat ze maken is naar mijn idee matig van kwaliteit).

Er zijn twee problemen met Mexicaanse wijn. Het eerste is dat men in de restaurants niet gewend is ze te schenken (waarbij nog komt dat de Mexicanen niet gewend zijn ze te drinken) en het tweede is dat wijn niet gemakkelijk te combineren is met de uitbundig gekruide Mexicaanse gerechten. Het eerst probleem zal in de toekomst vermoedelijk vanzelf worden opgelost, maar het tweede vergt inventiviteit. Hier mijn vuistregels voor het combineren van Mexicaanse kost met wijn: de wijn hoeft nooit subtiel te zijn. Neem wat de keuze van witte of rode wijn betreft de gebruikelijke regels in acht, maar kies altijd een rode wijn als in een gerecht veel kruiden, specerijen en chilipepers worden verwerkt en zorg dat die wijn even aards en robuust is als het gerecht dat hij moet vergezellen. Met een fruitige Beaujolais, een stevige Chianti, een simpele Bordeaux of een volle Côtes du Rhône zit u wat rode wijnen betreft vrijwel altijd goed. Als bij een gerecht een witte wijn in aanmerking komt, kies dan voor een bloemige, niet te droge Elzasser Riesling of een eenvoudige Chardonnay, bijvoorbeeld uit Frankrijk, Australië of Zuid-Afrika, of neem een kruidige Gewürztraminer. Ook niet te droge Italiaanse en Duitse wijnen komen uiteraard in aanmerking.

Mezcal en **Tequila**: Dit zijn vermoedelijk de bekendste dranken van Mexico. Het belangrijkste verschil tussen mezcal en tequila is de magueysoort waarvan de drank wordt gemaakt. Alleen mezcal gemaakt van de *Agave tequilana*, een kleine blauwe magueycactus die verbouwd wordt in de omgeving van het stadje Tequila in de deelstaat Jalisco, mag tequila worden genoemd. De oorspronkelijke verzamelnaam van deze sterke dranken was *aguardiente de mezcal*, waarbij de toevoeging 'de mezcal' sloeg op de vroegere naam van de magueycactus. De ananasvormig uitgesneden kern (in het Spaans *piña* geheten) wordt eerst geroosterd, dan fijngesneden en vervolgens onder druk uitgeperst, zodat het sap vrijkomt. Het sap wordt, al of niet onder toevoeging van suiker, in vaten gedaan om het te laten gisten. Daarna volgt het distilleren. Veel liefhebbers geven de voorkeur aan langdurig op hout gerijpte tequila's en die zijn inderdaad meestal erg lekker en soms zelfs vergelijkbaar met een goede cognac. Maar persoonlijk bewaar ik ook uitstekende herinneringen aan de rokerig smakende, ambachtelijk gemaakte mezcals die ik in het noorden van Midden-Mexico en in de zuidelijke deelstaten heb geproefd. De grote tequilaproducenten brengen hun produkt in verschillende kwaliteitsklassen aan de markt. Zo verkoopt Sauza zijn tequila's onder de labels 'Tres Generaciones', 'Conmemorativo', 'Hortitos', 'Extra' en de doodgewone 'Blanco'. Tot de namen waaronder Cuervo, een van de bekendste procucenten, zijn tequila's op de markt brengt behoren: 'Centenario', 'Especial' en 'Blanco'. En zo zijn er nog vele tientallen andere producenten, elk met hun eigen tequila-assortiment. Mezcal is, behalve aan de naam op het etiket, doorgaans te herkennen aan de kleine worm die met de drank wordt meegebotteld. Deze magueyworm – zo genoemd omdat hij huist in de cactus waarvan de drank wordt gemaakt – geeft de drank een heerlijk rokerig aroma. Tot de beste mezcals behoren die uit Oaxaca.

Handgeblazen glazen, Tlaquepaque

FRISDRANKEN
Aguas Frescas

Zelfgemaakte Mexicaanse frisdranken passen wonderwel bij de met chilipepers, ui en knoflook, tomaten en *tomatillos* en kruiden en specerijen doortrokken gerechten waar de Mexicaanse koks patent op lijken te hebben. *Agua de jamaica* is een prachtige frambozenrode dorstlesser die precies voldoende suiker bevat om een volmaakt evenwicht tussen zoet en zuur te bewerkstelligen. *Agua de tamarindo*, gemaakt van de wrange pulp van de tamarindepeul, is een heldere, koffiekleurige drank met ondertonen van melasse en citroen. De kleur van *horchata*, de van de Spanjaarden geërfde amandelmelk, is ondoorschijnend wit, dankzij de toevoeging van gemalen rijst (en soms ook kokos), en de smaak is doortrokken met het warme timbre van kaneel.

Met dit kleurrijke drietal hebben de Mexicanen – lang voordat de fabrieksmatig vervaardigde frisdranken hun intrede deden – hun dagelijkse dorst gelest en gelukkig zijn ze op straat en op de markten nog altijd verkrijgbaar. Of ze nu voor me worden opgeschept uit de grote glazen vaten die de marktkraampjes sieren of in een restaurant voor me worden neergezet in een fraai handgeblazen glas, ze hebben altijd een soort verfrissende huiselijkheid die ik in Coca-Cola, Pepsi en andere frisdranken node mis. Ze zijn een perfecte metgezel bij alle Mexicaanse *antojitos*.

GEKOELDE HIBISCUSDRANK
Agua de Jamaica

Ik serveer *agua de jamaica* vaak als een alcoholvrij aperitief bij een uitgebreid diner. De feestelijke rozerode drank past goed bij Mexicaanse snacks en kleine hapjes, maar is minder geschikt als metgezel van complexe hoofdgerechten. Maar in combinatie met wijn levert de drank een interessante versie van sangría op. Schenk de drank goed gekoeld in wijnglazen of – met een paar ijsblokjes – in hoge longdrinkglazen.

Voor ca. 1 1/4 liter, voldoende voor 5-6 glazen:

> 60 gram gedroogde hibiscus-'bloemen' (zie pag. 394)
> 150 gram suiker (eventueel iets meer)

1. *Bereiding*: Breng 1 1/2 liter water aan de kook in een middelgrote pan, voeg de hibiscus-'bloemen' en de suiker toe en roer tot de suiker volledig is opgelost. Giet de inhoud van de pan na 1 minuut in een glazen of roestvrij stalen kom en laat de vloeistof 2 uur staan, zodat de 'bloemen' hun smaak kunnen afstaan.
2. *Afwerking*: Giet de drank door een zeef in een grote karaf en druk de 'bloemen' goed uit met de achterkant van een soep-opscheplepel. Proef de drank: verdun hem, als hij te sterk is, met water en voeg, als hij wrang of zuur smaakt, nog wat suiker toe. Bewaar de drank tot het moment van serveren afgedekt in de koelkast.

KEUKENNOTITIES

(Voor)bereidingstijd

» Maak de drank minstens 2 uur van tevoren of zoveel eerder als u goeddunkt; de drank kan 4-5 dagen in de koelkast worden bewaard.

TRADITIONELE VARIATIE

» *Sangría van hibiscus*: Maak de hibiscusdrank van 30 gram hibiscus-'bloemen', 135 gram suiker en 3/4 liter water. Meng de drank na het zeven (stap 2) met 6 dl fruitige rode wijn en 2-3 eetlepels limoensap. Proef het mengsel en corrigeer de smaak, indien nodig, met suiker en/of water. Serveer de *sangría* met ijsblokjes.

EIGENTIJDSE VARIATIE

» *Hibiscusdrank met wodka*: Meng de hisbiscusdrank met 1 1/2 à 2 1/2 dl wodka (afhankelijk van de gewenste sterkte).

GEKOELDE TAMARINDEDRANK

Agua de Tamarindo

Tamarindepeulen rijpen aan hoge bomen in gebieden met een tropisch klimaat. Qua vorm lijken ze wel wat op krom gegroeide tuinbonen, maar de peul is dof bruin en boomschors-achtig in plaats van glanzend groen. Onder die ruwe buitenkant bevindt zich de donkere, kleverige pulp waar het bij deze drank om gaat.

In dit recept worden verse tamarindepeulen gebruikt, maar de drank kan ook worden gemaakt van de tamarindepulp die in toko's en andere winkels met een afdeling Indonesische produkten wordt verkocht (zie Keukennotities). Goed gekoelde *agua de tamarindo* is een perfecte alcoholvrije metgezel bij gebarbecuede of gegrillde gerechten, alsook bij taco's, *enchiladas* en soortgelijke snacks.

Voor 8-9 dl, voldoende voor 4 glazen:

8 grote verse tamarindepeulen (zie Keukennotities)
100 gram suiker (eventueel iets meer)

1. *De tamarindepeulen*: Houd een van de peulen in één hand en trek met de andere hand het steeltje los, waarbij u ervoor moet zorgen dat de draden tussen de beide peulhelften worden meegetrokken. Verwijder de buitenwand van de peulen. Behandel de rest van de peulen op dezelfde manier.
2. *Het koken*: Breng 1 liter water aan de kook in een middelgrote pan, voeg de 'blote' tamarindepeulen en de suiker toe en roer tot de suiker – na ca. 1 minuut – is opgelost. Giet de inhoud van de pan in een zuurbestendige kom.
3. *Het weken*: Laat de tamarinde 2 uur weken (werkelijk verse tamarinde zal al na 1 uur zacht zijn; bij iets oudere peulen duurt het 2 1/2 uur of langer tot het vruchtvlees zacht is). Breek het vruchtvlees met uw handen of een houten lepel om de pulp en de zaden van elkaar te scheiden, kneed de vezelige massa goed door, zodat alle pulp te voorschijn komt.

4. *De afwerking:* Giet de inhoud van de kom door een fijnmazige zeef in een schone kom en druk de in de zeef achtergebleven bestanddelen goed uit met de bolle kant van een lepel om zoveel mogelijk smaakgevend sap er uit te persen. Corrigeer de smaak van de aldus verkregen drank – indien nodig – met een beetje extra suiker. Bewaar de tamarindedrank tot gebruik in de koelkast (afgedekt).

KEUKENNOTITIES

Ingrediënten

» *Tamarinde:* De verse tamarindepeulen kunnen worden vervangen door 150 gram tamarindepasta. Doe de pasta (die nog pitten bevat) in de kom van een blender of foodprocessor, voeg 1/2 liter water en 100 gram suiker toe en laat de machine draaien – *met behulp van de pulseerknop* (of door de machine om de 2 à 3 seconden aan en uit te schakelen) – tot de zaden los komen van het vruchtvlees. Wrijf de massa door een zeef en leng het opgevangen tamarindesap aan met 3 1/2 dl water. Breng de drank – indien nodig – op smaak met suiker.

(Voor)bereidingstijd

» Maak de drank minstens 2 uur van tevoren of zoveel eerder als u goeddunkt; de drank kan 4-5 dagen in de koelkast worden bewaard.

EIGENTIJDSE VARIATIE

» *Brandy sour met tamarinde:* Meng de tamarindedrank met 3/4 à 1 1/4 dl brandy of cognac en een scheutje citroensap en voeg, indien nodig, nog wat suiker toe. Serveer de *brandy sour* in tumblers, met ijsblokjes.

Keukentaal

» *Agua fresca* (letterlijk 'vers water') wordt in sommige delen van Mexico ook wel *agua preparada* ('bereid water') genoemd, dit laatste vermoedelijk om te benadrukken dat de drank zelfgemaakt is en niet kant en klaar uit een fabriek komt.

GEKOELDE AMANDEL-'MELK'

Horchata

Van de drie bekendste Mexicaanse *aguas frescas* heeft deze melkachtige drank ongetwijfeld de meest vertrouwde smaak: die van een met amandelen gearomatiseerde rijstpudding. Onderstaand recept is gebaseerd op de versie van de landelijk beroemde *aguas-frescas*-bar van Casilda op de markt van Oaxaca, waar de drank vaak wordt verrijkt met het fijngemaakte vruchtvlees van een kleine cactusvrucht (*jiotilla*), zodat hij roze wordt. Casilda's *horchata* dankt zijn verfijnde smaak en delicate textuur voor een groot deel aan de gemalen amandelen die erin verwerkt worden. Hoewel ze me vertelden dat die textuur alleen kan worden verkregen als de amandelen op een *metate* tot poeder worden gewreven, heb ik ontdekt dat het gebruik van een blender een resultaat geeft dat weinig voor het origineel onderdoet.

Serveer de drank, die vooral goed smaakt bij uitzonderlijk warm weer, goed gekoeld, liefst met ijsblokjes.

Voor ca. 1 1/2 liter, voldoende voor 6-8 glazen:

6 eetlepels rijst
165 gram blanke amandelen
1 stukje pijpkaneel van 2-3 cm
3 reepjes limoenschil (zonder wit) van ca. 1 1/2 cm breedte
ca. 200 gram suiker (bij voorkeur fijne tafelsuiker)

1. *Het weken van de rijst en de amandelen*: Maal de rijst tot poeder in een elektrisch hakmolentje of specerijenmolentje. Doe de rijstebloem, de amandelen, het stukje pijpkaneel en de limoenschilletjes in een kom, giet er 5 1/2 dl heet water bij en roer het geheel even om. Dek de kom af met folie en laat hem minstens 6 uur (maar liever nog een hele nacht) zo staan.
2. *Het mengen en zeven*: Giet de inhoud van de kom in een blender en laat de machine 3 à 4 minuten draaien, tot het mengsel niet meer erg korrelig aanvoelt als u het tussen uw vingers wrijft. Voeg 1/2 liter water toe en laat de machine opnieuw een paar seconden draaien. Bekleed een grote zeef met drie lagen vochtig gemaakte zeefdoek en leg hem op een passende kom. Giet het amandel-rijstmengsel met kleine hoeveelheden tegelijk in de zeef en roer met een houten lepel om het doorsijpelen te vergemakkelijken. Pak, zodra al het vocht doorgesijpeld is, de punten van de zeefdoek bij elkaar en wring de doek goed uit, om zoveel mogelijk smaakstoffen uit de achterbleven bestanddelen te persen.
3. *De afwerking*: Verdun het opgevangen vocht met 1/2 liter water (als de *horchata* te dik is, kunt u iets meer water toevoegen), voeg de suiker toe en roer tot de suiker volledig is opgelost. Bewaar de *horchata* tot gebruik in de koelkast. Roer hem goed om alvorens hem in glazen te schenken.

Vijzels van lavasteen (molcajete) en aardewerk (chimolera)

KEUKENNOTITIES

Technieken

» *Het malen en blenderen*: Zorg ervoor dat de rijst werkelijk tot poeder wordt gemalen en blendeer het amandel-rijstmengsel lang genoeg om te zorgen dat het mengsel niet meer korrelig aanvoelt als u een beetje tussen uw vingers wrijft.

» *Het zeven*: Begin minstens 7 uur (maar liever nog een hele dag) van tevoren. Het mengen, zeven en afwerken vergt alles bij elkaar niet meer dan een minuut of twintig. De *horchata* kan, goed afgedekt, 4-5 dagen in de koelkast worden bewaard.

EIGENTIJDSE VARIATIE

» *Horchata met rum*: Meng de *horchata* met 3/4 à 1 1/4 dl witte of lichtbruine rum.

GEKOELDE DRANK VAN LIMOENRASP

Agua Preparada de Limón Rallado

De aguas frescas verdienen een aparte vermelding. Er zijn er veel van en er zijn er velen die ze maken, maar de aguas van Casilda vormen een klasse apart. Wie aan verfrissende dorstlessers denkt, denkt aan Casilda (...) Gezeten op de houten banken in haar bar op de markt van Oaxaca kun je van achter de groene ollas uit Atzompa de bestellingen met ritmische regelmaat horen doorgeven: twee horchatas met cactusvruchten, drie zapotes, één pruim, en zo verder... Het lijkt wel een fruitige rozenkrans, opgedreund door dorstige kelen.

Uit: 'Tradiciones gastronómicas oaxaqueñas' van Ana María Guzmán de Vásquez Colmenares

Ik heb de fameuze Casilda nooit ontmoet, maar ik heb vele middagen doorgebracht in haar populaire frisdrankenbar, achter de rij glazen potten met gekleurde vruchtendranken. Het is daar dat mijn eerste kennismaking plaatsvond met *agua de limón rallado*, een geurige groene drank gemaakt van de geraspte schil van onrijpe limoenen. De bar wordt nu vakkundig gedreven door een nicht van Casilda, een gulle, vriendelijke vrouw die bereid was de geheimen van haar vak met me te delen. Ze gaf me zelfs een zak met onrijpe limoenen en een demonstratie van de bereiding van deze drank met behulp van een ruw stenen vijzel (*chirmolera*). Het is zo'n verrukkelijk drankje dat ik het gebruik als basis voor mijn margarita's (pag. 375) en limoensorbet (pag. 353).

Voor 1 liter, voldoende voor 4-5 glazen:

> 8 grote donkergroene limoenen
> 150-200 gram suiker (bij voorkeur fijne tafelsuiker)

1. *Het weken van de limoenrasp*: Rasp de limoenen op een fijne rasp (gebruik géén citroentrekker!). Doe de limoenrasp in een kom en giet er 1 liter water bij (gebruik een deel van het water om de rasp boven de kom schoon te spoelen). Laat de kom 1 uur zo staan (verpak de limoenen in folie en bewaar ze – in de koelkast – voor iets anders).
2. *De afwerking*: Giet de inhoud van de kom door een fijnmazige zeef in een karaf en druk de in de zeef achtergebleven limoenrasp goed uit met de bolle kant van een lepel. Breng de drank op smaak met suiker en roer tot de suiker volledig is opgelost. Bewaar de drank tot gebruik in de koelkast en serveer hem met ijsblokjes.

KEUKENNOTITIES

Technieken

» *Het raspen van de limoenschil:* Om het effect na te bootsen van de ruw stenen *chirmolera* die in Oaxaca wordt gebruikt, rasp ik mijn limoenen op een rasp die normaal wordt gebruikt voor het raspen van Parmezaanse kaas. Als u niet zo'n stekelige rasp hebt, kunt u een gewone fijne rasp gebruiken. Zorg er wel voor dat u niets van het onderhuidse wit meeraspt, want dat geeft de drank een bittere bijsmaak.

Ingrediënten

» *De limoenen:* In Oaxaca worden kleine, harde onrijpe limoentjes gebruikt. Als u een keuze hebt, koop dan de donkerste limoenen die u kunt krijgen en gebruik uitsluitend de fijngeraspte schil (als u het sap zou toevoegen verdwijnt de mooie groene kleur van de drank).

(Voor)bereidingstijd

» Het raspen en zeven vergt alles bij elkaar niet meer dan 15-20 minuten. Begin echter minstens 1 1/2 uur van tevoren, in verband met de weektijd. De drank kan 1 dag in de koelkast worden bewaard.

SPRANKELENDE LIMOENDRANK

Limonada

Aangezien limoen een van de belangrijkste Mexicaanse smaakmiddelen is, is het geen wonder dat *limonada* een van de nationale dorstlessers is. In tegenstelling tot de simpele versie die op straat wordt verkocht, wordt de *limonada* in *cafetarías* en restaurants vaak aangelengd met sodawater, waardoor de drank nog verfrissender wordt.

Wij maken thuis vaak *limonada*, omdat de drank goed past bij Mexicaanse gerechten, zelfs bij de meer verfijnde schotels. En natuurlijk is het op feestjes een heerlijk alcoholvrij alternatief voor degenen die nog moeten rijden.

Voor ca. 1 1/4 liter, voldoende voor 5-6 glazen:

    3 dl vers geperst limoensap
    100-135 gram suiker (bij voorkeur fijne tafelsuiker)
    1 liter koolzuurhoudend water

Bereiding: Meng het limoensap met 100 gram suiker en roer tot de suiker volledig is opgelost. Voeg het water toe en proef of de drank zoet genoeg is; voeg, indien nodig, meer suiker toe. Giet de drank in met ijsblokjes gevulde glazen en serveer direct.

KEUKENNOTITIES
(Voor)bereidingstijd

» Het limoensap kan een tijdje van tevoren met de suiker worden gemengd, maar het water moet op het laatste moment worden toegevoegd, anders verdwijnt de 'prik'.

Voetnoot van de vertaalster

» U kunt natuurlijk ook – als er niet direct 5 of 6 gegadigden voor een glas *limonada* zijn – een scheutje van het limoensap-suikermengsel met een paar ijsblokjes in een hoog glas doen en daar mineraalwater bij schenken.

TRADITIONELE VARIATIE

» *Torito*: Maak de *limonada* met gewoon water in plaats van spuitwater en voeg 1 1/4 à 1 1/2 dl wodka of tequila toe (in Veracruz gebruikt men van suikerriet gestookte Mexicaanse brandewijn). *Toritos* worden ook gemaakt van gezoete, met water verdunde purees van tropische vruchten in plaats van *limonada*.

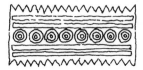

FRUIT EN MELKSHAKE
Licuado de Leche y Fruta

In een klein boekje over het hedendaagse Mexicaanse drankenassortiment prijst Mariano Dueñas de 'heerlijke en voedzame' *licuado* de hemel in als redmiddel van de Mexicaanse gezondheid. Blijkbaar is hij niet de enige die er zo over denkt, want vrijwel alle Mexicanen lijken hun hart te hebben verpand aan zowel de milkshakes zelf als aan de met verweerd formica ingerichte sapbars waar ze verkrijgbaar zijn. Het leven van de Mexicanen gaat er in elk geval niet op achteruit, denk ik, want de overrijpe vruchten die anders in de vuilnisbak zouden belanden, worden nu verwerkt in *licuados*. *Licuados de leche* zijn voedzaam (een compleet ontbijt, volgens Señor Dueñas) maar aanzienlijk minder verfrissend dan *aguas frescas* en de met water gemaakte *licuados de agua*.

Voor 3 à 3 1/2 dl, voldoende voor 1 groot glas of 2 kleinere glazen:

    1/4 liter koude melk
    1 à 2 eetlepels suiker (bij voorkeur fijne tafelsuiker)
    100-150 gram in stukjes gesneden fruit (banaan, meloen, mango, kaki, papaja, aardbei-
        en, ananas, watermeloen, guave, enz.)

De bereiding: Doe alle ingrediënten in de kom van een blender en laat de machine draaien tot u een schuimige dikke drank hebt verkregen. Als u vruchten hebt gebruikt die vezelig zijn (zoals ananas) of die kleine pitjes bevatten (zoals aardbeien), giet de drank dan door een zeef alvorens hem in het glas of de glazen te schenken.

KEUKENNOTITIES

Ingrediënten

» *De vruchten:* Gebruik rijpe vruchten met een krachtig aroma; de benodigde hoeveelheid is afhankelijk van de smaakintensiteit (hoe krachtiger de smaak van de vruchten, hoe minder u ervan nodig hebt).

(Voor)bereidingstijd

» Deze drank smaakt het beste als hij à la minute wordt gemaakt.

TRADITIONELE VARIATIES

» *Polla:* Doe 1 3/4 dl melk, 1/4 dl *rompope* (eierlikeur, te vervangen door advocaat), 1 eetlepel zoete sherry en 1 ei in de kom van een blender en laat de machine draaien tot alles goed vermengd is. Serveer de schuimige drank in een hoog glas.

» *Licuados met water:* Sommige *licuados* worden gemaakt met water in plaats van melk omdat de gebruikte vruchten (bijvoorbeeld watermeloen en ananas) op die manier beter tot hun recht komen. Gebruik op 750 gram in stukjes gesneden fruit 1 1/2 liter water. Pureer de vruchten met een deel van het water in 3-4 porties in een blender. Wrijf de vloeibare puree door een zeef, voeg de rest van het water toe en breng de drank op smaak met (fijne tafel)suiker. Serveer de drank in een grote glazen, met een paar stukjes fruit erin.

DE CHOCOLADEDRANK VAN OAXACA

Op gezette tijden brachten ze (Montezuma), in bekers van puur goud, een drank gemaakt van de cacaoplant, die hij dronk, naar ze zeiden, voordat hij een bezoek bracht aan zijn vrouwen.

Bernal Díaz Castillo (1492-1580), chroniqueur van de Spaanse verovering

De hoge muren die de huizen in Mexicaanse steden afschermen van het levendige straatgewoel vormen een geduchte scheiding tussen het openbare leven en het ontoegankelijke privédomein. En dat in een land dat beroemd is om zijn openheid en gastvrijheid. Nergens heb ik dat zo sterk gevoeld als in Juchitán, in de deelstaat Oaxaca, waar ik dag na dag geconfronteerd werd met geheimzinnig geknisper en geplof van achter de hoge muur die zich aan de overkant bevond van het smalle straatje waar ik woonde. Pas nadat ik voorzichtig een aantal beleefde pogingen had ondernomen om er iets meer over aan de weet te komen, werd ik aarzelend uitgenodigd om te komen kijken in de patio van de *chocolatera,* waar de cacaobonen knisperend lagen te roosteren boven een houtskoolvuurtje. En daar zag ik hoe de *chocolatera* de geroosterde bonen samen met kaneel, suiker en amandelen tot een grove pasta wreef op een verwarmde *metate* en hoe ze de vettige massa vervolgens met haar handen uitrolde tot een staaf met de lengte en dikte van een fikse sigaar. Die staaf, maar dan in gedroogde staat, is – net als de dikke damschijf-vormige tabletten die elders van de cacaomassa worden gevormd – de basis van de Mexicaanse chocoladedrank. De staaf of schijf wordt, samen met een hoeveelheid kokend water, in een tradidionele groen geglazuurde aardewerken kan met behulp van een houten klopper (*molinillo*) gemengd en schuimig geklopt, waarbij de heerlijke zoete geur van chocolade de ruimte vult.

Voor de meesten van ons is chocolade een verfijnd produkt; we gebruiken het en gaan ermee om zoals we met alle verfijnde eigentijdse lekkernijen omgaan. We beseffen vaak niet eens dat chocolade oorspronkelijk de ruwe grondstof was van een vrij simpele boerse drank, gewend als we zijn aan prestigieuze chocolademerken en ingewikkelde chocoladecreaties. Totdat je in Oaxaca komt en voor het eerst de chocoladedrank proeft die al eeuwenlang deel uitmaakt van de Mexicaanse cultuur. Een openbaring!

Laat een ieder die te veel gedronken heeft uit de beker der lusten, een ieder die gewerkt heeft in de uren waarin hij had moeten slapen, een ieder die gewoonlijk helder van geest is, maar een tijdelijke black-out heeft (...); laten al deze mensen zichzelf eens een royale halve liter met amber gekruide chocolade inschenken (...) en zij zullen wonderen zien gebeuren.

Uit: *'Het wezen van de smaak'* van Jean-Anthelme Brillat-Savarin (1755-1825)

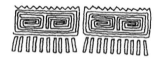

WARME CHOCOLADEDRANK MET KANEEL
Chocolate

Er zijn boeken volgeschreven met bijzonderheden over de wonderbaarlijke cacao-boon. Taalkundigen en historici hebben zich gebogen over de etymologie van het woord 'chocolade'. Volgens sommingen is het een afleiding van 'xocolatl', het Nahuatl-woord voor 'bitter water', volgens anderen is het een verbastering van een Maya-woord dat 'heet water' betekent en volgens weer anderen is 'chocolade' gewoon een onomatopee van het choco-chocogeluid dat je hoort als de traditionele klopper in de kan wordt rondgedraaid, maar hoe het werkelijk zit weet niemand. Weten-schappers hebben uitgezocht van welke kostbare cacaorassen de cacaobonen afkom-stig waren die in precolumbiaanse tijden als betaalmiddel werden gebruikt en geschiedschrijvers hebben de fraaie bekers beschreven waaruit Montezuma zijn chocolade dronk en de diverse zoete en hartige smaakmiddelen geïnventariseerd waarmee de gemalen bonen werden vermengd. Historici hebben de cacaoboon gevolgd op zijn weg naar Europa en gezien hoe de drank zich verplaatste van de hoven van vorsten naar de koffiehuizen van het volk en hoe de cacaoboon ten slotte in de chocoladeverwerkende industrie belandde en de grondstof werd voor het meest geliefde snoepgoed van de wereld. Chocolade is inmiddels zo ver afgedwaald van zijn oorsprong, dat slechts weinigen zich realiseren dat de gewone boerse chocoladedrank nog altijd een rol speelt in het dagelijkse leven van de Mexicanen.

Voor ca. 3/4 liter, voldoende voor 3-4 personen:

> 6 dl melk of water
> 100 gram (2 schijfvormig tabletten) Mexicaanse chocolade

1. *Het oplossen van de chocolade*: Breng de melk of het water en de chocolade op een matig hoog vuur al roerende aan de kook en blijf roeren tot de chocolade volledig is opgelost.
2. *Het kloppen*: Giet de inhoud van de pan in een aan de bovenkant smal toelopende kan of karaf en klop de drank schuimig met een houten *molinillo*, een gewone garde of een elektrische handmixer, of giet het chocolademengsel in de kom van een blender en laat de machine draaien tot de drank schuimig is. Serveer direct, in mokken of aardewerken bekers.

KEUKENNOTITIES

Technieken
» *Het 'blenderen' van warme mengsels*: Warme mengsels zetten uit als ze in een blender worden opgeklopt of fijngemaakt, waardoor er erg veel druk op het deksel ontstaat. Als het deksel van uw blender niet is voorzien van een opening waar de warme damp door kan ontsnappen, leg het deksel dan losjes op de kom en houd het tijdens het blenderen met één hand tegen, om te voorkomen dat het losschiet.

Voetnoot van de vertaalster
» *Mexicaanse chocolade*: Mexicaanse chocolade is eigenlijk niets anders dan een pasteus mengsel van vrij grof gemalen cacao, suiker, kaneel en gemalen amandelen. Het mengsel wordt in ambachtelijke fabriekjes in ronde tabletten of staven geperst. Mexicaanse chocolade is tot op heden (voorjaar 1996) niet in Nederland verkrijgbaar (maar wat niet is, kan komen). U kunt de in het recept voorgeschreven chocolade desgewenst vervangen door 3 eetlepels cacao, 3 eetlepels suiker, 1 theelepel kaneel en 1 eetlepel amandelpoeder of zeer fijn gemalen amandelen.

EIGENTIJDSE VARIATIES
» *Mexicaanse chocoladedrank met alcohol*: Meng de warme chocoladedrank al kloppende met een garde of handmixer (of terwijl de drank zich nog in de blender bevindt) met 3/4 à 1 1/4 dl Kahlúa, lichtbruine rum, cognac of Grand Marnier en serveer direct.

» *Mexicaanse chocolade-koffiedrank*: Roer 4 eetlepels gemalen koffie door het hete chocolademengsel (stap 1), leg een deksel op de pan en laat het mengsel 4-5 minuten trekken op een vlamverdeler die u op een laag vuur hebt gelegd. Giet het mengsel door een zeef in de kan of de blender en ga verder te werk volgens de aanwijzingen in stap 2. Serveer de drank warm of goed gekoeld, met ijsblokjes, eventueel verrijkt met een scheut Kahlúa.

MEXICAANSE KOFFIE MET ONGERAFFINEERDE SUIKER EN SPECERIJEN
Café de Olla

De beste Mexicaanse koffie wordt verbouwd in het met wolken versluierde bergland van Chiapas en in de deelstaten Oaxaca en Veracruz. De gebrande bonen van de eerste kwaliteit zijn doorgaans vrij donker van kleur en leveren na het zetten een smakelijk, pittig kopje koffie op. De bonen van mindere kwaliteit worden, zo is mij verteld, nog donkerder geroosterd, bijna zwart zelfs.

De glimmende espressomachines in eigentijdse stadse *cafetarías* leveren drie soorten koffie op: pittige, schuimige Italiaanse espresso; *café con leche* ('koffie met melk'), de Mexicaanse versie van de Franse *café au lait* en *americano*, gewone koffie verdund met een sloot water. Op het platteland wordt echter nog op een ouderwetse, vrij boerse manier koffie gezet, gewoon door de gemalen koffie met kokend water in een aardewerken kan te laten trekken. Volgens de boeken heeft de aldus verkregen koffie een Spaans tintje, maar persoonlijk beschouw ik het brouwsel als de Mexicaanse versie van kampeerkoffie. Deze *café de olla* smaakt op z'n best als hij wordt gezoet met aromatische ruwe suiker en wordt gekruid met specerijen als kaneel, kruidnagel en/of anijs. Tegenwoordig kun je in traditionele restaurants na afloop van de maaltijd steeds vaker *café de olla* krijgen, geserveerd zoals het hoort: in rustieke aardewerken mokken.

Voor ca. 1 liter, voldoende voor 4-5 flinke mokken:

> 120-150 gram *piloncillo* (zie pag. 402), in stukjes gehakt
> of 100-120 gram donkerbruine basterdsuiker + 1 lepel stroop
> 1 stukje pijpkaneel van ca. 5 cm
> een paar anijszaadjes (eventueel)
> 55-60 gram middelfijn gemalen koffie

1. *De bereiding:* Doe de suiker, het kaneelstokje en (eventueel) de anijszaadjes in een roestvrij stalen pan, voeg 1 liter koud water toe, breng het geheel langzaam aan de kook en roer tot de suiker volledig is opgelost. Voeg, zodra het water kookt, al roerende de koffie toe. Neem de pan daarna van het vuur, leg er een deksel op en laat de koffie 5 minuten trekken.
2. *Het zeven:* Giet de koffie door een theezeefje in bekers of mokken en serveer direct.

KEUKENNOTITIES
(Voor)bereidingstijd
» Koffie smaakt altijd het beste direct nadat hij is gezet. Laat de koffie niet langer dan 5 minuten trekken; hoe langer het water in contact is met de gemalen koffie, hoe bitterder de koffie zal worden.

TRADITIONELE VARIATIE
» *Café con leche:* Zet op de gebruikelijke manier – in een koffiezetapparaat of anderszins – goed sterke koffie en meng de koffie met hete melk. De Mexicanen houden van vrij slappe *café con leche* en maken er dus vrijwel altijd 'koffie verkeerd' van.

EIGENTIJDSE VARIATIE

» *Café de olla met Kahlúa*: Doe in elke mok of beker 1 à 2 eetlepels Kahlúa alvorens de koffie in te schenken.

Regionale accenten

» In sommige Spaans-koloniale bolwerken wordt koffie op een afwijkende manier gezet of geserveerd. Als je in Mérida, Yucatán, bijvoorbeeld *café greco* ('Griekse koffie') bestelt, krijg je – in een minuscuul kopje – koffie waar het zetsel nog in zit. Deze koffie, die wij 'Turkse koffie' zouden noemen, is een bijdrage van de vele Libanezen die zich in deze stad hebben gevestigd. In het beroemde, druk bezochte Café de la Parroqui in Veracruz, draven de obers continu rond met grote kannen sterke koffie en dampend-hete melk waaruit ze de lege koppen bijvullen. En in de *fondas* van Hermosillo, Sonora, wordt niet-gezoete en niet met specerijen verrijkte *café de olla* gefilterd door een doek.

MET *MASA* GEBONDEN CHOCOLADEDRANK
Champurrado (Atole de Chocolate)

Vrienden van mij hebben een tijdlang gewerkt in hoge afgelegen gebieden, waar het dagelijks menu bestaat uit bonen en tortilla's en waar bij feestelijke gelegenheden een simpele maïspap wordt geserveerd die *atole* wordt genoemd. De pap wordt soms gezoet, maar vaker is hij hartig. In het laatste geval wordt hij gekruid met aromatische *epazote*-bladeren en vurige kleine chilipepers, waardoor hij sterk lijkt op de door de monnik Bernardino de Sahagún beschreven Azteekse *atolli* en op de van verse maïs gemaakte *chileatole* die – pruttelend in grote aardewerken *ollas* – tegen zonsondergang in de straten van Puebla op afnemers wacht.

Zoals een hamburger niet compleet is als er geen frieten bij worden geserveerd, zo was *atole* lange tijd onlosmakelijk verbonden met *tamales*. Steeds meer Mexicanen vinden *atole* echter een ouderwetse drank en drinken bij hun *tamales* liever cola of een andere frisdrank. Een *atole* kan allerlei smaken hebben, variërend van naturel (*blanco* zeggen de Mexicanen) tot *atoles* met een vruchten-, noten- of chocolade-smaak. Ook de consistentie is niet altijd hetzelfde; sommige versies zijn zo glad als een dun maïzenapapje en andere, gebonden met verse *masa*, zijn korrelig van textuur. Er zijn voedzame versies die met melk worden gemaakt en lichtere versies waarvan de basis wordt aangelengd met water.

Het was te voorspellen dat ik als Noordamerikaan mijn hart zou verliezen aan de uit Oaxaca afkomstige *champurrado*, een *atole* waarin chocolade wordt verwerkt. Maar in de Keukennotities vindt u een aantal varianten met andere smaken.

Voor ruim 1 liter, voldoende voor ca. 5 porties:

125 gram verse *masa* (pag. 400) of 60 gram gram *masa harina* gemengd met ruim 6 cl heet (kraan)water
1/2 liter melk
100 gram Mexicaanse chocolade, in stukjes gehakt
70 gram *piloncillo* (zie pag. 402), in stukjes gehakt of 60 gram donkerbruine suiker + 1/2 eetlepel stroop
een paar anijszaadjes, geplet (eventueel)

1. *De masa*: Giet ruim 4 dl water in de kom van een blender, voeg de verse *masa* (of het mengsel van *masa harina* en water) toe en laat de machine draaien tot het mengsel volkomen glad is. Giet het *masa*mengsel in een middelgrote pan.
2. *De atole*: Voeg de melk, de chocolade, de *piloncillo* (of de bruine suiker + stroop) en – eventueel – de anijszaadjes toe en breng het geheel op een vrij laag vuur al kloppende aan de kook. Blijf kloppen, met een garde, tot de chocolade en de suiker – na ca. 5 minuten – volledig opgelost zijn. Schenk het mengsel (eventueel door een theezeefje) in mokken of bekers en serveer direct.

KEUKENNOTITIES
Voetnoot van de vertaalster
» Mexicaanse chocolade: Zie voetnoot pag. 369.

(Voor)bereidingstijd
» Het maken van een atole duurt ca. 10 minuten; de drank kan ongeveer een uur worden warm gehouden (au bain-marie: boven een pan met zachtjes kokend water), maar moet daarna wellicht worden verdund met een scheutje melk. Het laten afkoelen en weer opwarmen van *atole* is niet aan te raden.

TRADITIONELE VARIATIES
» *Atole met noten*: Vervang de chocolade door 50 gram gemalen pecan- of walnoten, amandelen of hazelnoten en doe de gemalen noten tegelijk met de *masa* in de blender. Voeg, tegelijk met de *piloncillo* of bruine suiker, 1/4 theelepel kaneelpoeder of het merg uit 1/2 vanillestokje toe. Proef of de drank zoet genoeg is; zo niet, voeg dan wat extra bruine suiker toe.

» *Atole met ananas*: Laat de chocolade, de melk en de anijszaadjes vervallen. Maak 250-300 gram in blokjes gesneden ananas fijn in de blender, onder toevoeging van de *masa* (of de met water gemengde *masa harina*) en 3 1/2 dl water. Breng het ananas-*masa*-mengsel met de *piloncillo* (of bruine suiker + stroop) en 3 1/2 dl water aan de kook en ga verder te werk volgens de aanwijzingen in stap 2.

» *Atole met aardbeien*: Laat de chocolade, de *piloncillo* (of de bruine suiker + stroop) en de anijszaadjes vervallen. Maak 300 gram schoongemaakte aardbeien fijn in de blender, onder toevoeging van de *masa* (of de met water gemengde *masa harina*) en 3 1/2 dl water. Breng het aardbeien-*masa*-mengsel met 165 gram gewone kristalsuiker en 3 1/2 dl melk aan de kook en ga verder te werk volgens de aanwijzingen in stap 2.

Mexicaanse chocolade, van cacaovrucht tot schuimig geklopte drank

EEN FEESTELIJKE ZONDAGMIDDAG IN MEXICO-STAD

Restaurant Arroyo is te vinden in een zuidelijke wijk van Mexico-Stad. Nadat je op een zondagmiddag je auto hebt overgedragen aan de parkeerwacht die er een plaatsje voor zal zoeken tussen de vele andere op het parkeerterrein, loop je naar het hoger gelegen restaurant. Onderweg passeer je loterijverkopers en vrouwen die rozen, karamels, kokossnoepjes en gekonfijte vruchten verkopen. Uiteindelijk beland je in een soort patio waar het ruikt naar brandende houtskool en geroosterd vlees. Aan één kant van de ruimte vullen een paar mannen de speciaal gegraven vuurkuilen met in magueybladeren verpakt lamsvlees. Aan de overkant staat een rij koperen ketels waarin, door weer andere mannen, het vlees voor de *carnitas* wordt gefrituurd en grote lappen zwoerd in het hete vet worden gedompeld om er even later – krokant, gezwollen en nog zachtjes nasissend – als veelgeprezen *chicharróns* weer uit te worden opgevist. En daartussen bevindt zich de bar met zijn bonte uitstalling van fruitige *aguas frescas, pulque*, tequila, *mezcal* en kruidige *sangrita*.

Het etablissement is gigantisch en kan op z'n minst vijfhonderd mensen herbergen. De verschillende ruimten zijn half overdekt en versierd met kleurige slingers en knipsels van zijdevloei. Overal is muziek: vanuit een van de ruimtes komen de door het hardnekkige ritme van trommels en gitaren gesteunde accordeonklanken van een groepje *norteños*. Een in het wit geklede harpist staat met zijn *jarocho*-bandje bij een van de tafels te wachten tot iemand vraagt of ze een van de snelle *zapateados* willen spelen en vanuit een andere hoek hoor je de trompetten, *guitarrones*, violen en doorleefde stemmen van een groepje *mariachis*. Er heerst zo'n feestelijke opwinding dat je elk gevoel voor de werkelijkheid van alledag verliest.

De *pulque*, het licht schuimende, melkkleurige gefermenteerde sap van de magueycactus, smaakt ongewoon grassig, maar ook ongewoon lekker. Naast ons heeft een groepje gasten *pulque curado* besteld, hun drankje heeft de roze kleur van aardbeien of guave. De leden van een ander groepje hebben de papieren zegels van hun mini-flesjes tequila verbroken en de inhoud in smalle glaasjes gegoten, waarna ze elke slok tequila wegspoelen met een met chilipeper gekruide tomaten-sinaasappeldrank die, vanwege de kleur, *sangrita* ('klein bloed') wordt genoemd.

De middag glijdt langzaam voorbij in restaurant Arroyo. Er wordt gepraat en gelachen, gegeten en gedronken. Het menu wordt geopend met dikke *masa*-koekjes in een groene saus. Dan volgen het boterzachte, naar hout en maguey geurende lamsvlees uit de *barbacoa*-vuurkuil met een *salsa borracha*, de heerlijke, goed gebruinde *carnitas* van varkensvlees met *guacamole* en stapels warme, vers gebakken tortilla's. Aan de meeste tafels zitten drie generaties van één familie; de grootmoeders verwennen hun kleinkinderen met zoete, taaie schuimpjes en de vaders zingen mee met de musici, liedjes over wroeging, verloren liefdes en heimwee naar de geboortegrond. Terwijl de menigte zich voor een tweede keer laat opscheppen, een nieuwe ronde drankjes bestelt en zich voorbereidt op de volgende samenzang, loopt de middag ten einde. Maar gelukkig loopt hij langzaam.

TEQUILA MET SANGRITA
Tequila con Sangrita

Hoe hoor je een vurig drankje als tequila of mezcal te drinken? Met limoen? Met zout? Met *sangrita*? Er zijn, voor zover ik weet, geen vaste regels voor. Carl Franz, kennelijk een voorzichtige drinker, schrijft in *The People's Guide to Mexico* dat het oplikken van een beetje zout op je hand de hoeveelheid speeksel in je mond doet toenemen waardoor 'de gevoelige weefsels in de keel beschermd worden tegen de brandende alcohol.' Hij voegt daaraan toe: 'Limoen heeft hetzelfde effect en als je limoen gebruikt ná het drinken, verdwijnt meteen ook de vreselijke smaak van het drankje.' (Vreselijke smaak? Wat heeft Franz in hemelsnaam gedronken?). In haar boek *A Guide to Tequila, Mezcal and Pulque*, toont Virginia B. de Barrios zich een voorstandster van de volgorde limoen-tequila-zout (dit in tegenstelling tot Carl Franz, die de drie onderdelen liever in omgekeerde volgorde tot zich neemt). Om de verwarring nog groter te maken, moet ik erbij vertellen dat ik vaak heb gezien dat mensen een limoenpartje in zout dopen, een slok tequila nemen en dan het gezouten limoenpartje uitzuigen.

Persoonlijk drink ik tequila of mezcal het liefste met de pittige *chaser* waarvan u hieronder het recept aantreft, of gewoon met een limoenpartje dat kan worden uitgezogen. Overigens heb je bij de betere tequila's helemaal geen zout of limoen nodig, maar ik zet ze allebei wèl altijd op tafel, zodat iedereen zijn drankje kan drinken op de manier die hem of haar het beste bevalt.

Voor ca. 3 dl *sangrita*, voldoende voor 4-8 borrelglazen:

voor de sangrita:
    1 1/4 dl vers geperst sinaasappelsap
    4 theelepels grenadine
    4 eetlepels tomatensap
    4 eetlepels vers geperst limoensap
    1/2 theelepel of meer *salsa picante* (pag. 41) of tabasco
    1/4 theelepel zout

verder:
    1/2 liter milde tequila (zie Keukennotities)
    2 limoenen, in partjes gesneden (eventueel)
    een klein kommetje met zout (eventueel)

1. *De sangrita*: Meng alle ingrediënten in een karaf of maatbeker en zet de drank – afgedekt – minstens 1 uur in de koelkast, zodat de smaken op elkaar kunnen inwerken.
2. *Het serveren*: Schenk de *sangrita* in 4-8 kleine glaasjes en vul ook 4-8 borrelglaasjes of speciale tequilaglaasjes met tequila. Geef elke gast een glaasje *sangrita* en een glaasje tequila en laat de limoenpartjes en het zout rondgaan voor degenen die niet zonder kunnen.

KEUKENNOTITIES

Ingrediënten

» *Tequila*: Goede tequila is duur, maar onvergelijkbaar veel zachter en lekkerder dan de goedkopere versies, die vaak te scherp zijn om ze zo te kunnen drinken. De *Tres Generaciones* van het merk Sauza, de *1800* van Cuervo en de *Añejo* van Herradura behoren tot de absolute top. Ook goed – en iets minder prijzig, zijn o.a. de 'goud'-labels van Cuervo en Sauza en de *Reposado* van Herredura.

Keukengerei

» *Tequilaglazen*: In Mexico wordt tequila doorgaans geschonken in smalle, ca. 8 cm hoge glaasjes met een inhoud van ruim 3 cl. Maar op de markten in Guerrero, Jalisco en wellicht ook elders, worden speciaal voor tequila ook kleine aardewerken bekertjes verkocht die *copitas, tequileros* of *mezcaleros* worden genoemd. Maar natuurlijk kunnen tequila en mezcal ook uit gewone borrelglazen worden gedronken.

Voetnoot van de vertaalster

» *De hoeveelheden*: Met 'theelepel' wordt de internationale standaardtheelepel met een inhoud van 5 gram bedoeld en niet het Nederlandse theelepeltje van 3 gram.

(Voor)bereidingstijd

» Maak de *sangrita* minstens 1 uur van tevoren. Maar u kunt de drank ook eerder maken, want het mengsel kan – goed afgedekt – enkele dagen in de koelkast worden bewaard.

TEQUILA⁄LIMOEN⁄COINTREAUCOCKTAIL
Margarita

Ik moet bekennen dat het me pijn doet als ik niet-Mexicaanse restaurantbezoekers hoor verkondigen dat ze de margarita's het lekkerste onderdeel van een Mexicaanse maaltijd vinden, gewend als ze zijn om er -vóór de maaltijd -twee of drie te drinken... Maar gezien de matige kwaliteit van het eten in zogenaamde Mexicaanse restaurants, kun je het ze nauwelijks kwalijk nemen.

Dat wil overigens niet zeggen dat ik margarita's niet lekker vind. Maar ik denk dat de traditionele verhouding van de drie bestanddelen (3 delen tequila op 1 deel Cointreau en 1 deel limoensap) gewoon te sterk is om daarna nog van een goede Mexicaanse maaltijd te kunnen genieten. Vandaar dat ik een recept heb ontwikkeld voor een uitstekende, fris smakende en niet te sterke margarita. U hebt er wat tijd voor nodig, maar het resultaat loont de moeite. Als u wilt, kunt u de glazen voorzien van een 'kristallen' randje door de rand eerst in te wrijven met een limoenpartje (of door de glazen ondersteboven in een kommetje met limoensap te dopen) en vervolgens in een schoteltje met een laagje zout te dopen.

Voor ca. 8 1/2 dl, voldoende voor 4 personen:

> 3 dl gekoelde drank van limoenrasp (pag. 364)
> 4 eetlepels vers geperst limoensap
> 1 mespuntje zout
> 1/4 liter goede tequila (zie Keukennotities)
> 3/4 dl Cointreau
> 8 ijsblokjes
> 1 eiwit (eventueel)

1. *Het basismengsel*: Meng de gekoelde limoendrank in een kom of grote maatbeker met het limoensap, het zout, de tequila en de Cointreau en laat het mengsel een half uur staan, zodat de smaken op elkaar kunnen inwerken.
2. *De afwerking*: Giet het mengsel vlak voor het serveren in de kom van een blender, voeg de ijsblokjes en – eventueel – het eiwit toe en laat de machine 30-45 seconden draaien, tot de ijsblokjes versplinterd zijn (en het eiwit schuimig is). Giet de drank in hoge, met hele of vergruisde ijsblokjes gevulde glazen.

KEUKENNOTITIES

Technieken

» *Het toevoegen van eiwit*: Dit barkeeperstrucje maakt de margarita's romig en schuimig, maar pas op: lang niet iedereen houdt ervan.

Ingrediënten

» *Tequila*: In zekere zin geldt dat een betere tequila ook een betere margarita oplevert, maar een tequila van topkwaliteit komt niet goed tot zijn recht als hij met limoensap, zout en zoete Cointreau wordt gemixt. Omgekeerd zullen scherpe, wrange tequila's niet veel zachter en milder worden. Mijn advies: gebruik een behoorlijke tequila uit de middenklasse, bijvoorbeeld de *Especial* van José Cuervo.

(Voor)bereidingstijd

» Begin minstens 2 uur van tevoren met het maken van de benodigde limoendrank en laat de drank een half uur (of enkele uren) trekken met de toevoegingen (stap 1). De margarita's moeten echter op het laatste moment met de ijsblokjes en het eventuele eiwit in de blender worden gemixt.

Tequila en tequileros (aardewerken tequilabekertjes)

MEXICAANSE SANGRIA

Sangría Mexicana

Dit Mexicaanse broertje van het Spaanse mengsel van rode wijn, vruchtesap, likeur en suiker is aanzienlijk eenvoudiger van samenstelling dan zijn Europese evenknie. De Mexicaanse versie is een simpel mengsel van wijn, limoensap en koolzuurhoudend water. Als wijnliefhebber doet het me plezier te zeggen dat deze drank in vrijwel alle Mexicaanse restaurants wordt geschonken. Mexicaanse wijnen waren tot voor kort vrij stug en hard, zodat de genoemde toevoegingen bepaald welkom waren. In Mexico giet men vaak een laagje speciale limoensiroop in de glazen, waarna het glas wordt opgevuld met wijn, maar onderstaande versie, waarin alle ingrediënten van tevoren mel elkaar worden vermengd, is minstens net zo lekker.

Voor ca. 1 1/2 liter, voldoende voor 6-8 glazen:

> 1 1/2 dl vers geperst limoensap
> 165 gram suiker (bij voorkeur fijne tafelsuiker)
> 1 fles (3/4 liter) fruitige rode wijn
> 1/4 liter koolzuurhoudend water
> 6-8 limoenschijfjes, aan één kant tot op het midden ingesneden

1. *De siroop*: Meng het limoensap in een maatbeker of kom met de suiker en 1/4 liter water en roer tot de suiker volledig is opgelost.
2. *De sangría*: Giet de wijn vlak voor het serveren in een grote karaf en voeg al roerende de limoensiroop en het spuitwater toe. Serveer de *sangría* in hoge glazen, met ijsblokjes, en garneer elk glas met een limoenschijfje.

KEUKENNOTITIES

Ingrediënten

» *De rode wijn*: De wijn hoeft niet duur of van bijzonder hoge kwaliteit te zijn. Kies een soepele, fruitige wijn die goed op dronk is: een jonge wijn met te veel tannine blijft, ook als hij met een zoetzure siroop en spuitwater wordt gemengd, aan de wrange kant.

(Voor)bereidingstijd

» Het maken van *sangría* vergt niet meer dan een paar minuten. De limoensiroop kan desgewenst een paar uur of een hele dag van tevoren worden gemaakt en in de koelkast worden bewaard. Het mengen van wijn, siroop en water moet op het laatste moment gebeuren, anders verdwijnen de koolzuurbelletjes.

EIGENTIJDSE VARIATIES

» *Sangría met andere vruchtensiropen*: Vervang de helft van het limoensap door sinaasappelsap of vervang de hele hoeveelheid door half om half sinaasappel- en grapefruitsap. Pas de hoeveelheid suiker naar eigen smaak aan. Desgewenst kunt u ook nog een scheutje Cointreau of Grand Marnier toevoegen.

» *Sangría van witte wijn met tequila*: Vervang de rode wijn door een niet te droge, fruitige witte wijn en de helft van het limoensap door sinaasappelsap. Voeg, tegelijk met de wijn, 1 à 2 borrelglaasjes tequila toe.

WOORDENLIJST VAN MEXICAANSE INGREDIËNTEN EN KEUKENUITRUSTING

Groentekraampjes op de markt van Aguascalientes

ACHIOTE: De steenrode *achiote*-zaden, afkomstig van de peulen van een kleine boom die in geheel Yucatán voorkomt, worden ook wel *annatto*-zaden genoemd. In Mexico wordt de pasta die van *achiote*-zaden wordt gemaakt meer gebruikt dan de zaden zelf; in Chiapas en in Oaxaca wordt de pasta meestal zonder meer gebruikt terwijl deze in Yucatán kruiden en specerijen bevat. Met een beetje geluk kom je de pasta uit Yucatán in de Verenigde Staten ergens tegen maar meestal zul je hem zelf van de zaden moeten maken (zie pag. 72); koop geen *achiotina* (vet met *achiote*-smaak) uit Puerto Rica. De zeer harde zaden zijn een effectief kleurmiddel; in een afgesloten pot bij kamertemperatuur zijn ze onbeperkt houdbaar. *Achiote*-zaden zijn in Nederland verkrijgbaar via de groothandel (zie pag. 408).

AVOCADOBLADEREN (*hojas de aguacate*): Deze leerachtige, sterke bladeren van de advocaatboom (van de laurierfamilie) zijn ongeveer 18 cm lang en 7 1/2 cm breed. Alleen de vruchten afkomstig van de grote bomen die buiten groeien hebben de karakteristieke anijsachtige, kruidige smaak en geur. In veel recepten worden de bladeren licht geroosterd en vervolgens met andere ingrediënten vermalen of gekookt. In dit boek gebruik ik ze alleen in *barbacoa* van kip (pag. 271), waarin ze niet geroosterd worden maar gebruikt als bekleding in de stoompan. Een vervanging voor avocadobladeren is te vinden in het recept.

AVOCADO'S (*aguacates*): Hoewel er verschillende soorten avocado's te vinden zijn in de diverse regio's, wordt de Hass als de beste soort beschouwd. Deze soort, die overvloedig in Californië en in Mexico groeit, is van gemiddelde grootte en heeft een ovale vorm met een bobbelige schil die tijdens het rijpingsproces verkleurt van don-

kergroen naar zwartbruin. Het vlees heeft zeer veel smaak (heel kruidig, met een overheersende nootachtige smaak) en is goed te bewaren. Tweede keus is de Fuerte, een peervormige avocado van gemiddelde grootte met een dunnere, bijna gladde, groene schil. Deze soort heeft iets minder smaak en is minder goed houdbaar dan de Hass. Andere peervormige, groene soorten met een dunne schil zijn de Bacon, de Zutano en de Pinkerton. De Reed is rond en net als de meeste soorten uit Florida (zoals de Booth) zeer groot. Al deze soorten laten zich moeilijk bewaren en hebben een matige smaak (vaak vezelig). Op steeds meer markten (vooral de Mexicaanse) worden avocado's verkocht die rijp zijn, wat betekent dat ze bij een stevige, lichte druk meegeven. Koop nooit avocado's met donkere, zachte plekken of exemplaren die zo rijp zijn dat de pit loszit. Het kan vier of vijf dagen duren voordat stevige of harde avocado's die op een warme plaats bewaard worden, rijp zijn. Wanneer ze in een afgesloten papieren zak bewaard worden, wordt de ethyleen die van nature wordt afgescheiden opgevangen, waardoor de avocado sneller rijp wordt. Avocado's die net rijp zijn, zijn in de koelkast langer houdbaar: maximaal tien dagen voor de Hass, maar aanzienlijk korter voor de overige soorten.

AZIJN (*vinaigre*): Waarschijnlijk is de meest algemeen verkrijgbare voor de verkoop gemaakte azijn in Mexico gemaakt van ananassen; in het noorden ben ik ook heel wat appelazijn tegengekomen. In de winkels is het echter niet ongebruikelijk een opmerkelijk milde vruchtenazijn te vinden die gemaakt is van wat er per stad maar overvloedig verkrijgbaar is: ananassen in Oaxaca, bananen in Tabasco enzovoort. Bij het vertalen van recepten van kookboeken uit Mexico heb ik ontdekt dat de hoeveelheden azijn die vaak genoemd worden een al te scherpe maaltijd opleveren; er bestaat geen twijfel over dat in veel van de recepten de mildere Mexicaanse variant bedoeld wordt. Ik heb alle recepten in dit boek aangepast aan azijn van 'tafelsterkte' met 5 procent azijnzuur (de recepten zijn getest met appelcider-azijn van Heinz).

BAKBANAAN (*plátano macho*): Dit is de grote bakbanaan met de tamelijk dikke schil en gelig vruchtvlees; een gemiddeld exemplaar is zo'n 23 tot 28 cm lang en weegt ongeveer 300 tot 350 gram. In het Caribisch gebied worden bakbananen veel gebruikt, vaak wanneer ze groen zijn en de smaak nog niet zoet is (te vergelijken met een aardappel). In Mexico worden bakbananen meestal gebruikt wanneer ze helemaal rijp zijn (zacht, met een bijna geheel zwarte schil), en ze hun volledige zoete smaak ontwikkeld hebben. In Nederland zijn bakbananen vaak in toko's verkrijgbaar. Het kan enkele dagen duren voordat ze rijp zijn, dus vooruit denken is geboden, maar eenmaal rijp kunnen ze gekoeld enkele dagen bewaard worden. Sommige exemplaren hebben een houtachtige kern, die verwijderd moet worden.

BANANEBLADEREN (*hojas de plátano*): Deze grote, aromatische groene bladeren worden gebruikt in Zuid-Mexico, Yucatán en in de staten aan de Mexicaanse Golf voor het omwikkelen van voedsel voordat dit gekookt of gestoomd wordt. Omdat ze veel smaak afgeven, is het de moeite waard ernaar op zoek te gaan. (In Nederland zijn bananebladeren verkrijgbaar in sommige toko's.) Vaak worden ze in bevroren toestand verkocht. Zoek naar bladeren die er gaaf uitzien en niet duidelijk gescheurd zijn. Indien bevroren kunt u ze in één nacht in de koelkast laten ontdooien. In de diepvries zijn ze minimaal een maand houdbaar; veeg ze gewoon af wanneer er schimmel op zit. Bananebladeren worden vóór gebruik altijd gestoomd of boven een vlam bewogen om ze buigzamer te maken; zie pag. 200 voor meer gegevens.

BITTERSINAASAPPEL: Zie Citrusvruchten

BONEN (*frijoles*): Zie pag. 380.

CACTUSBLADEREN (*nopales* of *nopalitos*): Dit zijn de lepelvormige stengels van diverse soorten schijfcactussen. Ze worden vooral gebruikt in de keuken van Westcentraal- en Centraal-Mexico. In bijna alle winkels waar Mexicaanse produkten te koop zijn (in Nederland alleen via de groothandel; zie pag. 408), zijn cactusbladeren schoongemaakt, gekookt, in plakken gesneden en met smaakstoffen in blik verkrijgbaar (u hoeft ze vóór gebruik alleen maar uit te laten lekken en af te spoelen). De structuur en de smaak van verse cactusbladeren is aanzienlijk beter

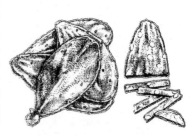

dan die van ingeblikte, en zelf zou ik als ik de keuze had de exemplaren van gemiddelde grootte kiezen (ongeveer 11 1/2 cm breed en 20 cm lang en met een gewicht van 200 tot 300 gram) die ook nog eens stevig zijn (nooit slap). Losjes ingepakt en bewaard in de koelkast zijn cactusbladeren enkele weken houdbaar.

Verse cactusbladeren schoonmaken:

» Houd een cactusblad voorzichtig tussen de stekelige knobbels vast, verwijder de rand rondom het blad, inclusief het stompe eind waar het blad van de plant is losggemaakt. Snijd of schrap de stekelige knobbels aan beide kanten eraf. Kookt u de cactus, snijd hem dan in reepjes van 1/2 cm (of, zoals sommige koks aanbevelen, in dobbelsteentjes van 1 cm).

Verse cactusbladeren bereiden:

» Koken is de meest gangbare bereidingsmethode: breng voor 4 middelgrote bladeren 4 liter water aan de kook in een grote pan, voeg voldoende zout toe en naar wens 1/4 theelepel bakpoeder (om verkleuring tegen te gaan). Voeg de schoongemaakte cactus toe en kook deze zonder deksel bij gemiddeld vuur in 15 tot 20 minuten zacht. (Wanneer de cactus niet lang genoeg wordt gekookt, krijgt u een plakkerige cactus die nog steeds een kleverige stof afscheidt – dezelfde stof die okra afgeeft, in het Spaans bekend als *baba*; ook maakt *baba* het water dik en schuimig, dus kijk uit voor overkoken). Spoel de gekookte cactus enkele minuten onder koud water en dep de bladeren dan met keukenpapier goed droog.

» Mijn favoriete manier om cactus te koken (omdat hier geen water met een *baba*-oplossing bij komt kijken) is afkomstig uit West-Centraal-Mexico, waar hele, op houtskool of onder de grill bereide cactusbladeren soms regionale specialiteiten begeleiden: laat de bladeren na het schoonmaken heel en kerf beide zijden drie keer met een mes in. Bestrijk beide kanten met plantaardige olie, besprenkel ze met zout en een beetje limoensap. Rooster ze 15 minuten boven een middelgroot houtskoolvuur (wat een fantastische smaak oplevert) en draai ze geregeld, of rooster en draai ze af en toe gedurende ongeveer 20 minuten op een grillplaat die tot iets beneden gemiddelde temperatuur is verhit. Voor een regelmatiger bereiding kunt u ze ongeveer 25 minuten in een oven op 175° C grillen. Laat afkoelen en snijd ze in reepjes of in dobbelsteentjes.

CACTUSVIJG (*tuna*): Dit is de groenachtig-gele ovale vrucht van de schijfcactus (*nopal*); een gemiddeld exemplaar is ongeveer 7 1/2 cm lang en weegt ongeveer 90 gram. De vruchten hebben over de hele schil nauwelijks waarneembare kleine stekels op kussentjes, dus behandel ze voorzichtig. Het vruchtvlees is mildzoet (een beetje meloen-achtig) en zit vol met kleine pitjes. Wanneer u geluk hebt, heeft het vruchtvlees een prachtige, felpaarse kleur. In delen van Centraal- en West-Centraal-Mexico wordt de *tuna agria* ('zure schijfcactus' of *xoconostle*) gebruikt voor het op smaak brengen van soep. In de herfst zijn cactusvijgen het best verkrijgbaar. Kies gave exemplaren uit en bewaar ze maximaal een maand, losjes verpakt, in de koelkast.

CAZUELA: Zie Keukenuitrusting

CHAYOTE: Dit minder bekende familielid van de pompoen wordt tegenwoordig wel wat meer te koop aangeboden; de meest gebruikelijke is de lichtgroene soort met

een gladde schil, hoewel de donkergroene, stekelige *chayote* af en toe te vinden is in Mexicaanse winkels. Onverpakt en gekoeld bewaard, zijn
chayotes minimaal een maand houdbaar. Gewoonlijk worden ze geschild en gehalveerd,
waarna de pit wordt verwijderd. Ze kunnen
gekookt, gebakken of gevuld worden, hoewel
koken een waterige smaak en structuur oplevert, ongeveer als een kruising tussen courgette
en aardappel. Een gemiddelde chayote weegt
tussen de 250 en 300 gram.

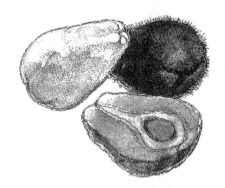

CHICHARRONES: Dit zijn de poreuze, knapperige, gefrituurde velletjes varkenszwoerd die in heel Mexico verkrijgbaar zijn - bij de vleeskraampjes op de markt, uit
mandjes op straat en als voorafje in traditionele restaurants. Ze behoren tot Mexico's
favoriete snacks. De meest verse, zachtste *chicharrones* zijn de exemplaren die net
gefrituurd zijn (in het weekend liggen ze in de V.S. in enorme goudkleurige vellen
in de Mexicaanse kruidenierswinkels).

CHILIPEPERS – belangrijke (hoewel soms betwistbare*) feiten

Wat zijn ze en waarom worden ze zo genoemd? Chilipepers zijn de vruchten van
een plant uit de *Capsicum*-familie; de meeste soorten in Mexico zijn *annum* (hoewel
chinense en *frutescens* ook voorkomen). De vruchten (soms peulen genoemd) kunnen
uiteenlopen van mild tot extreem scherp (in het Engels 'hot'; in het Spaans zegt men
picante, niet *caliente*), van zoet tot scherp en van vers tot gedroogd. De namen variëren
per land en zelfs binnen landen: de Spanjaarden vergeleken de scherpte van de
peulen met die van zwarte peper (*pimienta*), en noemden ze dus *pimientos*, vandaar
de Engelse naam *pepper*. Spanjaarden die in Mexico zijn gebleven noemden ze *chiles*
naar het Azteekse *chilli*; voor Amerikanen klonk dat Spaanse *chile* als 'chili', en een
overblijfsel van die verengelste spelling en uitspraak is nog steeds aanwezig. In andere
delen van Latijns-Amerika wordt de peul *ají* genoemd (en soms ook onder andere
uchú). Waar het dus op neerkomt is dat 'chili' 'peper' betekent – en niet alleen maar
'hete peper' of het pleonastische 'chilipeper'; vele onderzoekers delen ook de paprika
in deze groep in. In het Spaans wordt een bijvoeglijk naamwoord toegevoegd dat
aangeeft om welke soort *chile* het gaat (of om welke cultivar, in botanische termen):
chile ancho (letterlijk 'brede chili'), *chile poblano* ('chili uit Puebla') enzovoort.

Scherpte en smaak: De scherpe smaak van pepers wordt veroorzaakt door capsaïcine: Sommige soorten pepers bevatten deze stof niet, andere wel... en in uiteenlopende hoeveelheden. U hebt waarschijnlijk wel eens gehoord: 'hoe kleiner de peper
is, hoe scherper de smaak ervan,' maar door alle uitzonderingen wordt dit voor mij
een nogal nutteloze uitspraak. De smaak van pepers is niet altijd zoals verwacht:
pepers waarvan gedacht wordt dat ze mild smaken kunnen zeer heet blijken en
omgekeerd, en nog niemand heeft een waterdichte manier gevonden om de scherpte
van een peper vast te stellen; weersomstandigheden blijken onder andere nogal van
invloed te zijn. Behalve een bepaalde mate van scherpte zijn er ook smaken te
onderscheiden, en iedere soort heeft een duidelijke smaak die sterk afhangt van de
kleur van de peper: van groen tot rijp tot zeer rijp (rood) tot gedroogd. De Mexicanen
lijken zich over het algemeen net zo bewust van de smaak als van de scherpte.

Wat is heet en wat is niet heet: Het grootste deel van de capsaïcine zit in de zaadlijst en in de zaden. Door deze te verwijderen maakt u de *chile* minder *picante.* Is dat niet voldoende, dan week ikzelf de *chiles* met succes enkele uren in water waaraan flink wat zout is toegevoegd. Het bovenste derde deel van de chili lijkt altijd scherper dan de rest.

Waarom kan ik nooit zien om welke peper het gaat, en is dat erg? In de eerste plaats zijn er meer dan honderd ons bekende soorten pepers; in de tweede plaats kunnen ze eenvoudig worden kruisbestoven; in de derde plaats kunnen er uit dezelfde zaden afhankelijk van de bodem en het weer verschillende chili's groeien (wat betekent dat een *chile poblano* die in Texas groeit weer anders is dan dezelfde soort die in Aguascalientes groeit); in de vierde plaats is Mexico een land met veel regionale verschillen (waaronder individuele regionale namen voor voedsel); en in de vijfde plaats bestaat er in de Verenigde Staten geen nationaal reglement dat voorschrijft hoe chili's moeten heten. Ondanks deze vijf ontmoedigende problemen, is er hoop voor de liefhebber van Mexicaans eten: een groot deel van de Mexicaanse gerechten kunnen op smaak worden gebracht met slechts een handjevol verse en gedroogde chili's - die niet moeilijk te krijgen zijn en die ook niet moeilijk te herkennen zijn (ondanks de namen die eraan gegeven zijn). In dit boek heb ik de chilinamen gebruikt die het meest gangbaar zijn in Mexico.

Met chili's koken en ze eten: De meeste koks die instinctief de neiging hebben zichzelf te beschermen dragen waterdichte handschoenen wanneer ze met pepers werken: capsaïcine is niet oplosbaar in water en blijft urenlang (zelfs dagenlang) op de vingers aanwezig, waardoor ze (of ieder ander lichaamsdeel dat met de stof in contact komt) branderig gaan aanvoelen. Jean Andrews schrijft in *Peppers: The Domesticated Capsicums* dat een milde bleekwateroplossing de capsaïcine in water oplosbaar maakt, zodat het gebruikt kan worden om het brandende spul van de handen te verwijderen; bij mij werkte het. Behalve dat ze een smakelijke bron van vitamine C en A vormen, worden de meeste chili's gegeten omdat ze heet zijn, en iedere soort heeft weer een andere soort 'heetheid': Sommige hebben snel resultaat en verdwijnen dan, terwijl andere langzaam werken; bepaalde soorten branden voor in de mond, andere achterin (dicht bij de keel). Wanneer u iets eet dat voorbij de grenzen gaat van wat u van een chilipeper kunt hebben (in het Spaans heet dit dat u enchilado(a) wordt), moet u iets kouds drinken (bronwater, bier of iets dergelijks); dit brengt tijdelijk verlichting terwijl u wacht totdat het brandende gevoel afneemt. Is het u werkelijk te veel geworden, probeer het dan eens met wat suiker, of brood, of melk, of guacamole (hoewel het onaangename gevoel tegen de tijd dat u dit allemaal geprobeerd hebt ongetwijfeld verdwenen zal zijn).

* Bij het doen van onderzoek naar chilipepers komt men een grote hoeveelheid informatie tegen, waarvan veel elkaar tegenspreekt. Ik heb geprobeerd die informatie te verwerken die voor de kok het nuttigst is; ook heb ik geprobeerd een antwoord te geven op de vragen die in mijn cursussen het meest gesteld worden.

CHILIPEPERS, IN BLIK OF IN GLAS (*Chipotles en adobo*): Hoewel er een behoorlijk smaakverschil bestaat tussen een geweekte gedroogde *chipotle* en een exemplaar dat met tomatensaus, azijn en kruiden is ingeblikt, heb ik in dit boek alleen recepten opgenomen waarvan ik denk dat de chili's in blik er goed in passen; droge *chipotles* zijn lastiger te vinden, terwijl ingeblikte in Nederland via de groothandel verkrijgbaar zijn (zie pag. 408). Let, als u de keus hebt, wel op de merken: San Marcos levert de werkelijk rokerige *chipotles mecos* met een minimum aan toegevoegde smaakstoffen; La Preferida levert ook *chipotles mecos*, maar met een heleboel suiker in de saus; Embasa levert de kleinere *moras/chipotles colorados* die lekker maar vergeleken bij *mecos* toch licht smaken; en La Costeña levert een ongelukkig geheel van fijngehakte, 'ingemaakte' *moras*. Bewaard in een zuurbestendig, afgesloten bakje in de koelkast zijn de *chipotles* in blik ten minste enkele weken houdbaar. In Mexico zijn ingemaakte *chipotles* ook zó te krijgen; deze zijn meestal niet geschikt voor de recepten in dit boek.

Ingemaakte verse chili's: Hoewel ik voor de beste structuur en smaak het zelf inmaken van verse chilipepers (zie pag. 51) van harte aanbeveel, zijn sommige kant-en-klaar gekochte ingemaakte chili's (*chiles escabechados*, *chiles en escabeche* of *chiles encurtidos* genoemd) redelijk goed; *jalapeños* zijn de meeste populaire, maar er bestaan ook *serranos*, *güeros* en welke andere niet-typisch Mexicaanse soorten dan ook. Hoewel partijen van hetzelfde merk onderling kunnen variëren, kunt u het best uitkijken naar chili's die stevig en niet gebroken in goed gekruid pekelwater zitten. Bewaard in een zuurbestendig, afgedekt bakje, met voldoende pekelwater om de chili's onder te laten staan en bewaard in de koelkast zijn de chili's verschillende maanden houdbaar.

Gepelde (lange) groene chili's in blik: In plaats van groene peper te kiezen wanneer er geen verse *poblanos* verkrijgbaar zijn en ook de lange groene soort (zoals Anaheims) niet voorhanden is, zou ik eerder een blikje van deze nemen. Helaas zijn veel van de ingeblikte groene chilipepers nogal zacht. Kies voor de beste smaak een soort die op vuur is geroosterd.

CHILI'S, GEDROOGDE (*chiles secos*): De kleine hete exemplaren worden gewoonlijk in een saus gepureerd om deze op te peppen, terwijl de grotere (die vaak veel milder zijn dan de kleinere) gebruikt worden om een saus te vullen en smaak te geven. Ik heb de indruk dat kleine gedroogde chili's voor het gebruik minder vaak geroosterd worden; ze worden vaak als poeder of in geplette vorm verkocht. De grotere gedroogde chili's worden gewoonlijk geroosterd, gepureerd en gezeefd (waardoor de taaie vellen worden verwijderd), en vervolgens met kruiden tot een saus gekookt.

Regionale accenten

» Sommige onderzoekers hebben hun leven gewijd aan het identificeren en catalogiseren van de verdeling en de namen van de meer dan honderd soorten chili's in Mexico. Wat hieronder volgt is natuurlijk niet zo vergaand, maar slechts een kort overzicht van de rijke variëteit aan chili's van Mexico, met nadruk op de meest bekende regionale soorten. In Yucatán worden weinig chili's gebruikt, hoofdzakelijk alleen een lokale, kleine, hete *chile seco*. Aan de andere kant, in Oaxaca, heb ik tweeëntwintig verschillende gedroogde chili's verzameld. Onder de minst gewone bevonden zich: de brede, broze, 10 cm lange, rode, gele en zwarte *chilhuacles*; de broze, nogal dunne, 10 cm lange, rode en gele *chilcostles*; de hete, broze, vingerlange rode en gele *chiles de onza*; en de rokerige, bijna bordeauxrode, gerimpelde, 7 1/2 tot 10 cm lange *chiles pasillas oaxaqueños*. Zo ongeveer overal is de zoet smakende, gerimpelde *ancho* en de steenrode, broze *guajillo* of een daaraan verwante soort te vinden; hieraan kunnen de *chile mulato* en *pasilla* worden toevoegd, daar de meeste koks deze in hun *moles* gebruiken. *Chipotles* vormen in Puebla en Veracruz een populair ingrediënt om sauzen smaak te geven, en de koks in het hele land gebruiken voor hun sauzen ook graag de 3 cm lange, bolvormige, donker-steenrode *chiles cascabeles*. Overal hebben de koks graag een van de oranjerode hete pepers zoals de dunne, kleine, vingervormige *chile de árbol*, de 1 1/2 cm lange, langwerpige *chile piquín*, de 1 cm lange, bolvormige *chile tepín* en/of de dunne, steelloze, 5 cm lange *chile japonés*.

Koopinformatie, bewaren en schoonmaken:

» Kleine (ca. 4 cm), dunne, hete gedroogde chili's zijn verkrijgbaar in de meeste supermarkten en soms zijn daar zelfs enkele grotere exemplaren verkrijgbaar. Een breed assortiment is verkrijgbaar in de meeste tropische of Mexicaanse winkels en vaak ook in speciaalzaken. Wanneer de gedroogde chili's er zanderig of vuil uitzien (sommige worden in de openlucht gedroogd), veeg ze dan gewoon met een doekje af.

Zaadjes en nerven verwijderen:

» Breek de steel eraf, en breek (of, zo nodig, snijd) de chili's open; schud of neem de zaadjes eruit en trek (of snijd) de lichtgekleurde nerven eruit. (Kleine hete chili's worden dikwijls na het verwijderen van de steel niet opengebroken: wanneer ze niet te hard of te broos zijn, rolt u ze simpelweg zachtjes tussen uw duim en vingers om de zaadjes los te maken, waarna u ze door de opening bovenaan eruit schudt.)

Het roosteren:

» Roosteren versterkt en verhoogt de smaak van bijna iedere chili, hoewel niet alle koks of traditionele bereidingswijzen dit doen. Aanwijzingen voor het in een koekepan roosteren van chili's zijn in de recepten te vinden. U weet dat de chili's geroosterd zijn wanneer ze knisperig, gebladderd en enigszins van kleur veranderd zijn en hun chili-aroma hebben afgegeven (wanneer ze gaan roken, is de pan te heet of hebt u ze te lang op laten staan). Bij het afkoelen zullen de chili's wat omkrullen; alleen wanneer u chilipoeder wilt maken moet u de chili's zo grondig roosteren dat ze bij het afkoelen volledig omkrullen.

CHILI'S, GEDROOGDE – soorten die in dit boek worden gebruikt

Chile ancho: *Ancho* (letterlijk: breed) is de naam voor een gedroogde *poblano*. De gedroogde chili is ongeveer 8 tot 10 cm lang, van boven breed (5 tot 6 cm) en taps toelopend; het velletje is tamelijk rimpelig, en in de verpakking zien de chili's er bijna zwart uit (hoewel ze wanneer ze tegen het licht worden gehouden een heel donker bordeauxrode kleur laten zien). Een gemiddelde *ancho* weegt 15 gram. Zoek altijd naar gave, schone, *zachte*, aromatische chili's (ze ruiken een beetje als pruimen). Een puree van geweekte *chiles anchos* is bruinrood met een milde, rijke, bijna zoete smaak (die me een beetje doet denken aan melkchocolade) met een wat bittere nasmaak. *Anchos* geven per ons meer pulp dan de meeste andere chili's. Regionale namen zijn onder andere: *chile pasilla* (Michoacán en omgeving, plus Californië); de algemene omschrijving *chile de guisar* of *chile de color/colorado* (Mazatlán, Tampico, Querétaro); en in de noordwestelijke en de noordelijke westcentrale gebieden komt een kleine hete *ancho* voor die *chino* genoemd wordt.

Chile de árbol: Wanneer u verse *chiles de árbol* kunt vinden, hebben ze vaak dezelfde naam. Deze heldere, oranjerode gedroogde chili is doorgaans licht gebogen,

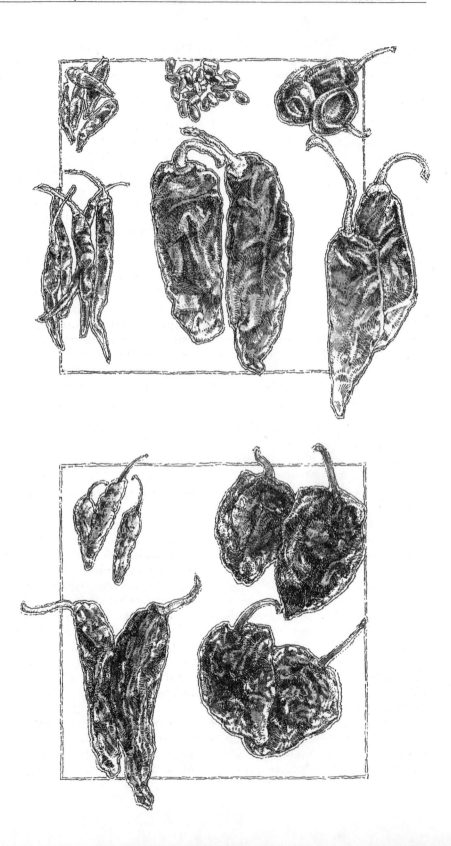

meet ongeveer 7 1/2 cm lang bij 1 cm in omvang, en loopt in een scherpe punt toe; het velletje is glad, nogal broos en doorschijnend. Vijfenveertig *chiles de árbol* van gemengde grootte wegen ongeveer 30 gram. Kies ze zoals u *guajillos* zou kiezen. Een puree gemaakt van gedroogde *chiles de árbol* zal er prachtig vlammend oranje uitzien met een zeer hete, scherpe, duidelijke gedroogde-chilismaak. Regionale namen voor deze chili's zijn onder andere: *parado* en *palillo* (San Cristóbal de las Casas, Chiuapas), *cambray* (Monterrey), en *pico de pájaro* (noordwestelijke kust).

Chile chipotle: *Chipotle* (van het Nahuatl voor 'gerookte chili') is de naam van een door rook gedroogde *jalapeño* (de chili droogt niet goed aan de lucht, zodat hij een handje geholpen moet worden, in dit geval met warme rook). De gedroogde chili is ongeveer 5 cm lang en 1 cm in omvang; hij ruikt rokerig (u zou het door de verpakking heen moeten kunnen ruiken), heeft een broos en rimpelig vel, en is de enige chili die ik ken met een houtachtige kleur. Een gemiddelde *chipotle* weegt iets meer dan 3 1/2 gram. Zoek *chipotles* uit die stevig en niet gebroken zijn. Puree van geweekte *chiles chipotles* heeft een donkerbruine kleur, met een scherpte die zich langzaam ontwikkelt en met een zoete rooksmaak; ze is niet bitter, noch is de gedroogde-chilismaak erg uitgesproken. In Puebla en Veracruz, wordt de naam *chipotle (colorado)* gebruikt voor een enigszins kleinere, donker bordeauxrode, rimpelige, naar rook geurende *chile*; in die plaatsen worden *chipotles* zoals hierboven beschreven *chipotles mecos* genoemd (dit laatste betekent, verwarrend genoeg, letterlijk 'rood met zwarte strepen'). Die kleinere, roodachtige *chipotles* (in de rest van Mexico voor het merendeel *moras* genoemd) zijn niet zo zoet en hebben niet zo'n rooksmaak als de *chipotle meco*, en ze hebben een sterkere gedroogde-chilismaak; ze zijn minstens even heet als de *chipotles mecos* en zeer bitter. Ze worden soms onder het etiket *chipotles* ingeblikt.

Chile guajillo: In de zeldzame gevallen dat *guajillos* (letterlijk: kleine kalebas) vers te krijgen zijn, hebben ze dezelfde naam. Deze bordeauxrode, gedroogde chili's zijn er in verschillende grootten (afhankelijk van de exacte soort), maar gemiddeld zijn ze ongeveer 12 cm lang, en lopen ze van 5 cm breed aan de bovenkant in een stompe punt toe; het vel is glad met enkele grote rimpels of vouwen, en is tamelijk broos en doorschijnend. Een gemiddelde *guajillo* weegt ongeveer 7 gram. Kijk altijd uit naar niet-gebroken *guajillos* die niet al te broos zijn en die geen lichtgekleurde plekjes hebben (wat aangeeft dat het vlees is aangevreten door motlarven). Puree van geweekte *chiles guajillos* heeft een aardachtige, levendig rode kleur met een medium hete, niet zoete, sterke, ongecompliceerde gedroogde-chilismaak, iets wrang en met net een vleugje rooksmaak. Per ons geven *guajillos* veel minder pulp dan *anchos*; hun vel is erg taai. Hoewel deze 12 cm grote, niet-al-te-hete *guajillo* (in delen van West-Centraal-Mexico *mirasol* genoemd), de meest gangbare soort is, is er regelmatig een veel hetere, dunnere, iets kleinere, meer taps toelopende *guajillo pulla* (letterlijk: honende *guajillo*) verkrijgbaar. En in delen van West-Centraal-en Noord-Mexico is een chili verkrijgbaar die eruitziet als (en door veel marktverkopers omschreven wordt als) een grote, zeer milde *guajillo*; hij lijkt erg op de soort uit New Mexico/Californië. Regionale namen voor de laatste soort zijn te vinden onder New Mexico/California-chili.

Chile mulato: Een *mulato* (letterlijk: met een donkere huid) lijkt heel erg op een *ancho*, behalve wanneer hij tegen het licht wordt gehouden: de *mulato* ziet er dan donkerder uit. Hoewel deze chili wanneer hij vers en groen is op een *poblano* lijkt, worden er in Mexico maar weinig in die vorm verkocht. Het gemiddelde gewicht en de overwegingen die bij het kopen in acht dienen te worden genomen zijn gelijk aan die voor *ancho*. Een puree van geweekte *chiles mulatos* ziet er bruin-zwart uit met een zeer volle, ronde, medium hete, niet zoete smaak die veel minder bitter is dan die van een *chile pasilla*. *Mulatos* geven een redelijke hoeveelheid pulp per ons.

Chile pasilla: *Pasilla* is de naam voor een gedroogde *chile chilaca*. De lange, over de hele lengte even brede, stompe gedroogde chili varieert van 10 tot 15 cm in de lengte en 2 1/2 tot 4 cm in breedte; het vel is net zo gerimpeld als dat van een *ancho*, en de kleur (zowel in de verpakking als wanneer tegen het licht gehouden) is in meerdere of in mindere mate zwart. Een gemiddelde *pasilla* weegt ongeveer 10 gram. Neem dezelfde koopoverwegingen in acht als voor *anchos*. Een puree van geweekte *chiles pasillas* is bruin-zwart met een roodachtige ondertoon, is medium heet tot heet en heeft een zeer diepe en complexe smaak die eindeloos doorgaat – helemaal niet zoet en tamelijk bitter. *Pasillas* geven een redelijk hoeveelheid pulp per ons. De regionale namen zijn onder andere: *chile negro* (Michoacán en omgeving, plus Californië) en ook wel *chile pasilla negro* of *chile pasilla de México*.

New Mexico/California-chili: Bepaalde soorten van deze chili zijn in het grootste deel van West-Centraal- en Noord-Mexico onder diverse namen verkrijgbaar: *chilacate* (Guadalajara), *chilaca* (Monterrey), *de la tierra* of *colorín* (twee duidelijk onderscheiden soorten in Chihuahua), *colorado* (Sonora), *guajón* (Zacatecas), en *cascabel* (noordelijk West-Centraal-Mexico en Tampico – niet te verwarren met de kleine, ronde *cascabel*, een woord dat letterlijk 'rinkelende belletjes' betekent). In verse vorm lijkt de chili op of is gelijk aan wat in de Verenigde Staten een lange groene chili genoemd wordt (in Mexico eenvoudigweg *chile verde*). Deze bordeauxrode gedroogde chili is gewoonlijk zo'n 15 cm lang en 5 cm in omvang, en loopt toe in een stompe punt; het velletje is glad, heeft minder rimpels dan een *guajillo* maar lijkt er verder wel op. Een gemiddelde New Mexico/California-chili weegt ongeveer 10 gram. Neem dezelfde koopoverwegingen in acht als voor *guajillos*. Een puree van geweekte New Mexico/California-chili's heeft een aardachtige, helderrode kleur met een tamelijk milde, ongecompliceerde rode-chilismaak en is enigszins wrang; de meeste ervan die in Mexico verkocht worden zijn zeer mild, hoewel er in de Verenigde Staten ook zeer hete exemplaren van te vinden zijn. Per ons geven de New Mexico/California-chili's veel minder pulp dan de *ancho*; hun vel is erg taai. Hoewel bepaalde kenners zeggen dat deze chili in de Verenigde Staten vaak onder de naam *guajillo* verkocht wordt, ben ik dit in de praktijk nog nooit tegengekomen.

CHILI'S, VERSE (*chiles frescos*): Verse chili's, gewoonlijk kleine, scherpe exemplaren, worden toegevoegd om een gerecht dat onmiskenbare, levendige, verse-peperkarakter te geven. Soms worden de kleine chili's gekookt of in een koekepan geroosterd, waardoor ze zacht genoeg worden om samen met andere gekookte ingrediënten gepureerd te worden. Sommige soorten (zoals *jalapeños* en *güeros*) worden gewoonlijk ingemaakt. De chili's echter die meestal voor gebruik gekookt worden, zijn de grotere exemplaren: door verhitting worden hun velletjes gebladderd en vervolgens verwijderd (ze zijn wat taaier dan die van kleinere chili's en zouden anders in het uiteindelijke gerecht terechtkomen). Daarna kunnen de chili's met andere ingrediënten gepureerd worden voor het maken van een grove saus, maar vaker worden ze in reepjes gesneden (*rajas*) en met vlees of groenten gekookt, of intact gelaten en via een inkeping aan de zijkant gevuld.

Regionale accenten:

» Nogmaals, dit is een selecte chilitour door Mexico – op z'n best een globaal overzicht van het fascinerende, complexe geheel dat nog verder ontdekt moet worden. De favoriete verse chili's van Mexico – althans de bekendste soorten – zijn de grote *poblano* en de kleine *serrano*. Natuurlijk zou het Mexicaanse voedsel met niet meer dan deze twee soorten veel van zijn regionale complexiteit verliezen: de meeste koks kennen de dikke, kleine *jalapeño*, en die uit de kuststreken (vooral de Golf) kopen de kleine ronde, zeer hete, verse *chiles piquines* (ook wel *amashitos* en *chiles de monte* genoemd). Op veel markten zijn de groene paprika's (*pimiento/chile morrón [verde]*) in kleine hoeveelheden verkrijgbaar, maar bij mijn weten spelen ze geen belangrijke rol in het traditionele voedsel, behalve in Yucatán (waar ze zeer rimpelig en tamelijk klein zijn en *chile dulce* worden genoemd). Een nogal dunne, gele chili is populair in Yucatán, en hij is dan ook veel op markten in Westcentraal- (en soms in Centraal-) Mexico te zien (evenals een korter neefje), dikwijls ingemaakt. Van de favoriete Yucatánse kleine lantaarnvormige *chile habanero*, met tinten die variëren van groen tot geel tot oranje, wordt beweerd dat hij duizend keer heter is dan *jalapeños*, maar de scherpte verdwijnt tamelijk snel en de duidelijke, kruidige smaak is opvallend. In de hoge heuvels tussen Michoacán en Puebla, evenals in Chiapas, heb ik grote hoeveelheden van de grotere, hete, geel-oranje *manzano/perón*-pepers geproefd. De lange en dunne (15 x 2 cm) zwart-groene, ruw uitziende *chile chilaca* wordt veel gebruikt in delen van West-Centraal-Mexico (evenals enkele andere lokale soorten). En in de noordelijke staten, vooral rondom Chihuahua, is het de tamelijk platte, bleekgroene chili (die lijkt op de Anaheim of de Californische chili) die van de hele chilifamilie het populairst is.

Koopinformatie en bewaren:

» In bijna alle supermarkten vind je tegenwoordig wel Spaanse, en groene en rode pepers, evenals de kleine cayennepepertjes. Meer soorten pepers zijn in toko's en tropische winkels te vinden. *Jalapeños*, *chipotles* en *serranos* zijn via de groothandel in blik verkrijgbaar (zie pag. 408) Bewaar alle verse chili's enigszins afgedekt in de koelkast; de meeste soorten zijn diverse weken houdbaar.

Zaadjes en nerven van kleine ongekookte chili's verwijderen:

» Knip of breek de stelen eraf, snijd de chili's in de lengte in tweeën, en snijd de nerven weg en schraap de zaadjes eruit.

Kleine chili's roosteren:

» Leg de chili's simpelweg in een niet ingevette koekepan op gemiddeld vuur en keer de chili's om totdat ze zacht zijn (ze zijn dan hier en daar zwartgeblakerd). Kleine chili's worden ook wel geroosterd (of soms alleen gekookt) om ze zacht te maken zodat ze gemakkelijk fijngestampt of gepureerd kunnen worden.

Grote chili's roosteren:

» Hoewel chili's in de eerste plaats geroosterd worden om het velletje gemakkelijk te kunnen verwijderen, leveren verschillende methoden van roosteren ook verschillende smaken op. Ik kan drie methoden aanbevelen. (1) *Roosteren boven vuur:* Houd een chili vast met een tang (of prik hem aan een vork) terwijl u hem heel langzaam boven een hoge gasvlam beweegt (er zijn mensen die een elektrische brander gebruiken), totdat het gehele oppervlak zwart ziet en gebladderd is, wat afhankelijk van de grootte ongeveer 1 1/2 minuut in beslag neemt. (Dit is mijn favoriete methode omdat zij een chili oplevert die het minst gekookt is en de beste structuur heeft met bovendien een rustieke smaak; een zeer smaakvolle variant is de chili's roosteren boven een zeer heet houtskoolvuur, zoals Mexicaanse koks eeuwenlang hebben gedaan.)

2) *Grillen*: Leg de chili's op een bakplaat en schuif deze boven in de voorverwarmde grill; draai ze om als ze gebladderd zijn en donker worden, totdat ze helemaal zwart zijn, wat afhankelijk van de hittebron en de grootte van de chili's 4 tot 8 minuten duurt. Omdat olie warmte zo goed geleidt, bladderen de chili's wanneer ze met plantaardige olie zijn ingesmeerd gelijkmatiger.

3) *Bladderen door olie*: Verhit wat olie tot 190° C, frituur hier vervolgens hele chili's in, een paar per keer, waarbij u ze geregeld keert totdat ze na zo'n 2 tot 3 minuten gelijkmatig gebladderd zijn. De chili's bladderen op deze manier snel maar worden niet zwart en ontwikkelen ook niet veel smaak, waardoor ik deze methode alleen aanbeveel voor chili's die gevuld moeten worden.

Grote geroosterde chili's pellen en zaadjes verwijderen:

» Doe de geroosterde chili's direct over in een plastic zak of vochtige doek om ze een paar minuten te laten uitdampen. (Uitdampen zorgt ervoor dat het velletje losser gaat zitten, maar vervolgt tevens het kookproces van de chili's; laat de chili's niet te lang uitdampen – zelfs kunt u het uitdampen helemaal overslaan – wanneer u de chili's graag nog een beetje stevig wilt hebben.) Wrijf het verkoolde velletje simpelweg af en spoel de chili's. Om de zaadjes te verwijderen, snijdt u het steeltje eraf, snijdt u de chili in de lengte doormidden, verwijdert u de zaadlijsten en schrapt u de zaadjes eruit.

CHILI'S, VERSE – soorten die in dit boek worden gebruikt

Chile güero: De bleekgroene tot gele *güero*- (letterlijk: met lichte huid) chili's zijn ongeveer 10 tot 13 cm lang en 3 cm in omvang, en lopen puntig toe; ze zijn rechthoekig van boven met een geschulpte kelk. Een gemiddelde *güero* weegt ongeveer 35 gram. Het medium scherpe vruchtvlees is middelmatig dik en sappig, en het heeft een lichte, duidelijk bloemachtige smaak. Regionale namen zijn onder andere: *xcatic* (Yucatán) en soms ook *chile largo*. Een korte, puntige *chile güero* is vaak te krijgen in West-Centraal- en Noord-Mexico; daar heet hij vaak *caribe*.

Chile jalapeño: De groene tot donkergroene *jalapeño*- (letterlijk: Jalapese) chili is ongeveer 7 cm lang en 2 1/2 cm breed, en loopt in een stompe punt toe; verder ziet hij er vlezig uit. Er is een aantal soorten in verschillende grootten, waarvan er veel bedekt zijn met lichtgekleurde strepen over een groot deel van de peper (deze strepen zijn vooral goed waarneembaar bij de gedroogde *chipotles* en bepaalde van de ingemaakte *jalapeños*, waar ze ervoor zorgen dat het vel niet loslaat). Een gemiddelde *jalapeño* weegt ongeveer 15 gram. Het medium hete tot hete vruchtvlees is dik en sappig, en smaakt een klein beetje zoeter en complexer (hoewel niet per se beter) dan een *serrano*. Veel Mexicaanse koks kennen de *jalapeño* als *cuaresmeños* of, in bepaalde steden in Midden-Mexico, *huachinangos* (die beide ook specifieke subsoorten kunnen aangeven); ingemaakte *jalapeños* worden echter altijd *jalapeños* genoemd.

Chile poblano: De donkergroene *poblano*- (letterlijk: Pueblaans) chili's zijn gemiddeld ongeveer 8 tot 11 cm lang en 7 1/2 tot 9 cm breed en lopen geleidelijk toe in een punt; op hun kleur na zijn ze het gemakkelijkst te herkennen aan het feit dat de steelaanzet nogal diep in de peper is verzonken. Een gemiddelde *poblano* weegt ongeveer 75 tot 90 gram. Het milde tot medium hete vruchtvlees is vrij vlezig

Kies gave exemplaren die niet te krom zijn (waardoor ze moeilijk te roosteren en te pellen zijn). Regionale namen zijn: *chile para rellenar* (letterlijk: chili om te vullen – onder andere gebruikt in noordelijk Westcentraal- en Noordwest-Mexico) en simpelweg *chile verde* ('groene chili').

Chile serrano: De groene *serrano-* (letterlijk: berg) chili's zijn ongeveer 6 cm lang en 1 1/2 cm in omvang (hoewel er soorten in diverse grootten zijn), en lopen in een stompe punt toe; de punt kan enigszins krullen. Een gemiddelde *serrano* weegt iets minder dan 5 gram. Het scherpe vruchtvlees is dun en niet sappig, en heeft de sterke, bijna grasachtige groene-chilismaak waar ik zo van houd. Vaak wordt hij in Mexico simpelweg *chile verde* genoemd.

Lange groene chili's: Deze lichtgroene, bijna platte chili's zijn ongeveer 15 cm lang en 5 cm breed, en lopen toe in een stompe punt; van boven kunnen ze hoekig of hellend zijn, afhankelijk van de soort. Een gemiddelde groene chili weegt ongeveer 45 tot 60 gram. Het milde tot medium hete vruchtvlees heeft een gemiddelde dikte en is sappig, en de smaak is tamelijk mild maar met aanzienlijk meer aroma dan een zoete, waterige groene peper. In Noord-Mexico werden ze op de enige plaats waar ik ze vers heb zien verkopen simpelweg *chile verde* genoemd.

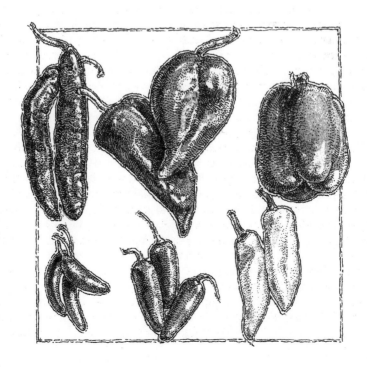

CHILIPOEDER *(chile en polvo):* Wanneer u iets scherps wilt toevoegen, hebt u een hele reeks keuzes: u kunt de gewone cayennepeper nemen (die, zoals de naam al doet vermoeden, gemaakt is van kleine hete pepers), maar ik denk dat dit niet zoveel smaak geeft als de tot poeder gemalen *chile de árbol* die in Mexicaanse kruideniers-winkels te vinden is. De gemalen *chile piquín* irriteert de maag niet, zegt men, maar hij is zo heet dat ik het lekkerder vind hem te mengen met een beetje mildere tot poeder gemalen *guajillo* of met New Mexico/California-chili. De meeste soorten chilipoeder bevatten behalve tot poeder gemalen milde chili nog andere kruiden. Aangezien chilipoeder na verloop van tijd zijn smaak en kleur verliest, is het aan te raden er slechts kleine hoeveelheden van te kopen en het poeder in een afgesloten potje op een koele plaats te bewaren.

CHOCOLADE: De iets donkere, nogal grof gemalen Mexicaanse chocolade wordt geklopt met melk of water voor het klassieke Mexicaanse warme drankje, en in kleine beetjes wordt de chocolade vermalen met de kruiden voor *mole poblano.* In tegen-stelling tot de chocolade die wij kennen, smelt Mexicaanse chocolade nooit volledig. Ikzelf houd van de smaak van het merk Ibarra omdat deze behalve amandelen ook een flinke hoeveelheid kaneel bevat, maar er bestaan nog andere merken (zoals Abuelita, Morelia, Presidencial). Verpakt in plastic en bewaard bij kamertemperatuur is Mexicaanse chocolade minimaal een jaar houdbaar.

CHORIZO: Deze Mexicaanse worst is een verse varkensworst, op smaak gebracht met een flinke hoeveelheid gedroogde chili, verschillende kruiden en een scheut azijn. Voordat hij gegeten kan worden moet hij gekookt worden, en hij wordt gewoonlijk verbrokkeld gebruikt (na het koken is het moeilijk de worst te snijden). De Spaanse *chorizo* die soms in de Verenigde Staten en Mexico verkrijgbaar is, is gewoonlijk een geconserveerde worst en is geen goede vervanging. De meeste Mexicaanse kruidenierswinkels annex slagerijen maken hun eigen *chorizo* (die sterk uiteenloopt); in Nederland is chorizo via de groothandel diepgevroren verkrijgbaar (zie pag. 408). De chorizo die in Noord-Amerika wordt gemaakt, is zelden zo goed als wanneer gemaakt hij is volgens het recept op pag. 58. Gekoeld is *chorizo* minimaal één week houdbaar; bevroren verschillende maanden.

CILANTRO: Zie Koriander, verse

CITRUSVRUCHTEN: Elke geoefende marktbezoeker in Mexico zou zo een boek kunnen schrijven over de beschikbare soorten citrusvruchten: van de alledaagse limoenen, mandarijnen, sinaasappels en grapefruits tot ten minste drie andere soorten limoenen, pompelmoezen, muskuscitroenen, *china lima, naranja lima, man-darina reina,* bittersinaasappels en een oneindig aantal kruisingen. Voor kookdoel-einden zijn bittersinaasappels en limoenen het belangrijkst.

Bittersinaasappels: In het Spaans *naranja agria* (letterlijk: zure sinaasappel). Kleine hoeveelheden van deze grote vrucht met de ruwe schil kunnen sporadisch in Mexico gevonden worden, terwijl ze in Yucatán overvloedig beschikbaar zijn. In de meeste landen worden deze sinaasappels gewaardeerd om hun heerlijk aromatische schil (voor gebruik in marmelades, likeuren en dergelijke), maar in Mexico wordt alleen het sap gebruikt. Ik vind dat het sap een onmiskenbare citrussmaak heeft, een beetje als grapefruit met slechts een klein beetje sinaasappelsmaak; het is bijna net zo zuur als een citroen. In de Verenigde Staten ben ik bittersinaasappels slechts éénmaal tegengekomen, hoewel sommige experts zeggen dat ze in de winter af en toe te vinden zijn. (In Nederland worden bittersinaasappels onder de naam Sevilla uit Italië en Spanje aangevoerd en zijn in het winterseizoen kort verkrijgbaar.) Zonder bittersinaasappels maak ik op de volgende manier een vervangend sap:

NAMAAK-BITTERSINAASAPPELSAP

Voor 1 glas vol:

6 eetlepels vers geperst limoensap
12 eetlepels vers geperst grapefruitsap
1/2 theelepel fijngehakte sinaasappelschil (alleen het oranje deel)

Meng alle ingrediënten in een zuurbestendige kom en laat dit 2 tot 3 uur staan; zeef het sap om de sinaasappelschil te verwijderen. Binnen 24 uur gebruiken.

Limoenen: De bekendste soort in Mexico is de kleine Mexicaanse limoen die als hij rijp is een gele kleur heeft; het sap ervan is zuurder dan dat van de limoenen met een donkerder groene schil. Mexicaanse limoenen zijn in de Verenigde Staten zelden te vinden, behalve in enkele grote Mexicaanse gemeenschappen en in bepaalde delen van Florida. In het Spaans van Mexico heten deze limoenen *limones*, wat lijkt op het Engelse 'lemon' (citroen) – maar het zijn geen citroenen; er is een *limón dulce*, een zoete limoensoort, hoewel deze niet gemakkelijk te vinden is. Ook zijn er zoete en zure *limas*, die te herkennen zijn aan het opvallende uitsteeksel en de zeer ongewone smaak. Op de markt van Guadalajara wordt het sap van de zoete *lima* geserveerd, terwijl onder andere in Yucatán de zure *lima* in bouillon wordt uitgeknepen om deze smaak te geven. Ik heb onze gele citroenen alleen verkocht zien worden in het noordwesten van Mexico, waar ze *limónes reales* worden genoemd.

COMAL: Zie onder Kookuitrusting

EPAZOTE: Dit is een sterk ruikend kruid met gekartelde blaadjes, dat ongeveer 75 cm hoog wordt. *Epazote* (ganzevoet) kan in de eigen tuin gekweekt worden. Er bestaan diverse namen voor, en het wordt ook als anti-wormmiddel gebruikt. Het kruid wordt in de noordelijke en westerse keuken zelden gebruikt; elders wordt het veel toegevoegd aan zwarte bonen, en gebruikt in kaas-*quesadillas* en in bepaalde *moles* en tomaten- of *tomatillo*-sauzen. Er zijn er die zeggen dat je de smaak van *epazote* moet leren waarderen; in elk geval missen veel gerechten zonder dit kruid wat smaak betreft een bepaalde authenticiteit. In Yucatán wordt het *apazote* genoemd. Zelf heb ik het kruid

gedroogd met slechts een gering verlies van smaak (ruwweg staat een volle theelepel verkruimelde gedroogde blaadjes *epazote* gelijk aan 1 takje – 7 blaadjes – *epazote*); gedroogde *epazote* is het meest geschikt voor gekookte schotels (dat wil zeggen, geen *quesadillas*). Wanneer je het koopt bij kruidenhandelaren krijg je voornamelijk stelen. Die smaken naar *epazote*, maar ze zijn eigenlijk alleen geschikt in combinatie met bonen... en misschien voor een saus. In Nederland is *epazote* alleen gedroogd via de groothandel verkrijgbaar (zie pag. 408).

GUAVES (*guayabas*): Wanneer u in een goed gesorteerde groentewinkel of in een toko verse guaves kunt vinden, zijn ze bolvormig met een dunne, gelig groenachtige schil en met vruchtvlees dat zalmkleurig of gebroken wit is; ze zijn rijp wanneer ze net zacht en zeer aromatisch zijn. Wanneer ze rijp zijn kunnen ze enkele dagen op een koele plaats bewaard worden. Zelf zou ik zeggen dat guaves in de late herfst of in de winter geoogst worden, maar ik heb ze ook op andere tijdstippen in de winkel zien liggen. Wat verkocht wordt als ananasguave (deze heeft een groene schil) is in werkelijkheid feijoa; deze vrucht heeft een soortgelijke smaak maar is geen familie.

HOJA SANTA: De grote, zachte blaadjes (*Piper sanctum*) van dit kruid en van zijn naaste familieleden hebben een complexe, kruidige geur met een sterke, intense anijssmaak. Het wordt veel gebruikt in Oaxaca, Chiapas, Veracruz, Tabasco en wat minder in Yucatán, en het heeft alles bij elkaar meer namen dan elk ander kruid dat ik ken; zelf heb ik *hierba santa, acuyo, mumu, momo* en *hoja de Santa María* gehoord; één wetenschappelijke bron noemde 27 gangbare namen. Ik ben dit kruid in de Verenigde Staten nog nooit ergens tegengekomen (en heb ook geen verwijzing ernaar gevonden – vandaar dat ik geen Engelse naam noem), zodat ik voor elk recept passende alternatieven heb ontwikkeld. Mocht u er ooit wat van in Mexico kopen, laat de blaadjes dan drogen, verkruimel ze en gebruik 1 theelepel of meer wanneer er in het recept een blaadje nodig is.

JAMAICA: De tamelijk kleine, gedroogde *jamaica*-'bloemen' zijn in werkelijkheid helemaal geen bloemen, maar de dieprode kelkjes (die de bloesems bedekken voordat ze opengaan) van een plant die bekendstaat onder diverse namen. In natuurvoedingswinkels kunt u het proberen onder Jamaicabloemen, hibiscusbloemen, roselle en Jamaicazuring (ze zijn het rode bestanddeel in Red Zingerthee). In Mexicaanse winkels worden ze verkocht als *jamaica* of *flores de jamaica*. Kies voor het maken van een smaakvol drankje diep karmozijnrode 'bloemen'; oudere exemplaren verliezen hun kleur en smaak. Bewaar ze goed afgesloten op een droge plaats; ze zijn dan ongeveer 1 jaar houdbaar.

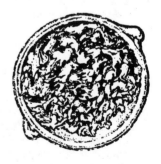

JÍCAMA: In Mexico wordt deze bruine, enigszins bietvormige groente gewoonlijk rauw gegeten, vaak met niet meer dan een schijfje limoen, een beetje zout en wat hete chili in poedervorm. De groente heeft een knapperige structuur en een aangename zoete smaak die doet denken aan verse waterkastanjes; *jícama* is echter poreuzer, en vaak zoeter, waarmee de overeenkomst met fruit wordt verklaard. De *jícama*-oogst begint in Mexico in de herfst, maar in de V.S. heb ik *jícama* het hele jaar door gezien. De kleinere exemplaren zijn zoeter en niet houtachtig. Kies exemplaren die stevig zijn en geen teken van schimmel of uitdroging vertonen. Afhankelijk van de staat waarin ze gekocht zijn, is een *jícama* onverpakt in de koelkast enkele weken houdbaar. Een gemiddelde *jícama* weegt ongeveer 500 gram.

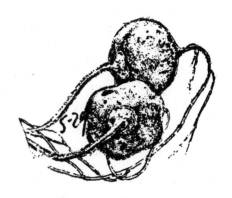

KAAS (*queso*): Mexico is nooit bekend geworden om zijn kaas, hoewel er één soort is die een grote rol speelt bij het bepalen van de smaak van Mexicaans eten. Het gaat om een eenvoudig bereide verse kaas (te vergelijken met ricotta) die rechtstreeks van de boerderij of van kleine fabrieken op traditionele tafels terechtkomt. Hij wordt verkruimeld over snacks, gebakken bonen en rijst of gemengd met specerijen als vulling voor hartige flappen of pepers gebruikt, en in plakjes op sandwiches of met fruitjelly's als dessert gegeten. Deze kruimelige kaas is ook wel in gerijpte, en daardoor drogere vorm te koop.

Natuurlijk is deze verse garneerkaas niet uniek. Enkele goede regionale kazen – gemaakt om te smelten – worden gebruikt als vulling in pasteitjes en chili's, als garnering voor bijzondere, moderne *enchiladas*, en om te smelten in *queso fundido*. Hun gebruik in traditionele schotels is echter veel minder gevarieerd dan die van de verse kaas.

Regionale accenten:

» Daar er zoveel verschillende regionale verse en smeltkazen bestaan, zal ik alleen de bekendste noemen. West-Centraal-Mexico: Hier is heel goede *queso fresco* (letterlijk: verse kaas) verkrijgbaar, vooral de zachte en gladde uit San Juan de Río, Querétaro; de droge, zoute *queso añejo* (letterlijk: oude kaas) uit Cotija, Michoacán, is de bekendste *queso añejo* in het land; en de vochtige, poreuze, verse *queso panela*, vaak verkocht in de kleine mandjes waarin ze uitlekken, behoren tot de trots van de streek. Oaxaca: Hier vind je de bekende, strak omwonden bolletjes kaas die draden trekken (*quesillo*), en die heerlijk smaken wanneer ze een paar weken hebben kunnen rijpen. Tabasco en Chiapas: Tabasco is beroemd om zijn tamelijk droge, bijna kruimelige cream cheese met een rijpe smaak (*queso crema* of *doble crema*); in Chiapas is een soortgelijke kaas te vinden, maar deze is handig verpakt in bolletjes en omwikkeld met gedroogde draden verse kaas (*queso de bola con corazón de mantequilla*). In het koloniale bolwerk Chiapas wordt ook een smaakvolle *manchego* in Spaanse stijl gemaakt. Toluca: Hier wordt een tamelijk droge, verse kaas verkocht voor het maken van eenvoudige pasteitjes (*queso asadero* genoemd, letterlijk grillkaas, omdat hij bij het warm worden gelijkmatig smelt), gekruid met *epazote* en *chile manzano*. Chihuahua: Hier is een soort milde cheddar te vinden die *queso menonita* heet omdat hij gemaakt is door de grote, Duitssprekende mennonieten; elders wordt deze kaas *queso Chihuahua* genoemd.

KAZEN – soorten die in dit boek voorkomen

Verse of oude kruimelige kaas: In Mexico is deze witte kaas op bijna alle markten verkrijgbaar; de grootte ervan loopt uiteen van enorme blokken tot heel kleine blokjes, en wat structuur betreft van fijn (bijna glad op de tong) tot grof en sponsachtig; alle soorten breken of kruimelen gemakkelijk wanneer er op gedrukt wordt (net als de droge, verse boerenkaas). De meeste van deze kazen worden bij het verwarmen zacht (en verliezen daarbij vaak wei), maar zullen gewoonlijk niet smelten. De meeste worden gemaakt van afgeroomde (meestal ongepasteuriseerde) melk, worden binnen een paar dagen verkocht (zodat ze vaak nog wei aan het verliezen zijn), en hebben een hoog watergehalte (zodat ze lekken wanneer ze niet op de juiste wijze worden bewaard). Bepaalde van deze kazen worden speciaal gemaakt om te rijpen (ze lijken meer te drogen dan te rijpen, wat misschien veroorzaakt wordt door het hoge zoutgehalte). De meeste Mexicaanse verse kazen smaken vers en naar melk (meer dan naar kaas) en ze hebben een hoog zuur- en zoutgehalte. Een rijpe kaas behoudt wat van die melkachtigheid (hoewel hij scherper smaakt) en mist de nootachtige, rijpe-kaassmaak van een Parmezaan – een kaas waar hij bij in de buurt komt. Andere namen voor *queso fresco* zijn simpelweg *queso*, *queso ranchero* (boerderijkaas), en, soms, *queso de metate* (wanneer de wrongel op de *metate* glad is gemaakt); namen voor *queso añejo* zijn *queso Cotija*, *queso oreado* (letterlijk: gedroogde kaas), en *queso seco* ('droge kaas'), en bovendien de soorten die zich meer onderscheiden zoals *sierra* en *morral*, die hetzelfde doel dienen.

Wanneer *queso fresco* niet verkrijgbaar is, gebruik ik gewoonlijk de romiger fetakaas ter vervanging van *queso fresco* of *queso añejo*, hoewel deze een sterkere smaak heeft. Om iets van de zoute smaak kwijt te raken, kunt u de kaas enkele uren in water laten weken; om hem een wat authentiekere structuur te geven, kunt u hem een paar dagen bij kamertemperatuur laten drogen, waarbij u hem geregeld omkeert. Bepaalde andere vervangende kaassoorten voor *queso fresco* zijn: droge (geperste), verse boerenkaas, gewoonlijk verkrijgbaar in peervormige plakken (om de zure of zoute smaak van *queso fresco* te krijgen moet u hem verkruimelen en zout toevoegen); droogkorrelige cottage cheese (die een hoog vochtgehalte heeft, zodat u hem het best tussen keukenpapier kunt persen en vervolgens verkruimelen en er zout aan toevoegen); een milde, verse geitekaas (vaak pittiger en romiger dan *queso fresco*, hoewel wel even vers). Behalve door feta kan *queso añejo* onder andere ook vervangen worden door: een milde Parmezaan, Romano of Sardo (die geen van alle die melkachtigheid hebben en die meer naar kaas smaken, hoewel ze wel op dezelfde wijze verkruimeld of geraspt kunnen worden) of de *droge* ricotta (niet de zachte soort in kuipjes), die in sommige speciaalzaken verkrijgbaar is (kijk uit naar gezouten ricotta/*ricotta salata* of oude ricotta).

Smeltkaas: In Mexico zou dit een milde, cheddar-achtige Chihuahuakaas kunnen zijn, de *asadero* van het noorden (die meestal iets weg heeft van een romige mozzarella gemaakt van volle melk), de vezelige, bijna rubberachtige *quesillo* uit Oaxaca, of elk van de vele soorten milde kaas in blokken.

Zelf ben ik niet tevreden over de meeste van de imitatie Chihuahua- of *asadero*-kazen die in de V.S. gemaakt worden, dus kies ik meestal een milde witte cheddar, Monterey Jack of mozzarella van volle melk; geperste Muenster is te vlak naar mijn smaak, hoewel soms wel authentiek. De meeste Mexicaanse smeltkazen bevatten geen kleurstoffen; de echte Chihuahua bevat een klein beetje gele kleurstof. In Mexico wordt een smeltkaas die draden trekt (*hace hebras*, zoals men zegt) zeer gewaardeerd.

KALK, GEBLUSTE (*cal*): Deze witte poederachtige substantie is calciumhydroxide. De eerste Mexicanen maakten het waarschijnlijk van gloeiende zeeschelpen, en gebruikten het zowel voor het maken van pleisterkalk als voor het behandelen van gedroogde maïs, waardoor de maïs beter verteerbaar en voedzamer werd. Noordamerikaanse koks hebben gebluste kalk gebruikt om komkommers steviger te maken voordat ze werden ingemaakt (Mexicanen gebruiken hem op soortgelijke wijze om fruit voor het konfijten steviger te maken). Gebluste kalk is verkrijgbaar bij de apotheek (vraag naar kalk of naar calciumhydroxidepoeder). In de V.S. is *cal* ook verkrijgbaar bij tortillafabrieken. Bewaard op een droge plaats en goed afgesloten is gebluste kalk onbeperkt houdbaar. In Mexico is ook ongebluste kalk (calciumoxyde) in rotsachtige stukjes verkrijgbaar. Deze moeten eerst worden 'geblust' door ze in water te leggen (er zal onmiddellijk een sterke reactie volgen en een heleboel belletjes) en een paar minuten te laten staan totdat alle activiteit is gestopt; dit water wordt vervolgens gebruikt voor het koken van de maïs.

KANEEL (*canela*): Volgens een inkoper van kruiden bij een van de grote inkopers van Mexicaanse voedselprodukten komen de onregelmatig gevormde, dicht opeen gepakte kaneelstokjes met de vele laagjes (ze lijken veel op die in Mexico verkocht worden) die in Mexicaanse kruidenierswinkels in de V.S. verkocht worden, uit Ceylon, waarvan veel van de toonaangevende boeken over kruiden zeggen dat het de ware kaneel (*Cinnamomum zeylanicum*) voortbrengt. Deze stokjes zijn zachter en veel gemakkelijker te malen dan de mooie, sterker ruikende, donkere kaneelstokjes van de verwante kassiaboom (*Cinnamomum cassia*). Deze laatste zijn in de meeste kruidenierswinkels te vinden - ideaal voor gebruik als roerstokjes, maar ik gebruik ze niet graag om mee te koken. De hoeveelheden in dit boek zijn voor stukjes van de onregelmatig gevormde kaneelstokjes (ongeveer 1 cm in doorsnee); ze kunnen in een vijzel of met een elektrische kruidenmaler tot poeder worden gemalen.

KOKOSNOTEN (*cocos*): Verse kokosnoten zijn het hele jaar door verkrijgbaar. Kies exemplaren die veel vocht bevatten en waarvan de drie ogen niet zacht of beschimmeld zijn. Een goede kokosnoot is diverse weken in de koelkast houdbaar.

Een kokosnoot schillen:

» Steek een ijspriem (of een kurketrekker) in twee van de gaten, en laat het vocht (vaak 'kokosnat' of soms ten onrechte 'kokosmelk' genoemd) in een kopje lopen. Zet de kokosnoot 15 minuten in een op 160° C voorverwarmde oven (hierdoor raakt het vlees los van de schil), breek hem met een hamer in grote stukken, en wrik het vlees los van de schil. Snijd met een klein (aardappel)mesje het donkere velletje van het kokosvlees, en rasp het vlees of hak het fijn.

KOOKUITRUSTING: Om doeltreffend Mexicaans te kunnen koken, is er eigenlijk weinig extra's nodig: de meeste mensen die van koken houden zullen wel over de juiste verzameling messen, potten, pannen, koekepannen, schalen enzovoort beschikken. Wel kan het handig zijn een goedkope medium fijne zeef aan te schaffen en, indien mogelijk, een van de volgende typisch Mexicaanse produkten.

Kookpotten: De traditionele potten zijn gemaakt van aardewerk, zijn lichtgebakken en alleen van binnen geglazuurd. Wijdere exemplaren, die de vorm hebben van lage schalen, worden *cazuelas* genoemd en worden gebruikt voor het koken van stoofpotten en dergelijke; grotere potten die naar boven toe smaller toelopen zijn de *ollas*, die worden gebruikt voor bonen en soepen. Ook zijn er speciale ollas voor het zetten van koffie en het kloppen van chocolade. Volgens experts bevatten de geglazuurde potten lood; zelf gebruik ik ze gewoon, zoals de Mexicanen zelf ook eeuwenlang gedaan hebben, maar ik houd me wel aan de aanbeveling van de FDA om er geen voedingsmiddelen (vooral niets zuurs) in te bewaren. Deze potten, waarin ingrediënten gelijkmatig gekookt worden, worden direct op het vuur gebruikt; u kunt de pan 'acclimatiseren' door er de eerste keer water in te koken (het is een goed idee om dit iedere keer voor gebruik te doen wanneer de pan weinig gebruikt wordt); sommige koks adviseren de niet-geglazuurde buitenkant met een teentje knoflook in te smeren om een overheersende aardesmaak weg te nemen. Die smaak is er echter wel de reden van dat de meeste koks zo graag gebruik maken van *ollas* en *cazuelas* die gemaakt zijn van *barro* (klei). Anderzijds duurt het lang voordat ze warm worden en zijn ze nogal breekbaar, waardoor veel koks overgaan op aluminium of email (*peltre*).

En bent u wat betreft de uitrusting fanatiek, volg dan mijn aanbeveling en koop een gietijzeren pan (doorsnee 30 cm) voor het bakken, een grote oven voor het smoren van gerechten en een grote stoompan voor *tamales*. En kijk uit naar helder gekleurde serveerschalen en -kommen; uw Mexicaanse gerechten zullen er prachtig in uitkomen.

Grillplaten: De oorspronkelijke grillplaten, in het Spaans *comales* genoemd, werden van klei gemaakt; hoewel bakplaten van klei in delen van Zuid-, Centraal en West-Centraal-Mexico nog wel beschikbaar zijn, zijn ze voor het merendeel vervangen door platte exemplaren van staal – waarvan vele me doen denken aan Franse pannen voor omeletten en crêpes. Gietijzeren bakplaten zijn gemakkelijk verkrijgbaar, en dat is mijn keuze omdat ze zo gemakkelijk in het gebruik zijn en ze zo gelijkmatig warm worden.

Hulpmiddelen voor het fijnmalen: Eeuwenlang hebben Mexicaanse koks de driepotige vijzels van basalt-ware (*molcajetes*) en stampers (*tejolotes*) gebruikt voor het fijnmaken van kruiden, tomaten, *tomatillos* en dergelijke; een exemplaar van gemiddelde grootte is ongeveer 20 cm in doorsnee en 13 cm hoog, kan ongeveer 1 dl bevatten en is gemaakt van basalt-ware (lavasteen) die heel zwaar en niet al te poreus is. Grotere hoeveelheden of droge mengsels (zoals maïs voor *masa*, geweekte gedroogde chili's, noten enzovoort) zijn lange tijd fijngemaakt tot pasta op een hellende, driepotige *metate* van basalt-ware (ongeveer 30 x 45 cm), waarbij een *mano* van basalt-ware (die lijkt op een enigszins afgeplatte deegrol) werd gebruikt om de ingrediënten heen en weer te bewegen). Het tamelijk zware fijnmalen van de ingrediënten wordt uitgevoerd op een naar beneden hellend vlak waarbij het maalsel in een bakje valt dat aan de lage kant geplaatst is. Hoewel een blender in feite meer hakt dan maalt, vervangt deze in Mexico dikwijls zowel de *molcajete* als de *metate* en vervangt ze in de Verenigde Staten bijna altijd. De mesjes van een foodprocessor werken trager dan die van een blender (hardere ingrediënten zoals noten, chilivelletjes en dergelijke worden niet helemaal tot puree gemalen), waardoor deze machine bij het Mexicaans koken niet zo nuttig is.

Ik heb altijd een *molcajete* bij de hand, en gebruik deze om kleine hoeveelheden kruiden fijn te malen; een elektrische kruiden/koffiemolen is handig voor grote hoeveelheden en voor het fijnmalen van noten. De avontuurlijke kok die in de *molcajete* een saus wil maken, kan de hardste ingrediënten (zoals ui, knoflook en verse chili) het best eerst fijnmalen, vervolgens de zachtere bestanddelen (zoals tomaten) toevoegen, en dan de klus klaren.

Tortillapersen: In plaats van te improviseren door deeg voor maïstortilla's tussen twee borden te persen, is het sterk aan te bevelen wat geld uit te geven aan een tortillapers; u zult het merken aan het resultaat. De meeste tortillapersen zijn van gietijzer of aluminium; zelf geef ik de voorkeur aan het stevige, zwaardere gietijzer en ik raad u aan te zoeken naar een pers met aan de kant van de scharnieren een ruimte van ongeveer 3 mm tussen de platen. In Mexico zijn er ook persen van mesquitehout verkrijgbaar, met name in de omgeving van Guadalajara.

KORIANDER, VERSE (*cilantro*): In de laatste jaren is dit sterk aromatische kruid met de uitgesproken smaak (niet te verwarren met de koriander-*zaadjes* van dezelfde plant) gelukkig op steeds meer plaatsen verkrijgbaar. Koriander is essentieel voor het garneren van veel taco's en is onmisbaar in sauzen als *Salsa Mexicana* (pag. 35) en in *Seviche* (pag. 91). *Cilantro* is een kwetsbaar kruid, dus kies bosjes die er vers uitzien, niet gelig of verwelkt; de blaadjes moeten zijn uitgegroeid. Alles, behalve lelijke delen van de stengel, kan gebruikt worden. Gezet in een glas water, losjes bedekt met een plastic zakje en bewaard in de koelkast is verse koriander ten minste een week houdbaar; bosjes met wortels nog langer. De aromatische smaak wordt minder door koken of drogen. Gepureerd met plantaardige olie, bewaard in potjes, afgedekt met een beetje olie en bewaard in de koelkast, is koriander maandenlang houdbaar, hoewel het hele verse er dan wel van afgaat.

LIMOENEN: Zie Citrusvruchten

MAÏS, GEDROOGDE VELD- (*maíz*): Hoewel kant-en-klaar verkrijgbare gedroogde korrels die de meeste van ons kennen bijna altijd voor popcorn is, zijn gedroogde veldmaïskorrels (de witte – soms gele – niet zoete, zetmeelrijke maïs die gebruikt wordt voor het maken van het deeg (*masa*) voor maïstortilla's of *tamales*) soms ook verkrijgbaar in gespecialiseerde winkels (waar de maïs meestal wordt verkocht voor het maken van *pozole*). Ikzelf heb gedroogde veldmaïs ook wel gekocht in winkels waar hij verkocht worden als kippevoer (verzeker u ervan dat de korrels er goed uitzien; ze moeten heel zijn en niet behandeld met een stof die u liever niet naar binnen krijgt). Voor de beste maïspap van hele korrels en voor de *masa* voor *tamales* met de beste structuur, gebruiken Mexicaanse koks graag de grootkorrelige *maíz cacahuazincle*; ik ben deze in de Verenigde Staten nog niet tegengekomen. Hele gedroogde blauwe maïskorrels, die in de V.S. in delen van het zuidwesten gekocht kunnen worden (en in sommige speciaalzaken), is een andere soort zetmeelrijke veldmaïs, die soms gebruikt wordt voor tortilladeeg. Strak verpakt en bewaard op een droge plaats, is de genoemde maïs minimaal 1 jaar houdbaar.

MAÏSBLADEREN (*hojas de maíz*): Deze gedroogde bladeren afkomstig van de aren van veldmaïs worden in Mexico gebruikt voor het verpakken van *tamales* (en soms van ander voedsel). In Nederland zijn ze gedroogd via de groothandel verkrijgbaar (zie pag. 408). Kies wanneer u ze ooit vers mocht kunnen krijgen de langste bladeren uit en verzeker u ervan dat ze niet zijn aangevreten of gescheurd. Verpakt en opgeslagen op een droge plaats, zijn ze ten minste 1 jaar houdbaar.

MASA: Hoewel het woord technisch gezien in het Spaans 'deeg' betekent, wordt er in Mexico over het algemeen 'maïsdeeg' mee bedoeld, het alomtegenwoordige deeg voor tortilla's en *tamales*. Verse *masa* – gemaakt van behandelde, geweekte, gemalen veldmaïs – is in de V.S. bij tortillafabrieken verkrijgbaar in twee soorten: met een gladdere structuur voor het maken van tortilla's en soms ook met een grovere structuur voor het maken van *tamales*. (Er bestaat echter verschil tussen *masa para tamales* en *masa preparada para tamales*: de laatste is grove *masa* gemengd met reuzel en kruiden). Hebt u de keus (bijvoorbeeld wanneer u in de V.S. bent), koop dan bij een tortillafabriek die witte *masa* maakt, wat over het algemeen aangeeft dat de bittere *cal* waarmee de maïs behandeld wordt, volledig is weggewassen; de enige keer dat wit niet automatisch puur inhoudt, is wanneer de *masa* gemaakt is van gele maïs. In Nederland is *masa* niet verkrijgbaar; u kunt het zelf maken van *masa harina*. Voor tortilla's moet het verse deeg verpakt en gekoeld worden en binnen één dag worden gebruikt. Gebruikt u het deeg binnen een paar uur, dan hoeft het niet gekoeld te worden. Zelfs voordat de *masa* bederft (drie tot vier dagen), verliest hij zijn plasticiteit dat nodig is om lichte tortilla's te maken. *Masa* voor *tamales* kan goed verpakt een maand of langer in bevroren toestand worden bewaard. Wanneer verse *masa* in recepten in dit boek benodigd is, wordt de gladgemalen *masa* voor tortilla's bedoeld, tenzij anders aangegeven.

MASA HARINA: Dit poederachtige meel is *masa* van verse maïs die gedroogd en vervolgens tot poeder gemalen is. *Masa harina* is iets heel anders dan fijngemalen maïsmeel, zowel wat smaak als wat de bereiding betreft. Het is in elk geval voor de gemiddelde kok wel gemakkelijker verkrijgbaar dan de snel bedervende verse *masa*, maar de smaak is iets anders (in Nederland is *masa harina* verkrijgbaar via de groothandel, zie pag. 408). Bewaard op een droge plaats en goed verpakt is *masa harina* ten minste een jaar houdbaar.

METATE: Zie Kookuitrusting

MOLCAJETE: Zie Kookuitrusting

NOPAL-CACTUS: Zie Cactusbladeren

NOTEN EN ZADEN (*nueces y pepitas*): Wanneer het woord *nuez* in Mexico gebruikt wordt, verwijst het meestal naar de inheemse pecannoot. Walnoten zijn op redelijk grote schaal te vinden, vooral in Centraal-Mexico, en worden *nuez de Castilla* ('noot uit Castille') genoemd. De overige noten die er in de wereld bekend zijn, zijn zo nu en dan ook wel te vinden, en dan op plaatsen waar je ze het minst zou verwachten. Pinda's zijn een gewas van de Nieuwe Wereld (hoewel eigenlijk geen echte noot) en ze vormen populair straatvoedsel (bestrooid met chili of bedekt met karamel). In Campeche zijn er cashewnoten, hoewel de vrucht (*marañón*) meer gewaardeerd lijkt te worden dan de noot. Pompoenzaden (dat wil zeggen, zaden van een groot aantal verschillende groene/geelbruine pompoenen of andere grote pompoensoorten) worden al sinds mensenheugenis door Mexicanen gegeten. In Mexico kunnen ze ongepeld, gepeld, rauw, geroosterd of gemalen gekocht worden en iedere soort heeft zijn eigen smaak en structuur. Voor de recepten in dit boek worden alleen de gepelde, niet-geroosterde, puntige, groene pompoenzaden gebruikt die in de meeste natuurvoedingszaken verkrijgbaar zijn (in Mexicaanse winkels worden ze vaak gewoon *pepitas* genoemd). Bewaard in de vriezer (zoals alle noten) en goed verpakt, zijn pompoenzaden minstens zes maanden of langer houdbaar. Gewoonlijk worden ze geroosterd voordat ze voor gebruik in een saus gemalen of uit de hand gegeten worden.

OLIJFOLIE: Zie Vetten en oliën

OLLA: Zie Kookuitrusting

OREGANO: Zoals ook met bepaalde andere kruiden en specerijen is gebeurd, is het Spaanse woord *orégano* een algemene term geworden om zo'n beetje elk kruid dat ook maar vaag naar oregano smaakt te omschrijven. Op de markt van Monterrey alleen al kocht ik drie verschillende oregano's bij één kraampje (met de naam van de plaats van herkomst: San Luis Potosí, Durango en Nuevo León), die allemaal een ander soort blad hadden. Voor zover ik het weet, is de meest algemeen verkochte soort die uit de ijzerhardfamilie; het aroma en de smaak ervan onderscheiden zich duidelijk van de mediterrane oregano (*Origanum vulgare*).

PEPITAS: Zie Noten en zaden

PETERSELIE, PLATTE (*perejil*): Het is niet altijd mogelijk deze zeer aromatische peterselie, vaak Italiaanse peterselie genoemd, te vinden. Hoewel de alledaagse gekrulde peterselie als vervanging kan dienen, is de smaak hiervan vele malen zwakker.

PILONCILLO: Dit is de ouderwetse, harde, geel-bruine ongeraffineerde suiker die bepaalde traditionele gerechten smaak geeft; de naam verwijst naar de konische of afgeknotte piramidevorm. Andere namen zijn onder andere *panela* (in de zuidelijke en zuidoostelijke staten gebruikt) en *panocha* (een minder specifieke benaming die ook sommige andere snoepjes kan aanduiden). Hoewel alle soorten naar een bepaalde melasse-achtige bruine suiker smaken, is er soms de keus tussen lichtere (*blanco* of *claro*) of donkerder (*oscuro* of *prieto*) suiker. De bekendste vorm van Mexicaanse ongeraffineerde suiker is een afgeknotte kegel, die klein (ongeveer 20 gram) of groot (ongeveer 250 gram) kan zijn. De kegels zijn zeer hard; ik vind het zelf het gemakkelijkst om ze met een mes met zaagtanden fijn te hakken, hoewel het fijnhakken van *piloncillo* nooit eenvoudig is. *Piloncillo* is in de V.S. in de meeste Latijns-Amerikaanse kruidenierswinkels verkrijgbaar en soms in de grote supermarkten; in Nederland is het produkt (nog) niet verkrijgbaar. Bewaard op een droge plaats en goed verpakt is *piloncilla* onbeperkt houdbaar.

PLANTAARDIGE OLIE: Zie Vetten en oliën

POMPOENBLOEMEN (*flores de calaba-za*): Dit zijn de lange bloemen (ongeveer 13 cm) van de harde squashpompoen, die verkocht worden met een tamelijk groot gedeelte van de steel er nog aan. Hoewel ik ze zelf niet verbouw, vertelde een tuinder me laatst dat je alleen de mannelijke bloemen moet plukken (deze dragen geen vruchten). Wanneer ik ze in Mexico koop, gebruik ik ze dezelfde dag nog; ze zijn niet goed houdbaar. (In de vertaalde recepten in dit boek zijn de oorspronkelijke pompoenbloemen vervangen door courgette-bloemen.)

POMPOENZADEN: Zie Noten en zaden

Radijsroosjes op z'n Mexicaans maken:

» Houd een radijsje met de wortel naar boven en maak met een klein puntig mesje iedere centimeter een inkeping; snijd van de wortel naar de steel. Maak vervolgens een 'bloemblaadje' door net onder de bovenkant tussen twee inkepingen in te snijden (waarbij u het mesje bijna parallel aan de bovenkant houdt); begin bij de wortel en stop vlak voor het steeltje beneden. Maak de rest van de 'bloemblaadjes' op dezelfde manier. Leg het radijsje minimaal een half uur in ijskoud water, zodat de 'bloemblaadjes' verder opengaan en stevig worden.

RADIJS (*rábanos*): De kolossale, lange rode radijzen die rond Kerst in Oaxaca een prijs krijgen voor figuursnijden mogen dan oogverblindend zijn, maar alledaagse radijsjes worden ter decoratie voor diverse Mexicaanse gerechten gebruikt. Ze worden vaak tot roosjes gesneden, waarbij het bladgedeelte eraan wordt gelaten.

RIJST (*arroz*): Hoewel in de meeste Mexicaanse kookboeken die in de Verenigde Staten verschijnen langgraanrijst wordt gebruikt (en in kookboeken die in Mexico verschijnen simpelweg *arroz* wordt genoemd), ben ik er globaal achter gekomen hoe een medium rijstkorrel er in Mexico uitziet. Hij heeft na het koken een vleziger, minder 'opgezwollen' structuur. Ik houd van de medium korrels, en beveel deze daarom ook aan.

SEVILLA-SINAASAPPELS: Zie Citrusvruchten

SLA (*lechuga*): Bindsla (*lechuga orejona*) lijkt nog steeds de favoriete slasoort in Mexico, hoewel ijsbergsla (*lechuga romana* of *lechuga de bola*) steeds populairder wordt (vooral in het noorden) en kropsla de enige slasoort is die je in Yucatán vindt.

TAMARINDEPEULEN: Deze 10 cm lange, enigszins gebogen bruine peulen (ze zien eruit als een groot formaat peultjes) zijn afkomstig van een grote, van oorsprong Aziatische boom. Het zeer zure, bruine binnenste wordt in Mexico gebruikt voor een drankje. Tamarindepeulen zijn in sommige toko's te koop. Buig er wanneer u ze koopt een tussen de vingers: wanneer ze vers zijn, laat de schil gemakkelijk los en is het vruchtvlees zacht. Mocht u toch thuiskomen met exemplaren met een plakkerige schil, week ze dan voordat u ze pelt 5 minuten in heet water.

TOMAAT (*jitomate* of *tomate*): Deze immer populaire rode vrucht wordt in Mexico zowel in de ronde (*jitomatie de bola*) als in de peervormige variant (*jitomate guaje*; in Nederland Roma-tomaat of pomodori genoemd) algemeen verkocht. In Noord-Mexico en van Oaxaca tot Yucatán is de naam *tomate*; in de rest van het land wordt de naam *jitomate* gebruikt. Rijpe, verse tomaten zijn in veel Mexicaanse gerechten essentieel: peervormige tomaten (te gebruiken in gekookte sauzen) zijn in Nederland tegenwoordig steeds beter verkrijgbaar (gelegen in de vensterbank rijpen ze heel goed). Voor een verse, winterse *salsa mexicana*, zijn Roma-tomaten wat te vlezig, dus gebruik ik soms rijpe kerstomaatjes en knijp de zaadjes eruit. Wanneer goede, verse tomaten niet verkrijgbaar zijn, kunnen de meeste gekookte sauzen gemaakt worden met een goede kwaliteit ingeblikte tomaten (bij voorkeur peervormige), verpakt met vocht. In de meeste openbare kookgelegenheden worden verse tomaten gebruikt. Voor gekookte stoofpotten en sauzen worden verse tomaten gewoonlijk eerst zachtjes gekookt tot ze zacht zijn of direct op de grillplaat geroosterd; vervolgens worden ze gepeld, van de harde kern ontdaan en worden, voor een verfijnd gerecht, de zaadjes verwijderd. Voor *salsas* die als bijgerecht dienen worden verse tomaten simpelweg van de harde kern ontdaan en in stukjes gesneden. De richtlijnen voor de tomaten in dit boek zijn als volgt: kleine tomaten wegen ongeveer 170 gram, middelgrote tomaten 230 gram en grote tomaten ongeveer 280 gram. Een gemiddelde Roma-tomaat weegt ongeveer 70 gram.

Tomaten koken:

» Leg de tomaten in water zodat ze onderstaan, breng het water aan de kook en laat ze op gemiddeld hoog vuur koken totdat ze zacht zijn, wat, afhankelijk van de grootte en hoe rijp ze zijn, ongeveer 12 minuten duurt. Haal ze met een schuimspaan uit de pan, laat ze afkoelen, verwijder voorzichtig het velletje en snijd er tot slot de harde kern uit.

Tomaten roosteren:

» Het rechtstreeks op de grillplaat roosteren van tomaten kan nogal een knoeiboel worden (de velletjes plakken vast en verbranden), zodat ik de grillplaat gewoonlijk eerst bekleed met aluminiumfolie. Leg hierop de tomaten en draai ze, afhankelijk van de grootte en hoe rijp de zijn, ongeveer 15 minuten geregeld om, totdat het vruchtvlees zacht is en het velletje geblakerd en zwart. Laat ze afkoelen, verwijder het velletje en snijd de harde kern eruit. Een zeer gemakkelijk, succesvol alternatief is afkomstig van Diana Kennedy: leg de tomaten op een met aluminiumfolie beklede bakplaat, plaats deze boven in de grill en laat ze in 12 tot 15 minuten, afhankelijk van hun grootte, zacht en zwart worden, waarbij u ze eenmaal keert. Verwijder het velletje en de harde kern (en gebruik altijd het smaakvolle vocht dat tijdens het roosteren ontsnapt). Wanneer mogelijk rooster ik verse tomaten altijd. Hierdoor wordt hun smaak geconcentreerd en versterkt, terwijl deze door koken alleen maar in het water terechtkomt.

TOMATILLO: Deze kleine, lichtgroene, zuur smakende, met een papierachtig vlies omgeven vrucht die de grootte heeft van een pruim is de basis van de meest gangbare Mexicaanse groene sauzen. Hij is nauw verwant aan de kleinere, door een vlies omgeven dwergkers, waarvan ik de ranken in de V.S. vaak in het wild heb zien groeien. Het vlies lijkt op de 'bloemen' van de verwante Chinese lantaarnplant. Zie pagina 46 voor regionale namen. Losjes verpakt en in de koelkast bewaard zijn *tomatillos* diverse weken houdbaar. De vliezen raken gemakkelijk los. Hoewel ik de vrucht

rauw in een saus heb zien gebruiken, wordt hij gewoonlijk net zo lang zachtjes gekookt of droog geroosterd (met of zonder vlies) tot hij zacht is. Een gemiddelde *tomatillo* weegt 45 gram. *Tomatillos* zijn in Nederland niet vers verkrijgbaar; *tomatillos* uit blik zijn er wel, maar tot op heden (januari 1996) uitsluitend in voor de horeca bestemde blikken van 3 liter.

TORTILLA'S, MAÏS-: Aangezien maïstortilla's tegenwoordig kant en klaar gekocht kunnen worden (in Nederland alleen via de groothandel, zie pag. 408), en daar ze er niet allemaal hetzelfde uitzien, volgen hieronder richtlijnen voor het type tortilla dat het best in de verschillende bereidingen gebruikt kan worden:
Chilaquiles, overige gekookte/gestoofde tortillagerechten en soepen: Gebruik dezelfde soort tortilla als voor *enchiladas* (zie hieronder). Oudbakken, zelfgemaakte tortilla's zijn goed te gebruiken.

Krokant gebakken (tostadas, chips, tacos): Gebruik dunne tortilla's gemaakt van vrij grof gemalen *masa*, bij voorkeur tortilla's die niet zijn opgezwollen en enigszins droog zijn. Bij een tortillafabriek kan in de V.S. vaak een speciale tortilla gekocht worden die beantwoordt aan de bovenstaande beschrijving wanneer er gevraagd wordt om tortilla's voor *tostadas* of chips. Voor de opgerolde Krokant gebakken taco's (zie pag. 154), en zelfs voor *tostadas* en chips, worden in Mexico vaak dikkere tortilla's gebruikt: gebakken tot ze net knapperig zijn, leveren ze stevige, vlezige taco's op; krokant gebakken voor *tostadas* of chips zouden de meeste Noord-Amerikanen ze eerder hard noemen (en vaak vet). Mijn raad is om voor bakken nooit zelfgemaakte tortilla's te gebruiken.

Enchiladas: Gebruik dikke en vrij droge tortilla's. Dikke tortilla's zullen in de saus niet snel uit elkaar vallen, en droge zullen lang niet zoveel olie opnemen wanneer ze gebakken worden. Zelfgemaakte tortilla's kunnen gebruikt worden wanneer ze elastisch genoeg zijn om opgerold te worden zonder open te scheuren.

Quesadillas van kant-en-klare tortilla's: Gebruik dikke en bij voorkeur verse tortilla's: dik omdat ze dan een goed omhulsel voor de vulling vormen, en vers omdat ze dan goed smaken. Zeer elastische zelfgemaakte tortilla's kunnen ook gebruikt worden.

Tortilla's om aan tafel geserveerd te worden: Dikke, verse tortilla's zijn hiervoor het meest geschikt (zie hieronder voor richtlijnen omtrent het opwarmen van tortilla's door stoom om ze uit de hand te eten); zelfgemaakte tortilla's zijn heel geschikt.

Kant en klaar gekochte of zelfgemaakte maïstortilla's door stoom opwarmen:

» Pak een stapel van 12 tortilla's in een schone, zware doek in, plaats deze in een stoompan boven 1,5 cm water, doe een deksel op de pan en breng bij gemiddeld vuur aan de kook. Wanneer er vanonder het deksel stoom ontsnapt, wacht u 1 minuut, waarna u de pan van het vuur neemt en hem 15 tot 20 minuten laat staan. In een zeer matig warme oven blijven de tortilla's minimaal een uur warm en vochtig.

UIEN *(cebollas):* Verreweg de meest gebruikte ui in Mexico is de witte uit, en dikwijls zijn ze net gerooid, met de groene stelen er nog aan. De tweede meest gebruikte ui is de rode, maar deze lijkt meer als garnering gebruikt te worden dan als deel van het eigenlijke kookproces. Gele uien zijn zelden te vinden... wat volgens mij begrijpelijk is wanneer je de smaak vergelijkt met die van witte uien: de gele hebben een troebele smaak vergeleken met de schone, uitgesproken uiesmaak van de witte. Een kleine ui weegt ongeveer 120 gram, een ui van gemiddelde grootte ongeveer 180 gram en een grote ui ongeveer 240 gram. Een rode ui van gemiddelde grootte weegt 240 tot 300 gram.

VANILLE (*vainilla*): Er zijn er die zeggen dat vanille, de peul van een tropische klimplant, de meest karakteristieke bijdrage van Mexico aan de specerijen van deze aarde is. De Spanjaarden leerden het kostbare spul kennen via de Azteken, die eerder hadden ontdekt hoe ze door de peulen herhaaldelijk te roosteren en te laten drogen het witte kristallen poeder konden verkrijgen – een mengsel dat in de niet-behandelde peul niet gevonden wordt. In Mexico wordt vanille bijna altijd in vloeibare vorm gebruikt, en, ik betreur het te moeten zeggen, er is maar weinig puur extract bij. In feite krijgt het merendeel van die beroemde/beruchte goedkope Mexicaanse vanille zijn zeer duidelijke 'vanille'-geur van de cumarine, een geurige chemische substantie die in tonkabonen voorkomt; de Amerikaanse Food and Drug Administration heeft de import van cumarine naar de Verenigde Staten verboden omdat hoge doses cumarin schadelijk zijn. In veel Mexicaanse vakantieoorden is puur vanille-extract beschikbaar voor de toeristen, maar de merken lopen uiteen; in Papantla, Veracruz, midden in het belangrijkste vanille-kweekgebied, heb ik een goed puur extract gekocht (merk: VaiMex), evenals goede vanillebonen. Gebruikt u onder andere de Mexicaanse vanille a la Molina (ik ben erg dol geworden op de smaak ervan), dan is het mogelijk dat u wat minder dan normaal zult willen gebruiken.

VETTEN EN OLIËN (*manteca y aceites*): In recente jaren is de traditionele Mexicaanse reuzel steeds meer vervangen door goedkopere plantaardige olie, zodat ik in de meeste recepten de keuze aan de kok heb gelaten. Laat ik echter voor degenen die een onverklaarbare afkeer van reuzel hebben wel even duidelijk zeggen dat volgens de USDA het cholesterolgehalte van reuzel *minder dan de helft* is van dat van roomboter. Ik gebruik reuzel wanneer ik de smaak ervan nodig heb (net zoals ik soms boter gebruik), maar ik koop altijd een rijk smakende, huisgemaakte reuzel in de Mexicaanse winkel. Kunt u niet aan goede reuzel komen, smelt dan liever uw eigen varkensvet. In Mexico zijn veel soorten plantaardige olie verkrijgbaar, waarbij het in de meeste gevallen om zonnebloem- (*girasol*) of saffloer- (*cártamo*) olie gaat; gemengde plantaardige en sojaolie zijn tegenwoordig steeds meer verkrijgbaar; maïsolie (*aceite de maís*) lijkt in het westen van Mexico overvloedig verkrijgbaar. Olijfolie (*aceite de oliva*), voor het merendeel afkomstig uit noordelijk Baja California, wordt in de traditionele gerechten zelden gebruikt. In enkele recepten, waarin hij vaak of af en toe gebruikt wordt, heb ik olijfolie opgenomen. Mexicaanse olijfolie is nogal overheersend, dus meng ik hem soms met plantaardige olie.

VLEES, GEDROOGDE REPEN (*carne seca*): In grote Mexicaanse gemeenschappen in de V.S. maken bepaalde slagers ze, en in het westelijk deel zijn ze niet moeilijk te vinden. Mocht u gedroogde repen vlees voor recepten in dit boek zoeken (in plaats van ze zelf te maken, zie pag. 60), neem dan exemplaren met een gelijkmatige kleur en zonder rafelige randen. Losjes verpakt en bewaard op een droge plaats zijn de repen vlees diverse maanden houdbaar.

MEXICAANSE PRODUKTEN IN NEDERLAND
door FonZwart

Hoewel lang niet alle Mexicaanse ingrediënten die in dit boek aan de orde komen in Nederland verkrijgbaar zijn, worden er veel méér produkten geïmporteerd dan algemeen wordt aangenomen. Alleen verse produkten als *chiles jalapeños, poblanos* en *serranos*, verse *tomatillos* en verse *masa* komen in ons land zelden of nooit aan de markt (maar als er voldoende vraag naar is, komt daar ongetwijfeld vanzelf verandering in).

Elke liefhebber van Mexicaans eten weet dat tarwetortilla's, rode bonen en *chiles jalapeños* uit blik tegenwoordig in elke supermarkt te koop zijn, maar dat de Nederlandse consument ook – als hij dat zou willen – de hand kan leggen op maïstortilla's, *masa harina*, diepgevroren Mexicaanse *chorizo*, ingeblikte *tomatillos*, gedroogde *epazote*, *chipotle*-pepers uit blik, gedroogde maïsbladeren voor *tamales*, ingeblikte cactusbladeren (*nopales*), gekarameliseerde geitemelk (*cajeta*) en gedroogde *chiles pasillas*, *anchos* en *guajillos*, beseffen slechts weinigen. Denk dus niet te gauw dat u een van de recepten in dit boek niet kunt maken omdat de ingrediënten er niet zijn.

Er is echter één probleem: het merendeel van bovengenoemde produkten is vooralsnog uitsluitend verkrijgbaar bij horecagroothandels en natuurlijk uitsluitend in groothandelshoeveelheden. Ook al zou u uw inkopen bij een groothandel kunnen doen, voor thuisgebruik zijn die grote hoeveelheden niet echt handig. Maar de produkten zijn er dus wel en als u maar flink zeurt bij uw kruidenier of supermarkt, komen ze vroeg of laat vanzelf op de schappen terecht. Het wachten is slechts op vooruitstrevende winkeliers en/of een supermarktketen die de groothandels dwingen kleinere hoeveelheden op de markt te brengen.

REGISTER

Winkel met taco's in Mexico-City